Vermelho Brasil

Jean-Christophe Rufin

Vermelho Brasil

O romance da conquista do Brasil pelos franceses

Tradução
Adalgisa Campos da Silva

Título original
Rouge Brésil

Capa
Adriana Moreno

Revisão
Neusa Peçanha
Tereza da Rocha

Editoração Eletrônica
FUTURA

R922b

Rufin, Jean-Cristophe
Vermelho Brasil: o romance da conquista do Brasil pelos franceses/
Jean-Christophe Rufin. – Rio de Janeiro : Objetiva, 2002

406 p. ISBN 85-7302-463-1

Tradução de: *Rouge Brésil*

1. Literatura Francesa – Romance. 2. Rio de Janeiro –
História – Ficção. 3. Invasão francesa – Ficção. I. Título.

CDD 843

Tive por muito tempo comigo um homem que permanecera dez a doze anos neste outro mundo que foi descoberto em nosso século, no local em que Villegagnon aportou, ao qual chamou França Antártica...

Montaigne
Ensaios, I, XXXI

Sumário

I

CRIANÇAS PARA OS CANIBAIS

CAPÍTULO 1

— Imagine só, meu senhor, o que pode sentir um homem que vê ferver à sua frente a água onde vai ser cozido.

Ao dizer isso, o marujo lançou um olhar lúgubre para as brasas.

— Mentiroso! Mentiroso — gritou o índio levantando-se.

— Como? Mentiroso! Vocês não comem seus semelhantes, por acaso? Ou é a receita que você contesta, malandro? É verdade, meu senhor — prosseguiu o marinheiro dirigindo-se novamente ao oficial —, que nem todos os brasileiros agem da mesma forma que os que me capturaram. Alguns desses senhores "curam a carne", é isto, quer dizer, eles assam ou, se preferir, defumam. Você contestará isso, vagabundo?

O marinheiro, com sua força frágil mas decidida de bêbado, pegara o índio pelo gibão e colava-lhe à frente seu nariz lustroso. O confronto durou alguns segundos, cada um perdido de ódio nos olhos do outro. Depois, súbito, o marujo largou o nativo, e ambos desataram a rir e se apertaram as mãos ruidosamente. Soavam oito horas na grande torre da catedral de Rouen, e a taberna em frente ao venerável edifício vibrou toda a cada badalada.

O oficial, com seu corpo esguio e seu rosto anguloso, parecia acabrunhado. Esses reencontros não o enterneciam nada. Ele tinha uma missão a cumprir e estava impaciente. O ano de 1555 ia na metade, e, muito depois do mês de junho, os ventos já não seriam favoráveis. Deu um tapa na mesa.

— Estamos cientes — disse com a voz calma em tom de ameaça fria — do perigo das costas onde vamos desembarcar. Todavia, nossa decisão está tomada: zarparemos dentro de oito dias para ir fundar no Brasil uma nova França.

O marujo e o índio se endireitaram em seus bancos. Um resto de riso e as imagens inefáveis que a palavra Brasil por si só colocava no fundo de seus olhos continuavam lhes dando uma expressão irônica que talvez não passasse de sonho.

— Não temos tempo a perder — acrescentou secamente o oficial. — Sim ou não, aceitam ambos se unir à nossa expedição para nela servirem de intérpretes junto aos nativos?

O marujo, que apreciava ser agradado e pretendia prolongar este prazer, tentou usar de manha.

— Meu senhor — murmurou com sua voz de bêbado —, eu já lhe disse: intérpretes, vocês encontrarão no local. Há três gerações que nós, normandos, vamos lá buscar essa famosa madeira vermelha que dá cor às telas dos irmãos gobelinos. É preciso toda a desfaçatez dos portugueses para afirmar ter descoberto esse país quando a verdade é que nós traficamos ali há mais tempo que eles.

Como ninguém o interrompia, ele se animou.

— Menos de dois dias depois de vocês terem aportado nessas costas, já verão acorrer de todas as povoações das cercanias vinte vigorosos nativos oferecendo-se para lhes servir de trugimães.*

— Devo reiterar — disse o oficial com lassidão — que o cavaleiro de Villegagnon, que é o chefe de nossa expedição, nada quer arriscar. Levamos todo o necessário para fundar uma colônia. Queremos ter nossos próprios intérpretes e não depender de ninguém.

Toda a atenção do albergue estava concentrada na dupla grotesca do franzino marujo e do índio. O marinheiro tomou coragem primeiro, sem dúvida por estar acostumado às bruscas viradas de bordo.

— O senhor nos diz quando parte, isso é ótimo. Mas antes devia nos anunciar quando estima regressar.

— Nunca. Trata-se de povoar outra província para o rei. Os que embarcam conosco terminarão seus dias além-mar. Haveremos de abastecê-los abundantemente de tudo, mas a palavra regresso não deverá mais ter sentido para eles. Eles serão simplesmente de França e a França será lá.

— Já foi a esse país? — perguntou o marujo, franzindo os olhos com malícia.

— Ainda não — admitiu o oficial com um olhar de desafio. — Mas conheço muitos outros, no Oriente.

---

* Neste caso, trugimão carrega o sentido de intérprete. Optamos por usar este termo pelo contexto em que está inserido. [N. E.]

O marinheiro levantou-se, suspendendo em sua estreita mastreação de ossos o pouco de carne que a vida lhe poupara. Assumiu um ar sério ao declarar:

— Também eu naveguei no Oriente. Uma brincadeira! Estamos lá como em nossa casa. As Américas são outra coisa. Quatro vezes fiz essa viagem maldita. Sempre para esse Brasil do qual o senhor fala em fazer uma nova França. Conheci tudo: as febres, os canibais dos quais acabei escapando por milagre e agora os cães desses portugueses que nos cortam as mãos e os pés quando abordam nossos navios e os capturam. De onde acha que tirei forças para suportar tudo isso?

Com um gesto largo, que felizmente lhe trouxe a caneca até os lábios, ele afastou um argumento invisível.

— Não me fale de riqueza! Ouro, papagaios, corantes, isso tudo engorda nossos armadores que não arredam pé daqui. Mas os simples marinheiros, olhe para eles: a vida é o único bem que lhes resta, e ainda... Não! Meu senhor, a única idéia que nos dá coragem para passar todos esses tormentos — e, ao dizer isso, lançou um olhar furtivo para o índio como se o coitado fosse a causa de tudo o que ele suportara nas Américas — é a esperança de retornar para cá.

Pousando os dois punhos na mesa, o marinheiro colocou toda sua força no final de seu discurso.

— Estou desolado por decepcioná-lo — concluiu. — Mas é melhor ouvir logo minha resposta categórica: não partirei.

O oficial se conteve. Em outras circunstâncias, teria dado uma surra naquele tratante teimoso. Mas, se o fizesse, todos os homens livres da tripulação dariam no pé já no dia seguinte. Sobrava então o índio. Este compreendeu, com atraso, a fúria que essa primeira recusa o faria enfrentar. Todos os olhares voltavam-se agora para ele.

Malgrado o calor daquele fim de primavera, o índio mantinha estritamente abotoados todos os seus botões até o pescoço e as mangas. Não fazia isso por conforto nem por vaidade, mas sim por um receio secreto: o de não saber até onde a conveniência o autorizava a se pôr à vontade. Durante os meses que se seguiram à sua chegada à França, o infeliz infringira por diversas vezes essas convenções, desvelando em público suas partes mais íntimas no inocente intuito de as refrescar. Caçoou-se muito dele.

As almas caridosas poderiam ter-lhe encontrado alguma desculpa. Capturado por seus inimigos enquanto combatia nas matas do Brasil, fora resgatado por marinheiros franceses entre os quais figurava aquele que então estava sentado a seu lado. Com a idéia de homenagear o rei Henrique II, que anunciara sua iminente visita à Normandia, negociantes dessa província o haviam enviado à França juntamente com cinqüenta dos seus semelhantes. Tão logo desembarcara em Rouen, fora solicitado a dançar diante do rei e da rainha, coberto unicamente com as plumas com que estava paramentado ao ser capturado. Tendo-se mostrado nu diante de um rei, depois não entendera bem por que lhe ordenavam que se cobrisse na presença do comum dos franceses.

— Então? — perguntou bruscamente o oficial para quebrar o silêncio que o índio povoava de um arfar indeciso.

O infeliz estava entregue a uma luta terrível. A evocação do Brasil lhe trazia imagens de florestas, de danças e caçadas. A cor do céu da América, de sua vegetação e de seus pássaros lavava-lhe a alma de todo o cinza do qual o dia-a-dia de Rouen o saturara. Contudo, apaixonara-se por essa cidade desde o primeiro dia em que dançara diante dos soberanos debaixo de uma chuva ligeiramente ácida de primavera que se misturava voluptuosamente a seu suor. Cativo, julgara-se morto. Em seguida, experimentara, em uma França que se apropriara desta bela palavra, um Renascimento. Libertado, com seus congêneres, por ordem de Catarina de Médicis, vagara pelas ruas de Rouen. Uma tarde, deitado à sombra da torre Norte, fora notado por uma normanda robusta cujo pai era um próspero barbeiro. Tanto ela fez que seus pais aceitaram recolher o índio, vestiram-no e alimentaram-no. E um belo dia, eles foram unidos em matrimônio, juntamente com quatro outros casais de igual natureza, que seu exemplo ajudara a formar.

A imagem de sua doce mulher, com as faces coradas de saúde, surgiu na mente do índio e veio lhe dar forças para afastar a sedutora idéia de um regresso às suas matas.

— Não! — disse simplesmente.

Era uma declaração comedida, e a falta de prática que ele tinha do francês não lhe permitia dizer muito mais. Mas o ardor que imprimira a essa única palavra e sua expressão subitamente arisca mostravam que nada poderia dobrá-lo.

O oficial, exausto depois desses meses de preparativos, via com abatimento surgir esse último obstáculo. Ele não estava longe de ser invadido pelo desânimo, e sua postura, as costas encurvadas, um braço caído, a cabeça baixa eram a clara expressão desse estado de espírito.

O albergue estava interessadíssimo no assunto. Havia ali presente um grande número de marinheiros, e todos haviam acompanhado em silêncio a conversa; discussões em voz baixa exprimiam o desejo que cada um tinha de opinar sobre a questão. De repente, de uma mesa situada próximo ao fundo, no canto mais escuro e mais frio, um homem sozinho em quem ninguém prestara atenção quebrou o burburinho dos murmúrios e proferiu as quatro palavras que iriam decidir tudo.

— Pois então levem crianças — disse.

O oficial virou-se para ver atrás de si quem dissera aquela frase. Cadeiras giraram rangendo nas lajotas do chão. Todo mundo procurava distinguir no escuro os traços do autor da proposta. Para melhor se mostrar, ele fez deslizar sobre sua mesa uma vela até colocá-la à sua frente e revelar seu rosto. Era um homenzinho encurvado, seus cabelos grisalhos pareciam contados e sua franja rala era contida por um gorro de tafetá. Um bigode curto, não muito mais farto, orlava seu lábio fino e exagerava, arregaçando-se nas extremidades, o curto sorriso que sua boca havia formado. Ele esperava, imóvel e feliz, que a platéia saciada com sua pessoa inofensiva voltasse a seu assunto.

— Crianças, senhor? O que quer dizer? — exclamou o oficial, com a voz muito firme de quem se dirige a um fantasma, para se convencer de que ele existe.

O intruso fez uma pequena saudação com a cabeça para indicar que já se desobrigara dos respeitos.

— Meu senhor, é sabido que a criança tem o dom das línguas. Ponha um adulto cativo em terra estrangeira, e ele precisará de dez anos para saber usar algumas palavras familiares. Uma criança, no mesmo número de semanas, saberá falar correntemente e sem sotaque.

Este último comentário fez todos notarem que o próprio desconhecido tinha uma entonação estrangeira. Embora falasse um francês excelente, um sotaque meridional o tornava simpático e ao mesmo tempo suspeito. Não se podia dizer sua proveniência: pronúncia natural de um provençal ou leve opacidade traduzindo a perfeição quase completa de um italiano letrado.

— E pode-se saber, senhor, de onde lhe vem tal certeza?

— Mas parece-me que isso é bom senso e não estou envolvido pessoalmente nessa questão. Todavia, já que me dá a honra de me perguntar, em suma, quem sou, eu lhe direi que meu nome é Bartolomeo Cadorim, e que sou da República de Veneza.

Há esclarecimentos que confundem. A presença naquele porto e naquele momento daquele veneziano de aparência eclesiástica cheirava a espionagem. Mas o homem parecia mais divertido que perturbado com a surda hostilidade e os murmúrios da platéia.

— Capitão Le Thoret, cavaleiro de Malta — precisou por sua vez o oficial. — Às ordens do cavaleiro de Villegagnon, vice-almirante da Bretanha.

O veneziano semi-ergueu-se para fazer atrás da mesa uma espécie de mesura sem abandonar o fino sorriso que deixava todo mundo tão constrangido. Depois, prosseguiu com naturalidade:

— Temos muita experiência nessa questão de trugimães, pois a República de Veneza há muito mantém relações de comércio com os extremos do mundo. As nossas caravanas que levaram crianças para o Oriente fizeram delas os melhores intérpretes de que já dispusemos para a China ou o Levante. Aliás, os espanhóis também procedem da mesma forma. No México, por exemplo, quando inicialmente não tinham para se fazer entender pelos astecas senão aquela índia conhecida como Malinche, eles conseguiram, graças a crianças, constituir vastas reservas de intérpretes para todos os seus usos.

— E com que idade, em sua opinião, devem-se enviar esses jovens aprendizes? — perguntou Le Thoret, a quem o homem interessara.

— Cinco ou seis anos é excelente.

— Impossível! — exclamou o oficial. — O senhor de Villegagnon deu ordens explícitas para que nenhuma mulher seja embarcada em nossos navios. Na idade que menciona, uma criança ainda precisa, parece-me, da mãe ou de uma ama.

— Se a criança for mais velha, ainda passa — retrucou o veneziano. — A bem dizer, o dom das línguas não se perde senão com a formação do corpo.

Ele se preparava para fazer outros comentários sobre essas estranhas correspondências entre órgãos e entendimento, mas mudou de idéia ao ver que o militar enrubescera.

— Além do mais, é preciso encontrar meninos que estejam em condições de partir e não sejam muito vadios — disse Le Thoret pensativo.

O recrutamento da futura colônia não fora fácil. Não se acharam muitos voluntários, mesmo com a garantia de que receberiam uma terra a título vitalício. O execrável boato que corria a propósito dos selvagens comedores de gente enchia até os miseráveis mais de medo que de esperança. Esses ignorantes preferiam todas as formas de morte certa a que a pobreza os condenava à possibilidade incerta de serem devorados por seus semelhantes. E eis que agora seria necessário procurar crianças. No entanto, sem dúvida era a melhor idéia, e Villegagnon, tão logo lha apresentassem, haveria de adotá-la.

— Então o que dizem é verdade — prosseguiu o veneziano forçando-se a ser natural —, vocês partem para o Rio. Têm intenção de botar mesmo esse ovo no ninho dos portugueses? No entanto, o próprio papa, ao que parece, reconhece que eles têm autoridade única sobre o Brasil.

— Que um papa espanhol outrora tenha partilhado o Novo Mundo entre os ibéricos, pouco nos importa — respondeu o oficial esfregando os olhos de cansaço por repetir há dois meses a mesma cantilena. — Ninguém jamais nos mostrou o testamento de Adão, pelo qual ele tivesse privado a França do usufruto das Américas.

— Bem dito! — gritou o marujo erguendo sua caneca.

Toda a platéia de bebedores esperava apenas um sinal para deixar eclodir um bom humor que o ar glacial do oficial contivera até então. Ele pôs fim às risadas erguendo a mão ossuda à qual faltava um dedo cortado outrora numa arcabuzada.

Encarando o mercador com desconfiança, súbito pareceu lembrar-se de que estava tratando com um estrangeiro.

— Inútil perguntar mais sobre isso, senhor. O rei não deseja que esse assunto seja divulgado e ele só diz respeito à França.

Nove badaladas de relógio, fazendo tremer as canecas nas mesas, vieram oportunamente encerrar essa indiscreta conversa. O veneziano pagou seu prato de caldo e retirou-se com passos curtos desejando boa viagem ao oficial com um estranho sorriso. O marujo adormecera. O índio foi ter com a esposa. Le Thoret, saindo na praça principal, estremeceu debaixo da chuva fina que começara a cair. Ele esperara descansar um pouco naquela curta semana que o separava ainda da grande partida. E eis que, em vez disso, teriam então que correr os orfanatos.

CAPÍTULO 2

Um interminável renque de chorões, plantado como uma ala de alabardeiros, continha com muito custo o alegre deslizar dos campos para as falésias. O mar, escondido a seus pés, não era perceptível senão pelo vago rumor de uma arrebentação invisível. O vento do oceano que custara a começar a soprar rasgava algumas nuvens grossas deixando aparecer o sol branco que não secava a relva.

No verde do prado, o cavalo baio, quase imóvel, pastava calmamente. De quando em quando, dava grandes rabanadas para espantar as moscas que agitavam essa interminável estiagem após a umidade das tempestades.

— Olhe — murmurou Just —, é ele.

— Como sabe? — perguntou receosa a menina deitada a seu lado.

— Calçado de três, cavalo de reis — respondeu ele com impaciência.

— Calçado?— arriscou ela.

— Sim — respondeu o irmão com impaciência. — Essas botas brancas, em cima dos cascos: ele tem três. Cavalo de reis.

— Deixe de bancar o sabichão, e não me trate feito criança porque ouviu uma palavra quando andava com os lavradores.

— Mais baixo, Colombe! Vai fazer com que nos vejam.

Mas o cavalo continuava pastando sem parecer ouvi-los.

— De qualquer maneira — resmungou a menina —, calçado ou não, não é muito difícil reconhecer o garanhão do Sr. de Griffes.

Just impacientou-se ao ouvir o nome detestado daquele vizinho rico em cujas terras eles haviam penetrado às escondidas.

— Não fale nele, sim!

O menino continuava olhando o cavalo com inveja.

— Tem razão — disse Colombe. — Digamos que seja... Gringalet, ora!

— Gringalet, o palafrém do senhor Gawain! — retrucou Just rindo.

Em vez de agir, ambos continuavam sonhando, deitados no chão, imóveis apesar da relva úmida que lhes molhava a barriga e das pontas de lírios-verdes que lhes pressionavam incômodas cápsulas contra a pele através de suas camisas de linho.

O cavalo se endireitou, sorveu o ar salgado que o excitara com não se sabe que aroma de siri ou de pássaro morto, e, por um instante, pareceu ouvir o rolar distante dos seixos.

— Decerto seu amo lhe fala ao pé do ouvido — disse Colombe. — Ele ouve.

À evocação de Gawain, o cavaleiro sem laços, o eterno errante, sobrinho vitorioso e galante do rei Artur, o herói de suas leituras durante esses dias intermináveis da Normandia, os olhos negros do menino adquiriram um brilho vivo. Ele deu como que um imperceptível salto à frente, embora ainda continuasse deitado.

— Bem, agora ande! — encorajou-o Colombe.

Just pareceu despertar de seu sonho, olhou para ela, segurou a corda na mão direita e, sempre sem dizer palavra, levantou-se lentamente.

— Vamos, pense que você é Bel Hardi e eu sou sua dama. Faça isso por mim.

Ela dera essa ordem com voz autoritária. Por um instante, o menino achou que o cavalo os ouvira e poderia fugir. Viu o perigo e, sem hesitar mais, precipitou-se.

Como hábeis corredores de coelheiras, as duas jovens sentinelas se haviam posicionado a sotavento do animal a fim de não o alarmar. Para aproximar-se dele, era necessário aproveitar a surpresa, mas sem brusquidão. Tão logo se levantou, Just avançou em direção ao cavalo devagar e com determinação. Segurava a corda disfarçada atrás das costas. O animal deixou-o aproximar-se sem baixar as orelhas nem arregalar os olhos. Estando para alcançá-lo, o menino estendeu calmamente a mão para o pescoço ainda fumegante de chuva e manipulou-o com fortes carícias. Batia mais ou menos na espádua do cavalo que era alto no dorso. Aproximou-se e abraçou-lhe o pescoço.

Just sentira uma autêntica simpatia por esse animal, não só porque era — quem sabe — Gringalet, o cavalo de Gawain, mas sobretudo porque, com aquela crina escura em tons de fogo, parecida com sua própria cabeleira rebelde, era-lhe familiar. Preso o laço em volta do pescoço, ele levou uma das pontas da corda ao chanfro e acabou calmamente de amarrar esse simples cabresto no lado da boca. O garanhão não fez sequer um gesto de impaciência. Quando pegou a outra ponta e a esticou como uma guia curta, o menino sentiu com prazer que o animal estava então solidário com seus movimentos. Pôs-se em marcha, e seus dois vultos morenos deram uma grande volta no campo. Uma lâmina de mar, no horizonte, separava o verde do chão e o céu negro onde se acumulavam novamente as borrascas. Just ainda fez o animal virar um pouco a fim de não o deixar voltado para os perigosos reflexos de sol que a relva molhada espelhava. Depois, com um pulo, agarrando a crina, apoiando um pé na perna do cavalo, alçou-se sobre a cernelha. Deu um toque com os calcanhares, e o animal obedeceu ao novo amo.

— Colombe — gritou —, pode vir!

Just mantinha-se bem direito, mas ao seu orgulho misturava-se um pouco de medo. Ele só estava habituado a montar os rocins esfalfados da propriedade. Seu rosto fino esforçava-se para permanecer impassível, embora houvesse alegria em seus olhos e um estremecimento dos lábios marcasse um esforço visível para não gritar de felicidade. Just mal segurava a rédea simples na ponta das mãos compridas. Esta ligação quase invisível, unindo sua vontade à força do cavalo, parecia supérflua tal era a harmonia entre as elegâncias contrárias do enorme animal e do cavaleiro de quinze anos.

Colombe acorreu, indiferente a seu vestido empapado de água, radiante com esta vitória.

— Parabéns — disse —, agora, faça-me montar.

— Montar? Não, você é uma dama, e as damas não montam em palafréns.

— Pare com isso, Just. Este não é um palafrém, mas sim o cavalo do Sr. de Griffes. Vamos, puxe-me pelo braço.

Os cabelos louros de Colombe, escurecidos e alisados pela chuva, estavam colados em seu rosto. Mas seus cílios, embora molhados, continuavam claros. Orlavam seus olhos com um halo de ouro que, iluminando seu olhar, enchia-o de ironia e mistério. Ela aprendera cedo a usar os olhos com discernimento, tamanho era o poder que tinham de despertar interesse e perturbação. Quando os colava em alguém, como fazia agora em Just, era com intenção de quebrar até suas últimas resistências.

— Está bem! — ele cedeu. — Segure-se no meu braço.

Colombe agarrou-o pela articulação do braço e ele a fez montar. Embora tivesse dois anos menos que Just, era quase de sua altura, porém mais esguia e mais frágil. Com leveza, subiu na garupa do cavalo e montou agilmente nele. Depois, passou os braços nus pela cintura de Just com naturalidade.

— Bel Hardi — murmurou em seu ouvido —, se ele for mesmo Gringalet, deve poder nos levar para terras fabulosas.

Mas Just bateu prudentemente com as pernas e fez o cavalo seguir a passo. Estava inquieto, pois sentia que o animal perdera a confiança que lhe manifestara a princípio. Embora continuasse com a expressão distante, mergulhado em sonhos, quase adormecido, Just era extremamente sensível aos animais, à vegetação, a todos os seres mudos que compunham a natureza. Sentia que o cavalo vibrava com uma angústia profunda, talvez por causa dos gritos de Colombe. Ela, ao contrário, cujo olhar estava sempre em movimento, que sabia tão bem compreender todos os sinais humanos e até as mais imperceptíveis nuanças da alma, demonstrava muita indiferença pelos seres ou pelas coisas reputadas como destituídas de uma. Continuava rindo e gritando com sua voz aguda.

— Vamos para a barreira! Faça-o pegar a estrada.

Just queria tanto quanto ela levar sua montaria até o mais longe que esta pudesse levá-los. Mas estava cheio de medo. Na entrada do campo, Colombe, impacientemente, derrubou com a ponta do pé o galho empenado que servia de porteira. O cavalo deu uma guinada que quase os derrubou.

— Devagar, Colombe!

O animal, por si só, enveredou a passo pela trilha que levava ao bosque. Logo estavam no meio das faias generosas, cujos primeiros galhos eram tão altos que o primeiro andar da mata era claro e tranqüilo. O cavalo pareceu acalmar-se. O caminho subia e, quando as árvores ficaram para trás, os irmãos chegaram a um outeiro de onde se dominavam o vale e os campos que o cercavam. Numa bacia ao longe, eles distinguiam o novo solar do Sr. de Griffes, ainda todo eriçado de estacas de madeira. Os telhadores davam o último retoque nos telhados das guaritas e da grande escadaria.

— Não vamos ficar aqui, o pessoal dele poderia nos ver — disse Just para justificar tocar o cavalo e talvez esconder da irmã a emoção que sempre sentia ao ver esse palácio em construção.

Tudo de que eles gostavam da Itália — as grandes janelas abertas para a luz, as colunatas retorcidas das sacadas, a ornamentação à antiga das fachadas — era obtido como gordas gratificações por esse de Griffes ignóbil. Magistrado, negociante e ainda por cima usurário, o conselheiro de Griffes conhecia da Itália o que dela lhe queriam vender. Enquanto eles, criados na primeira infância naquela terra das artes, no atordoante rastro de um pai que se dedicara às armas e à conquista, viviam agora numa caserna feudal.

Estas idéias os haviam abatido e, enquanto prosseguiam pelo mesmo caminho, ficaram calados. Sempre no alto, a estrada, de repente, revelou Clamorgan, sua velha propriedade.

Outrora, o castelo fora muito famoso: possuía torreão, muralhas, ponte levadiça. Infelizmente, de perto, via-se que os fossos não tinham água, que a ponte já não era levadiça. Quanto ao torreão, estava nas mãos de um gigantesco buquê de hera que, embora o impedisse de cair, sufocava-o.

De longe, Clamorgan ainda tinha um belo aspecto. Era assim que Colombe e Just preferiam vê-la. Mas as terras imensas da propriedade, ao contrário das do Sr. de Griffes que recebiam os cuidados de meeiros habilidosos, estavam abandonadas ou quase.

— Mais depressa, toque o cavalo, Bel Hardi! — exclamou Colombe, a quem a visão do castelo fortificado trouxera de volta ao fantástico daquela cavalgada.

Mas Just não queria apressar o animal. O céu fechara a última fresta atrás da qual o sol acenara por alguns instantes. Escurecera e esfriara de repente. O cavalo cabeceava, com medo da tempestade.

— Vamos voltar com ele — objetou o menino fazendo o animal dar meia-volta.

— Não! — gritou Colombe. — Por uma vez, vamos procurar nos divertir aqui.

Ela ficava furiosa sobretudo se não era obedecida. Mas Just lhe virava as costas: ela não tinha mais o recurso de usar seu olhar nele. Pôs-se a esmurrar-lhe os ombros. Todavia, seus punhos franzinos repicavam na estrutura robusta do rapaz e ele continuava a conduzir calmamente o garanhão no caminho de volta. Colombe ia cair em prantos quando, de repente, avistou um galho de chorão pendendo sobre a estrada. Ao passar por ele, agarrou-o e quebrou-o sem ruído. Tiradas as folhas, fez um chicote bastante adequado. Então, tomando impulso, segurando o cipó com uma das mãos e a camisa de Just com a outra, bateu com um golpe seco na anca do garanhão. Foi o medo, mais que a dor, que fez o animal galopar. Agarrando a crina com ambas as mãos, Just conseguiu não cair, mas largou o cabresto que começou a bater na cara do animal, aumentando ainda mais o medo do bicho e o ritmo de seu galope.

Os irmãos desabalaram assim rumo ao castelo; depois, como o caminho tornasse a virar em direção ao mar, afastaram-se dele e tomaram a direção de um descampado que acompanhava um muro. Sem ação, Just usava o pouco de consciência que o medo lhe deixava para tentar não cair. O caminho, um pouco mais adiante, atravessava um riacho; o menino disse a si mesmo que eles deveriam se jogar justo antes e amortecer a queda no curso d'água lamacento. Mas o cavalo não lhe deu oportunidade de esperar até lá. Ao passar por uma fonte diante da qual havia uma escada, deu uma guinada e derrubou seus dois cavaleiros. O menino rolou no talude de capim e nada sofreu. Colombe, mais leve, foi jogada no marco e bateu com a cabeça ali. Ficou estirada de costas, sangrando um pouco na testa. Quando chegou perto dela, Just encontrou-a desacordada.

Segurou-lhe delicadamente a cabeça, falou com ela, beijou-a, embalou-a. À medida que os instantes passavam, ele só ouvia, muito ao longe, o galope desenfreado do cavalo e, muito perto, ensurdecedor no silêncio, o murmúrio solitário da nascente. Então, Just, nobre herdeiro dos Clamorgan, Just apenas, mas que a irmã havia transformado em Bel Hardi, recuperou os sentidos realmente. E Colombe não despertava. Ele deu um grito demorado, um grito rouco, rasgado pela mudança de voz de uma infância ainda recente. Escutou o coração da menina: constatou que batia. Ela estava viva. Ele a tomou nos braços, teve tempo de pensar que ela era leve e estava molhada e sem um sapato. Depois saiu correndo, os olhos rasos d'água fixos em seu fardo que continuava inconsciente.

— Amor, amor — gemia em prantos —, não morra! Não morra nunca! Estarei sempre ao seu lado.

CAPÍTULO 3

A França, nessa época, fazia a guerra sem vivê-la. Desde o final do século precedente e dos sonhos orientais de Carlos VIII, ela escolhera a Itália como liça de seus capitães. Eles voltavam de lá cheios de glória, ainda que fosse na derrota. Sentindo prazer em ali conquistar reinos para logo os perder, montavam alianças que pareciam feitas expressamente para serem rompidas e eles vencerem na disputa as cartas mestras — reis, damas, valetes — desse jogo sem regras. Essa cavalgada galante de papas insensíveis, de príncipes apaixonados por arte e de conquistadores aturdidos com os complôs tinha um grande mérito para o reino da França: dava-lhe paz e a utilização de seus exércitos longe de casa. Nada, nem mesmo a retirada de Pavia, perturbara a ordem que voltara desde o fim da guerra dos Cem Anos. Os celeiros estavam abarrotados de colheitas, por todo o país corriam tecidos e vinhos, especiarias e o trabalho delicado dos artesãos. Os reis sempre em viagem vinham ao encontro de seus súditos e seus vassalos: a nobreza vivia em suas terras, fazia-as prosperar. Em toda parte erguiam-se castelos pintados de antigo, com as cores da Itália.

Dom Gonzagues fazia para si mesmo essas reflexões enquanto olhava pela vidraça da abadia. A chuva fina da Normandia caía silenciosamente no prado viçoso, de um verde de doer na vista. Toda essa paz de bois gordos, de cabras, de vacas de úberes inchados, de macieiras cobertas de fartos cachos de flores derreados de chuva, prometendo para mais tarde uma colheita milagrosa, abatia naturalmente o velho soldado. Sua vida, há vinte anos, desde que revestira a cruz-de-malta e seguira os cavaleiros de Villegagnon, não fora senão estoque, sensação de fome e marchas forçadas. Ele combatera os turcos diante de Argel, depois na Hungria, vencera com glória mas sem proveito os imperiais no Milanês, os ingleses em Bolonha e acabara perdendo Trípoli. E enquanto enfrentava batalhas, resistia às chamas, à verminose e aos víveres deteriorados, esse prado, ali à frente, jamais devia ter tido o mínimo descanso em seu verdor.

E pensar que, em vez disso, ele poderia ter levado uma vida de paz em sua castelania da região do Agenês. Ainda que fosse o caçula, seus irmãos lhe teriam concedido um pedaço de terra só seu onde ele teria sido simplesmente feliz. Esse gênero de pensamento o atormentava quase diariamente desde que chegara a essas regiões chuvosas. Felizmente, duas seqüelas de arquebuzadas, uma na virilha e outra no ombro, vinham tirá-lo desse mole abandono do espírito e estimulá-lo, com a lembrança do combate passado, para as delícias dos combates futuros. Considerando tudo, ele não tinha o que fazer com as vacas...

A voz doce de uma religiosa chamando-o pelo nome encerrou definitivamente esse ataque, já meio contido, de melancolia.

— Dom Gonzagues de La Druz?

— O próprio, madre.

Atarracado, rechonchudo, o olhar vivo e uma barba tão pontuda que parecia ter feito com seu próprio corte a cicatriz que se via em seu pescoço, dom Gonzagues vinha carregado de espadas e adagas, embora não estivesse em guerra. O tinir dessas armas ecoou na sala revestida de pedra quando ele se perfilou enrubescendo. A rigidez do soldado fez a madre superiora sorrir. Ela viu claramente que o velho capitão estava menos perturbado com a religiosa do que com a mulher. Ninguém poderia jurar que ela não estivesse secretamente lisonjeada com isso.

— Recebi sua correspondência de ontem — disse a madre superiora mantendo-se a três passos de dom Gonzagues e sem lhe fazer a mercê de tirar de sua pessoa seus belos olhos azuis. — E então procuram órfãos para levá-los às Américas?

— Sim, madre — balbuciou o soldado protestando internamente, com uma série de imprecações contra si mesmo, contra o fato de ter Deus retido para seu serviço uma religiosa tão linda.

— Saiba, capitão, e comunique ao cavaleiro de Villegagnon, que temos a maior vontade de assisti-lo nessa questão. É uma obra de caridade que fazem indo levar a palavra de Cristo a essas terras novas. Se Deus não me tivesse dado outro destino, eu teria sido a primeira a acompanhá-los.

Este era o tipo de declaração mais adequado para deixar o infeliz Gonzagues já desejando estar entre os selvagens: ele não podia conceber que os índios usassem de uma perversidade maior que essa. No entanto, encontrou coragem para arregaçar alguns pêlos dos que possuía no rosto, de sorte que eles parecessem transformados por um esboço de sorriso.

— Voltemos ao assunto — retomou a superiora. — O senhor quer órfãos. Em outras épocas, tínhamos uma pletora deles, as mais antigas de nós se lembram. Mas o país agora está tão próspero que a tudo supre. Ainda temos alguns pobres, por certo. Felizmente ainda não chegamos ao ponto em que o cristão estaria impedido de ganhar o paraíso por não poder exercer sua caridade. Mas órfãos não há muitos, capitão, não há muitos...

Dizendo isso, a religiosa sacudiu a bela cabeça de traços duplamente perfeitos pela harmonia e pela santidade.

— Quer dizer que não têm ninguém a nos propor? — disse dom Gonzagues, que nunca se curvara por muito tempo sob o fogo, embora em face das armas das mulheres sempre tivesse se mostrado mais fraco e mais desguarnecido.

Considerou-se hábil por ter conseguido, com essa pergunta precisa, conduzir essa conversa para perto de uma saída. Mas a madre superiora não tinha intenção de se deixar vencer. No silêncio carregado daquelas paredes de pedra, um tédio tenaz devia lhe fazer desejar prolongar as oportunidades que tinha de falar e talvez de rir. Ela se calou, refletiu e, para acompanhar seus pensamentos, com passos lentos, deu no aposento uma volta que a levou até a janela.

— Sim, capitão, nós temos, fique tranqüilo — disse ela, fazendo recair dessa vez sobre uma macieira o raio de seu olhar.

Dom Gonzagues deixou escapar uma exclamação que exprimia sua satisfação e felicitou-se por ter engolido o "com os demônios!" que lhe viera aos lábios.

— Nós temos — recomeçou ela —, porque o pecado está sempre presente e as perturbações da carne ainda fazem conceber filhos fora dos sacramentos. Pobres meninas tentadas pelos sentidos têm como único recurso enjeitá-los, e as paróquias os trazem a nós. Mas cada vez mais parece que as famílias vivem bem com essas crianças que são um insulto a Deus. Aliás — prosseguiu ela em tom de confidência —, os párocos as encorajam a isso. Sabia que, em certas aldeias da costa onde os marinheiros são sujeitos a longas ausências no mar, os padres persuadiram os fiéis de que a gravidez pode durar mais ou menos tempo conforme as mulheres. Trouxeram-me com a maior seriedade o exemplo de um menino nascido ao cabo de uma gestação de dezoito meses. Toda a aldeia louvava a sabedoria da natureza que o fizera esperar assim até a volta de seu pai. E o pobre homem, evidentemente, achou que o menino se parecia com ele.

Calado, os olhos baixos diante da evocação por uma mulher da horrível mecânica da concepção, dom Gonzagues transbordava de indignação. Seu senhor, o cavaleiro de Villegagnon, tinha razão em dizer que era necessário reformar essa Igreja da França que a prosperidade afastara da rígida lealdade dos tempos antigos. Ele nunca poderia imaginar que a corrupção pudesse chegar a tal ponto enquanto ele combatia pessoalmente para fazer recuarem o infiel e as trevas. E essa religiosa que não abandonava aquele meio sorriso! Parecia até se divertir com a indignação que ele, no entanto, achava conter tão bem — não fora pelo tinir dessa maldita espada que sua ira de gascão fazia tremer contra sua perna.

— Estou determinada a nada lhe esconder — retomou a religiosa. — No momento, temos oito órfãos na instituição. Quatro são meninas, e o senhor diz em sua carta que não se aceitam meninas. Entre os meninos, um é desmiolado: nasceu defeituoso e sujeito a crises de loucura. Os outros três são muito jovens: têm quatro e seis anos, pois dois deles são gêmeos.

— Nesse caso, madre — disse prontamente dom Gonzagues bufando como depois de um longo esforço —, não me resta senão lhe agradecer sinceramente e me retirar.

Ele estava no terceiro mosteiro. Le Thoret, com quem dividia essa tarefa, tivera que visitar outros tantos. Toda vez, eram as mesmas respostas e, infelizmente, a constatação dos mesmos problemas — embora ele jamais tivesse visto tanta provocação insolente como nessa condenável superiora. Era melhor essa pronta recusa e ele poder fazer mais uma visita naquela noite — ainda restavam duas na lista.

— Um momento, capitão — disse a religiosa pousando a mão comprida no punho do soldado. — O senhor está perto de partir. Porém, isso não é razão para não me escutar até o fim.

Dom Gonzagues, ao contato dessa mão viperina, congelou na imobilidade transtornada de um supliciado.

— O senhor pediu-me órfãos e se eu podia lhe encontrar algum filho de miserável — disse docemente a religiosa —, eu lhe respondi que não. Mas talvez a pergunta não estivesse completa. Deseja essas crianças para fazer delas trugimães junto aos nativos do Brasil, é isso?

Dom Gonzagues riscou maldosamente no ar um pequeno oito com a ponta da barba.

— Não procura miseráveis senão em função da maior facilidade com que imagina encontrá-los?

Outro oito exprimiu a aprovação muda do capitão.

— Mas não se oporia a levar crianças de melhor condição se lhas apresentássemos?

Um novo movimento de cabeça assinou a rendição do velho soldado.

— Nesse caso, senhor, siga-me.

*

Em marcha forçada, atrás dessa madre superiora diabólica que trotava com facilidade, dom Gonzagues atravessou toda a extensão do convento.

Os dois cruzaram com várias freiras e várias noviças. Se não eram todas bonitas, todavia envergavam o hábito com uma liberdade que o cavaleiro de Malta não julgou conveniente. Pairavam sorrisos demasiado alegres em seus lábios. Essa presença amável em um mundo dedicado ao serviço a Deus era a seus olhos um pecado. A isso somava-se o aroma quente de cera que subia dos tijolos do chão, um luxo de velas acesas que não eram todas de celebração. Por portas abertas entreviam-se voluptuosos armários, fartos como amas-de-leite, abarrotados de objetos de conforto ao qual, no entanto, essas filhas de Deus haviam feito votos de renunciar. Dom Gonzagues conservou durante todo o caminho o olhar reto daquele que tem a intenção de resistir à tentação e, antes de mais nada, de não a ver. Afinal, entraram, por alguns degraus de pedra, numa galeria construída sobre uma ponte.

— Seguindo até o fim — disse a madre superiora, mostrando o outro extremo desse corredor iluminado de janelas —, sai-se na outra margem, para a floresta e a aldeia. Tomamos esse caminho às vezes para ir às missas.

Sem dizer palavra, dom Gonzagues recriminou essa porta obviamente culpada. Pareceu-lhe ver em pensamento, como se se desenrolasse à sua frente, todo o comércio que tal acesso possibilitava.

No meio da galeria, eles pararam. Um pequeno gabinete fora construído formando um dente sobre um dos pegões da ponte. A religiosa abriu uma porta e fez o soldado entrar nesse recinto. Duas janelas altas davam para as águas. Por uma vidraça aberta, o rumor do rio enchia o pequeno espaço e tornava o local propício a conversas que não deviam ser ouvidas. Uma mesa triangular de pés revirados e três escabelos eram os únicos ornamentos do aposento. A madre superiora pegou um banco e fez sinal para que o soldado se sentasse. Dom Gonzagues obedeceu muito penosamente, menos embaraçado com o fardo de suas armas que aflito com uma sincera inquietação espiritual.

— Não demorará muito — disse a religiosa com aquele mesmo sorriso que ela parecia ter espalhado por esse lugar a despeito de sua vocação de austeridade.

Eles permaneceram mudos, embalados pelo barulho das águas. Trinados de pássaros, vindos das margens, sobressaltavam o velho guerreiro habituado a emboscadas e aos arrulhos traiçoeiros que os soldados usam nos bosques. Menos de dois minutos depois, a porta se abriu. Entrou uma outra mulher que veio sentar-se em silêncio no terceiro banco. Ela saudou a madre superiora e seu convidado com um simples movimento de cabeça. Dom Gonzagues não soube por que, mas, embora não estivesse usando hábito de freira, ela lhe pareceu mais recatada e mais piedosa que todas as alegres estouvadas com quem ele cruzara ali dentro. Era uma mulher que, como ele, parecia ter lutado sem descanso até aquela casa dos cinqüenta em que o combate deixa de chamar o combate e põe no rosto uma expressão de lassidão e serenidade. As finas rugas de seu rosto, nas quais dom Gonzagues encontrou algum parentesco com as cicatrizes que a guerra espalhara no dele, eram atenuadas por uma utilização hábil e prudente do carmim, um penteado discreto que lhe ordenava a cabeleira numa dupla muralha de tranças e uma toalete preta, mas requintada. Dois pequenos brilhantes nas orelhas equilibravam com seu brilho minúsculo a sobriedade do vestido preto de mangas compridas, apenas sublinhado na gola e nos punhos por um debrum de renda. Dom Gonzagues sentiu brotar em si uma sincera gratidão por essa mulher que, por sua decência, redimia todo o resto. Ele não exprimiu esse entusiasmo senão por um lacrimejamento nervoso do olho direito que não degenerou em lágrimas por conta de um discreto movimento da manga.

— Senhora — disse a madre superiora, que, infelizmente, não se evaporara diante dessa aparição —, eis dom Gonzagues de La Druz, cavaleiro de Malta.

— Capitão — disse a senhora com uma voz que se harmonizava bem com sua pessoa, por seu timbre austero e sua lentidão —, estou muito honrada de conhecê-lo. E agradeço-lhe, madre, ter aceitado servir de instrumento desse encontro.

— Isso é uma coisa simples e a devemos à senhora — disse a madre superiora teimando em rir. — A senhora é a benfeitora deste convento há tantos anos...

— Sim — murmurou a senhora, com um pequeno estremecimento. — Sempre agradecemos a Deus por seus benefícios. Submetemo-nos a seus desígnios quando eles eram favoráveis sem ignorar que deveríamos nos submeter com a mesma paciência se, um dia, não o fossem mais. E esse dia, infelizmente, chegou.

Fuga era uma palavra que dom Gonzagues havia banido de seu vocabulário militar. Mas, em tais situações, ele teria facilmente optado por isso, se fosse uma fuga honrosa.

— Jamais, capitão — disse a senhora —, sabendo de sua partida iminente, eu teria tomado a liberdade de perturbá-lo com o relato bem pouco digno de nota de nossas desventuras. Mas irmã Catherine informou-me de seu pedido quando de minha última visita: procuram, ao que parece, crianças para ir começar uma linhagem nas Américas?

— Sim, senhora — anunciou dom Gonzagues assoando-se em seu lenço.

— Nesse caso, acho que não perde seu tempo ouvindo o que tenho a vos dizer. Tentarei ser breve.

Ela baixou os olhos um instante, depois tornou a erguê-los até fitar os pequenos losangos de vidro colorido da janela.

— Bem — recomeçou ela —, o caso é o seguinte. O irmão caçula de meu marido é militar. Ele combateu na Itália a serviço do rei de França, depois de diversos príncipes. Há três anos não temos mais notícias dele. Ora, antes de desaparecer, ele havia trazido duas crianças da Itália. Não sabemos nada a respeito da mãe delas, supondo que não haja apenas uma e que ele seja o pai. Mas deixemos isso de lado. Não tenho que julgar a vida dos soldados. Eles têm sua glória e suas fraquezas.

Muitos eram os capitães que, de fato, tiveram fraquezas na Itália. Alguns até caíram sob o poder de criaturas que haviam vencido as maiores bravuras. Dom Gonzagues tivera seu quinhão dessas loucuras, mas soubera se guardar de paixões muito devoradoras — a menos que tenha sido incapaz de suscitá-las, o que, quando ele pensava nisso, às vezes o deixava melancólico. Em todo caso, evocadas por essa senhora, essas loucuras hoje lhe pareciam detestáveis. Ele não ousou perguntar o nome desse soldado, por medo de, caso o conhecesse, ser associado às suas torpezas.

— Deus é testemunha de que essas duas crianças, quando foram confiadas a meu marido pelo irmão, encontraram em nossa casa segurança e muita indulgência no tocante às circunstâncias pecaminosas de sua concepção. Infelizmente, nossa propriedade, que fica a algumas léguas daqui, foi atingida pelos golpes da Providência. Enfrentamos todas as pestes imagináveis no que diz respeito à plantação e ao gado. Parece que as pragas do Egito são para nós. Se agosto é o mês das tempestades, nossos campos são os primeiros a serem destruídos pela chuva; fomos invadidos por parasitas, por gafanhotos, a saraiva devastou nossas colheitas. Ainda por cima, por três vezes, fomos atacados por bandos de ciganos. Eles pilharam o que puderam encontrar em termos de móveis, de numerário. Em suma, capitão, se alguma ilustração essa família porventura teve no passado, ela hoje sofre de um mal ao qual cumpre saber dar nome: pobreza.

Dom Gonzagues sentia mais que nunca raiva de suas armas, não só por não lhe servirem para nada, mas também por fazerem tanto barulho enquanto ele tornava a guardar o lenço no bolso.

— E eis que, agora, a senhora recebe outro golpe — prosseguiu a madre superiora que se poupara até então e chegava à linha de frente para o assalto final. — Seu marido, esse nobre senhor, após uma vida de esforços e reveses, ficou muito doente e faleceu há três meses.

À evocação desse luto, a senhora produziu duas lágrimas e, com uma mão febril, começou menos a enxugá-las do que com elas lambuzar o rosto ao máximo.

— À sua frente está uma mulher, capitão — prosseguiu a religiosa —, que, no meio de seus desgostos, ainda acumula responsabilidades. Na ruína e na solidão, ela sabe que nossa casa há de acolhê-la sempre e de lhe retribuir até o fim da vida os favores que sua família nos fez durante tanto tempo. Mas, apesar disso, ela se recusa a se desinteressar das crianças que lhe foram confiadas. Ora, o que será delas? O pai desses meninos, que nunca deixava passar um mês sem uma carta, já não dá mais sinal de vida e provavelmente já se foi. A propriedade em breve será dividida ou vendida. Que futuro, diga-me, têm esses dois jovens? A vida religiosa? Eles não demonstram a menor inclinação nesse sentido. Não se pode recriminá-los de todo, em vista da devassidão que cercou suas vidas. Jesus Cristo haverá de achá-los um dia, onde quer que eles estejam. Mas não se pode, sob pena de rebelião, prendê-los a ele sem que eles manifestem esse desejo.

— A irmã Catherine tem razão — apoiou a senhora. — Mas minha preocupação vai mais longe. Eu queria que essas crianças, cuja família em breve não existirá mais, se é que algum dia elas realmente pertenceram a esta família, tenham ao menos a oportunidade de constituir uma. Precisarão partir do zero e começar uma nova vida, própria para lhes fazer esquecer a primeira e suas rudezas. Eis por que a palavra "Novo Mundo" me chamou a atenção. Vim implorar-lhe, capitão, para garantir o futuro desses dois infelizes levando-os consigo.

A esperança renascia no coração de dom Gonzagues. Fendendo as trevas geladas dessas confidências, ele entreviu uma brecha e talvez a saída. O que se queria dele era claro e simples. A possibilidade de fazer o bem sempre fora a seus olhos a virtude e o guia supremos: ele não lutou. Caso tivesse se rebelado, os olhares tão belos das duas mulheres, um de lágrimas contidas, o outro de sensual renúncia, teriam destruído suas últimas baterias.

— Que idade têm?

— Sem saber precisamente — respondeu a senhora hesitando um pouco —, eu diria... onze e treze anos.

— Muito bem — aprovou o capitão.

Depois, após uma hesitação de pudor, acrescentou, falando mais baixo:

— O mais velho não está... formado?

— Possui um buço que, como ele é bem moreno, é visível. Mas sua governanta é categórica: ele não é homem feito.

— Eles concordam com essa viagem?

Chegavam as perguntas que elas haviam preparado e as respostas vinham com facilidade e naturalidade.

— Eles estão determinados a deixar a propriedade. Os coitados só têm a esperança confusa de rever o pai, que mal conhecem, e, desde que os deixem cultivar essa esperança, eles irão aonde se quiser.

Era um discurso bem complicado para a rude cabeça do velho soldado.

— A senhora acredita que eles se fixarão lá para sempre e lá ficarão até depois de mortos?

— Não tenho ambição maior para eles do que vê-los conquistar novas terras como seus ancestrais outrora conquistaram a que vamos perder.

— Vamos, minha senhora — disse dom Gonzagues levantando-se com uma barulheira de aço e botas —, livre-se dessa preocupação. Eu me responsabilizo.

Seguiu-se um longo instante de emoção, de ação de graças e de agradecimentos que o cavaleiro transpôs como uma derradeira prova; continuava receando, sobretudo da religiosa, algum atentado final à decência.

— Bem — disse enfim com bonomia —, quero vê-los, agora. Onde estão?

— Capitão — disse a madre superiora aproximando-se de dom Gonzagues, e parece que a traidora compreendera que ele não sabia resistir a seu perfume de amêndoa doce —, compreenda que antes de os alertar, devíamos primeiro apresentar-lhe o caso: eles ainda estão na propriedade, a muitas léguas daqui. Agora que está comprometido a levá-los, eles vão se preparar e ir ter consigo na hora de seu embarque.

Dom Gonzagues manifestou uma última hesitação: não os ver antes... Sopesou esse escrúpulo e achou-o bem leve em face dessa mulher honesta cuja dor ele dissipava. Aliás, sua palavra já estava dada.

— Partimos em três dias do Havre-de-Grâce.

— Um carro vai levá-los ao senhor dentro deste prazo — asseverou a religiosa.

Os três saíram para a galeria. A senhora, após um último agradecimento cheio de contenção, partiu para o lado do bosque, onde uma montaria devia estar esperando por ela. Dom Gonzagues atravessou a abadia a passos largos, com pressa de se ver novamente em cima do cavalo. Menos de cinco minutos depois de estar galopando, espumava de raiva.

Eu nem lhe perguntei seu nome, pensou.

Depois, afastando essa preocupação final, exclamou no vento molhado:

— Ora! Para quê? Deve ser de uma família honrada.

CAPÍTULO 4

Clamorgan, quando eles moravam na Itália, era para Just e Colombe um nome de sonho, a terra fabulosa das origens. Fora preciso seu pai estar passando as maiores necessidades para correr o risco de enviá-los para lá e eles conhecerem a triste realidade de seu caro fantasma. O soldado felizmente não fora testemunha dessa decepção: nessa época, havia caído em desgraça junto ao rei da França e não pudera acompanhar pessoalmente os filhos. As crianças haviam feito sozinhas, quatro anos antes, a viagem de coche até Rouen com um oficial. Depois, uma charrete as conduzira a Clamorgan.

Seu tio já estava muito fraco. Encerrava-se no único aposento onde ainda havia tapeçarias e que podia ser aquecido. O pobre homem não saíra da Idade Média: levara sua propriedade como nos tempos feudais, ou seja, à ruína. Recusando-se a vender e a comprar qualquer coisa, não substituía sequer uma placa de ardósia caída de um telhado e só deixava aos camponeses o estritamente necessário para se alimentarem. Todo o excedente da produção apodrecia nos celeiros, desencorajando o trabalho, incitando os camponeses ao êxodo. Isso não era avareza de sua parte, mas senso exagerado de honra numa época em que os negócios haviam substituído a cavalaria. Depois, um dia, ele estava morto.

Uma governanta, que havia sido ama-de-leite, recolhera as duas crianças em sua casa. Coberta de colmo, era uma vetusta moradia encardida no interior pela fumaça e ornada sem espírito de decoração com todos os instrumentos necessários, frigideiras, ancinhos, cestos, pendurados no teto e nas paredes.

Foi para lá que Just levara Colombe desacordada. Depositara-a perto da lareira, numa grande cama de colchão de palha. Ela gemia e se queixava da cabeça. Um velho pastor que tinha o dom de curar, ao menos carneiros, veio ofegante pelos charcos e ordenara para ela uma decocção de plantas medicinais.

— Ela viverá — dissera ele.

Just compreendeu só por essas palavras que ela realmente poderia ter morrido. Fez Émilienne, a governanta, repetir-lhe o bom augúrio. Ela estava tão satisfeita de dizer isso em voz alta quanto ele de ouvir, e ele se fez quatro vezes de surdo. Fraca e ardendo em febre, Colombe bebeu com uma careta o líquido escuro e fumegante onde boiavam pedaços de cogumelos. Depois tornou a adormecer.

Just ficou de guarda ao pé do leito. Estava espantado de ver sua cara-metade vacilar como a chama de uma vela. Até onde se lembrava, a existência anterior deles não fora senão um caos de noites de êxodo, hospedarias frias, longas marchas, tudo isso misturado aleatoriamente a luminosas recordações da Itália e de batalhas. Tudo sempre se deslocava em volta deles sem que compreendessem bem o porquê. Não conheciam outra família afora seu pai, cuja imagem, depois de quatro anos que estavam em Clamorgan, se embaralhara em sua memória.

Mas esta imensa rotatividade de pessoas e acontecimentos tivera um eixo: eles eram um para o outro o que não mudava, quando tudo mudava, o que era fiel quando tudo os abandonava. Nas lembranças mais remotas de Just, havia Colombe.

Eles compartiam as mesmas provações e os mesmos sonhos, haviam aprendido nos mesmos livros: Ariosto, Virgílio, Homero, que liam no original; tocavam as mesmas músicas, ela na flauta, ele no bandolim. Esta pequena braçada de versos e de melodias constituía toda sua bagagem enquanto os dois sacolejavam com os soldados rasos. Mas por ora não havia mais sonho. Enquanto jogava na lareira achas de olmo que fumegavam, Just pensava em todos os nomes fabulosos que ela lhe dera e sobretudo no último: Bel Hardi! Assoou o nariz na manga e tornou a jurar a si mesmo jamais deixá-la, nem mesmo na morte. Essa é uma idade em que se faz facilmente esse juramento, mas a Just parecia que ninguém antes dele o havia proferido de maneira tão séria, nem estava tão decidido a executá-lo.

Pela manhã, Colombe empurrou o edredom. Estava ensopada, mas parecia que a febre passara toda para o saco de penas. Antes do meio-dia, ela abriu os olhos e o chamou. Houve gritos de alegria, lágrimas novamente. Naquela Normandia onde o tempo muda a cada hora, parecia que as almas também tinham seus súbitos períodos de melhoria.

Apesar do desaparecimento da febre, Émilienne ordenou à doente, que tinha um grande galo na testa, que ficasse na cama, se não quisesse ver o edema degenerar em abscesso. Misteriosa como uma fórmula mágica, esta sentença bastou para manter a paciente deitada. Mas ela recomeçou suas travessuras, fazendo muitas caretas para Just.

A tarde ia bastante avançada, quando um barulho de eixos chegou a eles. Émilienne estava em sua horta. Com tantas casas abandonadas na propriedade, a governanta tinha todo o vagar para escolher o melhor daqueles pequenos terrenos abandonados: ia buscar suas cenouras perto da choupana, onde se encontravam umas bem grandes. As crianças se calaram enquanto o carro se aproximava, pois raramente passavam carros por ali. Quando o ouviram parar diante da porta, Colombe levantou-se e disse:

— Vá ver, Just.

Mas antes que ele tivesse tido tempo de se mexer, assomava à porta um vulto de homem. Eles reconheceram Belloy, o último criado do castelo. Era um homenzinho atarracado, com uma cara falsa, a quem os dois temiam. Naquela propriedade sem dono, ele mandava a seu bel-prazer e tratava as duas crianças de maneira rude, como para dissuadi-las de algum dia afirmarem ter qualquer direito a reivindicar sobre seus bens.

Vendo que ele franzia os olhos, cego pelo escuro, as crianças ficaram tentadas a se esconder. Mas não tiveram tempo de fazê-lo, pois Belloy adiantou-se tateando até a cama e as imobilizou com seu vozeirão:

— Saiam, engraçadinhos!

E lançando o braço às cegas, tocou em Just, que se deixou agarrar sem resistir.

— Onde está sua irmã?

— Aqui — respondeu Colombe com uma voz hostil, pois não tinha intenção de ser bem tratada.

— Venham, todos dois, a senhora conselheira os chama.

Por mais que Just protestasse que Colombe estava doente, eles tiveram que se vestir às pressas, sair e subir na charrete. O criado fez o veículo dar meia-volta. Eles já estavam na curva do caminho quando viram ao longe Émilienne vir correndo, acenando.

*

Nesse meio tempo, a charrete chegara diante do castelo. Belloy estalou a língua para encorajar o cavalo a passar pela ponte levadiça instável. Eles viram sobre suas cabeças a grade de ferro emperrada pelo mecanismo enferrujado. Dois cães de guarda gordos, acorrentados, constituíam agora toda a segurança da antiga fortaleza.

Eles entraram no torreão. Belloy deteve-os no aposento dos guardas. Era uma sala de pé-direito alto, muros de pedra, abóbada em ogiva. A lareira monumental, própria para devorar troncos de árvore, estava vazia e fria, nada tirando da umidade do ar. O chão estava coberto de palha, poeira e lascas de madeira. Um enorme arcaz de carvalho, encostado no paredão, constituía, com uma velha poltrona, todo o mobiliário. Os meninos aguardaram calados, ruminando no íntimo o castigo que lhes reservavam por terem feito o garanhão fugir.

Ouviram tinir os arreios dos cavalos quando a liteira da tia atravessou a ponte levadiça. Ela, em geral vestida com roupas tão alegres, naquele dia usava um vestido preto que os surpreendeu. Eles não podiam saber que a tia o escolhera expressamente para ir encontrar-se com dom Gonzagues na abadia ainda de manhã.

Houve um instante de silêncio durante o qual ela os encarou um após o outro. Parecia confrontar seu aspecto com alguma função secreta que pretendia reservar para eles. Apesar de sua cabeleira em desalinho, de suas roupas pobres, da lama seca que ainda formava placas em sua pele, a senhora pareceu satisfeita com esse exame. Belloy puxou uma cadeira onde ela sentou-se delicadamente enquanto eles continuavam postados à sua frente, sempre esperando que ela abordasse a questão desagradável do cavalo perdido.

— Minhas queridas crianças! — começou ela num tom que desmentia logo a afeição que essas palavras supunham.

Colombe apertou o braço de Just.

— Apesar de toda a ligação que vocês têm com Clamorgan — prosseguiu a conselheira —, sei que nutrem primeiro o desejo legítimo de rever seu pai.

As crianças conservavam a cara fechada, tamanha era a dificuldade de superar a desconfiança que essa mulher lhes inspirava.

— Bem, alegrem-se, esse desejo vai ser realizado.

Depois, dando tempo para uma reflexão, acrescentou:

— Pelo menos para um de vocês.

Eles se crisparam. Debaixo das ramagens amáveis corria a víbora e ela acabava de deixar entrever seus dentes. Então queriam separá-los.

— Senhor Just, o senhor é quase um homem. Seu pai vai transformá-lo num guerreiro tão valente quanto ele. Vamos lhe dar os meios de ir encontrá-lo. Está satisfeito?

— Não, senhora — disse Just, olhos fixos à frente, mas olhando por cima da tia, pois acreditava firmemente em seus poderes de feiticeira.

— Não? E por que, pergunto-lhe? Não quer encontrar seu pai? Tem medo de lutar, talvez.

— Não, senhora — repetiu Just sentindo a provocação e protegendo-se para não ceder a ela.

— Então?

— Não posso abandonar minha irmã.

Sua irmã! A conselheira sorriu. Então esses bastardos concebidos ao sabor das estradas, cujas mães ninguém conhecia e sem dúvida não sabiam exatamente quem era o pai, eram pretensiosos e tolos o bastante para se verem com a maior seriedade do mundo como irmão e irmã. Era perda de tempo tentar desenganá-los e, aliás, essa loucura era bastante conveniente para ela.

— Acham que o gênero de vida ao qual seu pai os chama seja o que se espera para uma donzela digna?

— Já vivemos essa vida — disse Colombe, aflita com a falta de habilidade de Just e aguardando impacientemente para entrar em cena.

A conselheira encarou-a. Viu toda a beleza da menina, e não estava muito disposta a cumprimentá-la a esse respeito. Viu também o ardor de seu caráter que criaria mil complicações caso tentasse botá-la no convento após a partida do irmão. Isso era a confirmação de seus receios. Tivera razão em anunciar a dom Gonzagues que ele receberia duas crianças. Restava tirar partido desta ameaça de separação para conseguir o que desejava. Levantou-se e afastou-se com passos lentos.

— Estou muito aborrecida com sua teimosia — disse afinal voltando para diante dos irmãos. — Ela contraria os planos razoáveis que elaborei no interesse de vocês.

A mulher sentou-se novamente e fez o esforço de estampar no rosto um sorriso quase terno.

— Todavia, vejo que gostam um do outro. Não terei coragem de separá-los. É uma bondade a que me dou o direito, mas que pode me custar muito caro. Preciso de ajuda.

As crianças continuavam crispadas uma contra a outra, espreitando de novo alguma cilada.

— Aproximem-se, pois são segredos que vou lhes contar.

Elas deram dois passos à frente, permanecendo afastadas. A conselheira, que não queria muito ser incomodada pelo cheiro de bosta dos irmãos, não insistiu para que se aproximassem mais dela.

— Ouçam primeiro isso: seu pai, saibam, é um grande capitão. Nas guerras da Itália onde se fizeram muitas alianças, ele serviu a muitos príncipes e todos disputam a glória de ser defendidos por um homem tão valente.

Os olhos de Just brilhavam enquanto ele ouvia falar assim de seu pai. Mas Colombe farejava todo o mel que envolvia essas palavras e ficou em guarda.

— Desta vez — prosseguiu a mulher de preto —, ele se colocou a serviço de uma potência mais distante.

— Ele não está mais na Itália? — perguntou Just.

— A Itália, meu filho, não existe. É, se quisermos, um tabuleiro de xadrez de Estados e principados. A nova terra onde seu pai se ilustra é uma delas, porém mais longínqua.

— Estaria ele com o turco?

A aliança inesperada que Francisco I fizera mais de vinte anos antes com os turcos, inimigos da cristandade desde as Cruzadas, impressionara a todos. Até no interior do país ouvia-se falar do turco. Just, a quem não chegavam muitas notícias do mundo, ecoava ali o rumor popular.

— O turco! — caçoou a conselheira. — Não, meu rapaz. Contudo, se eu lhe disser o nome de sua residência, ele não lhe evocará coisa alguma, pois eu mesma não o conhecia antes. Saiba apenas que é preciso tomar um navio para chegar lá e que a viagem será longa.

— Um navio! — exclamou Just. — Ah, quando partimos?

Para grande desgosto de sua irmã, ele parecia completamente conquistado.

— Devagar, meu filho. Ainda temos alguns pontos a acertar. A expedição da qual você vai participar não tem mulher alguma. Sua irmã então não pode acompanhá-lo.

Ela fingiu hesitar.

— No entanto — arriscou ela virando-se para Colombe —, você ainda não possui as formas pelas quais se reconhece nosso sexo: eu poderia então dizer, mas estaria tomando uma liberdade e você não deve me fazer lamentar essa atitude, que são ambos crianças. Esta palavra neutra cobriria com seu véu a diferença que existe entre vocês.

— Ah, obrigado, senhora, obrigado! — exclamou Just, completamente convencido de que a tia afinal era melhor do que ele pensara e feliz de não ter que sustentar por muito tempo a idéia da maldade humana.

— Todavia — prosseguiu a tia dirigindo-se a Colombe, cuja resistência mais obstinada ela sentia —, só pregarei esta mentira se você aceitar adequar-se a essa história e lhe der vida a todo instante. A partir de hoje, vocês dois devem cortar o cabelo no mesmo estilo dos pajens e vestir-se de forma idêntica. Providenciaremos tudo. Em suma, embora vocês não se pareçam muito — e, ao dizer isso, deu um sorriso maldoso —, ao menos serão aparentados pelo traje e pelos modos.

Depois, sempre fitando Colombe, acrescentou:

— Você deve adotar um nome de menino, e parece-me que Colin é o mais apropriado para disfarçar os erros que uma falta de atenção pode a qualquer momento levá-la a cometer. Compromete-se a fazer isso?

— Sim, senhora — respondeu Just a quem a pergunta, no entanto, não era dirigida.

Colombe fez uma pausa para refletir, depois mostrou-se de acordo.

— Muito bem — disse a conselheira —, mas lembre-se que, uma vez que entrar nesta história, querer sair vai lhe custar a vida. Você deverá também ocultar sua condição de menina com constância, enquanto a natureza não levar a melhor para denunciá-la. Esperamos que consiga.

— Ele está bem de saúde? Confiou-lhe alguma carta? — interrompeu Just, que estava completamente conquistado por esses detalhes práticos e só pensava no pai.

— Não — respondeu com irritação a conselheira. — Foi um mensageiro que nos transmitiu o desejo dele. Mas queiram continuar me ouvindo: vocês devem se comprometer a responder com o maior cuidado às perguntas que lhes fizerem, sobretudo no tocante à idade. Para todo mundo, Just deve ter treze anos e Colin, onze, está claro?

As crianças anuíram, porém um tanto humilhadas por perderem cada qual dois anos e se verem assim rebaixadas na dignidade da idade.

— Agora, crianças, uma última recomendação.

Os dois tornaram a se alarmar de tanto era de se recear que, com uma mulher daquelas, o veneno estivesse escondido no final.

— As pessoas que vão encontrar durante essa viagem são de toda sorte. Há algumas entre elas que estão atrás de seu pai para vingar-se dele e matá-lo. Portanto, não devem de modo algum revelar o nome de vocês ou o dele, o que dá no mesmo.

Esta última menção mostrava que ela não estava totalmente decidida a aceitar que seu primo tivesse desperdiçado o nome Clamorgan com bastardos.

— E como conseguiremos encontrar nosso pai — objetou vivamente Colombe —, se não podemos dizer quem somos?

— Ele é que vai procurá-los, graças às indicações que lhe enviei de volta pelo mensageiro que me trouxe notícias dele.

Ela os fez repetir essas instruções, assegurou-se de que haviam entendido tudo e lhes deu um adeus quase emocionado.

— Encomendo-os a Deus, para que Ele os proteja.

De tanto ver na Itália os exércitos da França brandirem cruzes para enfrentar soldados do papa e toda essa gente ter a pretensão de vir do mesmo Deus, Just e Colombe haviam julgado prudente não se aprofundar muito nessa questão religiosa. Tanto que, ao fazer votos para o futuro, preferiam confiar-se um ao outro, e as mãos que eles conservavam sempre dadas se apertaram.

Quando a conselheira se foi, os irmãos voltaram para casa para amarrar seus trapos fazendo mil cabriolas de alegria, porque iam rever o pai, retomar a vida de que gostavam.

— Viu — exclamou Just —, ela nem falou de Gringalet!

CAPÍTULO 5

Em algum lugar em sua memória, Colombe e Just guardavam a impressão tranqüilizadora de já terem viajado de navio. Isso devia ter sido entre Marselha e Gênova, com um regimento.

Mas essa viagem quase esquecida realizara-se numa galera e o Mediterrâneo quis permanecer calmo enquanto eles ali navegavam. O comprido barco chato mal se levantava na superfície do mar. Tinha pequenas velas complementares que não amedrontavam. Seu motor era aquele andar escuro no nível da água de onde saíam suspiros roucos e estalos. Os irmãos ainda eram muito pequenos para imaginar os horrores e as maldições que ali se escondiam. Portanto, guardaram uma boa lembrança desta primeira viagem. Esta falsa segurança não os preparava muito para o choque que iriam sofrer.

O carro conduzido por Belloy seguia a trote largo desde Clamorgan. Eles iam amontoados atrás, ambos vestidos com uma camisa e uma calça novas que a tia mandara fazer às pressas. Just, um alforje ao colo, ia encostado em Colombe, o braço envolvendo seu pescoço. Como sempre quando viajavam, os dois iam colados, misturando seu pouco calor e suas madeixas. Este último desalinho nem sequer lhes era mais permitido, já que lhes haviam cortado os cabelos. Mas cada qual ainda sentia roçar-lhe na orelha a mecha grossa do outro, quando o carro sacolejava.

Na posição em que estavam, eles olhavam para trás e viam a paisagem fugir. Os objetos ficavam pequenos, depois desapareciam; já não era certo que algum dia tivessem existido. Assim eles viram desaparecer o torreão de Clamorgan.

— Tenho certeza que ela nos mentiu — disse Colombe pensando no vulto negro da tia que se postara na ponte levadiça para lhes dar adeus —, mas ainda não sei sobre o quê.

Na curva do bosque de faias, viram Émilienne pular. Ela saiu correndo esbaforida para lhes passar uma cesta. Mas eles não conseguiram pegá-la e todo aquele ótimo conteúdo de maçãs e pão branco acabou no meio da estrada. Na noite anterior, os meninos haviam chorado copiosamente sua sorte com a pobre mulher, que não se consolava de perder com eles suas últimas crianças e queixava-se de que dessa vez a propriedade estava completamente morta. Mas, na pressa de partir, os irmãos mal se lembravam daquela sinistra vigília e ficaram quase espantados de ver a velha surgir na mata. Haviam feito chorar tantas outras pessoas a quem foram confiados antes! Seu destino parecia querer que eternamente fizessem a infelicidade daqueles que tinham a fraqueza de amá-los.

Em seguida, seguiram pela beira-mar, depois atravessaram campos pálidos de relva salgada. O Havre-de-Grâce era uma cidade muito recente para já ter subúrbios. Deixava-se o campo para logo viajar entre os guindastes de carpinteiros e os andaimes de alvenaria. Mal tiveram tempo de perceber que haviam entrado na cidade e o carro já se preparava para estacionar ao longo do cais principal. Um quarto de volta do cavalo os pôs defronte ao desembarcadouro e eles deram um grito ao ver de repente os navios.

Os três monstros formavam três paredões de madeira escura. Os enormes castelos de popa, com esculturas de deuses antigos em vermelho e ouro, erguiam-se muito acima das casas. Cercados de ferro, os mastros mantinham suspensos no ar pesados balanços de trapezistas, alguns retos, outros oblíquos, que pareciam querer despencar imediatamente sobre os passadiços. Inúmeros cabos envolviam essas aparições numa rede da qual essa agitação toda de madeiras esticadas não os podia livrar.

Filhas dos pequenos horizontes, as galeras tinham a elegância frágil das cenas íntimas e dos breves, embora às vezes mortais, abraços do mar. Já os três navios eram talhados para o oceano. Levavam em ponto pequeno e imóvel todas as violências desse espaço infinito cujos limites, no entanto, tratava-se de atingir.

Nunca as duas crianças haviam se sentido tão minúsculas nem, por tabela, tão grandes. Pois, em face de tais mastodontes, elas não eram muito diferentes daqueles que ostentavam o título, aqui ridículo, de gente grande.

— Ouça — murmurou Colombe apertando o braço do menino.

Não ousara chamá-lo de Bel Hardi de tal maneira esse nome de bravata e, aliás, todos os enfeites da cavalaria perdiam força e até vida diante de tais aparições.

Just prestou atenção e viu por sua vez o que tornava a cena tão aflitiva: um grande silêncio pairava no cais. Só se ouvia o gemido de gigantescas amarras, grossas como um pescoço de cavalo, retesando-se ao sabor da lenta oscilação dos barcos.

— Vamos — gritou-lhes Belloy —, saltem, os dois!

Na verdade, ele falara em voz baixa, mas na calma geral aquela interpelação ecoara como um grito. Eles pularam na calçada, os olhos sempre fixos nos navios.

Foi ao se virarem que viram que o cais, apesar do silêncio, estava repleto de gente. Havia gente à sua frente, em pé entre gabiões de vime, gruas estáticas, fardos de juta. Havia gente nas janelas e nas galerias dos prédios de comércio. Havia gente empoleirada nas abitas, agarrada aos mastros de iluminação, equilibrada em carroças desatreladas, cujos varais oscilavam perigosamente sob aquele peso. E todo mundo olhava para o outro lado.

— Sigam-me — ordenou Belloy.

O homem começou a abrir caminho entre a multidão que, felizmente, não era muito compacta. Colombe e Just se enfiavam atrás, sem muita dificuldade. Só algumas pessoas, sempre com o olhar perdido ao longe, reclamavam quando, na pressa, eles lhes pisavam os pés. À medida que subiam esse rio de gente espremido entre as casas de comércio e o costado dos navios, Belloy diminuía o passo. Não que encontrasse mais obstáculos, mas encarava agora aqueles que encontrava e parecia procurar alguém.

De repente, a algum sinal que se espalhou em silêncio entre a multidão, todo mundo se ajoelhou. Foi um movimento lento, uma onda, que respondia àquela, igualmente forte, que agitava os barcos. Graças a essa imensa prosternação que os alçava de repente acima das cabeças, pois eles haviam permanecido de pé, Just e Colombe viram o que todo mundo olhava. Ao longe, nas imediações da praça principal dominada pelo frontão liso da catedral, erguia-se um estrado coberto por um pálio roxo. Um padre, cuja casula se via brilhar, celebrava uma missa.

— Olhe, Bel Hardi, eles se preparam para a batalha.

Just pensou a mesma coisa no mesmo instante. As únicas missas a que já haviam assistido eram aquelas que preparavam o assalto das armas na Itália. Elas tudo superavam em fervor. Viam-se ali homens de cara costurada pelas lutas derramarem lágrimas. Outros, muito jovens, ainda quase imberbes, preparavam-se para dar uma vida que não durara o suficiente, mas que não saberiam preencher mais. Hoje, eles viam nos rostos essa mesma presença extraordinária da morte e da esperança, nessa muda assembléia de homens. Pois, a não ser nas sacadas e nas janelas, todos os que estavam no cais eram homens. Contagiadas pelo poder dessa oração muda, as duas crianças ajoelharam-se também e, de mãos postas, prepararam-se para rezar sem, aliás, saber muito como.

Mas Belloy veio agarrá-las pelo colarinho e levantá-las bruscamente.

— Vamos, o que estão fazendo, engraçadinhos? De pé!

Ouviram-se alguns "shhh" e alguns resmungos. Mas Belloy, seguido por seus dois grumetes, continuava abrindo caminho, aproveitando a genuflexão coletiva para ir direto ao altar. Chegaram o mais perto possível de um grupo central, colocado contra o estrado e formado por cavaleiros ostentando a cruz-de-malta branca. Eles esperaram o fim da cerimônia. Tanto as crianças como Belloy olhavam avidamente em volta. Sem terem combinado, Just e Colombe sentiam ao mesmo tempo que esse espetáculo estava impregnado da lembrança do pai. Não conseguiam evitar procurar logo seu rosto.

Terminada a missa, o silêncio não se quebrou imediatamente. Foi preciso antes o prelado, uma cruz de prata dourada na mão, abençoar o homem que acompanhara todo o sacramento no alto do estrado com ele. Único a conhecer esta honra, o homem ficara o tempo todo ajoelhado para mostrar com que humildade acolhia aquela elevação. O padre abençoou em seguida a multidão, fazendo gestos largos para o céu, como se soltasse pássaros.

O homem do estrado levantara-se, e o padre, cumprida sua missão, cedeu-lhe o lugar. De onde estavam, muito perto do pálio e escondidos pela fileira compacta dos cavaleiros de Malta, as crianças só enxergaram aquele que estava em cena. Pareceu-lhes ser um colosso, pois o padre ficava completamente escondido pela multidão de pé, quando ele ainda a dominava. Os irmãos ouviram sua voz poderosa de baixo.

— Para a glória de Nosso Senhor — disse —, vamos embarcar, meus irmãos! A França das Américas nos espera. Viva a cristandade, viva o rei!

Uma ovação saudou essas palavras. Era difícil entender como um silêncio tão grande podia se transformar num instante em tamanho barulho. O clamor se prolongou, cada um fazia sua invocação. O colosso descera de seu estrado e abria caminho entre a multidão, cercado de seus cavaleiros de Malta, deflagrando ao passar gritos de "Viva Villegagnon! Viva o almirante! O Brasil é nosso!". Belloy foi atrás desse grupo. Agarrando-se a um dos cavaleiros, conseguiu obter as informações que procurava. Dirigiu-se penosamente para um homem gorducho com uma barba pontuda.

— Senhor de La Druz! — gritou.

O soldado não ouviu, ocupado que estava em acompanhar as largas passadas de Villegagnon. Finalmente, Belloy conseguiu agarrar-lhe um braço e detê-lo. Dom Gonzagues consentiu nisso com irritação.

— Eis as crianças — declarou-lhe Belloy enquanto o velho capitão parecia pronto para lhe pedir suas testemunhas. Estava obviamente muito longe deste caso. Quando enfim a lembrança lhe voltou, ele disse logo.

— Ah! Os sobrinhos da Sra...

Esse início era um convite: ele achava que Belloy, talvez, lhe elucidasse sobre o nome que não lhe ocorrera perguntar.

— ... da Sra...? — repetiu o velho soldado.

Mas Belloy, teimoso como era e avesso a perguntas, disse simplesmente:

— Este é Just, o mais velho. O outro é Colin. Eles têm o que é preciso no alforje. Até a vista, capitão!

E com a agilidade que o tornara tão temível em Clamorgan, Belloy, que aparecia e desaparecia quando menos se esperava, sumiu na multidão.

— Espere! — disse dom Gonzagues que se via em perigo com esses dois patetas nos braços. Além do mais, notou que Villegagnon e sua guarda estavam longe agora, por causa desse incidente. Arrastou as crianças consigo, mas sem conseguir alcançar seu senhor, o que o deixou profundamente contrariado. O cais estava tão barulhento e tumultuado quanto estivera estático na paz da oração. Homens corriam em todos os sentidos, interpelavam-se, carregavam fardos às costas, arrastavam arcas. Dom Gonzagues hesitou quanto ao que devia fazer, depois, lembrando-se de que ainda não havia examinado os dois futuros trugimães, empurrou-os até uma casa aberta. Levou-os ao sobrado numa galeria deserta ornada de medalhões de cerâmica que representavam perfis antigos.

— Vamos ver como estão — disse o capitão encarando-os alternadamente.

Just achou que ele ia inspecioná-los e descobrir o disfarce de sua irmã. Mas isso era atribuir a dom Gonzagues mais liberdade nessas questões do que ele tinha. A idéia de que um deles pudesse não ser do sexo masculino nem lhe ocorreu. Só estava interessado em saber se eles não haviam passado da idade adequada para sua função. O grande céu enevoado do porto sobre a galeria aberta permitiu-lhe finalmente ver-lhes bem os rostos. O de Colombe era liso e o deixou satisfeito. Mas foi Just, ao contrário, que o alarmou.

— O que é isso? — espantou-se o velho soldado apalpando bruscamente o ombro demasiado largo do menino e fazendo-o girar à sua frente. — Você tem o queixo coberto de pêlos! Quantos anos tem?

— Treze anos.

— Treze! Nossa Senhora! Ou você é precoce para sua idade, ou está mentindo. Levei para combater rapazes menos vigorosos que você que já tinham seus dezoito anos.

Just ficou bem contente com o elogio. Estava louco para confessar àquele velho capitão seu desejo de portar armas desde logo. Felizmente, soube controlar-se, pois a admiração de dom Gonzagues seria seguida de um violento acesso de cólera.

— Eu devia ter desconfiado! — sapateou. — Como fui suficientemente burro para acreditar na palavra daquela maldita religiosa? — E acrescentou olhando de maneira rude para Just: — O que vou fazer com você agora? Sem o seu maldito cocheiro que desapareceu, você saberá voltar ao lugar de onde veio?

Colombe viu que eles corriam novamente o risco de serem separados e interveio. Seus olhos pálidos e perturbadores podiam fitar quem quer que fosse sem que se tivesse a idéia de acusá-la — agora que ela era homem — de descaramento nem de audácia. Ela fitou dom Gonzagues bem nos olhos e o manteve à distância, dizendo-lhe delicadamente:

— Senhor oficial, meu irmão nunca teve mais de dois anos que eu. Já que tenho onze, como vê, ele não pode ter mais que treze. Só faz seis meses que ele começou a crescer. Nosso pai é alto e de compleição forte. É a natureza dele que fala.

Dom Gonzagues levantou os ombros, mas pareceu se acalmar um pouco. Calou-se e desviou os olhos na direção do porto. De cima daquele balcão, viam-se exatamente os passadiços dos barcos que iam sendo carregados lentamente. As centenas de homens das tripulações, como formigas carregadas de pequenos talos, formavam longos rosários nas passarelas de madeira que subiam para as escotilhas. As amuradas já estavam carregadas de viajantes. O embarque estaria terminado em breve. Era preciso se apressar.

Dom Gonzagues voltou às crianças, evitando o olhar do mais moço, e disse com irritação indicando Just com um movimento de barba:

— Assim mesmo, essa religiosa me enganou... Irmã Catherine! Que a peste caia em cima dela. Vou me lembrar disso. E a outra, sua tia, como se chama?

Deveriam aceitar entregar seu nome? Ela nada lhes dissera a esse respeito.

— Marguerite — disse prudentemente Colombe.

Marguerite de quê? Então ninguém queria lhe dizer como se chamava essa senhora! Dom Gonzagues preparava-se para protestar, mas não fez nada disso: aquele doce nome Marguerite o enchia de uma satisfação que ele não se sentiu disposto a perturbar com outras perguntas. Apesar do constrangimento que sentira diante da senhora de preto, ele guardava uma lembrança bem nítida e não de todo má de seu belo rosto e de seu perfume. Guardou essa Marguerite em algum precioso retiro de seu espírito. Reservava-se o prazer de ir ali buscá-la um dia, quando lhe voltasse ânimo para fazer versos.

— Vamos — concluiu —, eu deveria tê-los visto antes de aceitar. Mas não há mais tempo de mudar o que foi dito. Ao menos, essa viagem para vocês é voluntária?

— Sim — responderam a uma só voz.

— Bem — resmungou dom Gonzagues empurrando-os à sua frente —, não vamos agora perder a partida.

CAPÍTULO 6

Na confusão que precedeu o embarque, um marinheiro de aspecto parecido com todos os outros fazia seu trabalho no porto. Caminhava descalço, tão sujo e mal vestido quanto se pode ser quando se tem o hábito de dormir no chão e de não se lavar senão em dias de tempestade. Mas um detalhe tornava-o singular: era seguido por dois gigantes escoceses saídos diretamente das brumas, vestidos de xadrez e armados de pesadas bisarmas. Para onde quer que o marujo fosse, os dois caledônios não lhe largavam o pé. Ele lhes fez dar voltas e voltas, subiu marchando uma ruela atravancada de cabos novos, passou diante de um vendedor de biscoitos sem ouvir sua arenga... Finalmente, levou-os até um casarão quadrado, limitado por quatro ruas e que servia de hospedaria. Mas, quando quis entrar ali, um dos escoceses agarrou-lhe o braço e fechou a cara.

— Eu ver meu velho tio! — explicou o marujo numa língua que nenhum de seus acólitos entendia e que era o dialeto veneziano. — Dizer adeus a ele. Meu tio, meu pobre velho tio.

Com muita gesticulação e muitos sorrisos, braços arredondados, o polegar unido aos outros dedos e sacudido como para puxar o invisível cordão de uma pequena campainha, o marujo, por mais imundo e barbado que estivesse, conseguiu irradiar de sua pessoa boa-fé, afeição e inocência. Repetia que só queria despedir-se do tio e fazia a mímica de beijos dados com todo o respeito a um velho. O espetáculo enigmático dessas pantomimas fez os escoceses pensarem em outra coisa. Eles enrubesceram um pouco, olharam o estabelecimento e julgaram que não fazia parte de sua missão proibir a um homem de partida para longe e por tanto tempo um último consolo carnal. Um deles deu a volta na estalagem, confirmou que tinha uma única porta. Eles deixaram o italiano entrar e ficaram em guarda do lado de fora, cruzando suas lanças.

Nesta cidade nova que era o Havre-de-Grâce, construída por Francisco I para dar à França uma grande porta sobre o Atlântico, próximo a Paris e a Flandres, as casas eram ainda brancas, recém-estucadas, e suas vigas novas cheiravam mais a árvore que a mata. Nada disso era apropriado para criar o clima quente de uma hospedaria de marinheiros. De fato, na grande sala caiada onde dançava um fogo claro, quatro gajeiros lúgubres esperavam a noite voltar bebendo em canecas de faiança muito azuis, que lhes lembravam horrivelmente o mar.

O italiano, sem se deter ali, subiu ao sobrado por uma escada de madeira e entrou num dos aposentos que dava para o patamar. Era um quarto com chão de tijolos reluzentes de cera. Uma cama, cortinas cerradas e uma grande chapeleira de carvalho constituíam todo o mobiliário. A janela estava aberta e deixava ver o porto sob o sol branco da manhã. Na espessura das paredes, dos dois lados da janela, havia reservado o espaço de um banco de pedra que, na pressa da mudança, ainda não fora coberto de almofadas.

Cadorim, o mercador veneziano, estava sentado ali e fez sinal para que seu compatriota se instalasse à sua frente. Antes de se decidir a fazer isso, este debruçou-se e verificou que os dois guardas continuavam lá embaixo. Viu as borlas de lã e acalmou-se.

— O senhor me pôs em maus lençóis — começou o marujo, com um ar oprimido.

— O que está dizendo? — disse Cadorim espantado. — Eu o tirei da prisão.

— Para me botar sob a guarda desses dois arlequins.

— Eles o deixam ir e vir, parece-me?

— Sem me largar um instante.

— Acha — perguntou Cadorim falando mais baixo — que eles lhe reservam um tratamento especial, quer dizer que desconfiam?

— Por isso não! É o mesmo tipo que reservam a todos os condenados que foram indultados para poder embarcar. Estão apavorados com a idéia de serem largados para trás antes da partida.

O rapaz suspirou.

— Você não pensou nisso? — perguntou Cadorim com um sorriso sutil.

Levantando os ombros, o marujo olhou para ele. Silenciosamente, o velho veneziano agitou o indicador com malícia, como para ralhar com uma criança.

— De qualquer maneira, não se preocupe — disse o marujo —, partimos daqui a pouco.

Ambos, diante dessas palavras, olharam para o porto. Bem acima de todos os esquifes de pesca e de comércio, os três navios de partida para o Brasil dominavam os cais com seus grandes mastros carregados de vergas e cordas.

— Mesmo assim — suspirou Cadorim —, é lindo!

O marujo, ao ouvir isso, disse com uma ponta de irritação:

— Lindo para quem fica em terra.

Depois, cuspiu no chão. Cadorim fez uma expressão de nojo.

— Vamos, meu amigo, para isso, tem a janela.

— E embaixo da janela, há escoceses — replicou o outro resmungando.

— Bem, alegre-se, Vittorio, você terá toda a extensão do oceano a partir de amanhã para recolher suas excreções.

Impressionado com esse tom de autoridade, o marinheiro mudou de expressão subitamente, como tão bem sabia fazer. Foi esse dom que lhe dera a esperança de tornar-se um simples escroque de terra firme. Mas quis o destino que o enviassem de novo para o alto-mar, do qual tinha tanto medo.

— Ah! Meu senhor — gemeu ele —, eu lhe suplico, tire-me dessa. Mas definitivamente. O senhor sabe que eu ainda preferia a prisão a esse embarque. Só a sua promessa é que...

— Não me esqueci disso — cortou Cadorim tirando uma algibeira de sob a capa que o envolvia. — Quinhentos cequins, como combinado.

— Claro — prosseguiu Vittorio com o mesmo ar plangente e fingindo não estar interessado na algibeira. — Mas o que farei com isso se devo ficar no país dos selvagens? Acha que lá encontrarei alguma serventia para esse metal, que aliás de lá provém?

— Nesse caso... — disse Cadorim, e guardou prontamente o saquinho.

Vittorio esticou o braço, mas tarde demais.

— Fiz bem de tirá-lo da companhia dos ladrões — disse Cadorim rindo. — Você não vale nada como ladrão de capotes.

— Meu senhor! — reagiu o marujo.

No auge da súplica, ajoelhou-se nas lajotas, não sem evitar habilmente cair no local que há alguns instantes havia sujado.

— Vamos — brincou Cadorim —, você é melhor ator e foi para isso que o contratei. Levante-se.

Estendeu-lhe a bolsa e, desta vez, Vittorio não a perdeu.

— Fale-me antes da companhia com a qual viajará. Que gênero de gente é?

— Todos loucos — resmungou o marinheiro enquanto se esforçava para enfiar a algibeira num saquinho sujo pendurado por cordões em volta de seu pescoço.

— Vi alguns desses — confirmou Cadorim — e eles me pareceram com efeito bem pouco instruídos do que estão tentando. Mas sou um simples mercador, não posso me aproximar sem despertar suspeitas. Você que os freqüentou de perto, fale-me mais sobre eles.

— Nunca vi uma tripulação igual! — protestou Vittorio.

— Um amontoado de malandros saídos dos calabouços, ao que dizem? — arriscou Cadorim com um sorriso irônico.

— Esses são os menos maus — replicou o marinheiro sem fazer caso dessa implicância. — Ao menos, o que eles querem é claro. Mas, abrindo as celas, não encontraram senão bandidos honestos, pode acreditar. Para cada ladrão ordinário, soltaram dez iluminados que o irmão Lutero enlouqueceu, botando-lhes na cabeça que consultassem pessoalmente a Bíblia.

Cadorim sentiu que ele ia cuspir e impediu-o com um gesto.

— Então — continuou Cadorim com interesse —, você diz que há muitos huguenotes entre esses marinheiros? Eles estão organizados? Estariam em missão para uma Igreja herética?

— Não acredito. Cada um desses loucos pretende conhecer a melhor maneira de servir a Cristo e tem ódio mortal a todos aqueles que pregam outra. Esses agitados são dispersos, nenhuma comunidade os congrega. Na verdade, na maioria, eles se detestam.

— Bastante bem observado, Vittorio. Você me parece ter dom para aquilo a que eu o destino.

— Não se esqueça, senhor — disse o marinheiro assumindo de repente um ar de dignidade —, que sou um antigo noviço e que se não me tivessem expulsado de forma tão injusta...

— Eu sei, Vittorio. Continue. Iluminados que saem da prisão e o que mais?

— Bem, toda essa tropa de cavaleiros de Malta. Com aquelas cruzes brancas no peito e aquele ar superior, eles ainda vivem no tempo das Cruzadas. Tenho certeza que confundem o Brasil com Jerusalém.

Cadorim riu às gargalhadas.

— E Villegagnon, o chefe deles, você o viu?

— De longe. É o mais louco de todos, pelo que sei.

— De quem ouviu isso?

— De um mercador normando que comerciou no Levante e fala como nós o suficiente para nos entendermos.

— E o que diz ele?

— Que essa idéia toda de colônia partiu desse Villegagnon. Os normandos que navegam para o Brasil há cinqüenta anos nunca pediram isso. Eles comerciam nas barbas dos portugueses e só desejam que o rei da França os proteja. Mas se contentariam com algumas patrulhas e um forte. Em vez disso, eis que esse Villegagnon inventou de transportar esse país todo para além-mar. Imagine, senhor, que ele mandou botar no porão de seus navios um espécime de tudo o que a civilização inventou aqui: padeiros e lavradores, cardadores, marceneiros, vinhateiros, chapeleiros, encadernadores e telhadores. Burriqueiros, embora não haja burros, e cantores de rua quando não há ruas. Ele até me mostrou um pobre bugre que é fabricante de alamares. Como se fosse necessário alguém atar as calças quando vive no meio de gente que anda nua.

As gaivotas na praça principal traçavam seus arcos rindo e ecoando a alegria de Cadorim que dava tapas nas coxas.

— E ao lado disso — disse ele para apoiar o marinheiro —, eles nem haviam pensado em arranjar trugimães! Têm o supérfluo, mas pensam no necessário no último minuto.

— Em relação aos trugimães, não é de espantar muito. A expedição deles não é só a arca de Noé. É a torre de Babel. Os poucos franceses que se contam nessa ordem de Malta levam atrás toda uma multidão de homens que eles recolheram durante suas campanhas. Conheci alguns que dizem descender dos cavaleiros teutônicos. Outros são turcos renegados, cativos arrancados dos berberes e, depois, esses escoceses desgraçados, porque Villegagnon, ao que me dizem, foi lutar por lá.

— E como essa gente toda se entende?

— Para um que fala francês, cinco devem se fazer entender por gestos.

— Bem, meu caro Vittorio — disse Cadorim que continuava com os olhos molhados de rir —, você deve estar à vontade aí e estou feliz de tê-lo enviado.

Ao ouvir isso, o marujo ficou sombrio, todo encolhido e preto como uma acha meio carbonizada e resfriada.

— Meu senhor, esses loucos partem para não voltar. Isso é com eles. Mas se aceitei trocar minha pena de prisão por esse embarque, foi com a condição expressa de que o senhor me repatrie. Conto com isso.

— E tem razão, Vittorio. Mas isso só depende de você.

— De mim! — exclamou o marinheiro. — Quer dizer que me abandona?

— Não, caro amigo, grandes forças irão socorrê-lo. No entanto, só de você dependerá que elas o salvem.

— Como assim? — perguntou o veneziano.

Seus olhos consideravam rapidamente a porta, depois a extensão aberta da praça onde estava a liberdade. Ele se via de repente perdido e procurando uma saída, por mais desesperada que fosse.

— Ah! Eu devia ter desconfiado — disse. — O senhor não tem nenhum meio de me tirar de lá. Quer um espião, só isso e, agora, ande, pobre animal! Então como fui suficientemente burro para achar que Veneza podia fazer alguma coisa por mim nas Américas quando nossas galeras já penam para voltar sãs e salvas da Grécia?

— Deixe nossa pobre pátria em paz. Se alguém pode ajudá-lo, são os portugueses e mais ninguém.

— Essa é a melhor! — exclamou Vittorio estampando imediatamente um grande sorriso luminoso no rosto escuro. — É para eles que trabalha. E esse ouro... Estou entendendo tudo.

— O essencial, para ser feliz, é acreditar que se é — observou sutilmente Cadorim.

— Mas, diga-me — pressionou-o Vittorio —, quando os portugueses nos deterão? Vão fazer uma abordagem? Ah! Que prazer será ver os porcos desses cavaleiros de Malta feitos em picadinho.

Como Cadorim nada dissesse, ele continuou com suas hipóteses falando cada vez mais depressa:

— A menos que eles não nos deixem chegar até lá e não escolham escravizar no local todos esses malditos franceses! Então, diga-lhes que ficarei com dez deles para mim, os quais matarei de tanto trabalhar numa mina de ouro, antes de regressar para cá vestido como um príncipe.

Enquanto ele falava, ouviram-se barulhos de portas e vozes vindos da sala. Cadorim debruçou-se prontamente na janela.

— Um de seus escoceses não está mais ali!

— Deve ter vindo me buscar — bocejou o marinheiro. — Nós demoramos. Os barcos vão zarpar.

— Nesse caso — apressou-o Cadorim —, deixe-me lhe dizer esta última palavra que é essencial. Não sei quando nem onde, mas deve acreditar inteiramente em mim: uma pessoa virá procurá-lo de minha parte. Fale com ela com a mesma confiança com que falou agora. É assim que será salvo.

— E que eles serão enforcados! — acrescentou Vittorio com alegria, de tal maneira esse juramento de um compatriota o tranqüilizara.

Depois, tendo uma última idéia, enquanto as pesadas botas do escocês ecoavam na escada, acrescentou:

— Mas como saberei...?

Cadorim sorriu com um ar enigmático e, inclinando-se ligeiramente à frente, disse em voz baixa:

— Aquele que virá salvá-lo deverá lhe dar um nome combinado.

— Qual?

— "Ribère".

O marinheiro ficou lívido: assim seu libertador levaria ao mesmo tempo a lembrança de seu crime até os confins da Terra. Pois "Ribère" era o nome do homem que ele matara.

Mas não era mais hora de hesitações. O guarda chegava ao patamar. Vittorio correu para a porta. Saiu com uma facilidade de gato e fechou-a tão depressa ao passar que o escocês nada conseguiu ver do aposento.

CAPÍTULO 7

Dos três navios, o último que levava o nome de *Grande-Roberge* devia acolher Villegagnon, vice-almirante da Bretanha, com sua corte de cavaleiros e sábios. Dom Gonzagues tinha seu lugar nessa nau e não o teria largado por preço algum.

Ele acompanhou Just e Colombe ao pé de outro navio, atracado à testa. A *Rosée* era uma embarcação de comércio à qual se haviam acrescentado alguns canhões. Menor que as duas outras, devia estar carregada sobretudo de material e animais. Um soldado báltico alto proibia o acesso a bordo a quem não figurasse com todas as letras em sua relação. Como lia o francês com dificuldade, um tropel nervoso comprimia-se à sua volta. A tripulação, os ex-condenados e os soldados haviam embarcado primeiro. Restavam, por ora, os artesãos que o báltico chamava por corporação de ofício, ferindo as palavras.

— Estochamantos açoqueros! — gritava.

A multidão pedia que ele repetisse, hesitava, depois corrigia.

— Ah! Ele está chamando os açougueiros.

Cem vozes procuravam então esses infelizes que um último adeus espalhava pelo cais nos braços de mulheres e filhos.

Dom Gonzagues, o ar digno, a barba apontada em rostro, abriu caminho até o guarda e anunciou com uma voz estridente designando as crianças:

— Os trugimães. É aqui?

Apesar de seu desejo evidente de obedecer, o soldado não conseguia meter em seus olhos arregalados mais inteligência do que exprime um céu de amanhecer, no inverno, no Báltico. Dom Gonzagues lhe arrancou a relação das mãos e começou ele mesmo a procurar.

— Vejamos, trugimães... trugimães...

Just, debruçado sobre seu ombro, viu a palavra na lista, embora ignorasse seu sentido. Apontou com o dedo para a linha correspondente.

— Então você sabe ler! — espantou-se Gonzagues. — Uma vantagem que vai prepará-lo, apesar de tudo, para sua função. Em todo caso, é aqui mesmo. Subam. Haveremos de nos rever na primeira escala.

Colocou-os um atrás do outro nas duas tábuas unidas que formavam a passarela.

— Apresentem-se ao primeiro mestre, lá em cima. Ele os levará até o seu lugar. Vão, e que Deus os proteja!

E, imediatamente, correu para o embarque da *Grande-Roberge,* para ir ao encontro do almirante de Villegagnon.

Colombe não quis que Just lhe desse a mão, e os dois subiram com cuidado até a escotilha sem tropeçar. Uma vez no passadiço, esperaram, como dom Gonzagues ordenara, que viessem lhes dirigir a palavra. Mas ninguém se ocupava deles. Todos os que haviam embarcado aglomeravam-se ao longo da amurada do lado do cais, gritavam, acenavam.

Os marinheiros, descalços, puxavam cabos, escalavam as enxárcias, alvoroçavam-se em volta das amarras. Do passadiço superior, um homem corpulento, barbudo e enrugado gritava ordens com as mãos em concha.

Just e Colombe esperaram um pouco, depois fizeram como todos os que chegaram depois deles: começaram a andar à vontade no passadiço. Não tendo de quem se despedir em terra, foram se acotovelar na amurada que dava para o mar, onde não havia ninguém. De seu promontório flutuante, o Havre-de-Grâce aparecia como um alforje natural enfiado no litoral, fechado por uma dupla tampa de diques novos em folha. Da água preta e do céu plúmbeo, um ácido de infinito gotejava sobre as terras e não tardaria a dissolvê-las. Essa iminência do desconhecido deveria tê-los perturbado. Mas, ao contrário, eles se sentiam cheios da confiança que atribuíam instintivamente ao pai. O pai sempre quisera fazê-los compartilhar seu maravilhamento diante da beleza do mundo, e esse sentimento quase era mais forte neles que a lembrança que tinham de sua pessoa.

Entretanto, o embarque estava terminado e as passarelas haviam sido retiradas. As amarras recolhidas penosamente, a *Rosée* começou a balançar mais.

— Ouça! — disse Just levantando o dedo.

Ele havia sentido como que um despertar vivo do navio. Tudo que os porões e as entrecobertas continham de vacas leiteiras e mulas, de carneiros de corte, de galinhas poedeiras, de cabras, de mastins de caça, acordado pela vibração de suas baias, pôs-se a berrar em uníssono.

No mesmo instante, marujos, empoleirados no meio das gaivotas, largaram a vela de mezena. Ela se desdobrou com um murmúrio de pano. O vento, que até então corria assobiando entre a mastreação e o cordame, topou violentamente com o obstáculo erguido à sua frente. A vela emitiu sob esse ataque um grito de gigante golpeado no ventre.

Just e Colombe, de onde estavam, perigavam perder o espetáculo da desatracação. Mas o passadiço de popa lhes estava vedado e a amurada do lado do cais, inteiramente ocupada em duas fileiras por homens que, por nada deste mundo, cederiam seu lugar.

— Venha por aqui — ordenou Colombe puxando Just pela manga.

Ela vira na proa dois grumetes que estavam em cima do gurupés segurando-se a uma corda. Antes que o irmão tivesse tido tempo de detê-la, ela chegara até eles. Aproveitando o fato de ser leve, até os havia contornado para escarranchar-se no estreito mastro de madeira projetado sobre a água. Just custou a convencer os grumetes a deixá-lo passar, pois era maior e podia jogá-los ao mar. Afinal conseguiu e viu que o lugar onde Colombe se instalara, embora parecesse perigoso, não deixava de ser confortável. Diversas voltas de estopa convergiam naquele local e formavam como que um cesto onde eles puderam sentar-se um no colo do outro.

Sendo a *Rosée* o primeiro barco a desatracar, eles não viam à frente senão a extensão livre da baía, salpicada de minúsculas embarcações de pesca. Três outras velas estavam largadas agora e, sob o impulso do vento, o navio acabava de despertar. Como um animal de carga que recomeça de má vontade seu trabalho, desenferrujou todos os seus membros adormecidos. Estalos marcaram a brusca tensão dos mastros e das vergas enquanto a embarcação se afastava da orla.

Seiscentas vozes de homem lançaram gritos de adeus aos quais um lamento agudo de mulheres e crianças respondeu do cais. O grupo miserável das famílias pôs-se em movimento ao mesmo tempo que os barcos, correndo por toda a extensão do cais, depois seguindo pelo dique para ir gritar seu adeus até a última ponta de terra firme.

A *Rosée* agora empinava o nariz para o oceano e, como se tivesse farejado o odor que procurava, pôs-se a seguir sem hesitar a pista do Atlântico.

Quando dobraram os faróis e atingiram mar aberto, as naus se reuniram e singraram em conserva. Os gritos já não iam mais para a costa, mas dessa vez de um navio a outro, disfarçados pelas rajadas de vento. A nau capitânia tomou a testa e as crianças viram balançar-se à sua frente os dois Netunos que lhe ornavam a popa. O vento abafava por instantes uma melodia de gaita-de-fole tocada gratuitamente pela guarda escocesa de Villegagnon.

Depois fez-se a calmaria e, molhados do borrifo do mar, Just e Colombe por um momento pensaram que as solenidades da partida haviam terminado. Mas as bocas de bronze das peças de artilharia lançaram vinte balas pelas escotilhas. Eles haviam esquecido aquele terrível vibrato do canhoneio. Era o último galão que faltava em seu uniforme de liberdade. Colombe abraçou-se ao irmão e os dois choraram de alegria, aconchegados um ao outro.

Mal ouviram, sobrepujada pelo assobio do vento, a voz furiosa do soldado báltico que os chamava no passadiço.

*

Após a aparente confusão da desatracação, mestre Imbert, o capitão, ordenara que todos os passageiros fossem levados para seu lugar. Os preparativos haviam durado mais que o previsto. A tarde já ia avançada. Nuvens de trovoada aproximavam-se em bando no horizonte como uma carga de touros selvagens. Mestre Imbert não esperava boa coisa.

As entrecobertas, durante essas últimas calmarias, estavam em polvorosa com instalações ruidosas. Cada homem tentava pendurar sua rede da maneira menos incômoda, segundo sua idéia de conforto nesse espaço escuro onde mal se ficava em pé. E sentia-se que, dessas primeiras e minúsculas vitórias, dependiam, para cada um, meses de travessia mais ou menos penosos. Just e Colombe não tiveram tempo de participar desses combates: o soldado que fora buscá-los os levou por três escadas até o lugar previsto para os trugimães. Tidos como crianças, portanto, pequenos de tamanho, foi-lhes reservado um cubículo cego, no porão, perto da despensa de bordo, vizinhando o gado.

— Zair proibido! — gritou-lhes malvadamente o báltico, que não esperava ser compreendido naquele navio sem levantar a voz.

Just abaixou-se para entrar primeiro nessa passagem estreita. Tateando, sentiu que era margeada, de um lado, por uma parede arredondada de barricas empilhadas, e de outro, por um tapume de madeira de caixote; apanhou aí uma farpa. Essa toca ia se abrindo, e devia ser mais larga no fundo, onde encostava no forro interior. Mas, antes de chegar lá, Just tropeçou numa massa. Um vozeirão irrompeu da escuridão.

— Alto lá! Velhaco! Não vê que tem gente?

Os recém-chegados entenderam que o quartinho, por mais estreito que fosse, já estava ocupado. Teriam que se contentar com o exíguo espaço livre, perto da entrada. Sentaram-se um ao lado do outro, encostados nas barricas, abraçando os joelhos.

— Perdão — disse Just aos desconhecidos —, sabem quanto tempo teremos que ficar aqui?

Risos maldosos saudaram essa pergunta.

— Ouçam-no, vocês aí — riu a mesma voz que os recebera.

E a voz pôs-se a arremedar o sotaque de Just, que misturava as asperezas normandas a uma entonação cantada proveniente da Itália.

As risadas redobraram. Prestando atenção, pareceu a Just que deveriam provir de três pessoas. Uma claridade fraca, vinda de uma lanterna situada à vante, começava a furar a escuridão. Eles esperaram calados que ficasse mais forte e lhes permitisse saber mais sobre seus vizinhos.

— Estou com sede — murmurou Colombe no ouvido do irmão.

Um odor nauseabundo onde se misturavam o piche da calafetação, um aroma de salmoura e o cheiro dos animais pairava no ar confinado. Eles tinham a boca pastosa.

— Vai ter que ir se acostumando — interveio a voz, pois nada do que era murmurado naquele cubículo podia ser ignorado pelos outros.

— Não tem um tonel aí? — perguntou Colombe.

— Ha! Ha! Um tonel. Vejam onde eles acham que estão! Por que não uma fonte, enquanto você está aí?

Por zombeteira e máscula que quisessem fazer essa voz parecer, ela continuava rouca e velada pela mudança de idade. Colombe achou que quem falava devia ter mais ou menos a mesma idade que eles.

— Como fazer, então? — insistiu ela num tom natural e sem receio.

— Esperar, só isso.

— Bem, melhor assim — concluiu Colombe com delicadeza. — Isso quer dizer que a travessia será curta.

Uma explosão de piadas saudou esse comentário.

— Curta! — repetiu a voz, quando as gargalhadas se acalmaram o suficiente para lhe deixar recobrar o fôlego. — Bem curta mesmo, e aconselho-o a esperar a chegada para beber.

Enxergava-se um pouco melhor agora. A penumbra revelava duas massas encolhidas, comprimidas perto do fundo e, diante delas, o vulto de um garoto alto cuja cabeça quase encostava no piso superior. Parece que ele também os viu e ficou satisfeito com a sua aparência miserável, pois continuou com condescendência, para sublinhar o favor que lhes fazia de os colocar sob sua autoridade.

— Vocês devem se contentar com o que um marujo trouxer duas vezes por dia em matéria de bebida e comida. E é melhor não perder nenhuma migalha, pois a porção não é muito farta.

— Quando ele passará? — perguntou Just.

— Não antes de amanhã, agora. Vocês não estavam aqui há pouco quando ele nos serviu para a noite.

A notícia era má: eles nada haviam comido desde a partida de Clamorgan. A cesta de Émilienne fazia-lhes muita falta e eles ainda tinham na retina os lindos pedaços de pão que pairavam no meio da estrada. Felizmente, o balanço do navio começou a nauseá-los.

— Também são trugimães? — perguntou Just um pouco mais tarde, pois ruminava essa palavra e não conseguia descobrir seu sentido.

— Tanto quanto você, companheiro! — brincou o vizinho. — Seremos isso quando nos botarem no meio dos selvagens.

— Nesse caso, vamos certamente desembarcar antes de vocês — disse Just sacudindo a cabeça. — Pois não vamos para junto desses selvagens.

— Então para onde vão? — insinuou o garoto cujo branco dos olhos eles agora viam brilhar.

— Encontrar nosso pai.

As risadas iam recomeçar, mas o chefe das sombras conteve-as com um gesto.

— Calma, vocês aí! — disse e, com uma entonação de feirante anunciando um salto perigoso, acrescentou: — A situação é grave.

Apontou um dedo para o ar.

— Visto que esse navio vai para as Américas, para a terra dos canibais; visto que irá direto e sem tocar em outras terras; visto que estes aqui nos dizem que vão encontrar o pai deles; concluo... que o pai deles é um canibal!

Relaxando a coleira de seus cães de guarda, ele se uniu então ao concerto de seus latidos.

Mas Just, rápido como quando caçava tordos com arco-e-flecha nas matas de Clamorgan, pulara em cima daquele que acabava de falar e o agarrava pelo pescoço.

— Nosso pai — disse-lhe na cara — é um grande capitão e um homem honrado. Você vai se haver comigo por tê-lo insultado.

A surpresa deixara por um instante o debochado sem defesa. Mas ele se recompôs prontamente, empurrou Just e atirou-se por sua vez em cima dele. Os corpos deles rolavam no chão pegajoso de óleos e pus. Por maior que fosse sua raiva, Just não podia levar a melhor sobre um adversário experiente, ao que parecia, em lutas sujas e que abatia sobre ele seus punhos quadrados, pesados como cepos. Os dois outros garotos menores estavam ajoelhados e encorajavam ruidosamente seu campeão. Colombe gritava tentando apartar os adversários. Esse barulho, unido aos pontapés que ecoavam nas barricas, atraiu um marujo. Ele se debruçou pela abertura, e a lanterna que segurava iluminou vivamente o miserável combate. Just, a camisa rasgada numa manga, enxugava o lábio que sangrava. Seu adversário reuniu dignamente seus trapos e recuou para junto dos dois pequenos. Embora sem dúvida mais moço que Just, ele tinha toda a força e o peso do camponês. Cabelo raspado onde branqueavam placas de sarna e um nariz chato foi tudo o que dele os irmãos vislumbraram.

— Fiquem quietos aí dentro! — berrou o marinheiro. — Se quiserem ser sacudidos, esperem um pouco: vocês serão atendidos.

Desapareceu com a luz. Seguiu-se um longo silêncio durante o qual cada um computava suas agruras. Essa calma os fez notar, por contraste, a agitação do barco. Às vagas lentas do início juntara-se uma trepidação de vagas curtas nas quais batia a roda de proa. A amarração dos tonéis nos quais eles se apoiavam rangia sob a tensão. Um impressionante gorgolejar de entranhas subia do fundo do navio, onde gemiam os animais doentes.

— Você vai me pagar — disse o garoto que lutara.

Just respondeu com segurança que não tinha medo. A trégua corria o risco de durar pouco.

Mas a náusea que o balanço trouxe acalmou-os, o que quer que estivessem sentindo. A estranha embriaguez do enjôo enfraquecia-lhes os membros, entorpecia-lhes o espírito. Eles tinham a sensação de que as barricas já lhes haviam rolado sobre o peito. As palavras do marujo abriam então caminho até seu entendimento enfraquecido: a tempestade estava ali, decidida a vingar sabe Deus que ultraje cometido pelos homens.

A noite toda, ela fez os navios singrarem à capa nas gargantas ameaçadoras dos cavados, no balanço dos vagalhões que arrebentavam. As grandes naus redondas balançavam perigosamente dentro de paredes de água, adernavam quase perigando abater-se sobre o costado. Felizmente, o lastro dos porões cheios e a água que escorria para o fundo as impediam de virar completamente.

A bordo, o alarido dos mugidos e dos gritos dera lugar a um silêncio lúgubre e nauseante, perturbado apenas pelo assobio do vento e os estalos colossais dos mastros quebrados.

Mas, por mais temível que fosse o mar em tempestade, o perigo vinha, sobretudo, da costa ainda demasiado próxima. A noite inteira, mestre Imbert ficou no leme, que não respondia mais, e espreitava no escuro o sinal funesto que teria indicado a presença de recifes ou ilhotas.

O dia nasceu sem que este perigo tivesse surgido. A calma voltou e um litoral providencial esperou o fim da manhã para desenhar suas colinas no horizonte.

CAPÍTULO 8

A manhã inicialmente foi um tumulto menor. Just foi o primeiro a acordar com a cabeça dolorida, as costas todas marcadas das asperezas do chão. Continuava escuro no desvão, mas finos raios de sol salpicavam as madeiras pretas de confetes de luz. Just tinha a boca pastosa, colada de sede. Olhou Colombe dormir, depois avistou o monte de pano perto da borda e teve a vaga lembrança de uma querela a decidir, sem se lembrar muito dos detalhes.

A noite não era em sua memória senão uma confusão de balanços, choques, apitos. O enjôo o mergulhara numa completa e dolorosa inconsciência. Ele tinha a vaga impressão de ter ouvido gritos, barulhos de perseguição e até tiros. Mas em que ordem, não sabia. Por ora, o barco parecia completamente imóvel, como se a luta tivesse usado suas últimas forças. Lentamente, Just pôs a cabeça para fora do estreito cubículo. O porão estava na mais completa desordem. Redes rasgadas pendiam das armações, diversos caixotes de víveres haviam se soltado das despensas e bilhas de louça quebradas franqueavam às moscas seu conteúdo brilhante. Uma luz esbranquiçada vinha do passadiço e completava a desolação do cenário. O mais inquietante era o silêncio. Just entrou em seu buraco e acordou Colombe com delicadeza. Alguns movimentos de consciência agitavam também os três fantasmas que jaziam embaixo de sua lona.

— Água! — gemeu Colombe.

Just ajudou-a a sair do cubículo e guiou-a através do amontoado de detritos.

— Vamos subir para ver — disse ele. — Não entendo o que está acontecendo.

Ela avançava segurando a cabeça e ele precisou ampará-la para subir as escadas. A entrecoberta estava tão caótica e vazia quanto o porão, exceto por dois marinheiros estirados perto de uma peça de artilharia, gemendo. Estava mais claro, e Colombe voltava a si.

No final da última escada, Just teve que usar as mãos como viseira. O céu estava uniformemente cinzento, mas brilhante como se o sol, sob esse manto fosco, estivesse em toda parte ao mesmo tempo. A *Rosée* fundeava numa baía cercada de colinas suaves. Os dois outros navios do comboio estavam ancorados nas proximidades.

Colombe agarrou o braço de Just.

— Olhe — disse —, chegamos.

Atrás deles, eles ouviram subir aqueles maus companheiros da noite e Colombe preparava-se para lhes dar a notícia rindo. Mas sentiu Just puxá-la pela manga.

— O que eles estão fazendo todos ali? — perguntou.

Ela se virou e viu o espetáculo singular. Todos os passageiros civis da *Rosée* estavam reunidos na proa do navio e amontoados na ponta do convés.

Uma fileira de guardas os mantinha à distância, espada na mão. Dois bacamartes, o cano pousado numa forquilha, apontavam para a pequena multidão. Alguns marinheiros vagavam livremente. Dois deles lavavam o passadiço em volta do mastro principal. Empurravam para dentro de um balde um monte suspeito de vidro quebrado e fragmentos de verga sobre os quais rutilava uma substância vermelha semelhante a sangue.

— Ora — exclamou alguém acima deles, e eles sentiram bruscamente a mão forte que lhes agarrava pela goela. — Os trugimães! Tínhamos nos esquecido deles.

— Traga-os por aqui! — gritou mestre Imbert que estava entre os soldados, voltado para a primeira fileira de passageiros cativos.

O marujo atravessou o passadiço levando suas duas presas.

— Mas eram cinco. Onde estão seus colegas, marotos? — perguntou mestre Imbert.

Com aquele queixo duplo, aqueles beiços bonachões, o piloto podia ser rude à vontade: não parecia mau. Aliás, não era, e concedia antecipadamente às fraquezas humanas o perdão daqueles que as comparam às infinitas crueldades do mar.

Colombe, ao passar diante dele, sentiu-se segura o bastante para de repente cair de joelhos:

— Capitão — implorou de mãos postas. — Dê-nos de beber, por amor aos céus. Estamos mortos de sede.

— Eles não comeram nem beberam? — indagou mestre Imbert. O marujo encarregado desta tarefa respondeu, os olhos baixos.

— Com a tempestade...

— Bem, que lhes dêem de comer e de beber. Quero-os aptos para o novo emprego. Olhe, de fato, lá estão os outros.

Dois vultos miseráveis pendiam dos braços de um marujo como de uma forca e o terceiro coxeava atrás. A curiosidade por um momento superou a sede, e Just parou de beber para encarar aqueles que haviam insultado seu pai. Pois, com o ar puro e a água gelada, ele se lembrava de tudo. Os dois menores, obviamente, eram uns infelizes: com aquelas cabeças demasiado grandes e aqueles membros inchados, deviam ter crescido na rua como mato no meio do calçamento. Mas o grande sabia o que fazia e, aparentemente, também nada havia esquecido. Mais alto que Just, estava vestido com uma camisa manchada e calções soltos nos joelhos. Na penumbra da noite, ele era bem reconhecível, com seu ar de cão de guarda e seu nariz achatado. À luz do dia, seus traços não eram tão assustadores e, não fora o insulto a vingar, Just teria facilmente mostrado compaixão por um ser que a vida parecia ter projetado desde o nascimento contra um muro de violência e pobreza.

— Dê água também a esses pilantras — disse mestre Imbert.

Ele parecia muito satisfeito e olhava os trugimães rindo.

— Exatamente o que me faltava — disse balançando a cabeça.

O barulho distante do canhão, ecoando no relevo da costa, pôs um fim brusco a esse enternecimento. O tiro fora dado da nau capitânia em cima da qual via-se erguer um pequeno penacho de fumaça.

— O sinal! — exclamou mestre Imbert. — Vamos, peguem seu pedaço de pão e juntem-se aos outros. Temos que nos apressar.

O mestre recuou alguns passos e subiu numa arca para dirigir-se aos passageiros a quem os soldados continuavam mantendo sob controle.

— Onde estamos? — murmurou Colombe, espremida com Just no meio do grupo hirsuto e malcheiroso.

O menino deu de ombros para indicar que não sabia.

— Pobres crianças! — murmurou no ouvido deles um homenzinho triste em quem eles estavam encostados. — Nem sabem onde estão...

— Ouçam todos — começou no mesmo instante mestre Imbert dando o tom mais ameaçador possível à sua voz bondosa.

— A costa que estão vendo é a Inglaterra — murmurou o homenzinho. — A tempestade nos arrastou para lá essa noite...

— O navio vai zarpar — gritou o capitão —, e espero que dessa vez seja a sério.

— Ainda está longe, aonde nós vamos? — perguntou Just um tanto decepcionado por ainda não estar no lugar de destino.

— Pobres crianças... não é uma vergonha que lhes tenham dito tão pouco? — resmungava o homenzinho assumindo um ar ainda mais triste, se isso fosse possível.

— Mas, em todo caso — berrava mestre Imbert com as duas mãos no cinturão —, não pensem que os outros tiveram mais sorte que vocês. Sobretudo não acreditem nisso... Eles fugiram, é problema deles — prosseguia o piloto. — Mas não irão muito longe. Eu mesmo abati quatro deles.

Sem dúvida julgando esse número insuficiente para infundir terror àquelas mentes, mestre Imbert emendou-se.

— Não, seis. Não é, rapazes? Seis executados por minha mão, sem contar aqueles de quem meus homens se encarregaram. Somem a isso os afogados e aqueles que os prebostes ingleses terão alcançado em terra, para os enviar às galés; vêem o que resta?

— Os coitados ficaram com tanto medo dessa tempestade que preferiram se jogar no mar a continuar uma viagem dessas — disse solenemente o vizinho de Just que continuava parecendo desesperado.

— Então, vocês que ainda estão a bordo, não têm do que se arrepender — continuava mestre Imbert. — Sabem o que nos espera se isto se repetir! Felizmente, eu me espantaria se encontrássemos ainda uma borrasca igual. Palavra de marinheiro, há muito tempo eu não via nada assim.

— Não chegamos, meus pobres amigos. Simplesmente ainda nem partimos. E não chegaremos antes de semanas, meses. Se chegarmos.

Com essas palavras, lágrimas brilharam nos olhos do homenzinho. Just e Colombe, emocionados com esse espetáculo, sentiram-se de repente muito mais fortes que aquele infeliz que se apiedara deles. Receberam essa notícia com mais otimismo que ele.

— Bem, agora preciso escolher vários de vocês para substituírem os malandros que fugiram. Pois a tripulação lutava contra o vento enquanto seus amigos só pensavam em voltar para terra. E oito dos meus homens caíram no mar.

Desta feita, foi mestre Imbert que enxugou uma lágrima.

— Então — berrou ele de novo —, vamos substituí-los. Vou começar: os grumetes!

Seu olhar, que se mantinha alto na linha do horizonte para abraçar todos os seus ouvintes, baixou de repente para a primeira fila.

— Parece-me que os trugimães se sairão bem como grumetes. Os três maiores, em todo caso.

Fez sinal para que Colombe se aproximasse. Ela postou-se à sua frente e ele a mediu de alto a baixo.

— Ainda não muito robusto, você cuidará dos cordames no passadiço. Seu nome?

— Colin.

Depois o capitão chamou Just e o garoto de nariz quebrado.

— Esses dois já são melhores. Não parecem ter medo de muita coisa. Vocês subirão nas gáveas. Seus nomes?

— Just.

— Martin.

Mestre Imbert fez sinal para que fossem ocupar seus postos sem demora.

*

O feliz calor e os céus luminosos chegaram para eles à medida que rumaram para o sul. Ao passar diante da *Grande-Canarie*, receberam uma saraivada de colubrina disparada de um forte espanhol. Uma das balas furou o casco da *Rosée* à vante, abrindo um rombo bem redondo e muito alto que o carpinteiro de bordo fechou sem muita dificuldade. Colombe fazia pouco disso dizendo:

— É só isso.

Mesmo assim, foi um batismo e Just sentia o orgulho de um combatente.

As noites de verão ficaram mais longas, mas como eles rumavam em direção à linha de equinócio, tornaram a encurtar. No entanto, não eram ameaçadoras nem frias: lindas noites mornas e calmas que eles passavam deitados no passadiço ainda quente do sol vespertino, pois haviam conseguido o direito de se deitar onde quisessem. De dia, corriam ao ar livre para executar as ordens de mestre Imbert. Colombe sentia um pouco de inveja do irmão: ele se tornara perito em escalar enxárcias. Ali ganhara mais músculos e um bronzeado que lhe dourava o belo rosto. Seus dias eram bem diferentes. Colombe aborrecia-se um pouco: tentava falar com os marujos do passadiço e os passageiros que passeavam ali. Mas essas conversas não iam muito longe. Ela tornou a ver com freqüência o homenzinho que falara com eles no dia seguinte à tempestade. Soube que se chamava Quintin. Fora condenado por sua religião e tinha sempre um livro na mão. Colombe, a quem a leitura fazia falta, conseguira a promessa de que ele lhe emprestaria algumas obras.

Just, em seu mundo de equilibristas, sonhava muito. Às vezes estava de vigia e se deixava lavar pelos desejos que o horizonte pode despertar em alguém quando o cerca.

À noite, quando os irmãos se encontravam, aconchegados um ao outro para dormir, contavam-se o que haviam pensado durante o dia. À medida que os dias passavam, parecia-lhes cada vez mais extraordinário que seu pai também tivesse feito uma viagem tão distante. Às vezes, eles acreditavam nisso e só se perguntavam se ele conhecera, como eles, a tempestade e o enjôo, se gozara dessas doçuras tropicais. Imaginavam-no alternadamente mestre de bordo como Villegagnon ou passageiro cativo nos porões. Outras vezes, diziam a si mesmos que haviam sido enganados, que seu pai jamais teria ido para tão longe daquilo que amava. Então, lamentavam não ter fugido na noite da tempestade com os ex-condenados e todos aqueles a quem o terror fizera preferir a aventura da fuga a essa viagem. Cada vez que aparecia terra, eles arquitetavam o plano de lá procurar refúgio, se o navio se aproximasse.

Mas esses sonhos se confundiam com os outros, fabulosos, que os faziam imaginar os países de monstros e de magia que encontrariam nos confins. Mais informados sobre o Novo Mundo, particularmente graças a Quintin, começaram a colocar ali sua curiosidade.

Tanto que os dias, depois as semanas que passavam, embora a água das barricas tivesse ficado verde e a comida, nauseante, embalavam-nos numa rotina feliz que eles não tinham muita vontade de deixar.

Seu único e verdadeiro motivo de inquietação era esse Martin, que rondava como eles pelas vergas e pelos passadiços sem se separar de seu olhar hostil que prometia vingança. Just, aliás, nutria exatamente as mesmas idéias, e Colombe ficava desolada ao ver o irmão também ruminar um combate que lavaria sua honra. Além disso, ele queria uma explicação pública, em forma de luta ou de duelo, leal e encerrada pela mercê do vencedor. Martin preparava algo totalmente diferente. A hostilidade que o marcava era dissimulada e muda. Certamente haveria de se descarregar na penumbra e não à luz do dia, no momento em que Just mostrasse uma fraqueza que o tornasse vulnerável. Colombe temia particularmente a noite e dormia abraçada a Just, como para lhe servir de couraça.

Os navios singravam para o sul. Grossas nuvens encobriam toda a extensão do céu, mantendo quente a sopa agitada do mar que exalava um vapor úmido. As reservas de água doce estavam quase no fim. Da nau capitânia veio a ordem de rumar para terra.

Ancoraram defronte a um costão de relevo acentuado onde se podia esperar descobrir riachos adequados para a aguada. Os escaleres regressaram ao cair da noite com uma água lamacenta, quase amarela, nas barricas. Além disso, não foi possível encher senão a metade, pois bandos de negros demonstrando grande hostilidade vieram interromper a operação.

Correu o boato entre a tripulação de que estavam na costa da África. Os marujos puseram-se a maldizer os da nau capitânia que, com aqueles instrumentos complicados e aqueles ares de sabichões, eram incapazes de levar o comboio aonde a instrução de mestre Imbert o teria conduzido com toda a segurança. Instruídos de seu erro, os pilotos do navio testa mudaram de rumo e aproaram para oeste. Já era tempo.

Sinal de que estavam, enfim, no caminho certo, tornaram a ver velas passando no horizonte. Esses encontros sempre ocasionavam grandes inquietações. Villegagnon havia proibido as abordagens: deixaram então passar tranqüilamente vários navios espanhóis que navegavam sozinhos e que teria sido bastante agradável pilhar. Mas, certa manhã, o vigia assinalou um grupo de velas a nordeste, e descobriram pouco a pouco que se tratava de um comboio português de seis barcos. Embora as Américas ainda não estivessem nem de longe visíveis, era claro que os navios franceses rumavam para o Brasil. Bastava isso para designá-los como inimigos.

Da distância em que estavam, dificilmente se podia saber se os portugueses iriam procurar combate. Julgou-se prudente, acontecesse o que acontecesse, preparar-se para isso. Nos passadiços da *Rosée*, começou um corre-corre de marinheiros, soldados e civis, tendo sido esses últimos encarregados pelo capitão da carga dos canhões. Foi necessário manobrar as gaiútas das escotilhas, abrir as arcas onde estavam os bacamartes e içar todo o velame para tirar da boa brisa que soprava a maior velocidade possível.

Colombe estava encarregada de manter o passadiço limpo e desimpedido, prevendo uma eventual abordagem. Ela ia da popa à proa sem se poupar. Passando pelo mastro de ré, viu Quintin que se mantinha imóvel, empertigado, braços cruzados.

— Não lhe designaram tarefa alguma? — perguntou surpresa.

— Sim, devo limpar as bocas de fogo.

— E já terminou!

— Não, não vou fazer isso.

Colombe, que trabalhara febrilmente até então, aproveitou o ensejo para respirar um pouco. Pois que sua agitação tinha mais por objeto acalmá-la do que arrumar um passadiço que por ora estava em perfeita ordem e limpeza.

— Ouvi dizer — comentou Colombe — que se os portugueses capturam uma tripulação, eles a mutilam e a deixam morrer de sede em seu navio à deriva.

— A mim também disseram isso — falou Quintin cujo rosto magro e pálido não abandonava a expressão lúgubre que os dois haviam visto nele no primeiro dia.

— Bem, mesmo assim isso exige defesa.

— Não — afirmou Quintin, sempre de braços cruzados.

Cobrindo o silêncio do oceano, o vento assobiava na imensa vela. Os navios adernados, ataviados com todas aquelas anáguas, todos aqueles aventais e lenços, pareciam três solteironas saindo para o baile.

— Então — redargüiu Colombe —, é preciso se deixar esfolar.

— Meu filho — atalhou vivamente Quintin virando-se para ela e lhe tomando as mãos —, os homens não se dão liberdade senão para o mal. É a única paixão a que não impõem limites. Eu preguei o contrário e fui condenado.

— O contrário?

— Quero dizer não reprimir a bondade, o amor, o desejo.

Dizendo isso, ele lhe apertava as mãos. Seus olhos faiscavam com um brilho que ela jamais vira, misto de apetite, febre e desespero. Ela ficou feliz por um clamor, vindo do castelo de popa, ao se espalhar pelo convés, ter encerrado esse diálogo incongruente: os portugueses seguiam seu caminho.

Gritos de alegria explodiam em volta. Garrafões de vinho, conservados para os grandes dias, passavam de mão em mão, e todos bebiam longos tragos.

O capitão ordenou que fossem amainadas diversas velas e Colombe tentou ver Justin que trabalhava na mastreação. Não conseguiu e ajoelhou-se em silêncio como todos os outros para uma ação de graças. A *Rosée* não possuía capelão: o único eclesiástico do comboio não deixara de se colocar em volta do poder, na nau capitânia. Cada qual rezava portanto à sua maneira e se dirigia a um Deus que era ao mesmo tempo compartilhado e próprio. Os marujos de cara rústica de pirata invocavam doces imagens de Virgens e Meninos nus, enquanto inocentes passageiros de mãos brancas, tirados das prisões por motivos de culto, erguiam o rosto fino para um Deus de sangue e castigo.

Foi no meio desse silêncio que prorrompeu a primeira violência nos ares: um grito, o barulho de uma vela rasgada, de uma queda. O sol que brilhava através das vergas não permitia muito que se visse do passadiço o que se passava. Colombe muito menos podia adivinhar que Just, durante todos esses dias, lhe havia cuidadosamente ocultado as ameaças de que era permanentemente alvo. Martin, desde sua altercação, não parava de espioná-lo enquanto ambos estavam empenhados nos altos trabalhos do navio. Com regularidade e friamente, rogava-lhe pragas, insultava-o e jurava vingança. Just respondia desafiando-o à luta honesta. Mas estava claro que o outro não se arriscaria a isso e que antes recorreria a alguma covardia.

As acrobacias que os grumetes tinham que fazer já exigiam bastante vigilância: Just precisava estar mais vigilante ainda para se proteger de uma maldade. No fim do dia, estava esgotado. Mas naquela tarde a fraca inclinação do navio, o ar morno e um cardume de espadartes cujos saltos ele observava distraíram-lhe a atenção enquanto ele estava apoiado na grande verga de mezena.

A madeira envernizada da verga servia de apoio à sua barriga, enquanto seus braços de um lado e suas pernas de outro o mantinham equilibrado. Foi nesta posição que ele recebeu no flanco o nó da ponta de uma corda lançada com toda força. Just gritou, perdeu o equilíbrio. Felizmente, caiu do lado cheio da vela e teve a idéia de agarrar-se com as duas mãos na borda grossa do pano. Ficou um bom tempo nessa posição, o lado dolorido, atordoado com a queda e mais ainda com sua sobrevivência. Depois, voltou-lhe tudo de uma vez: a necessidade de se levantar o quanto antes, o que fez agarrando uma haste corrediça de ferro, restabelecendo-se em cima da verga da carangueja; a lembrança da corda que o atingira e agora pendia ao longo do mastro, prova de que alguém a havia usado como um pêndulo; as ameaças de Martin. Just não precisou procurar por muito tempo: o outro o observava de uma enxárcia situada mais acima.

Toda essa parte da cena escapou a Colombe. Ela só viu Just na hora em que ele corria para seu agressor e subia até ele.

— Eles estão brigando! — gritou.

E quando captou que os outros, em volta dela, ainda não haviam entendido coisa alguma, foi dar o alerta entre os grupos, e até para mestre Imbert, a quem puxou pela manga.

— Detenha-os, capitão! Olhe, eles estão brigando.

Os ruídos de luta caíam amplificados das alturas mas quase não se viam mais os combatentes. Eles estavam engalfinhados no chão do tonel de vigia.

Dez marujos correram ao mesmo tempo para as enxárcias, e mestre Imbert julgou mais conveniente para sua autoridade gritar-lhes essa ordem, embora eles já estivessem na metade do caminho. Martin lutava com muita força, mas sem audácia nem destreza. Just, ao contrário, teria podido explorar esses dons que ele tinha também, se a exigüidade daquela liça não o tivesse entravado. Ele recebera rudes golpes quando os marujos apartaram os adversários. Just teve a sensação de ter sido obrigado a uma covardia interrompendo ali um duelo que ele só via se concluir com a morte. Foi essa vergonha, mais que o receio do castigo, que o fez baixar os olhos diante de mestre Imbert.

Este tinha mais gosto pela tranqüilidade do que pela justiça. Em matéria de rixa nos navios, e Deus sabe quantas havia visto, ele tinha por regra jamais procurar um culpado.

— Ponham-nos a ferros os dois — gritou.

— Não! — exclamou Colombe, prestes a cair de joelhos.

Mas mestre Imbert lançou-lhe um olhar tão irado que ela ficou congelada. Mais uma palavra e mandava prender os três. Se quisesse ser útil a Just, defender sua causa, apressar sua libertação, teria mais condições de agir se permanecesse livre. A menina se calou e viu o irmão desaparecer, sempre seguro por aqueles que o haviam livrado de Martin.

A vida a bordo logo retomou seu ritmo. Era um daqueles dias dos trópicos em que os azuis parecem querer mostrar que são suficientemente numerosos para dividir o universo entre si: azul-claro do céu, azul-esverdeado do horizonte, azul-violeta do mar e azul-acinzentado da espuma. Era preciso todo o gênio dos homens para inventar o cativeiro no meio dessa imensidão aberta à felicidade. Colombe, sentada na popa perto de uma canoa, chorava em silêncio.

Achava que Just estava ferido, que tinha fome, que seria maltratado num buraco escuro como o que haviam conhecido antes. Depois pensou em sua própria solidão no meio daquela tripulação estranha. Mas esse compadecimento durou pouco e logo a enfastiou. Com aquela aptidão para substituir a tristeza pela vontade que fazia toda a força dos Clamorgan, disse a si mesma que era Colin, grumete livre, nada tolo e que haveria de encontrar um modo de libertar seu pobre irmão.

*

Durante a travessia, pequenos grupos se haviam formado entre os passageiros, os soldados, a tripulação. Os tráficos insignificantes relativos à comida, à água doce ou ao magro saber que cada um tentava enriquecer quanto ao trajeto do barco e às intenções do almirante alimentavam a desconfiança de cada grupo em relação aos outros. Colombe associara-se ao irmão. Essa proximidade lhes bastava, mas hoje ela estava só. Os grupos desconfiavam uns dos outros; ninguém queria saber dela. Decerto, ela sempre podia abordar alguém e arrancar-lhe duas palavras. Mas, dada a resposta, o sujeito corria para seu trabalho, quando tinha algum, ou para os amigos, a quem contava o incidente à boca pequena. Pois no tédio da travessia, tudo se tornava um acontecimento.

Colombe estava quase desanimada quando lembrou-se de Quintin. Lembrou-se que ele estava sumido há dias. Procurou-o na fila, ao meio-dia, para a distribuição de sopa. Ele não se apresentou. Com um balde na mão, fingindo limpar, ela vasculhou a entrecoberta e acabou encontrando-o enrolado numa rede estendida em cima de uma peça de artilharia. A menina subiu no cano de bronze e afastou os dois lados da rede. Quintin estava deitado de costas, olhos abertos, e parecia contar as nervuras dos barrotes.

— O que está fazendo aí? — perguntou Colombe com um certo receio.

— Rezando, como vê.

— Nos outros dias, isso não o impedia de subir ao passadiço.

O homenzinho se levantou agarrando-se ao pano. Franziu os olhos, sacudiu a cabeça e olhou em volta como se voltasse a si.

— É a meditação que me leva — disse ele com uma atitude de quem se desculpa que quase se assemelhava a um sorriso. — Estou inteiramente na companhia do Espírito Santo.

Parecia voltar de uma longa viagem.

— Onde está seu irmão? — perguntou reconhecendo Colombe.

Ela contou-lhe a vingança de Martin e o castigo que se seguiu. Quintin, com os movimentos de um inseto debatendo-se numa teia de aranha, começou a desembaraçar-se da rede. Por pouco, não caiu em cima do canhão. Uma vez em pé, deu mais volume à renda roída de traça de sua gola e puxou as meias. Tendo-se dado esse ar condigno, pegou Colombe pela mão e lhe disse:

— Vamos às novidades.

Fosse por sua solidão, sua austeridade, sua eterna tristeza, Quintin, que não pertencia a grupo algum, por todos era aceito. Na companhia dele, Colombe foi admitida nesses simulacros de famílias. As associações constituíram-se menos por um sentimento de simpatia que por um ódio compartilhado por todos. Uma vez dispensada a energia para se proteger do exterior, a essas tribos restavam longas horas de resmungos, suspiros ou impropérios elevados ao nível de conversa. A escassez do vinho — tendo o capitão reservado as últimas gotas para a chegada — acabava de enlanguescer essas reuniões. Graças aos dados de chifre e ao jogo de ossinhos, esse silêncio humano era, apesar de tudo, preenchido pelo diminuto martelar da sorte.

Quintin levou primeiro Colombe a um grupo de artesãos onde a apresentaram a um padeiro, dois carpinteiros, um charlatão que se fazia passar por boticário. Esse grupo, cujos membros circulavam mais ou menos por toda parte, aceitou, a pedido de Quintin, procurar Just, enviar-lhe aquilo de que precisasse e saber mais sobre seu estado.

Os dois viram depois um ajuntamento de marujos que Quintin conhecia graças à sua Bíblia. Villegagnon comunicara desde antes da partida que, embora cada um pudesse rezar à vontade a bordo, era proibido qualquer tipo de pregação. Mas, na ausência de padres, os marinheiros normandos procuravam alimentos para sua fé rude. Eles eram cheios de superstições e estavam convencidos de que das obras devotas, das invocações, das missas, dos rosários dependiam a calma do mar e o feliz regresso de suas naus. Quintin não aprovava essa idolatria, mas também não tinha vocação para contradizê-la. Ele acreditava na simples força da Escritura. Fazia então longas leituras dos Evangelhos e da Bíblia para esses rudes marinheiros que o ronco da tempestade deixava frios, ao passo que o medo do inferno mergulhava no terror.

Quintin pediu-lhes que precisassem para Colombe o objetivo, a duração e o destino da travessia.

— Não sei o que lhes contaram — disse-lhe ele antes que os marinheiros começassem —, mas quando você me fala de seu pai e da Itália, parece-me que não sabe bem aonde essa navegação vai nos levar.

De fato, Colombe, assim como Just, embora tivesse ouvido a palavra Brasil freqüentemente nas conversas no navio, ignorava onde se achava essa terra. Seu pai lhes falara em Gênova de viagens longínquas realizadas pelos pilotos dessa cidade que ligavam por rotas estranhas o Ocidente ao Oriente. Mas ela continuava achando que essas terras novas não eram senão escalas para o único destino possível, fosse qual fosse o desvio que se fizesse para se chegar lá: o Mediterrâneo, com sua Itália, sua Espanha, sua Grécia e suas terras berberes.

Os marujos explicaram-lhe como puderam, riscando no chão empoeirado a figura do globo terrestre, o que era o Novo Mundo em geral e, em particular, aquele Brasil onde eles iriam se estabelecer.

Colombe, ao ouvir isso, não duvidou mais que seu pai tivesse tido uma participação heróica na conquista dessas terras. Ela não saberia senão o vendo por que motivo ele havia preferido mandar seus filhos viajarem no anonimato de sua glória. Mesmo assim, isso certamente não chegaria ao ponto de os entregar à infâmia dos ferros. E ela se lembrou dolorosamente de Just.

Perguntou aos marinheiros sobre o castigo que o esperava. Eles disseram-lhe que mestre Imbert não tinha por hábito fazer o cativeiro durar muito, sobretudo quando os que o sofriam podiam ser úteis.

— Ele prefere — acrescentaram — uma boa sessão de chicote e não se fala mais no assunto.

— De chicote! — exclamou Colombe.

Pensou: "Num Clamorgan!" Mas, conforme fora avisada, não revelou esse nome a desconhecidos.

— É um de vocês — perguntou Quintin aos marujos — que deve aplicar esse castigo?

— Não, para todos os atos de violência, Villegagnon designou um executor em cada navio. Aqui, é o báltico.

Quintin amuou-se. Conhecia alguns soldados, mas o báltico permanecia à parte e ninguém sabia como se dirigir a ele.

À noite, ele levou Colombe para sua rede, em volta da qual estava instalado um último grupo de passageiros. Eram homens macilentos, cabelos louros deixados compridos, vestidos com blusas de linho. Tinham permanentemente nos lábios um sorriso de êxtase, como se tivessem captado no silêncio alguma melodiosa voz divina que cantasse cânticos para eles.

— Não repita isso a ninguém, mas esses aí são anabatistas holandeses — avisara Quintin em voz baixa, tomando cuidado para que ninguém ouvisse essa confidência. — Eles sonham em se separar do mundo, cujo fim acham que está próximo. Não precisam da Bíblia; eles seguem as próprias inclinações.

— São uns bem-aventurados — disse Colombe olhando de esguelha esses rostos de camponeses iluminados nos quais, sem saber por que, ela não confiava nada.

— Uns bem-aventurados! Coitados. São os homens mais perseguidos da Terra. Quiseram derrubar os reis, as Igrejas, os costumes todos. Alguns deles querem viver como Adão. A bem dizer, todo mundo os odeia e é um milagre que esses aí tenham escapado à fogueira.

— Por que dorme com eles? Faz parte da seita?

— Eu? — reagiu Quintin. — Nunca! Eu venero a Bíblia. — Depois, acrescentou misteriosamente: — Só temos algumas coisas em comum.

Os anabatistas receberam Colombe bem e, num dialeto alemão que Quintin compreendia, deram as suas notícias. O mais espantoso era que esses inimigos do mundo estavam perfeitamente informados do que se passava no barco e mesmo nos outros, o que era ainda mais incrível. Segundo eles, surgira uma discussão a bordo da nau capitânia entre Villegagnon, o cosmógrafo e os pilotos quanto ao ponto exato em que se encontravam os navios. Alguns queriam puxar mais para o sul, e outros, subir mais para o norte. Ainda faltava muito para chegar, e as reservas diminuíam.

A *Rosée* era o mais bem aquinhoado dos três navios, pois as defecções haviam sido numerosas durante a tempestade. Mas na nau capitânia mal tinham com que alimentar todo mundo. A água estava estragada e uma doença ruim torturava os ventres.

— Segundo eles — traduziu Quintin —, é possível que transfiram uma parte da tripulação da *Grande-Roberge* para cá.

Colombe fez uma cara triste. Isso poderia tornar Just e seu agressor menos indispensáveis e encorajar deixá-los meditando no porão.

Essas coisas todas eram muito complicadas. Enquanto isso, era noite, Just não estava ali e ela teria que dormir sozinha.

Dois anabatistas já haviam começado a preparar sua cama.

— Onde você dorme, marujo? — perguntou-lhe Quintin.

Colombe deu de ombros.

— Não sei. No convés, num canto.

— Fique conosco. Quer dividir minha rede?

A oferta não era extraordinária. Para carregar mais o navio de alimentos perecíveis, limitaram-se os objetos de uso pessoal. As redes eram raras e era comum dormirem dois ou três em uma só.

Colombe levou um segundo para pensar que era um garoto e que essa oferta deveria ser recebida com naturalidade. A bem dizer, a idéia de se encostar no austero Quintin, com aquele ar desolado e aquele rosto lívido, não devia alegrá-la mais do que inquietá-la. Ao menos, não sentiria de maneira tão cruel a falta de Just a seu lado.

A higiene a bordo era assunto de cada um. Certos grupos se lavavam ruidosamente içando baldes de água do mar. Outros procediam a abluções discretas. Outros ainda, em particular os marujos, contavam com a umidade do ar para dissolver seus humores. O dito Colin, como todas as noites, depois que escurecia, retirou-se para perto do tombadilho e lavou-se numa barrica tão furtivamente como um camundongo.

Ao voltar, Colombe encontrou Quintin já deitado, na mesma posição solene da tarde. Ela hesitou um pouco, depois subiu também no saco de lona, sacudindo para todos os lados quem ali jazia.

— Você não reza, Colin? — perguntou.

— Bem, rezo... mas em silêncio.

— Deus nos ama, Colin.

— Eu... eu sei.

Dois anabatistas roncavam e Colombe já se arrependia de não ter ficado no chão. Virou as costas para Quintin e encolheu-se, feliz, apesar de tudo, de sentir um calor perto de si. Fechando os olhos, viu Just e sorriu-lhe.

— Ele abençoa cada um de nossos desejos. Este é o segredo — disse solenemente a voz de Quintin.

Mas Colombe já não o ouvia, pois dormia.

CAPÍTULO 9

Todos aqueles que, na vante, não acreditando que a Terra fosse uma bola, espreitavam o abismo e os monstros que o anunciavam recuperaram a esperança. O azul tropical escureceu. Famílias de nuvens descabeladas, grandes e pequenas misturadas, atravessavam correndo o horizonte. De manhã, pesadas brumas cobriam o mar que cheirava a peixe morto. Depois, à tarde, os ventos começaram a virar tão depressa que foi preciso navegar na gávea de traquete. O próprio mestre Imbert tomou o leme, o que nunca era bom sinal. Mandou carregar quatro peças; se a cerração aumentasse, seria preciso poder chamar os outros navios a canhão.

Mas foi a chuva que acabou vindo. Caiu de uma nuvem tão preta que congelou o ar. Escurecia o que estava próximo, ao passo que um círculo de luz continuava iluminando de verde pálido todo o orbe dos longes.

Colombe foi provar a chuva, em pé, perto do grande mastro, braços abertos, trêmula e encantada. As gotas eram viscosas e frias, mas assim mesmo aquilo era água doce: Colombe teve o instinto de abrir a boca e engolir grandes porções de ar molhado.

— Não beba isso — disse-lhe ao passar um dos marujos que Quintin lhe apresentara —, são miasmas.

A chuva caiu o dia inteiro e continuou à noite. Colombe foi requisitada para dormir no passadiço, pois mestre Imbert queria que se ficasse de prontidão, pronto para a manobra, e redobrara os turnos de guarda. Colombe tiritou de frio a noite inteira debaixo de um encerado. De manhã, as intempéries haviam passado; o sol aquecia as roupas, mas, como previra o marinheiro, começavam a aparecer purulências nas carnes maceradas.

O boticário teve que preparar uma gamela de ungüento que a tripulação, em fila, vinha fazer passar nos furúnculos.

Más notícias vinham da nau capitânia. Singrando bordo a bordo, os capitães trocaram muitos gritos e sinais combinados, depois abafaram os panos. Ao ver descer ao mar um escaler, no costado da *Grande-Roberge*, Colombe disse a si mesma que os anabatistas decididamente eram bem informados. Entretanto, via-os andando ao léu o dia inteiro, sorrindo para suas aparições e ignorando todo mundo à sua volta.

— Vejamos quem eles nos enviam — sussurrou-lhe Quintin, que ela não ouvira chegar.

Dez soldados armados dos pés à cabeça, e em cujo peito se observava a grande cruz branca, desceram um após o outro da *Grande-Roberge* por uma escada de corda e sentaram-se prudentemente no bote. Seguiram-se um religioso de sotaina, depois três indivíduos vestidos à burguesa.

— Palavra de honra, a situação deve ser grave — disse Quintin —, é a elite que vem se refugiar entre nós.

Os remadores fizeram um esforço conjunto para impelir o bote e descolá-lo da caravela. Depois, não tiveram muita dificuldade em chegar até a *Rosée*. Toda a tripulação aguardava respeitosamente a chegada daquelas figuras novas. O padre foi o primeiro a entrar a bordo.

Mestre Imbert saudou-o com solicitude e levou-o para sua sala na popa.

— O abade Thevet — comentou Quintin —, religioso da ordem dos franciscanos e cosmógrafo do rei.

Colombe não soube dizer pelo tom do amigo se havia admiração ou desprezo no enunciado desses títulos.

Mal o sábio desapareceu, os fidalgos e os cavaleiros já se empurravam. Um deles, vítima de uma onda traiçoeira no momento em que agarrou a escada, chegou encharcado. Recusou com altivez as deferências à sua pessoa e só exigiu um pano seco para enxugar a espada. Colombe reconheceu dom Gonzagues.

Após os longos dias de travessia, o navio de repente era incomodado pela abordagem desses intrusos. A tripulação e os passageiros instintivamente se afastaram, encostando-se na amurada oposta, como se tivessem recuado diante de uma aparição ameaçadora.

Enquanto isso o escaler voltava para a *Grande-Roberge*. Em silêncio, todo mundo observava a operação seguinte.

— Villegagnon, sem dúvida! — previu Quintin em voz baixa.

Mas, embora se visse a tripulação em polvorosa no passadiço da nau capitânia, ninguém se decidia a usar a escada. De repente, uma forma quadrada, escura e maciça foi penosamente levantada por sobre o costado do navio. Arquejos ruidosos arranhavam o ar imóvel. A massa negra, agora segura por cordas, balançou, depois começou a descer.

A *Rosée* inteira aproximou-se para ver e o barco adernou a bombordo sob o movimento brusco daquela carga.

A forma negra chegara ao bote e, quando ali pousou, agitou-o para todos os lados, provocando muitos gritos. Os remadores retomaram prudentemente seus lugares. Finalmente, o escaler se desligou lentamente e aproou para a *Rosée*.

E então, um bom tempo depois, Colombe, incrédula, e todos os que permaneciam em silêncio em volta dela viram oscilar no balanço do mar, naquele certo lugar do Atlântico, talvez o meio, a menos que já estivessem nas proximidades dos Cíclopes que guardam o extremo do mundo, um grande armário de madeira escura. O escaler, com esse cabuchão negro às costas e seus seis remos, parecia um grande besouro rastejando pelo chão bege do mar naquela hora do crepúsculo.

Depois que o móvel encostou na *Rosée*, ainda foi necessário um bom tempo para içá-lo a bordo. Finalmente, ocupou o lugar de honra no meio do convés. Era um contador de segredos com gavetas e abas, de pés torneados. As outras madeiras, das pobres tábuas do passadiço esbranquiçadas de sal até as traves grosseiras dos mastros escorrendo verniz, humilharam-se diante da elegância distinta desse ébano marchetado.

Todos se aproximaram prudentemente do móvel que se erguia sozinho sobre suas pernas no meio do barco. Incrustações de marfim na parte anterior representavam uma cornucópia dupla, encimada por uma coroa. O trabalho era tão fino que a maioria dos homens do navio jamais havia visto igual. Mas, a Colombe, trouxe imediatamente uma lembrança da Itália. Era outono, ela talvez tivesse sete anos. Uma senhora lhe falava, apoiada num móvel exatamente igual. Mas onde? Ela procurava mas não encontrava.

Contudo, muito atraídos pelo grande inseto que acabara de pousar em seu navio, os ocupantes da *Rosée* não haviam prestado atenção no escaler que retornara à *Grande-Roberge* e de lá voltava.

Assim, todo mundo sobressaltou-se ao ouvir um vozeirão exclamar:

— Virgem Santíssima! Ele está ali mesmo.

As duas manzorras na amurada, Villegagnon sorria de orelha a orelha olhando para o contador de ébano.

*

Dominando de uma cabeça os outros todos, cabelo curto, sal e pimenta, tão empinado quanto o resto de sua pessoa, o cavaleiro Nicolas Durand de Villegagnon andava por seu novo domínio. Não precisou senão de algumas passadas para pular de um convés a outro do castelo de proa segurando mestre Imbert pelo ombro.

— A *Grande-Roberge* já me parecia pequena... Ora! Vai ser como lá: acabaremos nos acostumando.

A bem dizer, seus companheiros haviam se habituado facilmente. Esse *nós* era um eu generoso, pronto a abrigar outros.

— Lá está uma hecatombe! — prosseguiu o almirante com uma voz que ele queria baixa, mas que todavia ecoava de um bordo a outro.

Ele olhava a *Grande-Roberge* que levantava seu escaler.

— Em dez homens, oito estão infectados. Já tivemos dois mortos. Entre eles, meu barbeiro — acrescentou de passagem com melancolia, a mão no queixo coberto de pêlos negros. — Esperamos não trazer essa peste conosco para cá.

Após esse breve acesso de inquietação, ele voltou a si e, virando-se para a tripulação e os passageiros que continuavam imóveis, julgou que eles esperavam dele um discurso. Essa era uma mercê da qual ele não era avarento. Foi postar-se junto ao contador sobre o qual pousou dignamente a mão e declarou:

— Meus amigos! Nossa viagem corre da melhor forma possível. A nova França está próxima, eu lhes digo. Não tardaremos a vê-la. Enquanto isso, vocês terão a honra de servir a nau capitânia. Não é por eu me encontrar nela que ela se torna capitânia. Na verdade, é ele que lhes confere esse privilégio.

Indicou o móvel e bateu com a palma da mão em sua lateral. O contador reagiu deixando cair ruidosamente a tampa, como um lutador que abre a boca ao ser atingido no ventre. Atrás da aba de madeira, apareceram doze gavetas incrustadas de tartaruga e filetes de bronze.

— Vejam todos — prosseguiu Villegagnon exalando um suspiro tão forte que, aplicado a uma vela, teria sido capaz de enfuná-la — esta obra de madeira: ela encerra o Espírito Santo de nossa expedição. É nela que estão guardadas as cartas do rei Henrique II que nos dão poderes para tomar autoridade sobre essas novas terras americanas. Nosso notário, o Sr. Amberi, onde está ele?, consignará num documento que será colocado aqui nessas gavetas cada hectare conquistado. Quando esse contador regressar à França, levará para Sua Majestade os títulos desse novo reino do Brasil que vamos todos juntos lhe oferecer.

Uma aclamação geral saudou essas palavras.

Tal era o efeito dos discursos de Villegagnon. Se os passageiros da *Grande-Roberge* já estavam fartos deles, a ponto de terem perdido a continência das tripas, na *Rosée* eles ainda eram novidade e despertavam entusiasmo. Os marinheiros inchavam o peito e os passageiros encontravam enfim o objetivo principal de seu embarque, que eles haviam pouco a pouco esquecido. Mesmo os anabatistas, que odiavam reinos e não descansavam enquanto não os derrubassem, pareciam felizes com a idéia de ter um novo para destruir.

— Arrojado mestre Imbert! — exclamou o almirante para que seu discurso se encerrasse em apoteose. — Largue as velas grandes e dê a todo o comboio o sinal de partida, já que doravante o senhor é o chefe.

Os marujos, embora ainda irritados com pústulas, mal alimentados e fracos, descobriram bruscamente em si asas para trepar na mastreação.

Em algumas palavras, Villegagnon, esse gigante parecido com o móvel de ébano, com aquela barba e aqueles olhos pretos engastados num nariz comprido como uma baliza de marfim, dera vida a essa nau entorpecida, roída de ciumeiras e intrigas baixas. Quando ele se retirou para o castelo de popa, Colombe tinha lágrimas nos olhos.

Quintin, que ela encontrou na entrecoberta com uma tigela na mão, não compartilhava sua excitação.

— Mesmo assim — dizia ele balançando a cabeça com um ar de desaprovação —, é um homem de guerra.

Engolida a ceia, eles fizeram a ronda dos grupos seus conhecidos. Todo mundo comentava a chegada do capitão. Mas, além disso, os marujos tinham novidades para Colombe.

— Jacques viu seu irmão — disse-lhe um deles.

O referido Jacques ainda não se encontrava ali. Chegou pouco mais tarde, praguejando contra o grupo de Villegagnon.

— A coisa começa mal! — resmungou. — Esses senhores acabaram de chegar aqui e é preciso obedecer a todas as suas vontades. O franciscano faz caretas com seus instrumentos para medir a altura das estrelas ou não sei o que desse gênero. E tive que carregar a lanterna dele durante duas horas.

— Viu Just? — interrompeu-o Colombe.

— Vi — disse Jacques cuspindo no chão. — Esta semana, fui escalado para lhe levar a sopa.

— Como está ele?

— Tão bem quanto se pode estar com os pés acorrentados.

— Ah!, coitado, está sofrendo, está doente.

— Você quer dizer que ele está engordando! Sem exercício, sem se cansar; ele nem segura a lanterna para os franciscanos.

— Quem o agrediu está com ele?

— Palavra, eles estão juntos e parecem se entender como dois irmãos.

Era uma boa notícia, mas Colombe sentiu uma ponta de desagrado à evocação dessa proximidade.

— Ele não mandou nenhum recado para mim? — perguntou.

— Nada.

Por um instante, ocorreu-lhe que ela talvez fosse mais digna de pena do que ele.

— Você vai amanhã também?

— De manhã e à noite.

— Posso acompanhá-lo?

— Não, mestre Imbert me fez jurar que eles ficariam em um lugar secreto. E com todos esses soldados novos rondando...

Colombe só conseguiu a promessa de que ele transmitiria a Just um recado dizendo que ela estava bem e o abraçava. Passou o resto da noite elaborando planos para conseguir libertar o irmão. Chegou à conclusão de que a melhor maneira era chamar o próprio Villegagnon para a arbitragem. O pouco que entrevira dele convencera-a de sua eqüidade. Só era preciso observar seus hábitos e descobrir o meio de se dirigir diretamente a ele, sem ser detida por um de seus beleguins ou por mestre Imbert.

Naquela noite, para que todo o navio pudesse festejar com alegria sua chegada, o almirante mandara tirar da despensa três garrafões empalhados que circularam nos passadiços. O calor madeirizara o vinho. Colombe, que gostava desse sabor açucarado, não se fez de rogada para beber mais quando os marujos lhe estenderam o gordo garrafão cintado de vime e Quintin ajudou-a a levantá-lo.

Essa bebida, após a noite ruim no passadiço, mergulhou-a num sono pesado carregado de sonhos tão logo ela se instalou na rede de Quintin. Tanto que, de manhã, guardava lembranças confusas da noite e se perguntou o que havia de sonho e de verdade no que ela julgava ter vivido. Estava tentada a desconfiar. No entanto, o fato de ter acordado no chão e não na rede parecia confirmar a autenticidade de suas lembranças.

Tudo se passara na claridade azulada do mar cálido que refletia a lua cheia. As vigias agora permaneciam escancaradas para aliviar um pouco a umidade da entrecoberta e dissipar os odores cada vez mais rançosos que a carga emanava.

Colombe, querendo mudar de posição, fora impedida por um obstáculo; teve a impressão de sufocar e abriu os olhos. Quintin estava colado a ela, a cara triste encostada à sua, e olhava-a sorrindo. Ele tirara a camisa e seus braços nus estavam passados por baixo da jaqueta de Colombe. Ela sentia as mãos compridas do homem acariciando-lhe as costas. Era tão tarde e as nuvens de sono tão densas que ela não teve o instinto de sobressaltar-se.

— O que está fazendo? — murmurou.

— Estou segurando você junto a mim — respondeu Quintin com uma voz perturbada.

— E por quê?

— Porque tenho esse desejo.

Ela se sentia confusamente no dever de resistir, mas os gestos de Quintin eram muito suaves e é preciso muita força para ser o primeiro a usar de violência.

— Vamos — gemeu ela —, isso é errado.

Quintin continuou passeando as mãos por todo seu corpo que o calor do trópico pouco defendia.

— Não pode ser errado — disse ele —, uma vez que é o amor que me guia. Deus pôs na criatura essa noção infalível do Bem. Nada do que nossos desejos nos levam a fazer é errado, se o guia é o amor.

Esse sermão, demasiado longo, alertou mais Colombe que as carícias: ela reconheceu a lúgubre peroração de Quintin e seus intermináveis comentários sobre a Bíblia. Tirou daí a energia para repelir suas mãos.

— São os seus desejos, talvez, mas não os meus.

Quintin não procurou usar força. Aliás, ele não tinha nenhuma e Colombe, que manejava cordas de fibra o dia inteiro, facilmente, o venceria. Mas não houve nada disso. Bocejando, olhos semicerrados, Colombe saiu laboriosamente da rede e foi deitar-se encostada a um canhão.

Na manhã seguinte, viu em Quintin uma cara tão natural, triste e séria como de hábito, que foi tentada primeiro a achar que havia sonhado. Mas ao meio-dia, quando estava para comer seu jantar apoiando a tigela na amurada — único meio de deixar ao vento o cuidado de tirar de sua comida o cheiro de podre que a infectava —, Colombe sentiu Quintin roçá-la ao instalar-se a seu lado. Ele olhou para os lados certificando-se de que não havia ninguém perto deles que pudesse ouvi-los. Disse-lhe com aquela voz inquieta e desesperada do dia em que se conheceram:

— Que desgraça! Quem pôde forçá-la, pobrezinha, a embarcar, única de sua espécie, obrigada a ocultar sua natureza de menina?

— E quem lhe deu licença para descobri-la?

Com uma raiva visível, olhou nos olhos de Quintin, que se desviaram. Ela temia um combate, alguma odiosa chantagem, talvez. Mas imediatamente mudou de idéia ao ver o infeliz submeter-se com tanta facilidade. Obviamente, ele não era daqueles brutos que agem dominados por uma sensualidade que eles impõem com tanta violência quanto a sofrem. Em Quintin, tudo vinha da cabeça: ele se adaptava, com método e quase arrependimento, a esse evangelho de amor que julgara ler nas Escrituras; jogava, para alimentar o fogo desta demonstração, o escasso apetite que a natureza colocara em seu ser parcimonioso.

— Por que crime você foi condenado, Quintin? — perguntou Colombe suavemente.

— Eu era cortador de lupas em Rouen — começou ele soturno. — Ninguém era mais respeitado que eu, pelo menos enquanto não tentei instruir os outros na verdade. E a verdade só me foi revelada há três anos.

— Por quem?

— Por um viajante que vinha da Alemanha, onde sofrera muito — suspirou. — Escondi-o em minha casa até ele embarcar para São Lourenço.

Colombe olhava para a frente, para a esteira que a *Grande-Roberge* deixava despreocupadamente como uma rainha decaída.

— Foi então que de repente vi as coisas claras e troquei meus pobres vidros pela grande lupa universal, através da qual tudo é tão transparente e tão belo.

Dizendo isso, bateu em sua pequena Bíblia com ternura.

— Parece que meus sermões souberam transmitir meu entusiasmo. Pois logo fiquei conhecido de diversas senhoras de Rouen que me recomendaram a outras de suas amigas. Tanto é que eu passava minhas noites e meus dias fazendo ressoar naqueles corações o eco do amor infinito que Deus nos testemunhou.

— Como quis fazê-lo ecoar esta noite no meu?

— Sim.

Colombe virou-se novamente para Quintin, julgando impossível que ele fizesse uma confissão daquelas sem sorrir. Mas nada arranhava sua seriedade.

— Alguém o denunciou?

— Não! — exclamou ele. — Fui denunciado por minhas obras. Pois tendo sido a santidade de nossos desejos tão bem compreendida por essas senhoras, elas mesmas se tornaram suas prosélitas. Chegou ao ponto de eu poder achar por um instante que toda a cidade não seria nada mais senão carícias e louvores.

Colombe pensou, sem parar de olhar para Quintin, que ele era simplesmente louco.

— Nesse caso, há sempre maus ladrões que se alarmam; os que vivem da desgraça e querem perpetuá-la: esse clero de impostores que reserva seu falso amor a Deus, esses magistrados limitados, essa polícia ignóbil...

Deixando o homenzinho se lamentar, Colombe espantou-se de não estar inquieta. Quintin merecia pena, e não ser temido. O fato de ele agora compartilhar o segredo de seu disfarce deveria até aliviá-la. Com Just, ela fazia seu papel sem esforço, pois eles sempre foram parceiros de teatro. Se lhe acontecia de relaxar sua atenção, ele lhe lembrava da necessidade de ser Colin para todos os outros. Sozinha, ela sentia-se muitas vezes a ponto de se trair.

— Jure-me, Quintin, que agora você vai me olhar como convertida.

— De verdade? — disse ele tomando-lhe as mãos.

— Quero dizer o bastante — e retirou as mãos sorrindo — para nunca mais operar em mim seu sermão.

— Ah! Eu juro e farei tudo que puder para que ninguém descubra o que você é.

Ela não sabia se a felicidade que ele lhe testemunhava devia-se à notícia de tê-la convertido ou ao alívio de não tê-la contrariado.

Em todo caso, essa amizade não lhe seria excessiva para executar com sucesso o perigoso projeto que ela elaborara.

CAPÍTULO 10

A cela era equipada apenas para três prisioneiros. Just e seu adversário Martin ali encontraram ao chegar um velho amolador que havia tentado fugir para a Inglaterra. O homem conduzia sozinho a conversa, pois os jovens, presos frente a frente por braceletes de ferro e ligados por uma corrente à divisória, ruminavam seu ressentimento em silêncio.

O velho contava interminavelmente por que partira. Uma discussão com seu primo que era ao mesmo tempo seu sócio o conduzira, numa decisão irrefletida, em suma, a embarcar nessa viagem. Falou-lhes também de sua mulher, que ele via envelhecer. Ele que se sentia bem conservado e gostava da carne, começara a sonhar com selvagens acolhedoras. Mas, feita essa confidência, chamava-se a si mesmo de sonhador e tolo, sentia falta de sua antiga loja, das cervejas bebidas à noite na estalagem com o primo, e sobretudo da companhia de sua mulher e suas duas filhas cujo nome ele não evocava sem cair em prantos.

Passados dois dias, os novos prisioneiros teriam dado qualquer coisa para que cessasse esse estribilho onde apareciam alternadamente a lubricidade, o remorso e a tolice. Com isso, o amolador roncava como um porco.

Por mais que lamentassem aquela presença indiscreta, ela teve o mérito de distraí-los de sua própria rixa pessoal e até de uni-los contra um terceiro. Quando chegaram as chuvas infectas, mestre Imbert lembrou-se que as armas de bordo, sabres de abordagem, cutelos, machados, estavam sem fio, soltou o amolador e mandou-o enfrentar uma montanha dessas ferragens, munido de uma pedra de amolar, para lhes devolver o corte.

Just e Martin se encontraram novamente sozinhos e o alívio que sentiam com isso deixava-os menos dispostos a retomar as hostilidades. Certa manhã, ouviram um arranhar atrás da divisória e, por um interstício entre as tábuas, alguém passou um salame. Martin agarrou-o e começou a devorá-lo com gestos de alegria.

— Um de meus irmãozinhos trabalha na despensa! — disse com a boca cheia.

Comer sozinho diante de um faminto não é um prazer completo. Nada era pior para Martin que a solidão: precisava dividir suas emoções, fossem elas quais fossem. Assim, não foi sem egoísmo que lançou a metade do salame ao rival.

Mas Just deixou-o cair no chão e virou as costas.

— Como? — reagiu Martin. — Prefere morrer de fome!

— Você sujou minha honra!

— Sua honra! — indignou-se o jovem mendigo. — Mas onde você pensa que está?

— Sou fidalgo — afirmou dignamente Just que, todavia, não podia evitar olhar de soslaio para o salame.

— E eis o que lhe tira o apetite! Acha que os fidalgos comem a honra deles? Meu caro, olhe para você: está amarrado como um vitelo num cubículo fétido, está sendo levado para a terra dos selvagens e daqui a pouco seus dentes vão começar a cair um por um. Não é lutando contra mim que você vai sair dessa, nem você nem seu irmão.

Ora, no mesmo instante Just pensava em Colombe que ficara sozinha no navio, exposta a todos os perigos. Teve que admitir que sua intransigência, legítima se estivesse sozinho, colocava em perigo aquela que, em seu entender, dependia dele.

— Vou lhe fazer uma confidência — continuou Martin tirando voluptuosamente a pele da ponta daquele embutido. — Eu sou filho de príncipe.

— Você! — espantou-se Just.

— Sim, eu — disse Martin assumindo a pose daquele que uma copiosa refeição saciou.

Just levantou os ombros.

— Como, não acredita em mim? — sobressaltou-se o outro imitando a cara humilhada do companheiro. — Você atenta contra minha honra. Vou lhe tomar satisfação.

— Bem — disse Just reprimindo um sorriso —, conte.

— Primeiro você, amigo. Gosto de saber em geral a quem me dirijo. Como um outro fidalgo se encontra nesta prisão?

Just, primeiro a contragosto, depois, diante da benevolência do ouvinte, mais de bom grado, contou sua história. Com naturalidade, até pegou sua parte de salame ao longo dessa exposição, e Martin sorria de alegria vendo-o morder por sua vez o gordo alimento salgado.

— Agora você! — concluiu Just, terminando o relato que fizera de sua vida.

— Ah, eu — disse Martin —, é muito simples. Fui achado enrolado em panos defronte a uma igreja no Dia de Reis. Donde procede que sou um príncipe.

Disse isso com uma alegria fingida que seu narigão quebrado tornava bastante engraçada. Just e ele caíram numa gargalhada que foi como o primeiro sangue derramado de seu duelo, pelo que se presumia que este se resolvera.

Martin, nascido em Rouen, confiado a um orfanato, saiu para o mundo aos dez anos, morando em Honfleur com outros miseráveis. Ocupava-se nos cais à noite pilhando os entrepostos. Enquanto era pequeno, subia a bordo pelas amarras e vasculhava os porões. Depois, associara-se a dois meninos a quem chamava indevidamente de irmãos e que faziam essa tarefa para ele. Ele sabia tudo sobre as tripulações, os portos, os carregamentos. Estava muito a par do Brasil, pois vinte barcos franceses faziam a travessia cada ano.

— Se não tivesse cometido o erro de deixar Honfleur, eu ainda estaria levando aquela boa vida lá — gemeu.

Atraído pela nova fama do Havre-de-Grâce, ele lá se aventurara. Mas na cidade nova as pessoas de sua laia eram logo interpeladas. O prebostado os havia levado à força, a ele e a seus supostos irmãos, para um orfanato. Quis o destino que Le Thoret os encontrasse ali na véspera do dia em que haviam previsto fugir.

Just o fez falar do Brasil; o outro era inesgotável ao discursar sobre as madeiras corantes, os canibais, e evocava com muitas piscadelas a sorte que os esperava com as índias nuas e lascivas que os marujos lhe haviam descrito. Martin, que freqüentara os portos, dava a entender que sabia muito sobre esses assuntos e Just, enojado, via-o coçar entre as pernas enquanto se animava com essas lembranças.

Prudentemente, e já que sua diferença estava acertada, Martin fez o companheiro falar desse pai que ele pretendia encontrar.

Com todo o tato que, apesar de tudo, sua grosseria poupara, Martin manifestou dúvidas razoáveis sobre essa história. Até então, o Brasil não era conhecido senão das expedições de mercadores. Portanto, eram poucas as chances de ter o pai de Just participado de alguma, a menos que tivesse se tornado corsário; alguns fidalgos haviam com efeito se tornado aventureiros do mar, encontrando em seu navio os riscos e a glória da grande época das verdadeiras Cruzadas. Os dois fantasiaram tantas hipóteses que, no final, ficaram ambos em dúvida. Martin disse a si mesmo que na verdade tudo era possível e que um capitão perdido podia ter procurado fortuna lá. Enquanto Just, ao ficar sabendo que não havia nesse país nem palácio, nem cortesãs, nem capela sistina, nem verdes campos salpicados de ciprestes e de vestígios romanos, em suma, nada do que sempre constituíra a paixão de seu pai, duvidava cada vez mais que ele tivesse ido se perder nessa direção.

— De qualquer maneira — concluiu Martin —, todos os meses há navios mercantes que voltam para a França.

Assim, a chegada ao Brasil deixou de limitar o horizonte de Just. A tristeza que ele podia sentir com a idéia de não encontrar ali seu pai era aliviada pela esperança de continuar a procurá-lo em outros lugares.

Os dias passaram no cárcere flutuante, alegrados por mais alguns banquetes de salame. No abafamento daquele cubículo, as horas escoavam lentamente, e eles as enchiam de histórias. Martin guardava mil casos na memória, colhidos na fonte viva dos mendigos, dos ladrões e das mulheres. Fazia o companheiro entrar num mundo do qual este chegara muito perto na Itália, sem nunca lhe pertencer, e do qual os longos anos de Clarmogan o afastaram. Just, quando chegava sua vez, contava as intermináveis aventuras do Amadis de Gaule.

Embora seus cabelos estivessem infestados de piolhos, suas gengivas sangrassem, seus estômagos gritassem no vazio, eles tinham a saúde resplandecente dos sonhadores.

A chegada de Villegagnon no pobre navio de abastecimento provocara uma completa revolução a bordo. O espírito se apossara da matéria. A graça volátil das artes, das ciências, do pensamento, defendida com todo o vigor do cavaleiro, repelira facilmente as pesadas barricas, o resto do bando, todo o fétido caos vivandeiro. As salas do castelo de popa, antes transformadas em entreposto no qual mestre Imbert e seu imediato dormiam sem cerimônia, voltaram a ser um apartamento claro, onde o sol, reverberado pelo mar, entrava pela larga abertura das escotilhas de popa.

Colombe e outro grumete foram encarregados de encerar o chão. Depois, ali foram arrumados os objetos que duas outras viagens de ida e volta do escaler trouxeram dentro de arcas. Tapeçarias turcas trazidas da Hungria por Villegagnon, estendidas nas paredes do costado, escondiam o cavername e a estrutura muito visível do forro interior. O contador de ébano foi instalado nesse escrínio escarlate ensolarado. O próprio Villegagnon pendurou na divisória ainda livre, perto da porta, um quadro italiano emoldurado de madeira preta envernizada representando uma madona e seu filho. Afora esse santuário, o cavaleiro não se mostrou difícil: estendeu sua rede num recinto contíguo e os personagens que o acompanhavam fizeram o mesmo em desordem. Só o franciscano insistiu para dormir no chão numa espécie de esquife aberto, cujo modelo ele tirara ao viajar para o Levante.

Inicialmente, Colombe receou que o grupo de recém-chegados ficasse isolado no castelo de popa e evitasse os outros passageiros. Sem dúvida este seria o comportamento natural dos mais cortesãos dentre eles, que de bom grado marcariam sua diferença com altivez. Mas Villegagnon, com sua força habitual, furava esses tumores de vaidade. Tão logo se levantava, andava pelo convés, descia à entrecoberta, inspecionava as peças de artilharia. Precisava de espaço e o substituía por uma circunavegação realizada a passo de marcha. Precisava de trabalho, de esforço e de adversidade, e o toque do bronze das colubrinas parecia transmitir-lhe o eco dos grandes combates que torcem o mundo: as erupções vulcânicas, as conquistas humanas, as batalhas... Depois, ele trepava na enxárcia de mezena e assumia o lugar do vigia por uma hora. Ouviam-no declamar com voz grave quadras medievais e odes latinas. Depois, tendo levado sua saudação aos quatro pontos cardeais, ao zênite bem como às profundezas de um nadir escuro e metálico, tomava seu lugar entre os homens. O aposento cujo lugar de honra o contador de ébano ocupava era reservado exclusivamente às conversas secretas, aos dias comuns de mau tempo. Mas estes eram cada vez mais raros. Uma brisa constante, morna e úmida, impelia os barcos que a recolhiam a todo o pano. Os mastros carregados de todas as suas velas derramavam no passadiço uma sombra fresca como a dos choupos na primavera. Villegagnon mandara desmontar uma das portas de seus apartamentos para fazer uma mesa. Ele ficava ali num escabelo, e seu dia se desenrolava como o de um rei, aos olhos de todos. Era visto vestindo-se, lavando-se. Em alguns dias, mergulhava todo aquele corpo peludo numa barrica de água do mar e esfregava-se com cinzas. Era visto comendo, e a dignidade que imprimia à mastigação, sem dúvida, devia-se mais às virtudes purificadoras do *benedicite* que ao cheiro cada vez mais azedo dos alimentos de bordo. Era visto lendo, bem direito, imóvel, grandes obras trazidas da *Grande-Roberge.* Era visto até escrevendo e, na impossibilidade de manter uma correspondência com quem quer que fosse, era claro que os dísticos que declamava em voz alta dirigiam-se aos misteriosos desconhecidos, homens, deuses ou mulheres, que povoavam seu empíreo.

Colombe espiava tudo isso, e quando suas tarefas distraíam-na dessa observação, Quintin se revezava com ela.

Fora essas atividades solitárias efetuadas em público, Villegagnon informava-se dos assuntos de bordo, em geral com mestre Imbert mas às vezes também, ao sabor de suas fantasias, com este ou aquele passageiro ou marinheiro que ele interpelava. Embora tenha tentado usar com o almirante as misteriosas virtudes de seu olhar, Colombe jamais conseguiu segurar o dele. Ela se perguntava aliás se ele não sofria de um defeito de vista, pois lia muito de perto e nem sempre reconhecia os interlocutores.

Na rotina dos dias de Villegagnon, logo pareceu que o tempo essencial era o início da tarde. O calor no auge, o sol redondo no alto do mastro nas velas de joanete, Villegagnon, almirante do ar livre, da luz do dia e da canícula, dispunha de toda sua força para debater as questões essenciais com seu estado-maior.

O assunto principal por ora era saber onde se estava. Desde que cruzaram, a 10 de outubro, as ilhas São Tomé, perto da terra de Manicongo na costa da África, eles só viram o alto-mar à sua volta. Sua latitude diminuía. Embora continuassem no hemisfério sul, aproximavam-se de novo da linha equinoxial, que haviam dobrado uma primeira vez ao costear o litoral africano. Mas, sem cronômetro, era impossível conhecer sua longitude. Estavam reduzidos a cálculos complicados que faziam a média ponderada dos dias transcorridos e da velocidade estimada do barco.

O homem que tinha autoridade nesta matéria era o abade Thevet. Por natureza, era simples e pouco impressionante; sua estatura abaixo da média, sua compleição franzina, seus olhos sem brilho, tudo isso, aliado a alguma invisível obstrução do nariz que o obrigava a manter sempre a boca aberta, não dispunha muito ninguém a notá-lo. Nada era mais intolerável para ele que essa obscuridade à qual sua conformação parecia destiná-lo. O meio que ele tinha de sair dela era tornar-se sábio. Podia então chamar a atenção de seus semelhantes, e até dos mais importantes, quanto aos mistérios de uma natureza que, no entanto, o havia favorecido tão pouco. Cosmógrafo do rei, célebre por ter publicado a relação de suas viagens ao Oriente, Thevet adquirira a reputação de tudo saber. Ela lhe valia muitos admiradores e ainda mais inimigos. Mas ele fruía tanto os ataques como os louvores. O essencial para ele é que não podiam ignorá-lo.

— Senhor abade — perguntava-lhe Villegagnon diariamente, naquela hora séria em que, determinadas as coordenadas, era preciso debater a proximidade das terras —, mostre-me então onde navegamos hoje.

O franciscano coxeava até a mesa, pousava sua balestilha, pegava uma pena e afundava-se num cálculo doloroso. A platéia guardava um silêncio devoto durante a consumação desse sacramento. Finalmente, Thevet levantava-se, apontava para o globo terrestre pousado na mesa em seu berço de meridianos e mostrava com o indicador de unha rente um ponto em algum lugar na costa das Índias ocidentais.

— A terra! — exclamou nesse dia Villegagnon.

Sua força contida, sua voz quase doce mostravam o quanto o almirante gostava de se anular diante dos infinitos. Os que encontrava na poesia, sob a pena de Hesíodo ou de Du Bellay, arrancavam-lhe lágrimas. Quanto ao gênio de um sábio, ele lhe entregava de antemão seu peito descoberto, a fim de ser transpassado de admiração.

— Sim — confirmou o geógrafo com aquela modéstia autoritária que o fazia ouvir os grandes e odiar as pessoas comuns —, pelos meus cálculos, já deveríamos estar em terra firme.

— No entanto, estamos em cima de água — interveio dom Gonzagues que assistia a essa conversa.

— Acha que não sei? — retorquiu o franciscano, tão duro com o subordinado quanto era simples com o senhor.

— Deixe o senhor abade desenvolver seu pensamento — cortou Villegagnon.

— Bem, almirante, é muito simples — prosseguiu Thevet com doçura. — Uma vez que deveríamos estar em terra, é que já estamos ou quase. Diante desses fenômenos, nossos métodos nos colocam na própria posição de Deus, e quando toca esse globo, meu dedo abraça com sua polpa a extensão de uma ilha como a Sardenha. Salvo por um erro dessa monta, estamos em terra.

Era preciso toda a habilidade de Thevet para transformar um erro humano em miopia divina.

— Está ouvindo, mestre Imbert? Está pronto para a acostagem?

O marinheiro, diante de Thevet, sentia a dupla ferida do desprezo e do medo: sabia que lhe custaria contradizer o sábio. No entanto, sua experiência o levava a zombar de suas previsões ridículas. Há muito tempo desde que navegava, mestre Imbert instintivamente sabia reconhecer as paisagens do mar. Ele raramente se perdera e, nessa imensidão atlântica, distinguia o gosto particular de cada uma das regiões do oceano. Mas, quanto a explicar isso, ele não podia. A altura dos pássaros, a qualidade da luz na aurora e no crepúsculo, certas cores da água, no registro infinito do azul-escuro e dos pretos, por onde se revelava o relevo dos fundos, nada disso valia os trejeitos de Thevet.

— Temos talvez ainda algum tempo — arriscou mestre Imbert.

— Tempo para quê? Para nos precipitarmos em rochedos que não teremos visto? Mantenha o rumo a oeste e não tenha dúvida.

Essa réplica de Thevet era administrada para encerrar o assunto. Era inútil lutar.

— Muito bem, vou dobrar os turnos de guarda e mandar meus homens dormirem no passadiço — capitulou o marinheiro prometendo a si mesmo manter o rumo para o sul, como seu instinto lhe recomendava. — Mas aviso-lhe: se tivermos que manejar o pano depressa, precisarei de gente para subir nas vergas.

— Sua tripulação não é suficiente? — perguntou Villegagnon.

— Perdemos muita gente na Inglaterra, como o senhor sabe. A maioria dos passageiros não serve para nada no mar: muito velhos, muito medrosos e têm vertigem assim que põem o pé numa enxárcia.

Villegagnon interessou-se por essas queixas. Desconfiava que a decisão seria necessária e que precisariam de sua autoridade.

Quanto a Quintin, que havia acompanhado a conversa, como sempre, acotovelado na amurada como um basbaque, correu para procurar Colombe.

— Chegou a hora — disse puxando-a pela manga.

Quando os dois voltaram para a mesa, mestre Imbert entregava um documento a Villegagnon que o estudava com o narigão grudado no papel.

— Nessa relação, o senhor tinha dezessete homens.

— Menos os desertores: sobram treze. Menos os que a comida fez adoecer: oito. Tirando o homem do timão, o vigia e eu, são cinco para manobrar no passadiço e nos três mastros. Conte que são necessários três homens para ferrar uma vela grande...

— O que devemos fazer? — perguntou Villegagnon. — Se for preciso, irei lá em cima lhe dar a mão.

Por escrúpulo e para não poderem acusá-lo de ter atentado voluntariamente contra a dignidade do almirante, mestre Imbert confiou-lhe um último detalhe.

— Para ser absolutamente exato, devo lhe dizer que tenho ainda dois grumetes a ferros.

Quintin apertou o braço de Colombe.

— A ferros! E por que motivo?

— Eles brigaram nos mastros, correndo o risco de se atirarem mutuamente ao mar. Sem poder deslindar quem começou, mandei prender os dois.

— Bem — aprovou solenemente Villegagnon. — Mas talvez possa soltá-los. Não há algum outro castigo, mais breve, para lhes aplicar?

— A bem dizer, eu pretendia mandar chicoteá-los antes que o senhor chegasse.

— Excelente. Quantas chicotadas?

— Eu diria... vinte para cada um — disse mestre Imbert que pensava dez mas não queria parecer muito fraco diante de Villegagnon.

— Perfeito, eis o que haverá de chamá-los a seus deveres. E após uma boa noite, o senhor os mandará secar as feridas ao ar livre.

Essa maldade crua surpreendeu Colombe que contava com a humanidade de Villegagnon. No entanto, não havia mais tempo para recuar. Surpreendendo os sérios assistentes desse colóquio, ela abriu caminho até o almirante e caiu a seus pés. Tendo em mente que não devia parar de fitá-lo, disse:

— Meu senhor, poupe ao menos um desses infelizes que é inocente!

O cavaleiro dirigia com muito gosto a palavra aos mais humildes, mas era preciso que primeiro tivesse consentido nisso. Nada o desagradava mais que essa quebra de etiqueta que o submetia à interpelação de um importuno. Virou energicamente a cabeça, furioso, e rosnou:

— Quem é?

— Um grumete — disse mestre Imbert.

Entrementes, dois soldados haviam agarrado Colombe e a afastavam.

— Meu irmão só fez defender sua vida! Justiça, senhor, justiça!

Ela berrava só para não renunciar e talvez para unir-se a Just no castigo, pois era evidente que a parada estava perdida. O almirante esforçava-se para conter uma fúria terrível.

— Vinte chicotadas não serão suficientes — cortou ele. — Passe para quarenta, mestre Imbert. Salafrários dessa laia não se corrigem com menos.

Colombe continuava gritando. Um dos soldados queria tapar sua boca com a mão. A menina estava menos furiosa por ter fracassado do que por se ter enganado a respeito de Villegagnon. Finalmente ele não era senão um homem de casta. A compaixão, se é que alguma vez ele experimentara esse sentimento, para ele, vinha após as necessidades da ordem. Foi sob o domínio desses pensamentos confusos que Colombe, sem pensar nas conseqüências, soltou essas palavras:

— Cuidado, almirante! O senhor vai mandar chicotear um fidalgo.

O soldado redobrou a violência para fazê-la calar, e ela, debatendo-se, só conseguiu gritar:

— Um Clamorgan!

Concentrada em sua resistência, ela não sentiu de imediato que algo mudava. Villegagnon, hirto, virara-se para ela e, com um gesto, ordenara que a soltassem.

— O que disse? — perguntou encarando-a.

Estava postado a dois passos da menina enquanto ela, machucada pela violência dos soldados, esfregava dolorosamente os braços.

— Que nome você pronunciou? — repetiu Villegagnon com uma voz tão forte que foi ouvido até no porão.

Então, como um lutador desarmado que vê uma espada caída a seu alcance, ela endureceu o olhar e dirigiu-o a Villegagnon.

Os cílios louros de Colombe, brilhando naquela luz de equador, transformavam seus olhos em uma espécie de dois sóis entreabertos, atravessados por um fogo de raiva mais ardente ainda.

Ao mesmo tempo, ela sorriu e repetiu com toda a naturalidade:

— Eu disse que o senhor ia mandar chicotear um fidalgo.

— Você deu um nome? — insistiu o almirante, mas já sem dureza.

— Clamorgan — repetiu Colombe um tanto a contragosto.

Ela usara sem pensar aquele abre-te sésamo no desespero. O aviso da conselheira agora lhe vinha à mente e ela receava que, no intuito de evitar o mal, tivesse chamado o pior.

Endureceu o olhar na mesma proporção. Villegagnon aproximou seu rosto de míope para enxergar melhor o pequeno personagem que o interpelava. Reconheceu, sob a crosta de sujeira da viagem, aquela beleza juvenil, andrógina e pura que os antigos celebravam. Ora, desde que se detivesse a olhá-la, Villegagnon era incapaz de desprezar a beleza, pois essa categoria representava para ele bem mais que uma aparência.

— Clamorgan — repetiu pensativo. — E onde encontrou esse nome?

— Não o encontrei, almirante. É o meu. Meu pai o deu a mim bem como a meu irmão Just, que o senhor acaba de mandar chicotear.

Agora que fora criado o elo, Colombe não tinha mais medo. Esboçou um sorriso de alegria e insolência. O gigante estava em suas mãos.

Villegagnon endireitou-se e olhou em volta para a platéia petrificada. Ouviam-se murmúrios de vento e de ondas amortecidos pelo morno langor do ar. O nariz do cavaleiro franziu-se como o de um perdigueiro alertado pelo cheiro da caça. Naquele maldito barco onde nada acontecia de imprevisível e onde a terra não se resolvia a aparecer, eis que surgia afinal um caso interessante. Ele fez sinal para Colombe levantar-se e fê-la seguir à sua frente até o apartamento, no tombadilho.

CAPÍTULO 11

Ao ver Villegagnon fechar-se com um dos jovens trugimães que aceitara a bordo, dom Gonzagues previu complicações.

O pobre homem, pouco tempo atrás, na época em que, por exemplo, caminhava na abadia com irmã Catherine, teria tido um acesso de fanfarronice ante a idéia de se justificar. Mas essas semanas de navegação o haviam deixado irreconhecível. A disenteria o emagrecera, um sol que ele não tolerava bem o deixara vermelho, e todos os esforços de sua brava carreira se uniam para um último ataque. Ele fitava sua tigela, como seus companheiros — as refeições nesse interminável fim de viagem eram mais temidas do que a fome que elas deviam aplacar. O cozinheiro raspava o fundo das salmouras pegajosas para elaborar as pitanças. Todos os animais de corte haviam sido abatidos. Restavam as mulas, mas estas estavam tão magras que não se podia esperar muito proveito. O mais preocupante era a água doce. Dom Gonzagues, que em geral preferia bebidas mais encorpadas, jamais imaginara que teria sonhos tão violentos, em que lutava até a morte para conquistar uma fonte.

Ninguém dava crédito às previsões de Thevet e nada mais fazia esperar que a terra estivesse próxima. Os mais jovens e aqueles que haviam sido poupados pelas febres suportavam bastante bem essas intermináveis privações. Mas dom Gonzagues sentia que seria um dos primeiros a se ir. Além disso, para ele, a inquietação relativa aos intérpretes era antes uma preocupação bem-vinda que lhe distraía os pensamentos do espetáculo de sua própria agonia. Embora nada tivesse de agradável para esperar, sentiu um arrepio de felicidade na hora em que Villegagnon mandou chamá-lo na popa.

Quando chegou ao apartamento onde o cavaleiro estava há duas horas conferenciando com Colombe, dom Gonzagues surpreendeu-se com a calma e a naturalidade da cena. O almirante estava em pé perto das vidraças e olhava a esteira agitada de espuma embaixo da roda de proa. O jovem trugimão estava sentado num tamborete perto do contador de ébano. Um resto de etiqueta, do qual decididamente não se desfaria senão com a morte, fez dom Gonzagues achar condenável a postura do moleque. Com efeito, Colombe pousara um cotovelo na tampa aberta do móvel e apoiava a cabeça de lado com a mão.

— Foi você que trouxe esses dois grumetes? — perguntou Villegagnon sem olhar para dom Gonzagues.

— Fui.

— Nesse caso, vamos falar sobre isso. Volte para o passadiço, Colin, e aguarde que o chamem de volta.

— Meu irmão?...

— Mais tarde.

Colombe demonstrou sua contrariedade e saiu.

Villegagnon pegou o tamborete que ela deixara vago e indicou outro a dom Gonzagues. Os dois sentaram-se embaixo da grande tapeçaria oriental com motivos de romãs cuja seda cintilava na penumbra alaranjada.

— Compreendo que você tenha cedido de novo a uma mulher... — murmurou Villegagnon com um sorriso malicioso na barba negra.

Dom Gonzagues, mais seco que nunca, balançou a cabeça.

— Eu apostaria — insistiu o almirante — que fez versos para ela.

De fome ou vergonha, dom Gonzagues sentia a cabeça rodar. Confirmou ainda com o queixo.

— Em francês ou latim?

— Em francês — confessou, a boca tão seca quanto se tivesse mascado pergaminho.

— Tem razão — disse Villegagnon, que ficara de costas para a tapeçaria e agora se apoiava nela. — Começo a me convencer que aquele bandido do Du Bellay estava certo. Podem-se fazer obras-primas em francês.

Suspirou.

Dom Gonzagues, menos enfraquecido, o teria intimado a deixar esses preliminares odiosos e ir direto ao assunto. Teve ainda que enfrentar longas considerações sobre o soneto, invenção italiana mas lugar de encontro, talvez, do latim e das línguas românicas.

— Vamos ao que interessa — cortou finalmente dom Gonzagues que ofegava de cansaço —, sou culpado: eles são velhos demais para servir de trugimães, concordo. Não os vi antes e este foi meu grande erro.

— Como aquela senhora lhe disse que se chamava?

— Quem? Ah!... Marguerite.

— Marguerite de quê...?

Dom Gonzagues baixou os olhos.

— Não perguntei. É tia dos dois jovens.

— Prima — disse Villegagnon elevando a voz e levantando-se. — Ela se fazia chamar de tia mas, na verdade, é prima deles.

O almirante passeou pelo apartamento, achou que era hora de revelar tudo e postou-se na frente do velho soldado.

— É filha de uma tia mais velha dos meninos, por parte de pai, já falecida. Por causa da diferença de idade, eles chamam a prima de tia. Ela lhe disse que era a guardiã dos meninos: é mentira. Já que você não sabe o sobrenome dessa Marguerite, vou lhe dizer qual é: ela se chama Sra. de Griffes, pois casou-se com um certo conselheiro de Griffes, vizinho da propriedade dessas crianças.

O almirante deu mais uma volta no aposento, mãos atrás das costas.

— O marido e ela — prosseguiu — fizeram tudo para derrubar o velho tio que tinha a guarda dessas duas crianças. Não foi difícil, pois o homem não entendia muito de negócios. De Griffes tanto fez que o arruinou e ele acabou morrendo. Mandando as crianças embora, de Griffes e essa sua cara Marguerite afastaram os últimos pretendentes à herança da propriedade do finado tio. Está me entendendo?

O queixo de dom Gonzagues tremia e sua barba desfiada manejava o florete no ar.

— De Griffes, graças a você — resumiu Villegagnon —, vai ganhar terras que essas crianças deviam herdar. As terras de Clamorgan.

— Clamorgan! — exclamou dom Gonzagues.

— Sim — confirmou o almirante —, eis o nome que essa senhora fez tudo para esconder e que recomendou que os meninos não mencionassem. Mas o fato é esse: François de Clamorgan é pai deles.

— Não é possível! — protestou dom Gonzagues levantando-se, mas uma vertigem de inanição obrigou-o a sentar-se novamente.

Dom Gonzagues recordava a cara de Clamorgan. Tentava compará-la às aparências tão diferentes dos dois trugimães e manifestou logo uma dúvida.

— Foi esse salafrário que lhe contou essa história? — perguntou franzindo o cenho.

Mas o almirante era categórico.

— Reconstituí-a segundo o que ele me contou e confirmei-a com cuidado. Ele não está mentindo.

— Bem, nesse caso, fui enganado! — exclamou furioso dom Gonzagues. — É preciso fazer justiça a essas crianças, mandá-las de volta para a França, fazer com que recebam a herança a que têm direito...

— Devagar — cortou Villegagnon, de costas, abraçando o contador de ébano, de modo a sentir contra sua pessoa a parede rude e delicada que vibrava de poderes e de segredos.

Ele gostava de ficar nessa posição durante suas meditações.

— Sabe o que aconteceu com François de Clamorgan?

— Claro — confirmou dom Gonzagues.

— Bem, por que não considerar que essa viagem é uma chance para seus filhos? O procedimento que foi usado contra eles é ignóbil, é óbvio. Mas, se voltarem para a França, o que lhes acontecerá? Suas terras não lhes pertencerão mais. Eles precisarão de anos para que elas lhes sejam restituídas. Quem irá acolhê-los enquanto isso? Quem irá sustentá-los? Quem processará o espertalhão desse conselheiro de Griffes, que é rico o bastante para comprar todos os parlamentos da França? Decerto, poder-se-ia esperar uma intervenção do rei. Mas para os filhos de Clamorgan não haverá chance...

— Exatamente — concordou dom Gonzagues, mas sua indignação não diminuíra. — No entanto, o que farão no Brasil? Os coitados acham que encontrarão o pai lá...

Franzindo o nariz de constrangimento, dom Gonzagues acrescentou:

— ... e tive a fraqueza de não desmentir essa esperança.

— Fez bem — atalhou o almirante. — Pensei sobre isso. O melhor é deixá-los viver por ora na segurança dessa fábula. Vou guardá-los comigo: eles sabem latim, italiano, um pouco de espanhol. Farei deles meus secretários e, na colônia, esse pequeno estado-maior me será precioso. Eles esquecerão o pai. Pouco a pouco, a nova França lhes oferecerá destinos próprios e eles farão a vida ali. Quando ficarem ricos, poderão voltar a Rouen para reivindicar seus direitos. Estes lhes serão concedidos tanto mais de bom grado quanto eles estiverem em condições de comprá-los.

Esse projeto era evidentemente o melhor e dom Gonzagues sentiu nascer, como todo soldado, um reconhecimento emocionado por esse chefe que se mostrava digno de sê-lo.

— Mande o mais moço entrar e vá soltar o irmão dele.

Dom Gonzagues, aliviado desse erro, sentia menos a fome. À parte alguns pontos negros brilhando diante de seus olhos, levantou-se sem dificuldade e saiu proferindo internamente terríveis e ternas imprecações contra Marguerite.

Colombe voltou ao apartamento e ficou postada perto do quadro da Madona.

— Seu pai nunca os levou, em Veneza, ao ateliê desse pintor? — perguntou Villegagnon.

A menina passou em revista com atenção aqueles fundos de um rosa firme e aquelas cores esfregadas, a expressão surpresa dos rostos, como se a tela tivesse aberto bruscamente uma janela dando para sua intimidade.

— É o primeiro Ticiano, garanto — disse Villegagnon —, que vai entrar no Novo Mundo.

Colombe olhou a Madona, aqueles olhos, aquela carne rija, aquele ar de doçura e conhecimento secreto próprio para manter à distância a rudeza e a ignorância dos homens. Disse a si mesma que ao menos elas eram duas mulheres naquela travessia e essa companhia a fez sentir um vivo prazer.

Nesse instante, três batidas na porta anunciaram a volta de dom Gonzagues. Ela afastou-se para o canto, de tal maneira que Just entrou e não a viu.

O tempo transcorrido desde sua prisão fora demasiado curto. Mas bastaram aqueles poucos dias, privando-os da familiaridade que tinham há tanto tempo um com o outro, para que eles se sentissem mudados quando se reencontraram.

Just, mais magro, parecia mais alto também e sua falta de carnes realçava a força e a largura de seu esqueleto. Ele conservava as pernas um tanto abertas, como uma pessoa acamada que volta a andar, e essa fraqueza lhe dava uma segurança paradoxal. Sua barba, nas faces, não estava mais desbotada pelo sal e esculpia seu rosto emaciado.

— Ah! — disse Villegagnon —, mas este é um homem feito, seu irmão me assegurou que você só tinha quinze anos. Eu lhe daria dois a mais.

Ao dizer "seu irmão", Villegagnon indicara Colombe com o queixo. Just virou-se, viu-a e correu para ela.

Enquanto se viram como crianças, atiravam-se nos braços um do outro sem poupar beijos nem carícias. Fosse por causa da indiscreta exploração de Quintin ou simplesmente porque após terem sido separados se olhassem de maneira diferente, de qualquer maneira, colocaram uma contenção nova em seu abraço. Este não foi menos carregado de emoção, ao contrário, mas à alegria da libertação acrescentava-se dessa vez a perturbação nova de se sentirem diferentes. Villegagnon tomou isso como reserva viril bastante natural entre dois meninos e trocou com dom Gonzagues um olhar enternecido.

— Meninos — disse o almirante quando os dois se separaram —, conhecemos seu pai. Ele estava em Cerisolles conosco.

— Nós também estávamos — pulou alegremente Colombe. — Em todo caso, foi o que ele nos disse. Quantas vezes nos contou essa batalha. Parece que ele nos deitou no feno, a algumas léguas dali, e que uns camponeses tomavam conta de nós.

Não se evoca uma vitória, mesmo que vivida no feno, sem emocionar os soldados que nela lutaram. Olhos baixos, o bigode trêmulo, dom Gonzagues experimentava o único conforto que a sede traz: o de não poder chorar. Mas Just, ao ouvir esse relato, baixou os olhos e demonstrou um misto de constrangimento e cólera que Colombe não explicava.

— O pai vai estar nos esperando no lugar aonde vamos chegar? — perguntou ele com a maior dureza na voz.

— Não... — balbuciou Villegagnon que não esperava ser tão encurralado. — Sem dúvida, você vai ter que esperar com paciência até encontrá-lo.

— Os franceses são muito numerosos lá? — insistiu Just.

— Ainda não, mas... as Américas são imensas. Seu pai, para cumprir o dever dele, pode ser chamado a um lugar tão distante do ponto onde vamos acostar quanto Constantinopla é de Madri.

Colombe compreendeu, ao ver Just ouvindo essas respostas com uma cara hostil e fechada, que sua raiva não tinha a ver com o que fora dito há pouco nem com coisa alguma relacionada a seu pai. Just apenas manifestava a Villegagnon uma desconfiança persistente que não fora dissipada por sua libertação.

— Estou livre? — perguntou insolentemente ao cavaleiro.

— Melhor que isso: tomo vocês dois para trabalhar para mim. Serão meus secretários e meus ajudantes-de-ordens.

— Imponho uma condição — objetou Just.

Manifestando sua surpresa, Villegagnon não pareceu muito ultrajado com esse tom de firmeza, de tal maneira estava disposto a ser indulgente com as duas crianças.

— Não quero ser tratado de forma diferente daquele com quem briguei — explicou Just —, nem conseguir uma vitória desleal sobre ele. Ele se chama Martin, e ainda está a ferros.

Esses pontos de honra eram familiares ao cavaleiro e ele os compreendia. Melhor ainda, alegrava-se ao ver aí uma semelhança entre o pai e o filho, que a aparência física não mostrava.

— Bem, que seja; libertarei esse salafrário e se ele ainda quiser briga, você se defenderá como quiser.

Durante esses debates todos, o tempo passara. A esteira do navio coloria-se de malva e anil enquanto acendia-se no céu do oriente uma estrela imóvel. Nessa derradeira hora do dia, os ventos muitas vezes faziam uma pausa, as velas murchavam e o navio, envolvido em silêncio, parecia recolher-se para umas vésperas invisíveis. Pois ao contrário, foi o momento em que chegou à sala de refeições, abafado pelas tapeçarias, um grande tumulto vindo da vante.

Villegagnon saiu correndo, e os outros atrás dele. Toda a tripulação e muitos passageiros estavam na proa, nariz para cima. Outros chegavam ainda correndo, subindo da entrecoberta e dos porões. Villegagnon abriu caminho até o gurupés. O horizonte diante deles estava vermelho no local onde o sol acabava de desaparecer. Não se via terra alguma nem, quando o céu escureceu, fogo algum. Os vigias, aliás, não haviam gritado. A bem dizer, nada era perceptível salvo um cheiro estranho, fraco e ao mesmo tempo imenso. Fraco porque era preciso concentrar toda a atenção para discerni-lo no ar morno; imenso porque invadia todas as direções, envolvia o barco e parecia estender-se sobre toda a superfície do mar.

No entanto, não era um cheiro do mar. O olfato, tão confiável quanto a vista ou a audição, afirmava que era mesmo um perfume de terra.

Há terras que exalam odor de capim, de gado, de podre, de lavoura. Esse odor não evocava nada disso. Era acidulado, suculento, túrgido, primaveril. Fechando os olhos, tinha-se vontade de dizer que era colorido, vermelho, talvez alaranjado.

De repente, alguém descobriu a palavra exata e gritou que aquilo cheirava a fruta.

Com efeito, era mesmo uma essência sutil de polpa que se espalhava em vapor sobre toda a extensão do mar, um cheiro imenso de fruta madura. Uma ilha se vê, mas não tem esse perfume distante e forte. Só um continente pode difundir tão longe no mar suas fragrâncias vegetais, como o oceano lança para o interior da costa seus ares salgados e seus aromas de sargaço.

Villegagnon chorava de alegria no punho fechado e, em volta dele, todos se abraçavam.

Foi preciso singrarem ainda dois dias para avistarem terra.

Três meses e meio haviam transcorrido desde a partida do Havre.

II

GUANABARA

CAPÍTULO 1

Pode uma terra ter-se escondido da Bíblia, ter sido ignorada por Alexandre e Jesus Cristo, por Virgílio como por Átila, sem que a causa de tal banimento fosse uma grave maldição?

No pontão das caravelas, a questão perseguia as mentes. Um espantoso horror invadiu os mais desejosos de rever terra quando assomou a oeste a massa negra do costão envolta na fria névoa azulada da manhã. O mar, que de início eles tanto temiam, tornara-se aos poucos um escrínio protetor. O dedo de montanhas que abria lentamente as valvas lisas do céu e das águas anunciava um gigantesco encontro do qual eles não sabiam o que se devia esperar. Para uns, era a esperança: sempre apreciadores de cataclismos, os anabatistas dançavam no convés, prevendo irrupções próximas em cujo fogo assaria o velho mundo que eles abominavam. Os simples soldados, alimentados de certezas populares deduzidas de Ptolomeu, gemiam achando que iriam pagar pela audácia de ter desejado chegar ao fim do mundo. Os contornos de monges gigantes ou de guerreiros de casula que iam surgindo, ainda não muito visíveis, à medida que os viajantes se aproximavam da costa eram sem dúvida os vultos de executores mandados por Deus para lançá-los no vazio.

Outros, mais armados de religião, pensavam atingir ou o inferno ou o paraíso, segundo seu otimismo natural e seus méritos. Já Thevet manejava febrilmente o bastão de Jacó para medir a declinação do sol. Mas um tremor o impedia de determinar as coordenadas com nitidez e designar para esse local desconhecido um lugar bem comum em seu planisfério de pergaminho.

Quanto a Colombe e Just, eles não sabiam o que pensar. Um para o outro, evocavam em voz alta as fabulosas descobertas da época do rei Artur, as ilhas povoadas de cavaleiros sem rosto. Mas custavam a acreditar nisso. Essa longa travessia, que lhes deixava os corpos intactos ou quase, afetara esse invisível músculo da alma que permite saltar fora do mundo sensível. Os únicos cavaleiros em quem eles acreditavam doravante não eram mais sem rosto: eram os compadres de Villegagnon com suas carrancas de beleguins, uma espada corroída de sal na ilharga e a cruz-de-malta no peito. Assim, eles não idealizavam a costa senão para se poupar mutuamente da cruel certeza de que ela pertencia mesmo ao mundo normal.

O dia se passou assim, navegando à bolina lentamente para terra. À noite, eles continuaram não vendo fogo algum e avançaram com prudência. Mas mestre Imbert conhecia suficientemente aquela região para que, de manhãzinha, eles acordassem na entrada da baía.

O tradicional conciliábulo da tarde diante do mapa foi antecipado, por força das circunstâncias. Thevet dirigiu-se majestosamente para a reunião. Orgulhava-se de ter previsto a chegada. Na verdade, mestre Imbert, em vez de seguir o rumo recomendado pelo cosmógrafo, apontara para o sul, sem o que eles continuariam em alto-mar.

— A baía de Guanabara — anunciou Thevet, como se a tivesse criado com as próprias mãos durante a noite. — É assim que os índios a chamam. Os portugueses entraram aí há cinqüenta anos, no mês de janeiro. Aqueles ignorantes julgaram tratar-se de um rio: chamaram-na de Rio de Janeiro. Daí, nós tiramos Genebra. Ora, notem que Genebra também parece vir de Guanabara... Vejam como isso tudo é engraçado!

Seus dedos compridos alisavam os três pêlos de barba com os quais a travessia lhe havia decorado o queixo.

— Genebra — exclamou Villegagnon, os olhos enternecidos pelo espetáculo dessa chegada — também soa como Genève.*

— E, de fato — confirmou Thevet —, parece que estamos exatamente no meio do lago dos Alpes que tem esse nome, embora as montanhas ali sejam mais escarpadas.

— Sim, atravessei uma vez esse lago voltando da Itália — acrescentou Villegagnon balançando afirmativamente a cabeça.

* Para diferenciar o topônimo "Genève" de "Genebra" (tradução de "Genèbre", derivado, como diz o personagem, de Guanabara), mantenho-o em francês ao longo do texto. [N. T.]

Mas Thevet fazia questão de ter a última palavra nesses combates de erudição.

— E eu quatro! — objetou vivamente.

Depois, mostrando que nada continha seu pedantismo, acrescentou:

— Admiremos quantos segredos a etimologia esconde! Uma única palavra une o acaso no calendário dos portugueses, o vocábulo animalesco dos selvagens e o parentesco de duas paisagens destinadas à França: uma já fala nossa língua, a outra logo vai se submeter à nossa autoridade.

A baía de Genebra formava como que uma imensa casa de botão na linha contínua do litoral, margeada de pontas e enseadas. Com muitas léguas de largura, parecia a embocadura de um rio, só que ali a água não era doce. O outono austral era quente e sem nuvens. Quando se levantou totalmente, o sol fez um quadro de azuis densos no céu. Através das águas violeta, não se via o fundo; no entanto, elas eram tão cristalinas que a roda de proa dos navios ficava visível até a quilha.

Tão logo a entrada da baía foi cruzada, Villegagnon ordenou que se seguisse a margem sul. Mestre Imbert objetou prudentemente que os mercadores franceses estavam acostumados a fazer o contrário.

— Mais um motivo! — atalhou Villegagnon com irritação.

Os ventos estavam constantes na baía e os barcos eram bem manobráveis. Os viajantes aproximaram-se da orla e passaram quase ao pé da imensa silhueta que haviam visto do mar.

Nem frade de pedra nem cavaleiro infernal, o rochedo, de aparência lisa e abaulada, evocava antes para aqueles normandos um pote de manteiga e, para os mais ricos, um pão de açúcar. Em sua base, um emaranhamento de árvores altas trepava morro acima procurando fugir do corpo-a-corpo vegetal das terras baixas. Ao longo da costa, havia apenas uma confusão de galhos retorcidos, raízes aéreas, trepadeiras, sem o alívio de uma clareira nem de um prado. Outros rochedos, tão grandes quanto o pote de manteiga, de um cinza brilhante ao sol, emergiam da floresta densa. Quando os dobrava, um navio parecia tão pequeno que se tirava a medida sobrenatural daqueles dentes de pedra. Toda a costa parecia resultar de uma luta violenta, uma selvagem resistência da terra no momento da criação. O Grande Artífice quebrara suas ferramentas nessa obra e a violência do lugar guardava o vestígio dessa grandiosa derrota.

Todavia, por monstruoso que fosse, esse caos não era destituído de harmonia. O carinhoso trabalho do mar acalmava essas terras revoltas puxando de sua confusão os traços regulares de suas praias. Em alguns pontos, o continente, em mangues, em pântanos, em falésias abruptas, mergulhava diretamente na água. Mas, em longas extensões, exércitos de coqueiros interpunham-se, em fileiras cerradas, para preservar a serenidade do mar e deixar as ondas jovens brincarem em imensos areais de texturas diversas.

— Com os diabos, o que ele está fazendo? — resmungava Martin na proa, acompanhando a manobra, mordendo as mãos. — Não é desse lado que os franceses estão.

De fato, em toda a extensão das terras visíveis, não se distinguiam nem habitações nem volutas azuladas que pudessem indicar a presença de lares. Um leve crepitar, como passos na palha, vinha de vez em quando de terra, mas era o farfalhar do vento no emaranhado da folhagem. Guinchos de pássaros e de macacos aos quais o ar silencioso não oferecia qualquer resistência caíam do alto como pedras que tivessem sido atiradas nos navios.

— Armem as peças a estibordo — gritou Villegagnon de pé no tombadilho.

Ele mandara desfraldar um grande pavilhão real, branco com flores-de-lis, no pau de bandeira de popa. Era melhor, se os portugueses estivessem rondando por aquelas paragens, que soubessem com quem estavam lidando. Mas não havia vela alguma na baía. A menos que o litoral escondesse atiradores, o que era sempre possível, o caminho parecia livre.

— Vamos apostar que ele vai dar a volta e subir para os assentamentos normandos — disse Martin no auge da agitação.

Just olhava para ele sem ainda compreender bem. Já Colombe passava de um grupo ao outro, recolhendo trechos de conversa para constatar finalmente que ninguém sabia muita coisa.

A *Rosée*, que puxava o comboio, aproara para uma ilhota chata em frente à orla. Perdida nessa bacia de titãs, não se podia imaginar seu tamanho. A sotavento do pote de manteiga, eles avançavam suavemente. O navio sorvia as rajadas como um corredor esgotado. Foram necessárias mais de duas horas para que chegassem perto do rochedo. Verificou-se que este era minúsculo. De perto, viram até que devia ficar submerso em caso de tempestade: todo seu relevo estava coberto de cascas e detritos de coqueiros.

Villegagnon ordenou que se passasse a ilhota, mas deixou os barcos costearem o litoral.

Dobrando o rochedo, logo chegaram aonde se podia ver uma saliência do costão, mais extensa e escarpada. Colombe finalmente decidira ir até o castelo de popa para saber do próprio Villegagnon o que ele pretendia fazer, caso ele quisesse se explicar.

Desde a libertação de Just, estava entendido que os dois supostos irmãos não dependiam de ninguém mais senão do almirante. Eles circulavam à vontade pelo barco. Oficialmente, foram elevados ao nível de secretários, mas essa dignidade, na hora em que não se tratava de outra coisa senão de acostagem e de navegação, lhes dava mais liberdade que incômodos. Colombe aproveitava esse tempo mais naturalmente que o irmão, que continuava nutrindo uma grande desconfiança contra o cavaleiro.

Sentado num tamborete, os cotovelos pousados numa pequena secretária de madeira, Thevet ocupava o lugar de honra no tombadilho. Seus olhos iam da costa para a qual singravam lentamente para o caderno rasgado, encardido e borrado que ele tinha nas mãos.

— Vejamos... Viegas fala de três ilhas desse lado. Essa orla que vemos seria então a ilha que está no meio das outras duas, entre o Rateiro* que acabamos de passar e essa outra mais acidentada que vemos ao fundo...

Nesse meio tempo, Colombe se metera atrás dele e olhava o livro de pilotagem por cima de seu ombro.

— Cuidado! — disse Thevet quando percebeu.

Tapando a relíquia com as duas mãos, ele apelou para Villegagnon.

— Esses documentos portugueses são segredos de Estado. O senhor está seguro de seu pessoal, almirante?

O franciscano olhava Colombe como se ela fosse uma serpente venenosa. Villegagnon lhe fez sinal para que se afastasse e fosse para perto dele.

— Seu breviário menciona se há recifes em volta? — perguntou de repente mestre Imbert, que continuava no timão.

A aproximação daquela costa pelo sul não lhe dizia nada de bom.

— Nessas formações vulcânicas — disse Thevet com um douto desprezo —, é de regra os rochedos que emergem serem muito pontiagudos. Eles saem sozinhos das águas, como, em suma, faria esse pote de manteiga caso o mar chegasse perto de seu cume. Portanto, não há recifes em volta. Não há o que temer.

Mestre Imbert amuou-se e continuou a perscrutar a espuma.

— Tome um rumo circular logo que estiver perto da costa — ordenou Villegagnon. — Vamos ver se o mar cerca mesmo essa ilha por todos os lados.

— Por que não atracamos diretamente em terra firme? — perguntou Colombe olhando para Villegagnon.

---

* Onde hoje fica a fortaleza das Lajes. [N. T.]

Os outros estremeceram pensando na ira que uma interpelação daquelas iria desencadear naquele melindroso cavaleiro. Mas Colombe sorria sem manifestar receio nem baixar os olhos. Durante a conversa livre que tivera no primeiro dia com o almirante, ela sentira que, sob a aparência ameaçadora, Villegagnon mostrava brechas pelas quais era fácil dominá-lo. Ele queria fazer dela um pajem, mas ela compreendera que ele precisava era de um bufão.

— Sem dúvida há perigos que ignoramos nesse costão — respondeu ele tranqüilamente, com entonações benevolentes de pai. — Uma ilha é o lugar mais seguro para se fortificar, como minha ordem fez há dois séculos em Rodes, depois em Malta.

— Mas se os índios nos receberem bem? — insistiu Colombe.

— Estarão tanto mais inclinados a agir assim quanto nos virem fortificados e protegidos. Para nós, não se trata de transformá-los em aliados, mas sim em súditos.

Essas palavras de política soavam estranhas diante daquelas matas opacas e daquelas praias desertas.

— Pedras a estibordo! — gritou de repente o vigia.

Mestre Imbert deu uma guinada para abater e evitar um recife apenas visível na superfície da água.

À medida que avançavam, iam descobrindo outros. A costa do que talvez fosse uma ilha estava cheia dessas pedras na superfície da água.

O cosmógrafo, cuja ciência acabava de ser desmentida de maneira tão manifesta, não pareceu abalado com isso. Rabiscou anotações numa caderneta que sempre levava consigo.

— Corrigiremos Viegas — disse com um sorriso satisfeito.

Na verdade, Thevet não parava de ir e vir entre sábios e tripulantes, entre cartógrafos e marinheiros. Admoestava uns com a ciência de outros e vice-versa. O ridículo que mestre Imbert o fizera passar já estava vingado de antemão pela humilhação que ele infligiria na volta a seus doutos contraditores, demonstrando-lhes a existência de recifes ao redor das ilhas vulcânicas.

O perigo da costa fez Villegagnon decidir-se a mandar ferrar as velas e descer um escaler para explorar a costa. O barco voltou duas horas depois. Mestre Imbert, que fora nessa viagem, voltou para bordo todo feliz.

— É mesmo uma ilha, almirante. É rodeada por muitas coroas. Mas, de frente para a terra firme, forma-se uma pequena enseada que dará um bom porto para os escaleres.

— Perfeito — disse Villegagnon olhando satisfeito para essa nova Lutécia. — Joguem o ferro aqui e garantam um bom ancoradouro. Amanhã de manhã, começaremos a desembarcar.

A noite caía quando as ordens foram executadas. Já estava escuro quando Villegagnon mandou reunir os homens na proa. Trepado numa gávea, fez-lhes um último discurso antes da ceia.

— Companheiros! — berrou com emoção. — Eis-nos aqui no fim dessa viagem. Essa terra que vêem é a nossa.

Pálidos, as gengivas sangrando, a boca colada de sede, os passageiros da *Rosée* seguiram o dedo imperioso de Villegagnon e viraram a cabeça para a costa desolada da ilha onde as ondas negras morriam na areia azul. A lua cheia prateava uma primeira linha murmurante de vegetação e deixava o interior numa escuridão total, silenciosa e ameaçadora.

Os marceneiros, padeiros, chapeleiros e outros cardadores que haviam se unido à expedição — alguns fugindo, outros vindo de livre e espontânea vontade — haviam quase todos acreditado, apesar de seus medos e suas dúvidas, na promessa de um mundo novo. Jamais haviam imaginado tratar-se de um deserto a esse ponto.

Olhando a ilha, eles se conscientizavam bruscamente de que a travessia ainda não era o castigo. Estavam na verdade condenados à pena mais inimaginável: a que joga um homem do topo da pirâmide laboriosamente construída da civilização, como Adão e Eva foram expulsos do paraíso terrestre. Eles se viam rejeitados no meio do mundo selvagem, menos felizes que os animais, já que tinham consciência para sofrer por se verem espoliados, vulneráveis e excluídos de toda piedade.

— Não sejam impacientes! — disse Villegagnon em seu entusiasmo. — A partir de amanhã, vocês tomarão posse de sua nova propriedade. O forte que construirão aí será o primeiro monumento edificado para a glória de nosso rei Henrique II.

Ele se interrompeu um momento e seu público aniquilado achou que ele havia percebido sua aflição.

— Eu havia pensado chamar nossa colônia de Henriville — recomeçou ele com o ar de um cortesão modesto preparando uma lisonja —, mas isso não é o bastante para um soberano. Quando formos senhores de todo o país, construiremos uma capital entre esses diques e será hora de lhe dar esse nome real. Por ora, é um reduto que vamos edificar. Vamos chamá-lo de Forte Coligny em homenagem ao Sr. Gaspard de Coligny, grande almirante de França, que encorajou nossa empreitada.

Sentia-se que ele pronunciava esse nome com igual respeito, porém menos ternura.

— Viva o Forte Coligny! — gritou erguendo os dois braços.

Um duplo coaxar vindo das palmeiras escuras da ilha povoou de forma lúgubre o silêncio da tripulação.

— Bem — rugiu Villegagnon —, estarão deixando que eu faça esse voto sozinho? Vamos, todos juntos: viva o Forte Coligny!

Os homens pronunciaram essas palavras com tanto entusiasmo quanto se tivessem sido despertados a pontapés do sono mais profundo. Villegagnon julgou prudente contentar-se com isso.

Única de toda a tripulação a não compartilhar do desespero geral, Colombe sentia-se estranhamente feliz. Talvez fosse a calidez da noite, sua imobilidade acariciante, úmida como um hálito apimentado vindo da floresta, ela sentia volúpia acompanhando, sentada ao pé do mastro, o lento balanço do barco parado. Sorriu para Just que veio ter com ela, mas estava com um ar mais sombrio que à tarde, e Martin, com um ar furioso, não o largava.

— Está convencida agora? — perguntou Just quando sentou-se por sua vez na enora.

Ela olhou para ele sem entender.

— Acha — precisou ele apontando para a costa — que há alguma chance de encontrar o pai entre os marrecos e os patos selvagens?

Era evidente que não. No entanto, ela não soube o que responder: na verdade, há muito já não pensava naquilo que, no entanto, fora o objetivo principal da viagem deles. Ficou espantada e um pouco envergonhada com isso.

— Ah!, sim, o pai — disse.

Depois calou-se.

— Palavra de honra — resmungou Martin —, mesmo se for preciso atravessar a nado essa maldita baía, eu juro: em menos de três semanas terei embarcado para o outro lado.

CAPÍTULO 2

Cadorim, assim que punha os pés no pontão da praça de São Marcos, era invadido por uma terrível melancolia. Ele era apaixonado por sua cidade: a renda de tijolos do palácio dos Doges, a torre quadrada da praça, os ouros da basílica arrancavam-lhe lágrimas. Infelizmente, queria o destino que, para servir a essa cidade, ele jamais permanecesse ali. A República cumulava-o a um só tempo de honra e de desespero contando entre os soldados do invisível exército de diplomatas e espiões que mobilizava em todo o mundo conhecido. Veneza, fraca, encontrava sua força no saber imenso que lhe conferia essa rede de homens distantes que haviam colocado sua lealdade na felonia e professavam trair tudo, para que ela pudesse permanecer fiel a si mesma.

Quando Cadorim regressava, era para informar o doge e o Grande Conselho. Com um pouco de má vontade, levava um mês, talvez dois, para contar tudo o que havia visto, ouvido, adivinhado.

Enquanto isso, passeava naquela cidade amada, mas que todas as vezes ele custava a reconhecer. Encontrava os filhos crescidos, irreconhecíveis; a mulher lhe era cada vez mais estranha. Quanto a seu palácio, este parecia estar sempre se deslocando, tantas eram as obras que surgiam em suas imediações. Casas novas, pontes inesperadas e surpreendentes projetos de igrejas desnorteavam a vista. De sua janela, agora, Cadorim via as fachadas novas em folha de Santa Maria Formosa e do Palácio Vendramin emergindo de uma floresta de estacas. Era assim que nasciam as jóias, nesses braços de laguna: brotando um belo dia de sua cápsula espinhosa de andaimes e expondo ao sol um admirável rosa de virgens, brancos imaculados, ocres delicados e, no entanto, destinados à eternidade. Cadorim adorava essa cidade de vasa e gemas, porém, mal acabava de ser novamente mordido por essa paixão, já era hora de tornar a partir. Fantasmas de estradas de terra, de estalagens ruins, de mentiras e de triste companhia subiam o Grande Canal e vinham envolvê-lo à noite, a tal ponto que, para fugir deles, ele acabava se resolvendo a partir mesmo.

Estava nessa situação, naquela manhã de agosto, com toda a cidade já iluminada por um sol forte de verão; seu espírito era o único lugar a permanecer obstinadamente sombrio. Para chegar ao último encontro, ele precisava atravessar vinte canais e inúmeras pequenas praças. Por uma terrível reciprocidade de sentimentos, quanto mais se alegrava com o espetáculo das gôndolas, dos mercados ao ar livre e das mil pequenas cenas da vida veneziana matinal, mais sofria sabendo que em breve perderia esses prazeres por muito tempo. Finalmente, chegou diante do palácio novo em folha ocupado por seu interlocutor do dia. Ao entrar ali, Cadorim teve a impressão de estar novamente nas estradas: o interior do prédio, ainda em obras e recendendo a gesso fresco, já estava mobiliado de maneira muito pouco veneziana. Arcas de madeira das ilhas, absurdas poltronas pesadamente trabalhadas e até uma parede de azulejos traduziam a vontade de imprimir a marca de Portugal naquele pequeno encrave. Essa pretensão ridícula, longe de provar a grandeza de quem a manifestava, cheirava a riqueza muito recente e a usurpações de nobreza. Cadorim já estava habituado a essa falta de civilização, desencadeada desde que se passava o Milanês. Suspirou instalando-se numa enorme cadeira curul, tão desconfortável quanto ridícula e que, a despeito de sua solidez aparente, era bamba.

Fizeram-no esperar um bom tempo, depois uma porta se abriu, deixando entrever uma capela dourada do chão ao teto, e o bispo apareceu.

— Minhas mais respeitosas homenagens, Santidade! — exclamou Cadorim precipitando-se sobre o anel do prelado.

A pessoa jamais se engana ao conferir a outra um grau que ela ainda não atingiu. A que se beneficia desse erro está pronta a perdoá-lo, achando que o lisonjeador apenas se adiantou um pouco.

— Vamos — disse o português fingindo embaraço —, levante-se e nada de Santidade, por favor. Ainda não sou papa.

A modéstia gulosa desse comentário demonstrava suficientemente que o bispo de quarenta e cinco anos, o padre Joaquim Coimbra, imaginava para si todos os futuros.

Algumas palavras de boas-vindas, a inevitável visita das peças de aparato, que todos os bárbaros se acham na obrigação de impor a seus visitantes venezianos, depois um acordo na varanda do palácio, cara a cara, sentados em cadeiras de pedra de um mau gosto flagrante, e Cadorim foi conduzido finalmente ao limiar de seu assunto.

— Com que então — começou o núncio cruzando os dedos sobre a barriga — o senhor já esteve naquele novo porto onde os franceses preparam ações hostis contra meu país?

— Estive no Havre-de-Grâce, Santidade.

Um pequeno muxoxo veio lembrar que ainda não...

— Nosso rei — disse o bispo — está muito grato a Veneza por haver aceitado seu pedido. Sabíamos que não poderíamos estar mais bem informados senão passando por seu intermédio. E o que soube a respeito das intenções desses franceses nas Américas?

Desde sua chegada, há mais de três semanas, Cadorim poderia ter relatado ao prelado o que sabia. Mas primeiro foi necessário a República negociar o preço desse serviço. Os portugueses não eram aliados de Veneza e, por sua absurda obstinação em abrir seu próprio caminho para as Índias, haviam contribuído para quebrar o monopólio que a cidade dos Doges mantivera por tanto tempo no Oriente. Todavia, era preciso colocar cada acontecimento em sua perspectiva. Por nocivo que fosse, Portugal servia de contrapeso para a Espanha, ou seja, para um dos pilares do Império de Carlos V, de quem Veneza devia desconfiar. Aqueles rústicos portugueses não podiam, pois, ser negligenciados. E se era possível lhes fazer um serviço, a caridade recomendava não os privar do mesmo, desde que pagassem caro. Informado na véspera que essa condição estava satisfeita, ao cabo de uma longa discussão de preço, Cadorim já podia contar de boa vontade o que vira no Havre.

— Três navios, o senhor diz — refletiu o bispo após ouvir esse relato. Franziu o cenho. — E exércitos em guerra, além do mais. Isso é muito desagradável.

Um toldo vermelho, estendido acima da sacada, lhes trazia sombra enquanto as águas do Grande Canal refletiam faíscas de mil duelos em sua superfície ensolarada.

— Quando encontra barcos isolados ou pequenos comboios sem armas — prosseguiu o bispo —, nossa gente sabe convencê-los de que não devem ir para o Brasil, que é nosso.

O prelado suspirava enternecido à evocação de seus compatriotas morigerando os extraviados. Que, além disso, lhes cortassem braços e pernas e que os fizessem morrer de fome eram apenas detalhes cuja menção era desnecessária. E aliás, não se ama o bastante se não se castiga proporcionalmente...

— Mas não temos nenhuma força nesses mares capaz de se opor a três navios de guerra determinados.

Na falta de elemento humano, o pequeno Portugal conferia cargos múltiplos a seus representantes. Embora estivesse na Itália para cumprir sua missão eclesiástica, dom Joaquim não deixava de fazer as vezes de embaixador. Mergulhou numa reflexão política que o deixou com uma expressão gulosa. O espírito de Cadorim, arrebatado por esse silêncio, aproveitou para evadir-se. Angustiado de nostalgia contemplando os barcos no Grande Canal, perguntava-se aonde diabos iam desta vez mandá-lo se perder.

— O destino deles, segundo nos diz, é mesmo o Rio de Janeiro? — perguntou o bispo num tom de voz alto, próprio para arrancar o espião de seus devaneios.

— O Rio, sim — balbuciou Cadorim.

E acrescentou para mostrar que estava realmente ali:

— Os portugueses têm uma guarnição ali?

— Infelizmente! — gemeu dom Joaquim. — Esse Brasil é tão grande e nosso Portugal, tão pequeno... Temos gente em São Salvador da Bahia, mas a Bahia é tão longe da baía do Rio quanto Lisboa é da Inglaterra. Depois, temos um pequeno posto no sul, em São Vicente, mas muito insuficiente para comandar um ataque.

Ele pensou e pegou uma taça de vinho Madeira à sua frente. Bebeu lentamente, depois pousou a taça de repente, com força.

— Mas encontraremos um meio de fazer respeitar nossa autoridade! — exclamou perdendo toda a unção sacerdotal. — Seja qual for a dificuldade, montaremos uma expedição a partir da Bahia, de Cabo Verde ou mesmo, se necessário for, de Lisboa.

Depois acalmou-se.

— Enfim, o rei decidirá.

Cadorim adotara uma expressão protetora: franzia os olhos para evitar ser ofuscado pela reverberação do sol na lagoa. E, escudado por essa máscara, sonhava.

— Será preciso apenas representar bem para Sua Majestade o estado atual da situação européia — disse o prelado conservando o olhar frio e distante, como diante de uma aparição. — Pois chegou a hora de agir. A França se exaure resistindo ao imperador: está olhando para leste. O campo de batalha onde joga todas as suas forças é a Picardia, a região de Hainaut. Caso se dispute com ela hoje uma infeliz feitoria americana, pode-se apostar que ela não reagirá. Não há tempo a perder.

Fez o anel tilintar três vezes contra a taça de prata dourada, como se faz para marcar o fim de uma elevação.

— Eu só devia estar de volta a Lisboa no próximo mês — disse ele febrilmente —, mas vou antecipar minha partida. Preciso convencer Sua Majestade o quanto antes. Deus há de me ajudar, tenho certeza!

Cadorim olhava o horizonte na direção de Murano e do continente.

Perturbado por essa exclamação, voltou a si. Os portugueses... sim, sim. Tudo lhe voltava.

— De fato, Santidade — interveio ele quando o prelado parecia determinado a encerrar a conversa. — Se lhes apetecesse assim mesmo atacar essa colônia de franceses, tomei a precaução de lhes providenciar um homem.

Seu tom alegre dava a entender que "tudo isso está incluído no preço".

— Muito bem — disse o bispo e dessa vez foi ele, mas como conspirador, que franziu os olhos.

Cadorim descreveu-lhe Vittorio com traços mais lisonjeiros do que ele merecia.

— "Ribère"... — zombou o bispo com visível prazer. — Ribère! Meu Deus, que engenhosidade! Realmente, que povo extraordinariamente intrigante vocês são!

Um sorriso fino nos lábios dos dois homens permitiu-lhes deixar claro que ambos tomavam essas palavras como elogio. No entanto, o orgulho de Cadorim estava um tanto ferido. Ele já não se indignava mais com o fato de Veneza ser menos admirada por sua civilidade que por sua corrupção. Mas, assim mesmo, o respeito...

CAPÍTULO 3

A idéia partira de Quintin. Ele a espalhara de grupo em grupo à sua maneira insinuante e modesta. Segundo ele, esse mundo aonde iam desembarcar nada tinha de novo. Era ridículo acreditar que os homens tivessem podido ignorá-lo até então. Era, ao contrário, um continente de morte, uma dessas terras malditas que triunfaram sobre todo tipo de vida, em particular a humana. E citava vinte passagens obscuras da Bíblia que, segundo ele, atestavam isso.

Quando, de manhã, os primeiros escaleres chegaram à ilha, os homens mal tiveram coragem de desembarcar. Impregnados das profecias de Quintin, não duvidavam que aquele pó branco tão fino, espalhado em extensas praias, fosse pó de ossos. O que julgaram ser troncos de árvores, mais de perto, verificaram que eram pescoços magros de esqueletos, pilhas de vértebras calcinadas pelo vento. Sinistros estalos saíam dessas folhas rígidas como costelas de enforcados, e delas pendiam cachos de crânios.

Quando decidiram, debaixo dos gritos dos marujos, pular na água morna e clara e finalmente pisar na praia, a ilusão se dissipou. Mas conservaram uma sensação de terror inexplicável enquanto se reuniam, assombrados e arrepiados, à sombra fresca dos primeiros coqueiros. Ao meio-dia, eram quase trezentos, desembarcados dos navios em várias viagens dos pequenos escaleres, espremidos uns contra os outros e revirando olhos alucinados.

— Eu iria para o inferno para ter umas botas — praguejava Martin.

Ele andara descalço a vida inteira. No entanto, o contato pegajoso das algas arrancava-lhe gritos, e mais ainda as grossas bolas fibrosas espalhadas na areia.

— Palavra, são ratos mortos! — gemia ele evitando pisar nesses detritos vegetais.

Just, que desembarcava de outro escaler, não tinha o recurso de ser distraído por seus pés. Não conseguia tirar os olhos do círculo de montanhas da baía, com seus paredões escuros e o verde brilhante da vegetação selvagem que os cingia. Ao contrário daqueles a quem o vazio da ilha assustava, ele estava ofuscado pela evidência de uma efervescência invisível de vida. Milhares de seres impunham-lhes em silêncio um cerco mais ameaçador do que seria o cerco da solidão. E embora abatido pela angústia, Just não podia se impedir de ver nessa presença misteriosa um suntuoso desafio à sua coragem.

— Pare de ficar olhando para ontem — gritou-lhe um marujo tirando-o de seu devaneio. — Ajude-nos a descarregar essas malas.

Aos escaleres que acostavam carregados de passageiros acrescentava-se agora uma jangada em cima da qual havia malas empilhadas. Just, mergulhando na água até a cintura, dedicou-se de bom grado a esse desembarque que lhe desenferrujava os músculos e lhe distraía as idéias.

— Agarre-se bem à jangada — gritava o marujo.

Ondas irregulares chegavam às vezes até a praia, agitando as embarcações. Enganchado nessa carga flutuante, Just não conseguia lutar contra o fluxo intensificado. Já por duas vezes, os marujos não haviam conseguido puxar a jangada para a areia quando a onda subiu. Dessa vez também, ela lhes fugiu e foi-se embora violentamente na onda. O conteúdo da bagagem de repente se espalhou na superfície da água.

— Recupere tudo isso! — berraram os marujos.

Just não sabia por onde começar. Uma confusão de estolas, meias, cadernos espalhava-se para todo lado. Por mais que o fundo descesse suavemente, ele chegou a uma zona onde só ficava com a cabeça fora d'água e teve medo de ser arrastado. Alguns objetos afundaram, outros afastaram-se irremediavelmente.

No mesmo instante, um escaler trazia Villegagnon, sua guarda e Thevet, que haviam preferido esperar confortavelmente a bordo e desembarcar por último. Colombe estava com eles. Esta chegada tardia devia equivaler a uma apoteose. Villegagnon, tão logo pisou na praia, pegou um punhado de areia, deixou os grãos caírem novamente no chão e declamou solenemente:

— A terra da França!

Le Thoret mantinha-se atrás dele com a bandeira. Entregou o mastro ao chefe que brandiu na brisa morna o sedoso lábaro flor-de-lisado. O protocolo previa que ele fosse com esse séquito até o ponto mais alto da ilha para ali fincar o pavilhão. Infelizmente, esse programa foi interrompido pelos gritos estridentes de Thevet. O franciscano, desesperado, reconhecera seu baú, boiando como uma rolha longe da praia.

— Meus livros! — berrou. — Minhas coleções!

Correndo até a beira d'água, pegou o bolo de panos e papéis que Just extraíra laboriosamente das ondas e deu um grito de bicho abandonado.

— Minhas roupas! Minhas casulas!

Todos os oficiais se haviam precipitado e, diante da gravidade da situação, Villegagnon largou o estandarte e assumiu a liderança do grupo. Eram seis agora, com Just, a pescar o que podiam.

— O cibório de prata dourada! — lamentava-se Thevet que caíra de joelhos.

O que ele perdia desesperava-o, mas o que lhe traziam perturbava-o ainda mais: seus cadernos estavam encharcados, a tinta escorria nas páginas. Todas as notas, todos os documentos que ele reunira para a viagem, seus instrumentos de medição, tudo estava perdido no fundo do mar ou destruído.

Villegagnon, que quisera homenagear o cosmógrafo mandando desembarcar com ele seus objetos pessoais, estava cheio de remorso.

Quando ficou bem claro que nada mais se salvaria, eles voltaram à praia, todos molhados.

— Padre — disse Villegagnon quase em prantos —, não sei como reparar a perda de seus hábitos sacerdotais!

— E de todos os meus documentos científicos! — acrescentou Thevet que parecia afetado principalmente por essa perda.

Foi necessário consolá-lo, apoiá-lo. Formou-se novamente o cortejo — um molhado de lágrimas e os outros encharcados pelo banho —, mas sem o esplendor anterior. Colombe herdara a bandeira. Segurou-a primeiro enrolada e, depois de ter sido alcançada por Just, divertiu-se deixando-a tremular ao vento.

Sempre acompanhando Villegagnon e seu grupo, subiram em direção ao ponto culminante da ilha, enquanto a multidão de passageiros, sempre muda, seguia atrás.

O calor era forte, pois era quase meio-dia. O ar perdia umidade à medida que o mar ficava para trás. O solo tornava-se mais duro, com uma crosta mais espessa, e se elevava suavemente. Aos coqueiros, seguiu-se um viveiro arejado de cedros altos.

Colombe via bem a cara espantada dos recém-chegados e sentia Just, sério e tenso, a seu lado. Nada disso chegava a distraí-la da sensação de volúpia que ela experimentava nesse lugar. Tudo, o calor ardente do sol como a calma da sombra, o rugido da brisa na ramagem das coníferas, o verde-esmeralda do mar em volta da ilha, lhe provocava um prazer inesperado. À parte o espanto de ser a única a sentir isso, nada, nem angústia nem nostalgia, perturbava essa pura sensação de alegria e felicidade.

— Bem, vamos logo com essa bandeira! — impacientou-se Villegagnon chegando ao platô que se elevava no centro da ilha.

Colombe correu para lha entregar. Encurtando a cerimônia prevista, o almirante calçou a auriflama com algumas pedras, não sem ter que endireitá-la por duas ou três vezes, pois estava ventando muito. Thevet, a seu pedido, balbuciou uma oração. Villegagnon berrava "améns" convidando a multidão a entoá-los em coro. Apesar de seus esforços, o grupo dos recém-chegados mal pôde dimensionar o silêncio que o esmagava.

O almirante, após essa breve celebração, recolheu o discurso que havia preparado e dispersou todo mundo. Era preciso apressar o desembarque e começar a exploração da ilha. Just, por curiosidade, foi atrás dos cavaleiros que seguiam em grupo atrás de Villegagnon para percorrer sua propriedade. Como Martin se juntara a ele, Colombe preferiu não os acompanhar. Gostava cada vez menos do jovem mendigo que falava alto demais para seu gosto. Julgava guardar-lhe rancor por sua primeira agressão a eles. Mas a verdadeira razão de sua antipatia era outra.

Ela foi para baixo de árvores altas que cresciam defronte à baía. Suas minúsculas folhas verde-claras criavam no chão uma sombra fina. Colombe adormeceu, embalada pelo balanço que a falta do balanço do barco imprimia à terra.

Uma hora depois, Just voltou e sentou-se a seu lado.

— Nada de água — anunciou lugubremente. — Nem fonte, nem riacho, nada.

— O que vamos fazer? — perguntou ansiosamente Colombe.

— Ficamos. Villegagnon diz que bastará cavar cisternas e encher barricas em terra firme.

Colombe sentiu como que um alívio ao saber que eles não iriam partir logo e ela mesma se espantou com isso.

— Fora o platô onde estamos — prosseguiu Just —, há duas pequenas elevações em cada ponta da ilha. Villegagnon quer fortificá-las.

À sua frente, à medida que o sol virava, eles viam as cores da baía contrastando-se. O azul-escuro do mar refrescava a vista. Das três naus ancoradas vinha uma confusão de gritos e barulhos de talha. A descarga estava no auge.

Martin juntou-se a eles, sempre igualmente preocupado em olhar onde pisava. Vinha trazendo cocos com um lado cortado.

— Precisei lutar para consegui-los, acreditem — disse ele estendendo-lhes os frutos.

Just e Colombe beberam o líquido doce em grandes goles. Haviam praticamente esquecido o que era uma bebida pura.

— Será preciso olhar essa noite — disse Martin fitando intensamente o fundo da baía ainda embaçado por uma névoa de calor. — Se houver fogos, é que a direção é boa.

— A direção de quê? — perguntou Colombe, com a polpa branca e fresca do coco na boca.

Martin levantou os ombros.

— Das feitorias normandas, ora essa!

À noite, Martin e Just ficaram em pé fitando a escuridão da baía, que o mar impregnava de um suspiro regular. Mas não viram fogo algum e Colombe adormeceu feliz.

*

— Os canibais! Os canibais!

De manhã, os gritos que os despertaram vinham do pequeno porto onde estavam atracados os escaleres. Espalhados na ilha para dormir, os passageiros despencaram-se até a praia. Martin foi o primeiro a se levantar, pois sua antiga condição de mendigo lhe ensinara a dormir com um olho só. Just e Colombe juntaram-se a ele bocejando.

Toda a praia da ilha, voltada para a terra firme, estava ocupada pelos viajantes. Soldados, marujos ou simples civis estavam de pé na areia, à beira d'água, e olhavam fixamente para a costa. O braço de mar que os separava dali era suficientemente estreito para que se visse bem distintamente, alinhado na margem oposta, um grupo de nativos que poderia ter duzentos guerreiros.

A monstruosidade canibal rondara, imensa, em mais de uma cabeça durante essa primeira noite em terras antropófagas. Estourava como uma bexiga furada agora que os índios estavam ali.

— Desembarcaram as peças de pano e as contas de rosário? — perguntou Villegagnon a Le Thoret.

— Sim, almirante.

— Bem, mande buscar um corte de tecido vermelho e um balde desses avelórios. Preparem o maior escaler, vocês aí — disse ele aos marujos.

— É preciso desembalar os bacamartes? — perguntou dom Gonzagues.

— Sim, mas deverão ser dispostos aqui, carregados e apontados. O abade diz que esses selvagens são amigos dos franceses, mas nunca se sabe.

Entrementes, os remadores haviam ocupado seus lugares no escaler. Villegagnon olhava em volta para compor sua delegação. Thevet era voluntário, embora ainda inconsolável com o naufrágio de seus pertences. O almirante designou cinco escoceses de sua guarda e Le Thoret. Depois chamou Just, pois pretendia apresentar-se com um pajem e desejava levar o mais vigoroso dos dois, caso fosse necessário usar de força.

Toda essa gente subiu no escaler. Villegagnon em pé na proa, empertigado como um *i*, o nariz tão ameaçador quanto um rostro de galera.

O escaler fez rapidamente o trajeto até a terra firme. Os índios observaram-no aproximar-se, imóveis. Villegagnon ordenou que a embarcação fosse apresentada de lado, a fim de que estivesse pronta para fazer a volta se sobreviesse um incidente. Essa disposição tinha o inconveniente de fazer os passageiros desembarcarem em um local relativamente fundo. Essas contorções e o desconforto de se sentir molhado até o gibão logo foram reprimidos pelo almirante. Ele adiantou-se bem direito pela areia, tão nobre como um rei encaminhando-se para uma tribuna real. Os índios, sem se mexer, deixaram-no se aproximar. Eram todos mais ou menos iguais, à primeira vista: de estatura mediana, com a conformação dos humanos do lado de cá, sem ter mais braços, pernas nem cabeças. Era, aliás, essa normalidade que tornava constrangedora sua completa nudez. Nada em sua aparência permitia compará-los aos animais, que estamos habituados a ver em pêlo. Só a lembrança da Antiguidade podia tornar essa liberdade compreensível e até admirável. A comparação se impunha tanto mais quanto os selvagens, longe de demonstrar medo ou constrangimento, assumiam atitudes altivas e nobres, rivalizando em máscula segurança com Villegagnon.

— Franceses! — gritou Villegagnon imprimindo grande sinceridade a esse protesto.

— *Mair!* — interveio Thevet, apresentando a palavra que, segundo lera, era na língua dos tupis a tradução de "francês".

Essa lembrança encheu-lhe o coração mais de nostalgia que de orgulho, pois trazia-lhe à mente seus cadernos perdidos e toda a ciência engolida com eles.

Ao ouvir essa palavra, os nativos trocaram comentários em sua língua. Um deles, jovem e vigoroso, cabelo raspado na testa e uma grande pedra chata enfiada no lábio inferior, adiantou-se. Fez um discurso incompreensível, mas de tom amável.

— Eles não parecem hostis — murmurou Villegagnon para Le Thoret.

Mas este, veterano das campanhas da Itália, ferido em La Mirandola, permanecia em guarda, sempre pronto para puxar a espada. Sabia por experiência própria que um inimigo muitas vezes tem boa aparência e não é menos cruel.

Após ter encerrado seu discurso, o jovem índio tomou a direção da mata e o grupo dos outros selvagens, cercando Villegagnon e sua pequena escolta, levou-os na mesma direção. Afastar-se do mar era um risco. No entanto, o almirante não hesitou. Resistir seria agir como cativo, mostrar que se podia ser derrotado. O novo senhor que Villegagnon era legitimamente, em virtude das patentes do rei, não podia temer coisa alguma nem se sentir estrangeiro em ponto algum dessa terra que de agora em diante lhe pertencia.

Naquela parte do litoral, a praia era estreita. Eles logo se viram debaixo da cobertura compacta da mata com seus múltiplos andares de árvores. A sombra densa conservava um frescor inesperado nesse andar inferior. O grupo nem dera cem passos quando surgiu, numa brecha deixada pelas árvores mais altas, uma comprida casa de folhas de palmeira na frente da qual corriam crianças nuas.

Tão logo apareceram Villegagnon e sua guarda, ecoaram gritos estridentes em toda a clareira. Os recém-chegados se sobressaltaram, e o almirante, vendo que não se tratava de uma emboscada, achou que a aparição dos escoceses, com seus cutelos na perna e seus ares de diabos ruivos, havia assustado a criançada. Mas os escoceses nada tinham a ver com isso. Era ele mesmo que originava esses gemidos de dor emitidos por todas as mulheres da casa.

Tendo-o identificado como chefe por seu ar de autoridade e pressentindo que Thevet, com sua longa barba, devia ser um outro dignitário importante, os selvagens conduziram os dois a uma rede e fizeram-nos sentar-se nela. Inconfortavelmente instalado nessa balancela, Villegagnon, ao lado do frade, continuou recebendo durante muitos minutos a homenagem plangente e uivante das mulheres índias. Elas eram quinze a vir se acocorar diante dos hóspedes, mãos na cabeça, chorando e gemendo como se os seres mais queridos lhes houvessem sido arrebatados. Inteiramente nuas, como os homens, brandiam, no meio dessas fontes de lágrimas, uma quantidade de seios, coxas e sexos à mostra diante dos olhares espantados do cavaleiro de Malta e do eclesiástico. Ainda que estivessem tentados a fugir, os dois homens não deixaram de suportar essa provação com coragem. A imobilidade dos índios do sexo masculino, em volta da cena, e sua solenidade serena mostravam que essa acolhida estranha era para eles uma forma normal de civilidade.

Villegagnon só se alarmou quando viu o animal daquele Thevet, emocionado com a tristeza geral e inconsolável com a perda de suas coisas, cair também em prantos a seu lado. Esse enternecimento compartilhado redobrou os gritos das mulheres e as fez gritar cada vez mais.

Afinal, o alarido acalmou um pouco. Um índio alto, mais velho que os que os haviam recebido, coberto nos quadris e nas costas por finas plumas coladas com resina, adiantou-se para Villegagnon e o saudou. Com o lábio obstruído pela mesma pedra que todos os homens ali tinham engastada, ele iniciou um longo discurso de boas-vindas.

O almirante levantou-se, deixando Thevet chorando como um bezerro em sua rede, e fez sinal para Just.

— Desembarcaram os presentes? — sussurrou-lhe.

Just correu até os escaleres e, com um marujo, trouxe o corte de tecido e o balde de contas. Pousou essas coisas aos pés de Villegagnon, a quem encontrou no fim de uma poderosa arenga.

— ... e é por isso — concluía ele — que o rei de França se alegra de ter como novos súditos guerreiros tão vigorosos quanto vocês. Acrescento que, tendo exibido diante de nós os instrumentos pelos quais se pode avaliar sua virilidade, será conveniente de agora em diante não mais impor essa visão a desconhecidos. Esse corte de tecido fino, que tenho a alegria de lhes oferecer, poderá servir para vesti-los. Quanto a essas jóias, elas realçarão a elegância de suas mulheres, depois que elas tiverem consentido em se vestir.

O chefe pegou o pano e pousou-o no cepo onde crianças, rindo, começaram a desenrolá-lo na terra. O balde de contas de vidro, que ele depositou no chão, foi cercado pelas mulheres que se serviram a mancheias. Ninguém chorava mais e todos manifestavam agora uma sorridente fraternidade. Os guerreiros apertavam a mão dos recém-chegados, abraçavam-nos, presenteavam-nos com plumas e ossos entalhados. Para não estragar esse bom humor, os franceses deixavam-se despojar, entre risos, de seus gorros, suas espadas, seus cinturões, com os quais os nativos se enfeitavam rindo.

A autoridade que Villegagnon tencionava conservar passara por fases perigosas desde a embaraçosa saída de escaler. Porém, ele jamais teve tão pouca esperança de encontrá-la quanto no meio daquele tumulto alegre onde ninguém mais parecia prestar-lhe atenção.

Assim, apesar da surpresa, foi com alívio que ele viu chegar um homem cuja visão fez os índios calarem-se instantaneamente. A julgar por seu traje, achou que seria um dos chefes indígenas, mas quando o homem se adiantou à sua frente, desenganou-se.

— Seja bem-vindo, cavaleiro — disse o homem num francês sem sotaque.

E todos se deram conta horrorizados de que ele era branco.

CAPÍTULO 4

Contra a luz, o homem que acabava de irromper na aldeia indígena tinha todo o aspecto de um fidalgo. Capacete na cabeça, vestindo um gibão de fendas e calções bem cortados, portava uma comprida espada na ilharga. Mas, ao deslocar-se ligeiramente para não ser mais incomodado pelo sol que penetrava na clareira, Villegagnon surpreendeu-se com o aspecto desse traje familiar. O morrião do homem, embora tivesse exatamente a forma circular com as bordas reviradas em ponta na frente e atrás dos capacetes da época, era feito de couro de vaca mal curtido, do qual ainda despontavam pêlos pretos e brancos. À primeira vista, seu gibão parecia ser de veludo cinza. Na verdade, era constituído de minúsculas plumas ligadas por fios de algodão com muita arte. Quanto à espada, ela não exigia a proteção de uma bainha, pois era realmente de madeira.

Apesar da singularidade dessa indumentária, o homem assumia poses de cortesão. Villegagnon, na pressa, havia desembarcado em camisa, e suja, além do mais. Jurou a si mesmo que, naquele lugar onde os homens nus, como os que estavam cobertos de plumas, tinham modos tão nobres, saberia, no futuro, redobrar os cuidados para se apresentar.

O homem disse algumas palavras aos índios na língua deles. Os índios recuaram, e os que se haviam apoderado dos pertences dos visitantes devolveram-nos em silêncio.

— Gaultier, dito "Le Freux" — anunciou o homem inclinando-se diante de Villegagnon.

Seu rosto largo era liso, tão obstinadamente barbeado que escamas vermelhas lhe cobriam a pele. Entre plumas e pêlos, pareciam representar os peixes.

— Então o senhor é francês? — perguntou o almirante com a perplexidade daquele que procura classificar uma folha em seu herbário.

— Não o fora, Excelência, o senhor me teria encontrado na barriga desses velhacos. Nossa nação é a única que eles poupam, pois nos consideram seus amigos.

Villegagnon, tranqüilizado pela acolhida dos nativos, esquecera um pouco aquele detestável costume e lançou-lhes um olhar hostil.

— A bem dizer, não os esperávamos por aqui — prosseguiu Le Freux —, e isso explica meu atraso. Quando vimos seus navios entrarem na baía, achamos que se dirigiam à outra margem, como fazem todos. Estão aqui para uma escala e pretendem chegar aos assentamentos?

— Não — atalhou Villegagnon decidindo-se a iniciar uma conversa. — Vamos permanecer na ilha defronte a esta orla.

— Não se poderia escolher melhor — comentou suavemente Le Freux. — É deserta.

O almirante continuava olhando os índios com desconfiança.

— Quanto a estes aqui — interrogou —, diz que são domesticados?

— Eles não comem mais os franceses, isto é certo. Quanto ao resto, são muito insolentes e ladrões. O senhor logo aprenderá a conhecê-los. Embora estejam atrás de qualquer civilização e sejam tão fracos de espírito quanto crianças, têm o topete de se julgar nossos iguais. É preciso se fazer respeitar.

Enquanto falava, Le Freux pusera os olhos no corte de tecido que as crianças haviam desenrolado parcialmente no chão. Abaixou-se e pegou-o.

— Esplêndido tecido — disse esfregando-o entre dois dedos. — Permito-me esperar que não o esteja destinando a esses selvagens.

Villegagnon ficou confuso:

— Disseram-me...

— Muito bem, Excelência — interveio Le Freux para não prolongar aquele embaraço —, o senhor tem toda a razão: eles farão bom proveito. Mas contanto que se lhes mostre para que serve. Este lado de cá da baía é um pouco afastado e os nativos aqui são menos familiarizados com nossa indústria. Eles podem aprender tudo, desde que se saiba ensiná-los. Quanto a esta peça de tecido, fique tranqüilo; eu me responsabilizo.

O almirante agradeceu-lhe satisfeito. Examinando de novo a obra de arte plumária que o homem tinha nas costas, não havia dúvida que ele sabia conseguir tudo dos canibais.

— Está aqui há muito tempo? — perguntou o almirante enquanto o homem se dedicava a enrolar direito o corte de tecido.

— Já vai fazer dez anos. — E acrescentou para antecipar uma pergunta mais precisa: — Eu naufraguei.

— Mora nas cercanias?

— Aqui e ali — disse evasivamente Le Freux. — Aonde meus negócios me levam.

Ele falava como um funcionário dos Fugger e o interlocutor quase se esquecia que ele usava na cabeça um escalpo de vaca.

— Tem mulher, filhos?

Villegagnon estava comovido com esse infeliz.

— Mulheres não faltam por aqui. Quanto aos filhos, sem dúvida...

Le Freux dera essa resposta em tom de bravata, lançando olhares galhofeiros em volta. De fato, muitos soldados riram. Mas Villegagnon e Thevet assumiram uma tal expressão de indignação que ele achou prudente mudar de assunto.

— Em que lhe posso ser útil? Decerto precisará mandar vir muitas coisas do continente...

— Água limpa — disse Villegagnon. — Pode nos indicar um lugar prático para encher algumas barricas?

— Nada mais simples.

— Comida. Somos seiscentos.

Os olhos do náufrago brilhavam de excitação.

— Bem — disse precipitadamente —, vamos abastecê-los de peixe seco, de farinha, de frutas, do que for necessário, em suma. Encontra-se de tudo aqui... Contanto que se lhe aponha o preço.

— O preço? — espantou-se o almirante. — Mas esta terra é francesa, de agora em diante. O que há nela é nosso.

— Ah, eu entendo assim — gemeu Le Freux com uma careta forçada. — Mas esses selvagens têm a cabeça dura. Enquanto não se estiver em condições de quebrá-la, é preciso contar com a má vontade deles. Eles são gulosos, os salafrários!

Villegagnon olhava os guerreiros nus, três bilhas de barro esparsas, a casa de folhas de palmeira, e se perguntou onde diabos esses nativos poderiam esconder as riquezas das quais eram, ao que dizia Le Freux, tão ávidos.

— Nossos navios estão carregados de objetos de valor que poderemos trocar com eles — concedeu Villegagnon que capitulava provisoriamente ante a medição de forças.

— Conte comigo para lhe conseguir tudo pelo melhor preço.

Um bando de papagaios sobrevoou a aldeia tartareando, e essa animação súbita do céu veio lembrar ao almirante a presença selvagem da mata. A pirâmide do pote de manteiga emergia entre as árvores. Vista dali, com sua capa de vegetação posta de viés em relação ao cume, a montanha facilmente deixava que se lhe emprestasse uma alma e parecia uma atalaia indiscreta e monumental debruçada sobre os emissários do rei de França.

— Os portugueses estão longe? — perguntou Villegagnon.

Com um gesto, Le Freux indicou a direção sul.

— Os mais próximos estão em São Vicente, na terra do Morpion. Fica a dois dias de marcha daqui. Mas o maior posto deles é no norte, em Salvador, na baía de Todos os Santos.

— Eles vêm aqui às vezes?

— Raramente. De quando em quando, marinheiros se perdem. Olhe, no ano passado mesmo, havia seis em sua ilha e esses foram comidos.

Era necessária toda a legítima deferência que se tem para com um compatriota para dar crédito a uma acusação daquelas: os culpados, de pé entre suas choças, pareciam muito afáveis.

— Temos intenção desde já de construir um forte na ilha — anunciou Villegagnon para recuperar a serenidade. — Pode enviar cem desses índios para nos ajudar nas tarefas mais penosas? Há entre nós muitos mecânicos que não são tão fortes quanto esses primitivos.

— Trabalhar! Não conte com isso. Nenhum índio jamais aceitará trabalhar.

— E por quê?

— É totalmente contra a honra deles.

— Virgem Santíssima! — gritou Villegagnon que já não agüentava mais. — A honra deles de agora em diante é a honra do rei de França. Ele não pode lhes conceder honra maior do que lhes confiar a construção do primeiro monumento de seu novo reino.

Le Freux baixou os olhos e deixou Villegagnon desafiar os índios com o olhar. Thevet, instintivamente, recuou um pouco e veio se colocar entre os escoceses.

Os guerreiros índios, embora nada compreendessem das palavras que haviam sido ditas, se empertigaram, suas mãos buscaram as maças de pau, um silêncio impregnado de desconfiança estendeu-se sobre a aldeia. Na fímbria das palmeiras, outros índios, saindo da sombra, mostraram seu vulto ameaçador. O grasnido de uma arara nas proximidades do pote de manteiga era um dobre lúgubre vindo da aurora dos tempos.

Le Freux deixou essa ameaça impregnar o ar por um tempo suficiente para que Villegagnon se conscientizasse dos limites de sua autoridade.

— Mas não tenha medo, Excelência — disse ele. — Há outras soluções.

Os selvagens se descontraíram e a guarda escocesa que se crispara segurando suas lanças respirou.

— Eles vivem em guerra uns com os outros — prosseguiu o trugimão. — Vão lhe vender de bom grado seus prisioneiros como escravos. E esses perderam a honra que os impediria de morrer trabalhando.

Essas palavras exprimiam uma feliz conclusão e Villegagnon não estava muito preocupado em ter que enfrentar novamente uma aflição dessas. Seguiu para a praia. Combinou-se que Le Freux "e seus sócios", como ele os chamava muito seriamente, iriam no dia seguinte visitar os navios e ver o que poderiam fornecer em troca do que eles continham.

O almirante, acompanhado por Thevet e sua guarda, marchou dignamente até a praia. No escaler, eles olharam calados a ilhota aproximar-se, solitária e vulnerável, no meio da imensa baía e de suas ameaças.

— Tem certeza absoluta de que a escolha do lugar foi boa? — arriscou Thevet, a quem essa passagem pelo continente acabara de apavorar.

— Essa ilha? — riu Villegagnon contemplando a suave linha de seus cumes. — Em seis meses, o senhor não a reconhecerá.

*

Amberi, o notário, estava tão desocupado durante a travessia que anotara num caderno o número de dentes que cada passageiro perdera na *Grande-Roberge*. Talvez achasse que um dia as vítimas seriam recompensadas na medida de seu sacrifício, ou seja, na proporção dos molares abandonados no caminho. Ele próprio pagara o tributo de seus incisivos e com isso podia ter grandes esperanças.

Um mês se passara desde sua chegada à baía. A água de coco e as frutas trazidas da costa haviam acalmado as gengivas do notário e ele se reanimara como todos os seus companheiros. Infelizmente, não aproveitara essa convalescença, pois Villegagnon não lhe dava um minuto de sossego. Fazia-o redigir relatórios de tudo, desde a visita aos canibais — cujo mudo juramento de fidelidade ao rei de França ele registrara — até os acordos firmados com Le Freux por ocasião das freqüentes visitas deste aos navios para inspecionar os porões.

A isso, o almirante acrescentara um trabalho hercúleo: a criação de um cadastro da ilha. Colombe fora designada para ajudá-lo nesta tarefa de confiança, juntamente com Quintin. Cadeia de medição em punho, eles corriam na natureza, medindo pequenos bosques e palmeirais, usando os recifes como marcos, andando no meio dos caniços de um pequeno brejo. Amberi ia atrás levando sua escrivaninha e registrava tudo com tanta seriedade quanto o faria caso se tratasse de dentes perdidos.

Atualmente, Colombe conhecia cada recanto dessa ilha e a admirava cada vez mais. Parecia um jardim onde tivessem sido dispostas em ordem as essências que se entrelaçavam no continente. Os colonos, ao desembarcar, instintivamente se agruparam em áreas quase tão pequenas quanto os barcos. Tanto que a ilha ainda oferecia espaços desertos e selvagens onde se podia dormir à sombra nas horas de calor sem ver ou ouvir ninguém. Contudo, esses ermos tornavam-se dia a dia mais raros. Até os mais covardes e os convalescentes ousaram fazer a volta ao redor daquela terra acolhedora.

Colombe, como muitos outros, agora olhava a costa com inveja, pois a ilha lhe abrira o apetite para descobri-la e ela não a saciara. Mas via com tristeza que Just não compartilhava essa curiosidade. Ele participava cada vez mais dos projetos de Martin e procurava com ele os meios de fugir. Colombe não estava acostumada a conceber planos sem o irmão e se acostumara com a idéia de acompanhá-lo se ele descobrisse uma maneira de regressar à França. Mas nesse lugar isolado e desconhecido, as dificuldades se acumulavam e tornavam essa possibilidade muito remota e ainda mais improvável. Colombe pretendia empregar o tempo que ficassem no Brasil para descobrir os prazeres dessa terra. Continuava portanto a esperar o momento em que pudesse explorar uma área um pouco mais vasta do que essa ilha minúscula e bruscamente superpovoada.

Mas Villegagnon recusava-se obstinadamente a deixar qualquer pessoa ir livremente à terra firme. Exercia um controle estrito sobre as relações entre a ilha e o continente. Salvo os remadores dos escaleres e alguns marinheiros encarregados de escoltar as mercadorias de Le Freux, ninguém tinha o direito de deixar a ilha. Colombe não desanimara. Afinal de contas, fora trazida para um dia servir de trugimã e o almirante acabaria um dia se lembrando disso. A menos que ela pudesse aproveitar outra oportunidade. Assim, no dia em que Amberi julgou que seu cadastramento estava terminado, ela insistiu para assistir à apresentação que ele faria a Villegagnon, caso este decidisse ampliar sua missão a um levantamento da zona costeira.

À meia encosta da colina que ocupava o centro da ilha, o almirante mandara aplainar um grande terreiro. Estacas de pau sustentavam ali um quincunce de teto de folhas de palmeira bastante bonito de aspecto. Levando em conta sua elevação e a natureza em volta, o edifício constituía uma sede de governo aceitável. A estação estando seca, Villegagnon não hesitara em mandar colocar ali seu contador de ébano, as tapeçarias do salão e todo um sortimento de arcas e móveis tirados dos outros barcos. O mais impressionante era uma cama de colunas guarnecida de cortinas. O calor das noites era tal, que o almirante preferia dormir numa rede. Mas, para combinar esse conforto com a intimidade que lhe traziam as cortinas do baldaquim, mandara esticar a rede na diagonal entre duas das colunas que sustentavam o dossel.

Quando Amberi se fez anunciar, levando seu cadastro enrolado com tantas precauções quanto se fosse um ostensório — Colombe toda submissa atrás dele —, um ajuntamento ruidoso ocupava a parte da palhoça que o almirante reservava para as audiências.

— Tragam ao menos o escaler — concluiu ruidosamente o almirante. — Vou providenciar a escolta.

Ao ouvir essas palavras, os assistentes se acalmaram e saíram dignamente, conduzidos por dois escoceses. Dois outros guardas, no mesmo instante, introduziam o notário e seu ajudante. Tudo isso se passava naquelas palhoças abertas aos quatro ventos, mas com um protocolo digno dos gabinetes forrados de feltro. Villegagnon parecia furioso, mas conteve-se para saudar polidamente o notário. Parecendo desenrolar um recém-nascido, este último estendeu o mapa em cima de uma grande mesa que dava para o pequeno porto e o pão de açúcar.

A vista dos contornos da ilha, traçados com clareza, descontraiu os traços do almirante. Desde que terminara o desembarque, ele dispunha de um barbeiro munido de belos instrumentos. Fizera-se aparar uma barba regularmente curta que lhe dava um ar de requinte mais condizente com o baldaquim do que com a mata virgem. Colombe notou que ele tinha no dedo um anel de topázio que não havia sido usado durante a travessia. Mas todos esses cuidados e até seu perfume de goivo em nada diminuíam a colossal confusão de sua pessoa, toda atrapalhada com ossos, impaciência e nariz.

— Ah — exclamou o almirante —, a Idéia da ilha!

E com efeito, nesse plano, a selvagem beleza de suas colinas e suas enseadas tomava a forma de uma pequena serpente feita a lápis que mordia o próprio rabo no papel. Villegagnon, a quem a amplidão dos mares ou das florestas deixava prosaico, entusiasmava-se mal via uma obra humana: um livro, um quadro, um mapa.

— Vejam — dizia com o olho brilhando —, aqui vai se erguer a primeira muralha do forte.

Sua mão deslizava pelos espaços em branco do cadastro.

— Aqui um reduto, aqui, as lojas. Aqui o quebra-mar. Estão vendo? Ah! Amberi, a Idéia, a Idéia. É a beleza, a potência. A divindade.

Esse vôo o manteve alguns instantes em elevação. Depois ele voltou ao chão e, resmungando, dobrou o mapa que levou para o móvel.

— Muito bem, Amberi. Vou estudar isso. Arrume, faça o favor. Você, fique!

Colombe, um tanto surpresa, olhou o almirante sem medo. Ele sentou-se diante da mesa e, talvez por causa de sua nova instalação, Colombe não ousou fazer o mesmo.

— O que está esperando para sentar? Conheci-o menos atado.

Colombe sorriu e sentou-se perto em uma cadeira dura forrada de couro.

— Não o tenho visto muito.

— Eu estava com mestre Amberi.

— E seu irmão?

— Também não o vejo muito desde que percorro a ilha.

— Mande-o me procurar. Agora que estou dividindo as tarefas, quero lhe confiar trabalhos. E para o mais velho dos Clamorgan, acredite, tenho algumas boas idéias.

Colombe achou que era tudo. Levantou-se quando Villegagnon lhe disse:

— E para você também.

Falando, o almirante encarou-a, evitando cruzar seu olhar que lhe desagradava.

— Você é o mais jovem aqui, não há dúvida. Embora não soubesse o que estava fazendo, esse bravo Gonzagues teve razão ao embarcá-lo como trugimão. Parece-me que não se deve desistir disso: é nessa função que você pode ser mais útil.

Colombe não acreditava no que ouvia.

— Vai me enviar para os índios! — exclamou.

Ele se confundiu com esse entusiasmo e interpretou-o como medo.

— Não há o que temer; eles não comem franceses. São uns simplórios. São doces e belos como deuses antigos. Toda a humanidade de nossos pais está ali: são pastores de Homero, não fossem alguns excessos.

Ele tossiu. Colombe tirou-o de seu embaraço com um grande sorriso.

— Bom, parece que você vai se acostumar — resmungou o almirante.

Depois acrescentou com um ar benevolente:

— Aliás, sabe que eu não o colocaria em perigo. Você não irá sozinho. Desejo que acompanhe uma escolta que vai partir para o continente à procura de seis miseráveis que acabam de fugir com um escaler.

A descrição que Villegagnon fez dos desertores deixou Colombe entrever que se tratava dos anabatistas.

— Será um bom pretexto — prosseguiu ele — para visitar outras aldeias além daquela à qual esse trugimão chamado Le Freux nos levou. Tão logo você tenha descoberto com a escolta um acampamento de índios onde lhe dêem boa acolhida, passe uns tempos ali, aprenda os rudimentos da língua. Trate de saber o máximo possível sobre as tribos e volte para me informar. É preciso conseguirmos nos libertar da dependência desses malditos trugimães. Estou convencido de que eles nos roubam. É preciso verificar os preços que Le Freux nos faz pagar para nos enviar aquela farinha ruim e aqueles peixes meio podres.

Colombe poderia voltar quando quisesse. Agora escaleres faziam várias viagens por dia entre a ilha e o continente. O mais difícil foi segurá-la para não partir imediatamente.

CAPÍTULO 5

Vittorio sobressaltou-se. Desde que chegaram à ilha, há mais de um mês, esperara apaixonadamente por esse momento. Já estava achando que não aconteceria nunca.

— O veneziano é você mesmo? — perguntou-lhe o homem num dialeto de Pádua que era bem compreensível.

— Sou — respondeu Vittorio com a voz embargada.

Quase deixou cair a picareta. É preciso dizer que, desprezando sua habilidade de delinqüente, Villegagnon e seus beleguins o haviam designado à força para esses trabalhos indignos. Estava na hora de virem livrá-lo disso.

— À sua saúde, patrício! — disse o recém-chegado, estendendo a Vittorio um cantil de couro.

A boa notícia era que esse homem providencial não vinha se juntar à longa fila dos cavoucadores, mas sim que se mostrava com liberdade de movimentos e muito independente de maneiras.

— Sou um dos sócios de Le Freux — precisou ele com orgulho.

O trugimão tornara-se um personagem na ilha. Era visto com Villegagnon, que ele tratava de igual para igual. Vinha do continente com sua própria embarcação índia feita de um gigantesco tronco de árvore escavado onde dez homens remavam em pé. Tornava a partir sempre carregado de pesadas mercadorias tiradas dos barcos, e ninguém sabia o que ele fazia com elas.

— Meu nome é Egídio — disse o negociante.

Assim como seu sócio e senhor, mas com mais simplicidade, ele estava vestido à européia, porém com materiais tirados da natureza mais selvagem. Um gorro pontudo, que ele usava descido na frente, confeccionado com a pele de um animal desconhecido, dava-lhe a aparência bonachona de um camponês de montanha.

Vittorio, trêmulo, aguardava a escolta. Convidou seu visitante a afastar-se do grupo de cavoucadores a fim de não se sentir tão constrangido ao pronunciar a senha esperada. Os dois foram sentar-se ao pé de uma palmeira que aguardava pacientemente o machado.

— Que trabalho! — disse Egídio olhando a linha dos homens que escavavam a areia dura da colina.

Todos os artesãos, fosse qual fosse sua habilidade em costurar sapatos ou em assar pães, estavam trabalhando nesse emprego rudimentar dos braços que consiste em levantar uma picareta e deixá-la cair novamente. Vistos da palmeira onde estavam, pareciam uma fila de camponeses trabalhando numa absurda colheita de pedras.

— Esse Villegagnon é doido — afirmou Vittorio para mostrar que captara toda a ironia oculta sob a fingida admiração de seu compatriota.

— Pelo menos, espero que ele lhes pague bem.

— Pagar-nos! — exclamou Vittorio que não perdera o mau hábito de cuspir a toda hora. — Isso nunca esteve em questão. Ele nos trata como escravos, só isso. Você viu os dez índios que Le Freux trouxe, uns prisioneiros, parece. É fácil reconhecê-los porque Villegagnon mandou fazer para eles umas casulas vermelhas, de medo que a gente veja as nádegas deles. São prisioneiros que as tribos indígenas nos venderam como escravos. Bem, eu lhe afirmo que somos exatamente iguais a eles.

— Mesmo assim — insistiu Egídio que procurava forçar confidências —, Villegagnon os provê de tudo. Vocês são alimentados. Têm bebida e casa.

— Alimentados? Raízes transformadas em farinha e peixe defumado. Você chama isso de alimentados?

Entre italianos que sabem o que significa cozinha, essa descrição era uma metáfora do inferno. Vittorio, para aplacar a raiva, bebeu um grande trago do cantil. A cabeça já lhe andava um pouco à roda por causa daquela bebida e, embora ela fosse doce, ele sentia sua força correndo nas veias.

— Eis um álcool extraordinário — disse olhando o cantil. — De onde vem?

— É o cauim que os índios fabricam para suas cerimônias. Posso lhe arranjar, se quiser.

— Infelizmente — disse Vittorio subitamente desconfiado, pois esse desconhecido não precisava saber que ele tinha ouro —, não tenho como comprar.

— Para você, patrício, será de graça.

— Você é bom demais. Olhe, se não estivéssemos tão fedidos, eu o abraçaria.

Egídio pareceu lisonjeado com esse impulso e ao mesmo tempo feliz por ele ter sido reprimido. Os dois simplesmente ergueram seus cantis.

— Mas os outros, em sua opinião — disse o negociante designando os cavoucadores com o queixo —, têm com que comprar?

— Por certo! Com essa aparência que você vê, eles são donos de uma pequena soma que têm escondida com eles ou em seus pertences e que eles vigiam dia e noite. Há meses, não bebem uma gota de qualquer coisa semelhante a álcool, e tenho certeza de que dariam o que quer que fosse para arranjar um pouco.

Ao sol do meio-dia, viam-se os homens interromper-se a cada dez golpes de picareta e levarem a mão à testa como se quisessem acalmar a raiva e o esgotamento.

— Deixo-lhe dois frascos de cauim — disse Egídio —, você os faz provar. Eles lhe passam a encomenda. Posso lhe arranjar a quatro tostões de prata a barrica. E para cada tonel vendido, serão dois dinheiros para você.

— Três — disse Vittorio que conhecia o comércio.

— Negócio fechado.

Apertaram-se as mãos. O doce consolo do cauim embelezava mais o momento e fazia dançarem o pão de açúcar e todas as montanhas da baía.

— E as mulheres? — perguntou Vittorio que, em negócios, era sempre liberal.

— Com todas as fadigas da travessia, acha que eles têm vontade? — provocou Egídio com malícia.

— Você deveria ouvir as conversas à noite em volta das fogueiras.

— As índias estariam ao gosto deles?

— Ao gosto deles? Pois quando as vêem passar junto da ilha, os seios ao vento, naquelas malditas pirogas, expressamente para zombar de nós, eles quase se atiram na água, embora nenhum saiba nadar.

Egídio balançou a cabeça como para reprovar com indulgência a loucura dos homens.

— Parece-me — disse Vittorio — que se nada mudar, até as papagaias serão objeto de cobiça.

Depois, continuou num tom mais baixo:

— Sei até que alguns remadores estão planejando, contra dinheiro, bem entendido, à noite, levar os que quiserem ir para que eles possam correr atrás das selvagens.

— Infelizes! Que eles não façam nada disso! Acredita-se que essas índias são livres porque mostram a todo mundo aquilo que se tem o cuidado de dissimular, mas isso é mentira. Não se entende a parentela delas. Um dia, uma leva uma virgem ao marido para que ele durma com ela, mas uma outra vai desencadear a vingança da família contra o marido que a enganou. Tudo isso é imprevisível. Eu lhe digo: a gente corre grandes riscos freqüentando as índias das tribos sem as conhecer.

Vittorio manifestou sua decepção.

— Mas, felizmente — assegurou Egídio com voz suave —, nós que estamos aqui há muito tempo, dispomos de lindas e boas escravas que não darão aborrecimento a ninguém. Quantas eles quiserem, quantas poderemos lhes fornecer.

Vittorio tinha um nó na garganta. Em troca da promessa de estar na primeira viagem e de ter duas exclusivamente para si, ele entrou nos planos de Egídio que visavam transformá-lo no grande organizador desse tráfico junto a seus companheiros.

— Diga-me, Vittorio — ponderou o trugimão com um ar pensativo —, assim mesmo, é preciso que esse almirante seja rico para tocar uma empreitada dessas. Ele tem ouro?

— Parece — respondeu Vittorio ainda entregue à sua explosão de seiva.

— Não tem certeza? Ele os teria embarcado nessa aventura tendo como única moeda de troca as peças de tecido e os brinquedos para selvagens que nos mostrou em seus porões? Vamos, deve haver outra coisa ali!

— Vi transportarem uma arca fechada que parecia muito pesada e que ele mandou pôr embaixo da cama.

— Embaixo da cama — repetiu Egídio com interesse. — Não é um lugar muito seguro, com a quantidade de ladrões que andam por esta ilha.

Vittorio estremeceu. Ladrão significava prisão; prisão significava crime; e crime, para Vittorio, significava Ribère. Ele esperava colher o precioso sinal a qualquer momento. Mas nada veio.

— O que eu lhe disse de tão perturbador? — espantou-se Egídio. — Você está espantado.

— Não... eu estava pensando... de que falávamos? Ah!, sim, da arca embaixo da cama: bem, na verdade, está em lugar seguro. Os quatro escoceses que fazem a segurança do almirante e cuja vigilância eu mesmo já senti se revezam na frente desse quarto dia e noite.

Egídio, sem demonstrar muito interesse, anotava todos esses detalhes na cabeça. Como já estava perdendo a esperança de ouvir falar de Ribère, Vittorio, vendo que o procuravam na obra, marcou encontro para aquela noite mesmo e voltou para escavar a terra com novas esperanças.

*

Três escaleres deixaram a ilha naquela madrugada de janeiro, com os homens a quem Villegagnon confiara uma missão em terra firme. Ele não quisera se privar de sua guarda escocesa nem dos cavaleiros de Malta que exerciam na obra da ilha a função de contramestres. Assim, reunira um pequeno esquadrão de vinte soldados desirmanados. Aí estavam o báltico que viajara na *Rosée,* dois renegados encontrados com os otomanos e um húngaro de uma magreza assustadora, rosto muito anguloso, e que não era senão metade de si mesmo desde que fora amputado de seu cavalo. Essa tropa, por menos marcial que fosse, tinha o mérito de ser silenciosa por força das circunstâncias — nenhum elemento compreendia o outro — e afeita a perseguições, emboscadas, à sobrevivência nos ambientes menos hospitaleiros. Os integrantes tinham ordem de prender os anabatistas e levá-los de volta para a ilha acorrentados. Villegagnon os fez se dividirem em dois grupos.

O primeiro partiria para o fundo da baía. Tinha oito soldados e Martin que, à força de intrigas, conseguira fazer-se indicar como aprendiz de trugimão. Ele esperava, com ou sem soldados, segundo os homens concordassem ou não com suas intenções, ir o mais longe possível e descobrir um caminho que levasse até as feitorias da outra margem. Antes de partir, jurou a Just que voltaria para buscá-lo. O outro grupo devia prosseguir no sentido oposto, ou seja, em direção à embocadura da baía. Estava entendido que primeiro eles voltariam ao local, mais próximo à boca da barra, onde os desertores haviam abandonado a embarcação. Depois subiriam na mata, em direção ao pão de açúcar, tentando alcançar os cumes e até contorná-los.

Colombe, que acompanhava esse segundo grupo, estava autorizada a escolher uma choça de índios acolhedora e não muito suja, se possível, por influência de Le Freux e seus beleguins. Munida de um caderno e de tinta, ela coletaria o máximo de palavras do dialeto dos indígenas a fim de poder comunicar-se com eles.

Just tentara de todas as maneiras dissuadi-la de partir, mas era impossível fazer Villegagnon voltar atrás depois de anunciar uma ordem formal. Colombe consagrou-se a tranqüilizar o irmão até o último segundo em que embarcou no escaler. Quando o avistou, cada vez mais distante na praia, com sua basta cabeleira negra ao vento, ficou toda emocionada ao vê-lo assim aflito, cheio de ternura e preocupação. Ele ainda era o ser que mais contava no mundo para ela. Mas enquanto o amor que Just lhe tinha exigia presença, ela, ao contrário, chegara àquele grau de certeza em que se pode conservar o sentimento intacto e até fortalecê-lo ausentando-se e voltando. De repente, naquele escaler, ela se achou, em relação a suas paixões, maior e mais forte que ele.

Mas a travessia era curta e, mal pôs os pés dentro d'água, ficou absorta no prazer de descobrir esse continente que a fizera sonhar.

O grupo enveredou em fila indiana por uma brecha de mangues que faceava o ancoradouro dos anabatistas fugitivos. A madrugada estava silenciosa e fria; parecia a Colombe que eles surpreendiam indiscretamente a natureza despertando. No espaço fechado do primeiro andar da vegetação, hálitos de plantas e animais adormecidos saturavam o ar de amargores perfumados. A pele úmida das juremas, uns braços roliços de eufórbias, as cabeçorras dos cuités exibiam-se sem pudor nem consciência sobre dobras de húmus e samambaias gigantes. Bem mais acima, a copa generosa dos jacarandás cobria com sua sombra esses abandonos.

Nessa zona de floresta densa, eles caminharam muitas horas sem encontrar aldeia alguma. O sol agora ia bem alto. Crivava o primeiro andar da mata de flechas luminosas cuja ponta fazia explodir verdes gritantes na folhagem e chagas vermelhas nos troncos. O silêncio dos caminhantes permitia-lhes ouvir o rastejar de cobras nos cipós, a correria de porcos-do-mato e o ziguezague de passarinhos coloridos. À medida que ganhavam altura, avistavam por entre as folhas, quando se viravam, a extensão lívida da baía sob o sol a pino e a ilha em forma de barco, perto da qual estavam atracados os navios.

Os anabatistas haviam desaparecido na selva, e parecia cada vez mais improvável encontrá-los algum dia. Após terem comido peixes secos que o báltico tinha no saco e bebido água dos cantis, os caminhantes descansaram um pouco embaixo de um cedro. Colombe, a cabeça apoiada num galho rasteiro, adormeceu. A floresta era tão densa e tão calma que eles não se deram ao trabalho de criar uma guarda. Assim, ficaram impossibilitados de fazer qualquer coisa quando, ao acordar, viram-se cercados de vinte índios armados de tacapes e de arcos da altura deles.

Colombe nunca havia visto nenhum desses nativos de perto. Sabia, pelas conversas maliciosas ouvidas na ilha, que eles andavam nus, mas vira nisso apenas um detalhe pitoresco. Ao deparar-se com esses homens silenciosos que nenhum pano cobria, não se chocara nem um pouco. Seus únicos adereços, colares de búzios e pulseiras de conchas, ornavam seus pulsos ou seu pescoço sem dissimular o que quer que fosse dos órgãos que o pudor europeu destina à obscuridade. Como as árvores que oferecem seus frutos com naturalidade, esses seres nascidos na floresta e que se harmonizavam com sua fecunda simplicidade davam à forma humana uma plenitude familiar. Quando o soldado báltico levantou-se tremendo, coberto com seus andrajos malcheirosos, foi antes ele quem pareceu ridículo a Colombe, falso, tão absurdamente disfarçado quanto ela mesma de repente se sentia.

— Mair — balbuciou o báltico, executando aterrorizado as parcas instruções que Villegagnon lhe transmitira.

— Mair, mair — repetiram todos os demais soldados do esquadrão sem procurar servir-se de suas armas que ainda jaziam no chão.

Um dos índios respondeu com uma longa frase. Uma língua desconhecida deixa-se antes ver do que ouvir: aquela era colorida com inúmeras vogais, misturadas como nesse primeiro andar de mata virgem, e reconhecia-se ali um relevo acidentado de consoantes, que dominavam a melodia com sua dureza abrupta.

— Mair — repetiu o báltico para fazer crer que havia compreendido alguma coisa.

Esta palavra deflagrou a gargalhada dos índios, pois mostrava que os estrangeiros não tinham o menor entendimento do que haviam querido lhes dizer.

Essa hilaridade, aliada ao fato de terem os índios tornado a levar os arcos ao ombro, acalmou os soldados. Eles puseram-se em marcha atrás de seus novos guias na direção de uma trilha traçada no capim.

Colombe caminhava atrás de um índio muito maior que ela e não conseguia tirar os olhos da mecânica de sua musculatura. Jamais imaginara que um ser humano fosse feito assim de cordames estirados e músculos inflados como velas. Súbito, tomava consciência do mistério de seus próprios movimentos, do afloramento, na superfície do corpo, de forças comuns ao universo dos minerais e dos animais. E achava ridícula a obstinação dos homens de cá em não exprimir a inteligência senão por minúsculos movimentos do rosto quando os de seus corpos, amplos e imponentes, refletem isso com tanta perfeição.

Chegaram à garganta de onde se podem abraçar, de um lado, a baía de Guanabara e, de outro, o espaço aberto do Atlântico. Um vento úmido subia dessa vertente e substituía o cheiro abafado da vegetação por agruras marinhas penetrantes de sal e algas. A vegetação mudava e ficava mais baixa, constituída de arbustos perfumados semelhantes a rododendros e buxos.

Uma hora, a trilha estreita se alargou, inspirando confiança. Mas os índios fizeram sinal para que não se andasse no meio dela. Um deles, usando para isso uma das compridas flechas que trazia na ilharga, mostrou aos soldados que o chão, naquele ponto, era formado por uma grade de bambus coberta de mato. Caso tivessem se aventurado ali, a armadilha os teria lançado todos num fosso cheio de estacas.

Eles seguiram os índios por um desvio que contornava esse obstáculo e em menos de cinco minutos de caminhada entraram numa aldeia. Esta, como a que o almirante visitara, constituía-se de uma única casa de palha com capacidade para abrigar cem pessoas.

A mesma cerimônia lacrimosa os esperava, mas como um dos soldados já havia passado por isso no desembarque de Villegagnon, eles consentiram de bom grado naquela solenidade. Tudo nessa acolhida servia para tranqüilizar Colombe: a alegria das crianças nuas brincando na terra, a atenção dos homens que instalaram os recém-chegados em redes e lhes apresentaram cuias cheias de comida, o cheiro de ervas aromáticas dos fogões onde jarros cozinhavam.

No mesmo instante em que ela se sentiu invadida pelo bem-estar dessa chegada, sobreveio-lhe uma aflição inesperada. As mulheres, nuas como todo o resto dos índios, vieram cercá-la com risadas e exclamações enternecidas. Acariciando-lhe os cabelos, pegando-lhe as mãos, elas puxavam-na alegremente de lado. Os soldados estupefatos abriram os olhos de repente e compreenderam que elas haviam reconhecido Colombe como uma delas.

CAPÍTULO 6

Just, naquela manhã, ao descer até a praia, descalço no chão batido dessa terra abandonada, lembrou-se que Colombe já havia partido há quinze dias e ele não tivera nenhuma notícia dela. Estava com um ânimo muito sombrio quando entrou na fila para receber seu almoço. Um cozinheiro de mãos sujas ofereceu-lhe um vermelho cozido demais que ele foi comer ao pé de um coqueiro.

A única alternativa a seus pensamentos negros era o verde desmaiado das águas da baía. Na Normandia, ele fora apaixonado pelo mar; quando seus sonhos não o levavam para as errâncias da cavalaria ou para as campanhas da Itália, era em correr o oceano que ele pensava. Um coração nobre podia se fartar com esses ventos tempestuosos, essas vagas e essas marés que chamavam ao combate sem mais proteção senão as justas no percurso. Mas podia-se chamar de mar essa sopa inerte dos trópicos? Just olhava o leve frêmito da espuma orlar a areia como uma pobre renda de camareira. Miséria! Por muitas centenas de braças, a água era tão rasa e tão calma que parecia uma vidraça grosseira pousada na pele enrugada de um monstro. Tudo, nesse lugar desolado, oprimido de sol e de calor, mostrava que a vida dos homens não era bem-vinda. O esforço, a energia, a sombria vontade que o clima frio põe na alma não cabiam nessa estufa própria para fazer crescer uma quantidade de cobras, insetos cabeludos e pássaros pintados como sobre seda.

Just aferrava-se a uma única idéia, como o náufrago que se sentia: o regresso. Isso não era um fim, mas sim uma precondição. Ele ignorava o que faria ao chegar à França. Seu horizonte limitava-se a tornar essa chegada possível o quanto antes. Foi com essa visão que cultivara a amizade com Martin. O jovem malfeitor não tinha muito mais em comum com ele. Se interessara Just por suas histórias de briga, fora em razão de seus talentos de narrador e de sua alegria. Just não se via adaptando-se a essa vida de criminoso, embora seu *alter ego* lhe tenha proposto isso. Gostava muito da luz, da honra, da beleza do combate para praticar a arte obscura da emboscada. Mas, nas circunstâncias extremas em que se encontravam, Martin era um aliado precioso. Just não tinha dúvidas de que ele voltaria de sua expedição ao continente com prontas perspectivas de embarque.

Com essa idéia de terra firme, vinha-lhe a lembrança de Colombe. E era como um desagradável acúmulo de coincidências no momento em que ele acabara com a escassa carne do peixe e espetava as gengivas com suas espinhas. O amor que sentia pela irmã continuava igualmente vivo e a idéia de regresso era para ele só uma outra maneira de fazer planos com ela. Restava que ele se sentia estranhamente dividido. Estava sossegado vendo-a feliz com coisas à toa, enfrentando esse clima sufocante e essas terras selvagens. Ela ainda era bastante criança para se divertir com isso: era a única explicação que ele via para sua paixão por essas paisagens e sua vontade de visitar o continente. No entanto, ele se perguntava se esse exílio que ela aceitava bem demais, esse disfarce forçado, essa vida decaída de mentira não iriam privá-la para sempre daquilo que, segundo ele, e embora ele não soubesse exatamente de que poderia se tratar, constituíam essa matéria de pudor e inocência, virtude e doçura de que é feita uma mulher. Sobretudo, ele não suportava a idéia de sabê-la no meio dos selvagens que lhe expunham seus atributos.

Just jogou longe a espinha, limpou a boca. O envio de Colombe ao continente era mais uma idéia de Villegagnon! Ele aplicou em seu sofrimento o bálsamo do ressentimento que nutria contra o almirante. Invadido por essa ruminação tranqüilizadora, subiu lentamente até o canteiro de obras.

A ilha, depois de quase dois meses desde que haviam desembarcado, estava irreconhecível. Por mais que os machados cortassem mal o lenho dos coqueiros e as machadadas soassem indistintas em seus corpos fibrosos, várias centenas deles estavam agora abatidas. Viam-se os cotos de seus troncos brotando na praia e eram tantos os tamboretes que impediam que uma pessoa se sentasse na areia. Toras compridas cobriam o chão da ilha e por toda parte ouviam-se os ruídos de enxadas, serras, os gritos acompanhando a tração das traves para o esboço cada vez mais visível do forte. As madeiras preciosas eram aparelhadas e embarcadas na *Grande-Roberge,* que Villegagnon pretendia enviar prontamente para a França a fim de vender sua carga.

Na ilha, havia pouco pau-brasil, que era a essência mais procurada. Mas Le Freux aceitara, por um preço exorbitante, mandar abater essas árvores no continente. Da estatura de um carvalho e de folhagem muito verde, essa árvore própria para a tinturaria tem um tronco tão duro, que parece madeira morta. Vinte escravos, munidos — graças aos franceses — de machados, enxadas, ganchos e outras ferramentas, tinham a terrível tarefa de abater essas árvores nos lugares escarpados e perigosos onde elas cresciam, depois retalhá-las em toras. Os despojos dessas nobres madeiras, trazidos de canoa, jaziam espalhados pela praia da ilha aguardando ser embarcados. A esse massacre, acrescentavam-se gabiões cheios de areia, espremidos uns contra os outros como tonéis que, enquanto o forte não estava construído, erguiam nos pontos fracos uma primeira proteção contra um eventual ataque dos portugueses...

Just voltou para seu posto de trabalho: fora designado para a pedreira. Esta se situava numa escarpa rochosa na frente da ilha que dava para a baía e fornecia pedras de construção de aspecto medíocre, mas sólidas. Tralhadores, de avental de couro, quebravam a testa da rocha e tentavam dar uma vaga forma aos blocos que extraíam. Uma corrente humana os encaminhava até o primeiro reduto. Escravos índios fornecidos por Le Freux preenchiam os cargos de carregadores. Foram vestidos com túnicas confeccionadas às pressas por dois alfaiates da expedição. Just fora encarregado de descolar os blocos de pedra com a ajuda de uma barra de ferro comprida usada nas minas, e de supervisionar o trabalho neste canteiro de obras. Mas tinha também ordem expressa de cuidar para que os índios conservassem seus trapos, em qualquer circunstância. À noite, com efeito, esses infelizes, molhados de suor, procuravam um repouso sem entraves: tinham o instinto de descobrir as regiões mais quentes de seu corpo sem conceber que elas fossem as mais vergonhosas. Havia diversas mulheres entre esses escravos. Embora fossem muito feias e acabadas, Just sentia que sua nudez fazia brilharem os olhos dos trabalhadores vindos da Europa, a ponto de poder criar tumultos. Ele no entanto não gostava muito desse emprego de guarda da chusma.

Todavia, para facilitar uma evasão futura, convinha-lhe que a ilha permanecesse isenta de violência e que conservasse a supervisão afável com que contava por enquanto.

Naquela manhã, ao subir ao canteiro de obras, Just viu dom Gonzagues vindo ao seu encontro.

— Achei-o! — exclamou o velho soldado e pôs a manzorra na gola de Just.

Este não apreciava muito essas intimidades. Não podia esquecer que dom Gonzagues fora o instrumento do exílio seu e de sua irmã. É certo que fizera isso sem más intenções e demonstrava agora muita simpatia por eles. No entanto, Just não podia retribuir plenamente sua afeição.

— Fiz um poema — confiou dom Gonzagues. Sacou um pedaço de papel amassado e, segurando-o com o braço esticado, começou: — "Marguerite..." Um nome ao acaso...

— Estou trabalhando, Gonzagues...

— Não, ouça, por favor, é muito curto:

Marguerite, em minha ilha como em um ninho
Afago seu nome amiga minha
Assim o pássaro choca sob a asa
A lembrança de sua amada.

Just, acabrunhado, sacudiu a cabeça e, por um resquício de caridade, desejou não responder nada.

— Não é bonito? — insistiu dom Gonzagues.

— Faltam pés.

— Pés! Mas quem está falando em pés, seu burro? Bem, vamos ao que interessa. Vá falar com o almirante. Ele o quer em casa dele agora de manhã.

Era uma má notícia. Just mantinha-se o mais longe possível de Villegagnon. Quando a urgência das fortificações exigira a participação de todos os homens vigorosos, Just aproveitara para se oferecer como voluntário e escapar do emprego de pajem que o almirante lhe reservava.

Chegando à sede do governo, como agora se dizia, a guarda escocesa conduziu-o imediatamente ao almirante que, com efeito, o esperava. O almirante levantou-se ao ver Just, tomou-lhe as mãos e contemplou-o um instante. Com sua basta cabeleira negra ondulada, em pé devido à textura e ao vigor, sua barba despenteada mas finamente desenhada, traçando um colchete bem nítido sob seu lábio inferior, era indubitavelmente o mais belo rapaz da ilha. Sua nobreza, que não se dedicava a nada, arranjava tempo para visitar cada um de seus gestos, e parecia desafiar o mundo — mas sem arrogância — a submetê-lo a alguma prova à sua altura.

Villegagnon pareceu muito satisfeito com esse exame. Liberou-o e fê-lo sentar-se ao pé de si.

— Clamorgan — começou com uma dureza terna —, deixei você se divertir nessa obra onde precisávamos de você. Agora, eu faltaria com meu dever se não começasse sua educação de fidalgo.

— Mas... e o forte? — protestou Just.

A perspectiva de um contato regular com Villegagnon deixava Just revoltado sem querer. O rapaz estava convencido que o almirante o havia enganado. Sem ter deslindado a trama, suspeitava de um acordo entre a conselheira, as religiosas e Villegagnon para fazê-los acreditar que iam encontrar o pai e afastá-los para sempre de Clamorgan.

— Pode trabalhar no forte todas as tardes se quiser. Mas de manhã, de agora em diante, primeiro você virá aqui para receber minhas aulas. Onde está alojado?

— Na obra.

— Numa cabana?

— Não, ao relento.

— Nesse caso, vou dizer aos escoceses que lhe encontrem um canto neste palácio. Logo chegará a estação das chuvas e não quero que você deixe arrastar no chão os livros que lhe vou emprestar.

A idéia de ler dava um grande prazer a Just e ele achou que Colombe ficaria ainda mais feliz que ele. Afinal de contas, mesmo que não gostasse de Villegagnon, era mais vantajoso aproveitar a solicitude dele antes de abandoná-lo. Isso não apressaria nem retardaria as coisas.

— O que você já leu até hoje? — perguntou bruscamente o almirante.

Just buscou na memória uma lista eclética de poetas latinos e gregos. Citou Hesíodo, Virgílio e Dante. Depois, garantidos estes a sério, confessou Perceval e os Amadis.

— Isso para os clássicos e a cavalaria — disse Villegagnon balançando afirmativamente a cabeça. — Mas, vê, estamos numa época de idéias novas. Elas hoje nos são transmitidas por grandes espíritos que glorificam Deus tanto quanto o gênero humano. Já leu Erasmo?

— Não — confessou Just sem remorso nem orgulho.

— Bem, eis aqui o *Enchiridion,* para mim, sua mais bela obra — prosseguiu Villegagnon tirando um livrinho de uma arca que lhe servia de biblioteca. — Leia-me isso esta semana e trate de absorver o texto, pois vou interrogá-lo sobre seu conteúdo. É escrito num latim muito fácil para quem está familiarizado com Virgílio.

Just sentia um prazer inesperado ao abraçar o pequeno volume encadernado num couro bege muito gasto.

— Outra coisa — acrescentou Villegagnon levantando-se bruscamente. — No navio, você deu prova de bravura com seus punhos; está bem, mas é importante que saiba usar no futuro armas mais nobres. Desceremos à praia todas as manhãs depois da aurora e você me revidará os golpes de espada.

Aprender esgrima era um dos mais caros desejos de Just. Mas ele não esperava satisfazê-lo em condições tão estranhas. Villegagnon, como a cada vez que suas palavras corriam o risco de provocar uma emoção embaraçosa, terminara sua frase virando as costas.

Just sentia que devia se retirar, mas estava muito aflito por causa de Colombe.

— Almirante, tem notícias de meu irmão? — perguntou.

— Ainda não, mas eles partiram há apenas duas semanas e, aliás, os soldados também ainda não voltaram.

Essas palavras pretendiam ser tranqüilizadoras quando o tom não o era muito. Just levantou-se, mas hesitava em sair, como se achasse que Villegagnon reservava para esses últimos instantes a revelação de seu pensamento verdadeiro. Essa espera poderia ter durado, caso um tumulto inesperado não tivesse vindo da palhoça vizinha que servia de antecâmara. Atrás da clarabóia de palmeiras, ouvia-se a voz forte dos escoceses e, mais alto, ganidos ameaçadores que só podiam vir de Thevet.

— Vá ver! — ordenou Villegagnon.

Just abriu um arremedo de porta e o franciscano precipitou-se por ali. Segurava na mão direita um cutelo e na esquerda uma fruta marrom-amarelada encimada por um tufo de folhas pontiagudas.

— Depressa, um prato, almirante! — exclamou.

Avistando um prato de estanho na mesa, pousou ali a fruta e cortou-a com um golpe decidido. Apareceu uma carne amarelada, cheia de fibras.

— Prove essa delícia, faça-me o favor.

Com destreza, ele cortara um pedaço e o oferecia a Villegagnon na ponta da faca. Graças à surpresa, o gigante não ousou resistir e, pegando o pedaço entre os dentes, mastigou-o, engoliu-o, depois declarou, para encerrar o assunto:

— É bom.

— Ah! Ah! — riu o franciscano —, no mínimo! Excelente, eu diria antes, almirante, se me permite. Os trugimães trouxeram-me essa fruta do continente. Preciso verificar, mas creio que ainda não tem nome científico. Os indígenas designam-na pela palavra "ananás".

Pela excitação de sua voz, compreendia-se que sua gula vinha menos do sabor daquele vegetal do que da perspectiva de logo fecundá-lo com seu nome, devidamente latinizado para torná-lo universal.

— Senhor abade — disse Villegagnon com uma lassidão tão forte que cortou instantaneamente essa satisfação —, sente-se, por favor.

Ele havia se esquecido de Just, que continuava junto à porta e não ousava se mexer. O franciscano sentou-se e pousou a contragosto seu cutelo.

— Ninguém pode se alegrar mais que eu com essas descobertas que fazem progredir a ciência — começou o almirante. — No entanto, devo lembrá-lo que o senhor é o único aqui apto a celebrar os sacramentos. Em uma palavra, eu lhe perguntarei simplesmente isto: quando tenciona celebrar a missa afinal?

O franciscano contraiu o rosto.

— Não tenho mais nenhum ornamento.

— Cristo, parece-me, deu o exemplo da pobreza. O senhor pode consagrar o local mais humilde pela oração.

Villegagnon, que havia combatido os exércitos do papa, freqüentado os humanistas e até, na Itália, espíritos ousados que se pronunciavam a favor da Reforma, estava profundamente indignado com tudo que pudesse parecer um apego à pompa. Ele acreditava numa Igreja invisível e gratuita, reunindo homens tocados pela graça divina, fossem quais fossem suas obras e seus gestos.

— Não conte comigo — contra-atacou Thevet — para evangelizar esses selvagens enquanto eles não houverem adquirido um conhecimento elementar de nossa língua e de nossos costumes.

— Eu me preocupo muito com os selvagens! — objetou Villegagnon. — Quem lhe fala deles? A vez deles chegará. Mas são nossos próprios súditos aqui que se perdem sem ter uma chamada à moral e à fé. Sou informado diariamente que eles se dissipam mais. O trabalho não vai para a frente. Eles são surpreendidos todas as manhãs completamente embriagados e não conseguem se agüentar nas pernas.

Ele franziu os olhos, aproximando sua carranca assustadora do franciscano, que se virou ao sentir seu bafo, e acrescentou:

— Acho até que estão se espalhando comércios mais graves concernentes à carne.

Pronunciou essa palavra com uma voz retumbante e tão possante que um escocês espiou pela porta.

— Que me deixem! — gritou Villegagnon.

Depois, avistando Just que permanecera perto da entrada, expulsou-o severamente:

— O que ainda está fazendo aí? Suma daqui e jamais revele uma palavra do que ouviu.

Just saía quando ouviu Villegagnon voltar-se para o cosmógrafo e dizer-lhe:

— Vejamos agora juntos, senhor abade, que medidas tomar para extirpar essas raízes daninhas.

CAPÍTULO 7

Era uma imprudência, por certo. Mas há prazeres pelos quais a pessoa se deixa levar porque recusá-los seria cometer um crime contra si mesma. Quando se sentiu rodeada pelas mulheres índias, cheias de afagos, rindo alegremente e desvelando-se num balbucio que ela compreendia sem contudo distinguir as palavras, Colombe não procurou resistir a elas nem desmenti-las: tinha a impressão de se ter livrado de um fardo. Um instante antes, ainda era indiferente a seu disfarce de homem, tão treinada estava em não se dizer mulher que já nem sabia ao certo se o era. No entanto, seu corpo se transformara durante a travessia e fora necessária a dieta forçada do barco para não lhe dar sua opulência de adulta. O regime da ilha rompera esse dique e ela adquiria curvas que seus trapos mal escondiam.

Bastou as índias levarem-na com elas para que os soldados se dessem conta do que só o hábito os impedira de notar. Com um misto equilibrado de admiração e espanto, o báltico e sua turma viram aparecer aos olhos de todos, quando a menina foi despida sem resistir da pobre jaqueta, os dois seios rijos de Colombe, que nada mais devia à infância. Quando se deu conta da presença deles e de seus olhares de recriminação, ela se aproximou dos soldados sem procurar se cobrir e lhes disse com petulância:

— Agora que conhecem meu segredo, podem ser covardes o bastante para ir contá-lo a quem quiserem! Eu devo ficar aqui. Estas talvez sejam as últimas ordens do almirante que me será dado executar.

O báltico rosnou e levou os outros para um canto. Após se terem restaurado nos pratos de madeira oferecidos pelos índios, eles tornaram a seguir a pista dos heréticos. Dois guerreiros ofereceram-se para guiá-los.

Colombe ficou só e a partida dos soldados encheu o acampamento do que lhe pareceu ser um grande silêncio. Custou um pouco a compreender a razão dessa calma estranha. Os índios se movimentavam sem barulho algum. A aldeia ficava no coração da floresta sem que a presença de seres humanos se manifestasse mais ruidosamente do que a dos pássaros, das cobras ou dos insetos.

Algumas fogueiras de pau-brasil ardiam sem fumegar. Despindo Colombe do resto de seu traje, as mulheres indicaram por gestos de dedos sua repulsa diante de tanta imundície. Ao mesmo tempo em que tirava a roupa, Colombe sentiu uma grande vontade de se ver livre daquela sujeira que era como um forro íntimo. As índias levaram-na alegremente para um pequeno córrego que havia na floresta. Por alguns degraus de basalto, chegaram a duas cascatinhas que formavam uma piscina. Ali, uma das mulheres, mergulhando primeiro, mostrou a Colombe que ela não precisava recear perder pé. Colombe desceu também, e todas em volta dela esfregaram-na com punhados de vegetais que pareciam musgo e untaram sua pele com uma espuma branca.

Elas regressaram à taba um pouco mais tarde, Colombe, nua entre as demais, sem sentir medo nem pudor, mesmo quando reapareceram em bando diante dos homens.

Escurecia. Elas se instalaram em volta de fogueiras e como Colombe não estivesse habituada à friagem do entardecer e tiritasse, as índias, sorrindo, jogaram-lhe no ombro um pano largo de algodão branco.

Foi então, no calor das brasas e do xale, que Colombe, massageando os pés arroxeados devido à água fria, tomou consciência de sua aflição.

Os soldados não levariam oito dias para voltar e a denunciariam imediatamente a Villegagnon. Se porventura não o fizessem, ela estaria à mercê de odiosas chantagens e deveria confessar tudo. A confiança do almirante estava, portanto, irremediavelmente traída. Just sofreria também as conseqüências, por ter mentido com ela.

Que castigo haveriam de lhes impor? Ela ignorava, mas pressentia que sem dúvida eles seriam separados. Um desejo animal de aconchegar-se a Just invadiu-a enquanto ela tremia ainda mais. Uma sensação de injustiça e de infelicidade enchia seus olhos de lágrimas. Nesse momento delicioso em que a revelação de seu sexo fazia-a rejeitar toda ilusão e toda mentira, ela via sem disfarce a crueldade de sua vida: a errância, o abandono e agora o exílio.

O antídoto contra esses venenos, o apoio de sua vida, Just que ela adorava, agora não era sequer um refúgio de amor: quando aparecesse diante dele como mulher, perderia para sempre a naturalidade daquele carinho infantil de ambos, que um constrangimento sutil já perturbara nos últimos tempos.

Ela teve vontade de chamar Émilienne. Depois, à medida que as lágrimas corriam, ia sentindo a tensão da floresta, já toda escura enquanto o céu ainda estava azul. Duas índias vieram trazer-lhe uma tigela de sopa. Uma criança correu para ela acenando um pequeno galho. Uma velha, trazendo uma gamela com uma resina avermelhada, ajoelhou-se à sua frente e traçou em seu rosto signos que a acalmaram. Uma lua em quarto, deslizando entre os jacarandás, foi a última imagem que ela levou para seu novo sono de mulher.

*

— Atenção, seu asno — gritava Villegagnon partindo para o ataque.

O plastrão de couro que Just vestia recebera o quarto golpe.

— É que ao mesmo tempo...

— Justamente — esbravejava o almirante. — É *ao mesmo tempo* em que você luta que é preciso responder. Vamos, avance e recite: "Se vês teu próximo sofrer, por que tua alma não sofre?"

— "Porque está morta." Capítulo 1.

— Bem, endireite-se! Pé atrás. Aí. E a quem você não deve se dirigir para renascer para a vida cristã?

— "Aos monges que são rancorosos e... irascíveis e muito... orgulhosos de seus..."

— "... méritos." Capítulo 2. *Touché*, mas no fim, estava melhor.

Just estava encharcado de suor. Seus pés descalços afundavam na areia fina da praia e ele tinha que fazer muita força para esquivar-se desse almirante diabólico. Vinte colonos, sentados em cepos, seguiam a aula de longe e acompanhavam cada investida de gritos.

— Em guarda! Onde podemos então encontrar a salvação e nosso alimento espiritual?

— "Na lei divina tal como nos é revelada pelas letras sagradas e profanas", capítulo 4.

— Quer dizer?

— "São Paulo, santo Agostinho, Dionísio o Aeropagita, Orígenes..."

— E?

— "... Platão."

— Muito bem, endireite-se. O homem é bom?

— "Sim, já que é obra de Deus."

— O homem é livre?

— "Sim, já que é criado à imagem de Deus."

— Perfeito! *Touché!* Basta por hoje de manhã.

Villegagnon foi até Just, pegou de volta sua espada e o plastrão e, dando-lhe o braço, subiu com ele para as palhoças. No cume da ilha, nas áreas terraplenadas, começava a aparecer o desenho do forte.

— Você leu Erasmo como se deve ler e vou lhe dar outro livro. Diga-me só...

Ele parou e fitou Just com seu olhar temível.

— Por que isso tudo não lhe interessa?

— O quê?

— O que lhe ensino.

— Interessa, sim — protestou Just sem convicção.

O almirante não conteve o braço e sacudiu-o.

— Não minta.

Aos olhos tristes que o perscrutavam, Just não procurou se esconder. Assumiu um ar orgulhoso e desafiador.

— Você não se parece com seu pai — resmungou Villegagnon soltando-o e retomando sua marcha. — Mas, assim mesmo, é todo ele. Esse orgulho!

Just sentiu o coração bater mais forte que minutos antes, quando pulava, espada na mão. Tinha uma vontade louca de saber, de afastar os escrúpulos e fazer as perguntas que o consumiam, mas a palavra orgulho...

— A última vez que o vi — disse o almirante com um ar pensativo —, foi em Veneza, em casa de Paul Manuce, filho de Alde, que recuperou a tipografia do pai. Foi em 1546, eu voltava da Hungria onde havia lutado contra os turcos.

— E ele? — deixou escapar Just que não agüentava mais.

— Vê como você é muito curioso quando o assunto lhe interessa? — disse Villegagnon lançando-lhe um olhar de esguelha. — Seu pai estava a caminho de Roma, para onde fui pouco tempo depois. Mas ele estava a serviço dos Médicis, enquanto eu era um homem dos Strozzi. Por pouco não lutamos um contra o outro. Eis a verdade, compreende?

— Sim — respondeu Just.

— Bem, não, não compreende nada.

Eles haviam chegado ao limite dos coqueiros e o alinhamento dos cepos, saindo da areia cinza, evocava um cemitério de tumbas monumentais. Villegagnon parou.

— Não sabe como admirei esse homem...

O gigante continuava abraçado às espadas e ao avental de couro.

— Cheguei à Itália há trinta anos e, acredite, estava imbuído das velhas tradições de nossa cavalaria onde o homem é destruído pelas vigílias e as orações, cheio de cicatrizes, e não se cuida nada. Meu primeiro choque eu tive em Florença, quando vi o *David* de Michelangelo e o *Batismo de Cristo* de Sansovino. Assim, apesar da tradição de Adão, a idéia de Deus estava sempre presente no homem e bastava cultivá-la. O homem idealmente belo, obra-prima de seu criador, o homem de bem que se distingue nas armas e nas artes, o homem bom, calmo, sereno, elegante, senhor de si, podia tornar-se um ideal.

Para seguir seus pensamentos, Villegagnon olhava ao longe, na direção de uma longínqua nuvem redonda, imóvel no céu.

— O segundo choque tive quando conheci seu pai. Pois eu jamais vi ninguém que tivesse chegado tão perto dessas perfeições, a ponto de quase as atingir.

Ele pareceu de repente voltar a si e olhou para Just.

— Digo quase porque mesmo assim ele não deixava de ter defeitos, como os acontecimentos seguintes deviam provar. Mas isso é outra história. Por ora, quero lhe dizer simplesmente isso: seja no que for que você tenha acreditado, não tenho nada a ver com seu embarque para as Américas.

Em algumas frases, contou-lhe o que sabia das nebulosas manobras de família que redundaram em sua partida para Clamorgan.

— E agora, para responder à pergunta que você está louco para me fazer mas que seu orgulho não deixa, ouça esta simples verdade: não encontrará seu pai aqui, pois ele não está aqui, nem jamais esteve e jamais estará.

— Por que nos mentiu? — exclamou Just que ficara furioso ao ter confirmados seus pressentimentos e não tinha como desafogar a raiva senão em Villegagnon.

— Retire essa palavra, sim? — esbravejou o almirante. — Eu apenas escolhi o momento adequado para lhe anunciar a verdade. Tivesse eu feito isso no barco, você teria apenas o espetáculo do mar para consolá-lo. Agora, olhe à sua volta.

Villegagnon abriu os braços e mostrou de sul a norte toda a extensão suntuosa da baía com seu luxuriante pousio de florestas e toda a majestade de seus morros.

— Você tem à sua frente a França Antártica. Tudo está por construir, tudo está por conquistar.

Depois, inclinando o comprido nariz para o rapaz, acrescentou:

— Tudo é seu.

— Ele morreu? — perguntou Just.

— Sim.

O ar abafado já subia da mata com o vento sul e grandes andorinhas-do-mar brancas.

Just olhou para o continente. O mistério que se misturava a essas escarpas de floresta dissipara-se como um vapor. As cores estavam mais nítidas e mais cruas. Ainda que fossem povoados de vida, esses espaços de agora em diante pertenciam à solidão. Villegagnon virara-se para não ver as lágrimas dele e talvez para dissimular as suas. Em seguida, após um abraço, brusco e desajeitado, afastou-se.

— Vá trabalhar e antes de anoitecer passe para pegar o *Commentariolus* de Copérnico.

Just olhou desaparecer o grande vulto encurvado, um tanto empenado. Ficou um momento idiotizado, escutando estupidamente o marulho chiado das pequenas ondas. Just sentia com espanto que, após ter conseguido de uma hora para outra tantas novas razões para querer partir, também de uma hora para outra perdera a vontade de fazê-lo.

*

A vida índia era a menos secreta de todas. Todos andavam nus e moravam numa casa comum. As atividades aconteciam no espaço descoberto do acampamento. No entanto, era preciso uma longa observação para captar o que podia animar essa comunidade de seres humanos, de tal maneira ela parecia parada. Tudo, da expressão dos sentimentos aos gestos cotidianos, da vida do dia-a-dia aos excepcionais momentos de festa, apresentava-se sob uma aparência lânguida, amortecida, misteriosa.

Colombe imbuiu-se naturalmente de tudo isso. A princípio, custou a apagar-se. Sua presença de européia, embora ela a quisesse calma e discreta, quebrava com gestos bruscos a harmonia índia. O mais fácil, na verdade, era a linguagem das palavras. As mulheres iniciaram-na em rudimentos de conversa com os quais ela se familiarizou bastante depressa. Porém, quão mais difícil era a gramática dos corpos. Todo o seu instinto de sentir as emoções humanas estava desorientado nesse novo universo. Entre os índios, a expressão adquiria uma importância desconcertante. Estremecimentos de músculos, posturas de membros e até sutis mudanças no grau de intumescimento do sexo dos homens, tudo era sentido, ao mesmo tempo evidente e oculto, tão claramente legível quanto um livro e igualmente misterioso, quando a língua é desconhecida.

Colombe compreendia também que, nela, os tupis viam signos e correspondências que eram próprios de seu pensamento e de duas crenças. Desde o primeiro dia, claro, eles vieram ver seus olhos. O descoramento natural de seus cílios enchia-os de admiração. Deram-lhe o nome simples de "Olho-Sol". Quando compreendeu melhor a língua, ela soube que seu rosto evocava para eles também uma ave de rapina que, segundo eles, levava os espíritos dos mortos. Quando o olhar de um guerreiro cruzava com o desse pássaro, a energia de toda sua parentela falecida lhe voltava e o enchia de forças novas. Assim os homens se habituaram a vir diante de Colombe para que ela olhasse para eles por algum tempo, antes de se lançarem nas incessantes expedições que os levava floresta adentro para caçar ou observar seus inimigos.

As meninas e as mulheres do acampamento, todas as manhãs, levavam-na para se banhar com elas. Pareciam não ter prazer maior que mergulhar demoradamente nas águas. O córrego vizinho ao acampamento não passava de uma comodidade. Se tivessem tempo, preferiam ir mais longe, às cascatas, aos regatos. Passavam as horas de calor todas nesses locais, aspergindo-se com água, penteando-se e depilando-se completamente com a ajuda de pequenas pinças de madeira dura. Nada escapava a esse tratamento, nem as sobrancelhas nem os pêlos amatórios. Olho-Sol, que acabava de desenvolvê-los, entregou-os com tristeza a esse costume ao qual estava fora de questão subtrair-se.

Um dia, elas partiram cedo e desceram até a praia que se via embaixo, do outro lado do pote de manteiga. Era uma imensa praia virgem, aberta sobre o Atlântico, onde enormes ondas estouravam em repuxos. O vento era tão forte, que fazia os cabelos voarem e dava arrepios de frio. Mas a areia aquecida pelo sol queimava. Colombe ficou um bom tempo olhando para o horizonte tingido de jade. Mentalmente, e por mais improvável que fosse isso, pareceu-lhe distinguir do outro lado daquele mar de dorso curvo a linha do litoral da Europa e as charnecas cinzentas da costa da Normandia. Não era nostalgia, ao contrário, apenas o esforço para reunir as duas margens de sua vida, o passado e o presente, sem saber ainda para que lado o dado do futuro acabaria rolando.

Mas essa praia deserta que os índios chamavam de Copacabana não era segura e, de todos os lugares aonde as mulheres iam, era a única aonde vários guerreiros as acompanhavam. Eles asseguravam, enquanto elas permaneciam dentro d'água, uma vigilância silenciosa, sem tirar os olhos da mata.

No grupo de índias, Colombe apegou-se logo a uma, que se chamava Paraguaçu. Era uma jovem mais ou menos de sua idade. Ela ria mais que as ouras, e demonstrava, em relação ao grupo, uma ironia às vezes cômica na qual Colombe reconheceu sua própria tendência a fazer troça. Paraguaçu deu-lhe duas pulseiras de conchas e um colar de nácar em forma de crescente. Era ela que, de manhã, pegava o pente de madeira e penteava sua amiga Olho-Sol.

Na rotina da aldeia, sobrevinham às vezes alertas incompreensíveis. Colombe receava ataques de tribos inimigas e já se via cativa, escravizada. Mas nas imediações do campo, ela logo compreendeu que não se precisava temer nada disso. Os perigos que ameaçavam os índios eram de outra natureza. Paraguaçu que, quanto a isso, era grave e séria, indicou-lhe que demônios eram a causa desses alertas. Sinais imperceptíveis vindos da floresta, um grito suspeito, a sombra de um animal ameaçador manifestavam a presença desses espíritos hostis. Os índios tiravam de uma pequena choça cabaças cheias de conchas, e um deles, que tinha ofício de caraíba, ou seja, de feiticeiro, fazia falar essas maracas sacudindo-as. O ritmo, o som, o misterioso chocalhar desses instrumentos davam a entender aos índios o que esses espíritos exigiam deles. Seguiam-se cerimônias onde cada um se untava ritualmente da cor negra do jenipapo, do vermelho do urucum e de uma variedade de argilas brancas. Depois, realizavam-se danças, cantos noturnos, todo um artifício de festas cujo sentido Paraguaçu, apesar de seus esforços, não conseguia entender. O cauim muito fermentado tirado de grandes panelas de barro deixava os bebedores com a cabeça à roda. Grandes charutos de tabaco espalhavam de boca em boca sua fumaça saborosa. Colombe acostumou-se a esses embriagamentos e até começou, passado esse efeito, a desejar logo sua volta. Jamais havia conhecido um sono tão cheio de visões e movimentos, embora a floresta que era testemunha desse sono continuasse um poço de silêncio e escuridão.

À noite, Colombe dormia na grande oca comunitária onde se ouviam suspiros, estalos e murmúrios na escuridão. Sem constrangimento, os casais, às vezes bem próximos, abraçavam-se e deixavam ouvir gemidos, arquejos, suspiros. De manhã, os laços se desfaziam, mas Colombe não podia mais ver esses corpos de homens e mulheres sem pensar que, enquanto era dia claro e eles eram dessemelhantes, os casais só faziam se preparar para essa fusão noturna que os misturava.

A própria Paraguaçu, como as outras meninas não casadas, tomava a liberdade de se entregar a homens da tribo. Freqüentemente dormia com um deles, por quem parecia ter uma afeição especial. Esse homem se chamava Karaya e era mais baixo que os outros guerreiros. A pedra engastada em seu lábio inferior era diferente e parecia um disco de barro. Ele usava no pescoço um colar de búzios brancos mais redondos e nacarados que os outros. Uma noite de festa, tendo bebido cauim e partilhado um grande charuto de tabaco, as duas amigas falaram de seus desejos e suas esperanças.

— Hoje, eu me divirto — disse um dia Paraguaçu —, e depois vou me casar com meu tio.

— Eu — respondeu Colombe procurando suas palavras — hoje sou comportada. E depois, vou me casar com meu irmão.

As jovens riram dessas confidências como riam de mil outras coisas durante o dia. Mas na hora de dormir, no calor da grande oca, Colombe pensava com pavor em sua estranha confissão. A floresta ali ao redor agora lhe era familiar. Mas era para exercer sobre ela sua opressiva influência. Parecia-lhe que, agora, seus galhos e suas raízes infiltravam-se no coração de seu espírito, fazendo aparecer ali demônios, signos, desejos atraentes e perigosos. Ela adormeceu gemendo nesses cipós, e acordou duas vezes sufocada. Gritara, e uma velha veio tocar-lhe a mão.

Na manhã seguinte, esses tormentos haviam cessado, mas tudo estava bem claro para ela: devia voltar à ilha o quanto antes. Fosse o que fosse que Villegagnon pudesse dizer, ela enfrentaria sua fúria. Esse longo desvio índio — já nem se lembrava há quantos dias estava lá —, se a enriquecera, dava-lhe agora saudade da outra vida, a da margem oposta do Atlântico, do almirante, dos barcos, de Quintin, dos adereços da Europa, da ordem de seu pensamento, da liberdade de uma língua falada com clareza, e sobretudo de Just.

Quando participou sua decisão aos índios, eles consultaram as maracas e organizaram uma grande festa. Os homens, durante dois dias, enfeitaram-se de plumas nas costas, nos braços e nas nádegas, colando-as com uma resina. Paraguaçu presenteou a amiga com uma rede recém-tecida. De manhã, Colombe vestiu novamente a roupa com a qual chegara e que as mulheres cuidadosamente haviam lavado.

Mandou cortar curtos seus cabelos, para deixar a Paraguaçu a lembrança preciosa de suas mechas douradas.

Três homens acompanharam-na até a beira-mar em frente à ilha. Um deles era Karaya, a quem Paraguaçu tão amiúde reservava sua ternura.

O caminho era longo. Colombe, que agora conseguia se fazer entender, conversou com os homens. Eles lhe falaram de outras tribos, dos trugimães normandos a quem pareciam temer mais que tudo. Quando puderam avistar a praia, sentaram-se na areia para comer, esperando ver surgir o barco que fazia a travessia.

A certa altura, um dos guereiros comentou algo com Karaya que Colombe não entendeu. O jovem riu e começou a desatar o colar que tinha no pescoço. Deixou então cair um dos búzios do fio, tornou a amarrar o colar e jogou a conta retirada na areia.

— O que está fazendo? — perguntou Colombe.

— Hoje é lua cheia — respondeu o rapaz com muita naturalidade —, tenho que tirar uma conta do meu colar.

— Karaya é um prisioneiro — disse rindo um dos guerreiros. — Cada lua, menos uma conta; quando acabar conta, comemos Karaya.

Riram todos juntos e Colombe, horrorizada, ficou muito feliz de ver naquele mesmo instante surgir um escaler aproximando-se da praia.

CAPÍTULO 8

— Mãos na cabeça e não pense em fazer nenhum gesto!

O tiro de bacamarte, repercutido em eco duplo pela floresta, acertara a copa de um coqueiro. Era difícil dizer se o atirador havia mirado de propósito muito alto ou se uma onda, balançando o barco, desviara o tiro. Colombe, que vinha andando confiante pela praia, ficou petrificada.

— Vamos! Mãos ao alto e vá andando.

A voz que vinha do escaler não lhe era desconhecida. Ela hesitou um instante e disse a si mesma que talvez tivesse uma chance de escapar se corresse para a floresta. Mas os índios, certamente, teriam desaparecido e ela teria a maior dificuldade de saber como voltar. Na embarcação havia três homens, dos quais só um estava armado. Mas enquanto ela pesava sua decisão, ele já havia recarregado a arma e apontava para ela.

"Eu não achava que eles chegariam a isso", pensou.

Ela esperava ser castigada, tão logo Villegagnon fosse informado de sua mentira. Mas daí a mandar abatê-la como um animal selvagem...

O silêncio prolongou-se no murmúrio das vagas. Cada um — ela da praia e os remadores do barco — se observava de longe e tentava identificar o adversário. Finalmente, Colombe ouviu um grito, emitido por alguém de costas dirigindo-se à tripulação do escaler.

— Calma, meus amigos, e não atirem mais! Eu o reconheci.

E, na mesma hora, Colombe, pondo um nome nessa voz, gritou:

— Quintin!

O homenzinho pulou na água e caminhou até a praia. Colombe correu ao seu encontro e, já não temendo bacamarte nem castigo, atirou-se em seu pescoço.

— Minha filha! — gemeu ele estreitando-a nos braços magros. — Você está viva! Que felicidade! Deus é testemunha que jamais perdi as esperanças.

Suas magras lágrimas seguiam os dois vincos familiares que o fluxo de outras lágrimas formara em suas faces há tantos anos. O escaler, entretanto, balançava-se a algumas centenas de braças. Um dos remadores pôs as mãos em concha e gritou:

— O que vamos fazer?

— Vão carregar as barricas no pontão e venham nos buscar na volta.

O batel se afastou.

— Deixe-me fazer uma oração — disse delicadamente Quintin voltando-se para Colombe.

Caindo de joelhos na areia, ele murmurou uma ação de graças erguendo os olhos para seu Deus. Maquinalmente, Colombe seguiu seu olhar. O céu, após a efervescente presença dos espíritos na floresta, pareceu-lhe estranhamente vazio e como morto.

Quintin levantou-se e pegou as mãos de Colombe.

— Onde esteve? Há mais de um mês... seu irmão está como louco.

— Então os soldados não lhes disseram nada?

Colombe não pensava neles sem raiva. Via ainda o ar indignado do báltico quando ela tirara a túnica.

— Não disseram nada? Coitados! Eles não estavam em condições de fazer isso quando os encontramos.

— Então?

— Mas como é possível você não ter sabido de nada? Estava com eles no entanto.

— Não. Eles me largaram numa aldeia índia.

— Ah! Entendo — exclamou Quintin e, naquela máscara de seu rosto amolecida pelo pranto, ele conseguiu esboçar um sorriso: — Que felicidade! Que grande felicidade!

Colombe se perguntava se a loucura do homenzinho não se agravara.

Mas ele recuperou a seriedade familiar para acrescentar:

— Eles morreram, minha amiga. Todos. E você, você está aí.

As lágrimas voltavam.

— Morreram! Onde? Como?

— Um crime hediondo. Quando os encontramos na praia, um pouco mais para cima — e Quintin apontava seu dedo magro na direção do pote de manteiga —, eles estavam... Ah! você é muito criança para ouvir isso...

— Fale.

— Decapitados e suas cabeças, furadas de um lado ao outro, estavam enfiadas numa corda como um pavoroso rosário.

— Quem pôde ter feito uma coisa dessas? — indignou-se Colombe que, de repente, envergonhava-se de suas idéias de vingança.

— A princípio achamos que fossem os índios. Mas, ao lado dos corpos, havia essas palavras escritas na areia, meio apagadas: "*Ad majorem dei gloriam.*"

Um verdadeiro chafariz inundava agora os olhos de Quintin.

— É horrível demais! — gemeu ele unindo as mãos.

— Os anabatistas... — disse Colombe olhando para a floresta.

— Eu jamais imaginaria que eles seriam capazes... — soluçava Quintin.

E Colombe o via ainda, impávido no barco, pendurado em sua rede em cima do canhão enquanto aqueles seis miseráveis dormiam em volta dele.

— Quando foi?

— Há oito dias. Desde então, pensamos em tudo. Villegagnon queria organizar uma expedição para encontrá-los, e seu irmão, coitado, estava pronto para morrer mil vezes para vingá-la. Pois não tínhamos dúvida que os miseráveis a haviam guardado... para seu uso infame.

Colombe, pensando em seus dias despreocupados com os índios, nos banhos com Paraguaçu, nas noites de festa, sentiu um imenso remorso por ter-se esquecido do resto do mundo e ao mesmo tempo uma saudade dessa paz.

Outro batel, que regressava ao forte Coligny, apareceu. Quintin chamou-o e eles embarcaram.

*

A ilha estava irreconhecível. Colombe, ao pisar ali, ficou um instante em dúvida: seria o mesmo local onde haviam desembarcado há três meses? Um massacre de troncos substituía as folhas de palmeiras e todos os cedros estavam mortos. Ceifados também os maços de cana e até os caniços. O relevo regular da ilha estava nivelado com terreiros e muros em construção. Dois redutos de madeira, nos cabeços norte e sul, estavam terminados. Ali se viam sentinelas deslocando-se.

A sede do governo, para onde foram direto, também se enriquecera. Um telhado de placas de madeira cobria os aposentos principais prevendo chuvas iminentes. Divisórias em nervuras de palmeiras subiam quase à altura de um homem e impediam que se visse o interior.

Eles encontraram o almirante com Just na sala principal, onde o contador de ébano com os livros ocupava o lugar de honra. Entrando naquela penumbra, Colombe ficou ofuscada pela claridade do meio-dia que vazava da seteira. Just levantou-se tão bruscamente que seu banco caiu para trás. Foi contra a luz que ela o viu e seu vulto lhe pareceu mais alto e mais largo do que em sua lembrança. O desejo que eles tiveram de tornar a se ver não estava à altura dos meios que possuíam de manifestá-lo. Pareciam hesitar no limiar de um abraço que teria menos força que sua imobilidade trêmula. Ficaram gratos a Villegagnon por erguer o braço opondo-se a efusões que eles temiam.

— Onde você estava? — disse uma voz muito possante, destinada a despachar o soluço que lhe pesava na garganta.

— Com os índios, como me mandou.

Toda matizada pela claridade que filtrava pelas palmeiras, Colombe sentia-se mais Olho-Sol que nunca.

Villegagnon piscou.

— Os cães daqueles anabatistas não lhe fizeram mal?

Colombe contou como deixara os soldados.

— Por que demorou tanto?

Ela se lembrou de seus receios e se deu conta de que Villegagnon nada sabia de seu segredo. Teve o instinto de fechar a gola, que se esquecera de apertar na garganta, pois a princípio pensara ser inútil agora fazer aquele teatro.

— Estava aprendendo a língua — disse.

— E sabe-a?

— Um pouco.

— Ao menos isso não terá sido inútil.

Just continuava a fitá-la intensamente. Via-a mudada, lisa, doce, tensa, o colo formado, a beleza libertada dos limbos da infância. Ele se perguntava apavorado como ainda seria possível fazer Villegagnon acreditar que ela era seu irmão.

Mas o almirante já se voltara para a contemplação das grandes imagens que o habitavam. Acompanhou-as por um bom tempo em silêncio, depois bateu com o punho na mesa.

— A França Antártica está em perigo! — rugiu levantando-se. — Seis dos meus soldados acabam de morrer. Não há notícias dos outros, que partiram no mesmo dia, mas na direção oposta. Um bando de infiéis assalta a costa. E aqui, está tudo entregue à luxúria.

Olhou através do entrecruzamento das palmeiras.

— Olhem para eles! Eles se embriagam. Fornicam. Vão ao continente a toda hora e eu sei por que, Virgem Santíssima! Esses malditos trugimães lhes vendem umas rameiras às quais eles não conseguem resistir. E enquanto isso, a obra não anda. As chuvas vão chegar, nada está coberto. Nada está protegido. Se os portugueses nos atacam, está tudo acabado.

Deixou-se cair numa poltrona dura.

Seu olhar percorreu o aposento, desnorteado como um animal à procura de uma saída durante a perseguição. Pousou um instante na mesa coberta de livros, depois em Colombe, voltou a Just, ao contador de ébano e novamente ao lado de fora.

— Tudo isso — esbravejou — é por causa da Mulher.

Colombe estremeceu, mas ele não olhava para ela.

— A Mulher corrompe tudo — prosseguiu ele em tom lúgubre. — Está na hora de saberem disso e Clamorgan, seu pai, teria sido bastante inspirado a ter isso em mente.

Just e Colombe trocaram um olhar interrogativo.

— A Mulher — exaltou-se Villegagnon, empertigando-se — é o instrumento da Queda, o veículo da Tentação e do Mal. Pensem nisso sempre e afastem-se da carne quando ela aparecer sob a forma da liberdade e da satisfação.

Um bando de operários descia do forte cantando a caminho de suas cabanas. Uma expressão de repulsa e de horror estampava-se no rosto do cavaleiro. Mas enquanto tornava a abarcar o aposento, seu olhar deparou-se com o quadro de Ticiano, a tenra carnação da Virgem e seu movimento protetor na direção do Menino.

— Felizmente — proclamou Villegagnon iluminando-se —, Deus quis que esse abismo de pecado, essa criatura de gozo e de perdição fosse também...

Sorriu ternamente para a Virgem do quadro.

— ... a grande via da salvação.

Colombe teria dado qualquer coisa para interromper esse solilóquio, pegar Just pela mão e ir até a praia contar-lhe o quanto sentira sua falta. Mas Villegagnon embarcara naquela idéia e não pretendia abandoná-la no meio do caminho. O mais estranho era que Just parecia ouvi-lo com respeito e até aprová-lo.

— Quanto mais penso nisso — declarou o almirante —, mais compreendo que o sacramento principal, em nossa situação, é o casamento. Ele e só ele é que santificará essas uniões e acabará com essa devassidão. Que tomem mulheres, que vão procurar essas selvagens à força, que lhes paguem, que as violem se quiserem, mas que isso tudo se consuma diante de Deus!

Ele estampou de repente uma expressão angelical no rosto escondido pela barba. Fitando os caibros de palmeira, ele antes parecia contemplar o Espírito Santo.

— Então — disse com uma voz celeste e aflautada —, lindas crianças povoarão essa França Antártica e cantarão para a glória do rei. Não será necessário converter laboriosamente os selvagens uma vez que, ao serem engravidadas, as mulheres estarão produzindo pequenos cristãos.

Ficou um instante absorto nessa evocação, depois voltou-se bruscamente para Colombe.

— Você diz que fala índio?

— Sim.

— Bem, prepare-se para usar seu conhecimento. Pois a partir de hoje vou atacar esses malditos trugimães. Já suportamos muita coisa desse Le Freux que nos rouba e nos trai. O exemplo deles corrompeu tudo aqui. De agora em diante, sou eu quem vai determinar as condições. E, se eles resistirem, saberemos vencê-los. Agora, deixem-me, vou redigir uma proclamação.

*

Quando Just e Colombe se viram do lado de fora, Quintin já havia saído. Os dois caminharam lado a lado em direção ao forte. A obra estava deserta naquele final de tarde, à exceção dos barracões onde estavam alguns operários. Colombe olhava desolada para esses montes de pedras e vigas. Subira até o forte para rever a vista de que gostava, para o pão de açúcar e a baía. Já Just contemplava essas sangrias de terra com o orgulho de quem pagou uma obra com o próprio sangue.

— Aqui — dizia ele — será um caminho de ronda. E as colubrinas ficarão dispostas assim, nas ameias da muralha, para cobrir todos os ângulos.

Enquanto ele falava, Colombe surpreendeu-se procurando, na floresta já escura, a aldeia onde Paraguaçu morava.

— Mesmo assim — disse interrompendo as explicações de Just —, senti sua falta.

— Não parece. Você teria voltado antes.

Era uma censura pouco sincera e ele respondera assim para não parecer em dívida. Sem dúvida ficara com muito medo de perdê-la, mas não sentira tanto quanto ela a dor da separação. Ela disse a si mesma que agora ele pensava como homem.

— A conselheira nos mentiu — disse ele com uma voz surda. — O pai morreu. De Griffes roubou Clamorgan.

Colombe pulou.

— Eu tinha certeza! Quem lhe disse isso?

— Villegagnon. Ele conheceu o pai na Itália.

A bem dizer, Colombe acostumara-se com a idéia de nunca mais tornar a ver o pai. Guardava poucas lembranças dele e sofria menos com essa perda do que com o desespero de ao mesmo tempo renunciar a saber quem eles eram. Sua origem, até seu parentesco, permanecia um mistério que governava mais o futuro que o passado. Essa idéia perturbou-a e ela tornou a pensar na conselheira.

— Não podemos nos deixar despojar — disse com raiva. — Podemos lutar contra de Griffes, no fim. Temos direitos. Isso levará dez anos, talvez, mas...

Interrompeu-se. Just, calado, dera de ombros. Ela levou seu olhar, como ele, para além da costa, para o ocidente todo manchado de rosa. Com a época chuvosa que se aproximava, os crepúsculos na baía perdiam sua pureza dissolvida de aquarela. Riscavam-se de veios e nós como madeiras de fruteiras.

O silêncio da baía, quebrado por risadas e vozes de homens vindas do porto, pesava dolorosamente no coração. Colombe virou-se para Just, abriu os braços que ele mantinha inertes e, sentisse ele ou não algum constrangimento com isso, aconchegou-se a ele para chorar.

CAPÍTULO 9

Agora chovia muitas horas por dia, uma chuva quente que respingava como um cachorro se sacudindo. Deixava todo mundo idiotizado. Em seguida, durante horas a fio, nada acontecia. O sol encontrava um meio de atravessar a barreira de nuvens. Como um lacaio que não quer abandonar o amo moribundo, dedicava-se a secar a maior das poças onde chafurdavam os habitantes da ilha.

Todas as manhãs, pouco depois do alvorecer, Villegagnon havia imposto agora uma oração, defronte à sede do governo. Não era uma missa, antes era uma série curta de orações que Thevet dirigia bastante a contragosto. O cosmógrafo chegava ali fumando um charuto de tabaco. Depois que os trugimães lhe haviam apresentado essa planta, ele não parava de explorar-lhe as virtudes medicinais. Sentia-se tão bem com isso que não podia mais passar uma hora sem puxar algumas baforadas. Mas, por favorável que este tratamento fosse para sua saúde, ele não se curara da melancolia. Salvo a reunião de suas coleções de curiosidades, que agora alcançava proporções consideráveis, o franciscano manifestava a maior repulsa por tudo o que se referia a seu sacerdócio. Mais ou menos metade das vezes, ele não se levantava, e Villegagnon garantia sozinho a oração. Para torná-la mais solene, contratara os serviços de um músico que, até então, trabalhava carregando pedras, como todo mundo, mas que era um exímio tocador de sacabuxa. Essa espécie de clarim, além de emitir, no ar imóvel da baía, uns sons sobrenaturais e propriamente celestes, tinha o mérito de persuadir quem a oração adormecera de que estava na hora de despertar.

Villegagnon estava muito orgulhoso dessa nova instituição que lembrava a cada homem, desde a aurora, os deveres que ele tinha para com Deus. Depois, o almirante olhava com ternura seu bando de cavoucadores subir para muralhas em potencial do forte Coligny. Muito poucos estavam oficialmente dispensados dessa escravidão. Os soldados participavam desse trabalho como supervisores e muitas vezes botavam a mão na massa. Os verdadeiros escravos índios, que somavam cinqüenta, mostravam-se incapazes de iniciativa e vinham apenas como reforço para a execução dos trabalhos mais penosos. Villegagnon só admitia liberar do trabalho de pedreiro os artesãos indispensáveis (cozinheiros, açougueiros, um alfaiate e um cabeleireiro, dois padeiros). À medida que o forte subia, podia-se ver a ambição do projeto, e até seu descomedimento diante da mão-de-obra mal equipada que devia assegurar sua construção.

Os gabiões de areia, do lado oriental da ilha, amolecidos pela chuva, formavam umas pastas atravessadas entre as quais uma pessoa podia se esconder. Era ali que Vittorio, terminada a prece, vinha se refugiar para escapar das tarefas penosas. Os que o procuravam sabiam que o encontrariam ali, sentado numa pedra, contando moedas de ouro ou afiando seu facão. Ele não se surpreendeu, naquela manhã, ao ver Egídio surgir entre os cepos.

— Salve, companheiro.

— Salve.

— Le Freux quer lhe falar agora mesmo.

As ordens do trugimão equivaliam às de Villegagnon na ilha e até eram mais ouvidas, pois ele manipulava o duplo registro dos prazeres e do medo enquanto o almirante se matava em vão para fazer vibrar as cordas frouxas do dever e do ideal.

Os dois se levantaram, seguiram pela praia até o porto dos escaleres. A um sinal de Vittorio, dois remadores da corvéia da água deixaram seu lugar. O veneziano, sem demonstrar, estava inchado de vaidade. Naturalmente, esse êxito tinha o inconveniente de transformá-lo numa personalidade num lugar que não ficava em lugar nenhum. Mas, assim mesmo, era agradável ser temido e poder recompensar. Pois ele era o homem que alugava mulheres e por isso gozava da paradoxal liberdade que essas cativas lhe conferiam.

Uma vez em terra firme, os dois venezianos subiram até a aldeia indígena aonde Villegagnon fora no primeiro dia. Contornando-a, uma picada na floresta levava a uma pequena oca isolada, que servia de refúgio a Le Freux. Armas pendiam da pilastra de madeira da cabana; algumas índias agachadas a um canto e acorrentadas pelo tornozelo olhavam assustadas para os recém-chegados. Le Freux andava de um lado para o outro e um rapaz alto de nariz achatado balançava-se numa rede. Aproximando-se, Vittorio reconheceu Martin, que desaparecera da ilha no mesmo dia que Colombe.

— Isso não pode mais continuar! — explodiu Le Freux vendo a companhia completa com a chegada dos italianos.

Fez sinal para que eles se acomodassem em cepos de pau-brasil.

— Viram a proclamação de Villegagnon? — perguntou Le Freux.

— Vimos — respondeu Vittorio com respeito. — Ele quer que os brancos da ilha se casem, se andarem com as índias. É louco.

— De fato — confirmou o trugimão. — Mas isso ainda não é nada. Era de se esperar. A verdadeira novidade é ainda mais incrível e, aparentemente, vocês ainda não sabem.

Le Freux deu uma volta deixando as botas estalarem no chão lamacento.

— Esse alucinado também quer que EU me case.

Passada a estupefação, os dois ladrões caíram numa gargalhada perversa entrecortada de acessos de tosse.

— O vice-almirante da Bretanha — prosseguiu o trugimão decidindo fazer graça —, governador da França Antártica, convocou-me, imaginem, e declarou-me: Senhor Le Freux, por que não me apresenta à sua esposa?

O arremedo de Villegagnon era bom, com seu estilo militar e elegante, a voz rude e modulada.

— "Minha mulher!" — exclamou Le Freux com inocência imitando-se a si mesmo.

Todas as plumas de seu gibão ficaram em pé com esse sobressalto. Ele segurava o morrião de couro, como um camponês intimidado diante de seu senhorio.

— "Mas, senhor", eu lhes disse, "qual delas?"

As risadas redobraram.

Le Freux encerrou-as com a seriedade de sua gesticulação.

— Foi então que ele me agarrou pelo pescoço, estão ouvindo? Esse louco agarrou-me, A MIM, pelo pescoço e ameaçou: "Senhor Le Freux", disse-me ele, "intimo-o a trazer aqui sua esposa, pouco importa qual delas ou de que raça seja, contanto que seja única e com idade para casar-se, e que me apresente provas de que estão unidos perante Deus. Se não dispuser de nenhuma, o que posso compreender, o abade Thevet, aqui presente — o canalha fumava um tronco de árvore a seu lado —, celebrará seu casamento como deve ser."

— E se você recusar? — indignou-se Vittorio.

— "Se recusar, senhor Le Freux, será inútil, a partir de sua decisão, o senhor tornar a se apresentar nesta ilha ou enviar qualquer um de seus amigos aqui. Dispensaremos seus serviços." O miserável! "Dispensaremos seus serviços."

— Ele enlouqueceu — concordou Egídio.

— Por certo, ele não se dá conta — confirmou Vittorio. Depois perguntou: — O que vai fazer?

Le Freux, plantado no chão escarlate do terreiro, disse suavemente, indicando uma das cativas aterrorizada:

— Bem, vou tomar uma dessas donzelas, vamos mandar fazer-lhe um lindo vestido branco de cauda e passarei na frente do senhor cura para prometer amar apenas a ela por toda a vida.

— Sério? — arriscou Egídio, enternecido apesar de tudo.

Le Freux arregalou dois olhos como vigias e fez surgirem ali duas bombardas.

— Imbecil!

Tomando sua espada entalhada num pedaço de pau e muito menos assustadora que uma arma metálica, o trugimão começou a descrever perigosos movimentos rotativos.

— Vou estrangular esse Villegagnon e seu bando, eis o que vou fazer! A partir de amanhã, não forneceremos mais nada a essa ilha. Nem farinha, nem peixe, nem caça. Nada. Derramaremos dois sacos de pó índio na água que eles vêm buscar e, quando compreenderem que ela está envenenada, não voltarão mais. Não dou quinze dias para que o cachorro desse almirante venha me implorar perdão e misericórdia. E aí, eu, Le Freux, é que vou casá-lo à minha maneira.

Essa vigorosa tirada despertara o entusiasmo dos dois beleguins. Eles não duvidavam que haviam obtido praticamente tudo que Villegagnon e os colonos podiam dar: as sotas dos navios estavam vazias, as economias dos emigrantes, praticamente consumidas pela compra de cauim e de mulheres. Restava o misterioso cofre do almirante, em que ele não desejava tocar. A idéia de explorar sua força de uma vez por todas os seduzia.

— Muito bem dito — disse uma voz que vinha da rede. — Mas parece-me que você faria mal se agisse assim.

Martin levantou-se lentamente de seus panos. Os outros olharam-no com espanto, pois o haviam esquecido um pouco.

— Explique-se! — esbravejou Le Freux.

— Bem, como sabe — começou Martin levantando-se penosamente —, estou voltando dos assentamentos normandos do outro lado.

— Sim, e me pergunto por que não ficou lá. Pensei que tinha intenção de voltar para a França.

— De fato, ainda tenho. O que já não tenho mais é vontade de continuar pobre.

— Alegre-se. Quando o almirante devolver o que tomou, você terá sua parte.

— Acho que não.

— Você estaria pondo em dúvida minha palavra? — indignou-se Le Freux.

— Não, só seu método. Acho que me dará minha parte, mas será a parte de nada. Pois Villegagnon não vai devolver o que tomou... a menos que se vá arrancar dele.

— Acha que não tenho os meios de sufocá-lo?

— Meu caro Le Freux — disse Martin com uma ponta de ironia na voz —, você é o homem mais poderoso desta margem da baía, é verdade. Mas há outros franceses do outro lado e nem todos são seus amigos. Se Villegagnon lhes pedir socorro, eles não recusarão.

— Ah-ah! Você deve estar imaginando que ele atravessará a baía para ir buscar água.

— Estamos na estação das chuvas e ele deve ter terminado as cisternas.

Vittorio confirmou isso a contragosto. Le Freux estava abalado.

— E o que vai fazer?

— Atacar.

— Seiscentas pessoas, dentre as quais um grupo de cavaleiros armados para a guerra? — riu Le Freux.

Martin também pulou na arena ensangüentada do terreiro.

— Ouça, Le Freux, você foi mendigo, eu também. Mas parece que esqueceu os princípios do ofício. O adversário é *sempre* mais forte. Nossas armas são a surpresa, a rapidez, a astúcia.

Com seu volume e seus grandes punhos, o rapaz conseguia encarnar essas virtudes com naturalidade, de tal maneira era ágil, vivo e transpirava uma inteligência perversa.

— Temos oito dias para agir.

— Por causa de meu casamento! — gargalhou Le Freux.

— Não, por causa do navio.

— Que navio?

— A *Grande-Roberge*. Ela está cheia de pau-brasil, acabam de levar para lá as gaiolas de micos e papagaios e em oito dias, ela zarpa. Por que deixar isso escapar? Se é para acabar com o adversário, temos que tomar tudo.

Le Freux permaneceu um instante em silêncio. Depois, estendendo fraternalmente a mão, apertou o ombro de Martin.

— Olhe como você está vestido! Isso está bom para correr a selva, mas acho que com um de meus gibões você estaria mais digno de ser meu sócio.

Eles entraram na cabana para acertar essa questão de elegância e conversar.

*

Vittorio e Egídio levaram quase dois dias passando de grupo em grupo para cobrar as dívidas. Em toda parte, eram gemidos.

— Estou devendo mesmo tanto? Não podem me dar um pouco mais de crédito?

Os venezianos suspiravam.

— Ah!, meu amigo, lamentamos tanto quanto você. Mas é preciso falar com Villegagnon. Foi ele, e não nós, que baixou um decreto proibindo o cauim e as mulheres.

Alguns, apegados a seus prazeres, propunham pagar mais caro. Mas a resposta era sempre a mesma:

— Se faz questão de ser enforcado, fique à vontade. Mas preferimos não provocar muito esse alucinado, pois ele é capaz de fazer o que diz. E prometeu a forca a quem o desobedecer.

Assim, os marujos, os artesãos, os ex-condenados e até os soldados, que constituíam a clientela de Le Freux para seus prazeres, resmungavam com hostilidade amaldiçoando o almirante. Vittorio afetava um ar modesto e às vezes até se dava ao luxo de algumas palavras de comiseração pelo pobre Villegagnon. Vinham então expressões de ódio mostrando que, em caso de perigo, o cavaleiro não encontraria muita gente para lutar a seu lado.

No final, todos pagavam. Os emigrantes todos tinham pequenas economias que levavam consigo ou escondiam em buracos. Mas era preciso tomar cuidado, naquela ilha em perpétua escavação para as obras, para que o tesouro não ficasse muito tempo sem vigilância. Ademais, era difícil cavar sem ser visto. Esconder suas moedas tornava-se uma atividade quase permanente.

Vittorio e Egídio recolhiam o que lhes era devido num saco de pano que era estendido de forma tão lúgubre quanto se fora um lacrimatório. Àqueles que não podiam pagar em numerário, e não eram poucos, eles designavam dívidas cuja natureza dependia do ofício do devedor. Aos artesãos eram confiadas tarefas na medida de sua experiência. Um chapeleiro recebeu a encomenda de quatro gorros cortados num veludo que os venezianos lhe arranjaram. Por esse serviço, consideraram-no quite.

Sempre era ocasião de instilar mais veneno nas almas desses infelizes.

— Dizer que um homem habilidoso como você trabalha quebrando pedra! — insinuavam os venezianos quando viam um artesão batendo nos calhaus. — Que vergonha! Se esta ilha não fosse governada às avessas, há muito tempo você estaria próspero e o pessoal do continente o teria deixado rico.

A praia em direção à qual recuavam agora as mulheres, o cauim e a esperança ocupava todo o pensamento dos homens, a ponto de a idéia de defender a ilha ter-se tornado objeto de negligência ou até de revolta.

Vittorio suava no trabalho.

— Mas — dizia a seu compadre quando passavam de um devedor a outro — é forçoso reconhecer que trabalhamos bem.

Eles haviam quase terminado. Restavam em sua lista alguns isolados, que deviam ser tratados caso a caso.

— Olá, Quintin! — exclamou Vittorio, ao ver passar justamente um desses.

— O que posso fazer por vocês, meus irmãos em Cristo? — respondeu o homenzinho taciturno a quem não agradava a idéia de encontrar alguém antipático: ele mesmo se chamava a atenção, persuadindo-se de que todos os homens são irmãos apesar de tudo.

Vittorio consultou sua lista e Egídio o ajudava como podia, embora não soubesse ler.

— Quintin! — exclamou o barbudo. — Pronto! Acabaram-se o cauim mais quatro mulheres três vezes por semana.

Vittorio deu um sorriso de lacaio lisonjeador e assumiu uma expressão enternecida.

— Parabéns — disse ele sobriamente.

Quintin, tenso e mais descarnado que nunca, não pestanejou.

— Isso dá seis libras, um soldo e dois dinheiros — anunciou Egídio que tinha mais facilidade para calcular.

— Não entendo de que estão falando — disse Quintin com desprezo e preparou-se para seguir seu caminho.

Mas foi imediatamente barrado pelos dois beleguins que agora lhe falavam em tom de ameaça.

— O dinheiro — exigiu Vittorio fazendo tilintar o saco.

— Essas mulheres — disse dignamente Quintin —, eu as evangelizo.

— Bem, chame isso de dinheiro do culto, se quiser — riu Vittorio fazendo seu compadre ganir de alegria.

— Não ouviram falar da gratuidade da salvação?

— Conosco nada é de graça. Nós lhe fornecemos mulheres, você paga. Pronto. Caridade bem ordenada... se quiser citações.

— Ah, eu desconfio — disse Quintin sorvendo um grande hausto espiritual que elevou seu olhar para o céu — que essas infelizes conheceram muitas provações. Mas agora, foram apresentadas ao Evangelho. Sou o único, estão me ouvindo, o único aqui a se preocupar em anunciar a boa nova aos indígenas. Nem esse padre se arriscou a fazê-los agüentar aquela macaquice das missas dele.

Os venezianos impacientavam-se mas, como Quintin mexesse no bolso, esperavam que ele tirasse algumas moedas dali.

— Eu emocionei até as lágrimas essas quatro infelizes com a paixão de Nosso Senhor. Meu método em três palavras: Deus é amor. Essa verdade penetrou-as por todas as partes.

— Ha! Ha! — riu Egídio.

— Basta — esganiçou-se Quintin —, seus espíritos obscenos não podem continuar a conspurcar tudo assim!

E com um gesto definitivo, como para fazer descer a cortina sobre uma tragédia, tirou do bolso o que ali havia procurado: um grande lenço quadriculado.

Vittorio, no auge da impaciência, precipitou-se sobre Quintin e encostou com brutalidade uma lâmina em seu pescoço.

— Agora, o dinheiro.

— Vou me queixar ao governador — indignou-se Quintin.

— O dinheiro, estou dizendo!

— Villegagnon não vai tolerar essa chantagem.

— Deixe Villegagnon em paz, ele não tem muito tempo — enervou-se Egídio.

Quando estava irritado, sua voz estridente e rouca chegava longe. Vinha passando por ali um grupo de soldados a caminho do reduto sul, e um deles se virou. Vittorio escondeu o punhal.

— Dou-lhe um prazo até amanhã na ceia — disse a Quintin com um ar cruel.

— Seis libras, um soldo, dois dinheiros — lembrou Egídio.

— Senão...

Vittorio fez como se estivesse degolando um carneiro. Depois disso, afastaram-se. Quintin, imóvel, ficou um instante pensativo; então, correndo atrás deles, gritou:

— Se virem essas jovens antes de mim, digam a elas que voltem logo... E que eu as amo.

Os venezianos apressaram o passo para livrar-se dele.

*

As tempestades redobraram as ameaças que pareciam pesar sobre a baía. Sua sombra tornava o pão de açúcar liso e escuro. A floresta, reluzente depois da chuva, ganhava tons de vidro moído, e o mar, cor de ametista, paralisava-se numa imobilidade mineral muito preciosa para durar.

Villegagnon andava em círculos em seu palácio, espreitando as brechas do teto de folhas de palmeira, deslocando os livros em função das goteiras que surgiam. Desde que começara a prova de força com os trugimães, um silêncio inquietante invadira a ilha. O trabalho, durante o dia, era ainda mais mole que antes: não se ouvia muito o barulho de marretas nem de enxadas. Conversava-se em voz baixa. As viagens dos escaleres estavam interrompidas. Nos acampamentos, não se ouvia mais nenhuma voz cortando a noite. A trovoada reverberando nos morros mais sublinhava do que quebrava esse silêncio. Por seu ronco vindo do mar, anunciava a iminência de um raio que não se sabia se seria lançado do céu ou da terra.

Villegagnon, por ora, renunciara às aulas de esgrima que dava a Just, pois eles eram interrompidos a toda hora por pancadas de chuva. Aflito com seus livros, não queria que eles fossem tirados da sala, onde podia vigiá-los. Just e Colombe estavam então autorizados a ler ali mesmo. A presença muda e atenta dos dois acalmava um pouco o almirante que andava de um lado para o outro contemplando o horizonte.

Faltavam quatro dias para vencer o ultimato feito aos trugimães, quando Just foi detido por um pequeno personagem curioso ao subir ao forte uma tarde para supervisionar a obra. O homem estava apoiado numa pá e não parecia muito tê-la usado desde de manhã. Tudo em volta dele era só lama e confusão de pedras; em suma, o normal do forte desde que as chuvas haviam entrado em cena.

— Senhor Clamorgan — chamou delicadamente o cavoucador quando Just passava por ele.

— Sim.

— Posso lhe pedir humildemente um favor?

O tom não era hipócrita, mas apenas comercial, como o dos fornecedores nas grandes casas.

— É o seguinte: sou chapeleiro de profissão.

— Profissão honrosa.

— Obrigado, embora, como o senhor vê...

Ele ergueu os braços, mostrou seus andrajos e as canelas nuas e enlameadas.

— Nas horas vagas, fiz quatro gorros de veludo. As pessoas que me fizeram essa encomenda ordenaram expressamente que eu me dirigisse ao senhor para entregá-la a elas.

— E onde estão essas pessoas?

— No continente.

Era uma hora excepcional, onde o sol, empurrando as nuvens, voltara para revistar a baía como alguém que está passeando na rua e volta rapidamente em casa para buscar algo que esqueceu de levar. Uma névoa subia da zona das cascatas, onde eles iam encher as barricas de água. Grasnidos de araras arranhavam o silêncio.

— De que se trata? — perguntou Just.

— Não sei, é uma encomenda.

Era óbvio que o homem não sabia tudo. Que cilada esta proposta poderia esconder? Ir sozinho ao continente seria expor-se a violências. Mas não ir, quem sabe, seria negligenciar uma negociação. Villegagnon não teria aceitado. Mas Just achou que, sem dúvida, era exatamente por isso que se dirigiam a ele.

Havia agora uma vigilância impedindo as travessias de escaler entre a ilha e o continente sem motivo e sem uma escolta de soldados.

— Hoje à noite — disse o chapeleiro —, quando a lua aparecer, uma piroga índia vai passar pelo costão que termina em frente ao reduto oeste. Essa piroga vai embarcá-lo.

*

A canoa, feita de uma árvore comprida escavada pelo fogo, levava dez pessoas. Just instalou-se no meio com facilidade apesar do escuro pois, caminhando pela orla de recifes, quase chegara direto à embarcação. Os remadores, homens e mulheres, estavam nus, aparentemente nada incomodados pela friagem úmida da noite. Raios riscavam o horizonte ao poente.

Just pensava em Villegagnon, a quem apenas mencionara um passeio na praia. Colombe manifestara mais resistência: sentira algo de anormal. Confessando-lhe o que ia fazer, Just teve muita dificuldade de convencê-la a não o acompanhar.

O reflexo da lua encoberta dava à água um toque cinzento, que o ruído dos remos parecia querer dissolver. Just não saíra da ilha desde aquele primeiro dia em que haviam ido visitar a aldeia índia. Estava familiarizado com todos os detalhes das obras, conhecia as plantas que viriam da França Antártica e até os projetos mais audaciosos de cidade e de reino que o cavaleiro acalentava em seu íntimo. A partir desse tronco oco, nos ermos impressionantes dessa baía cercada de selvagens silenciosos, nus como nos primeiros tempos, Just media a vontade de Villegagnon. Tão sobre-humano era o sonho dessa França futura que só se podia considerá-lo louco ou admirável. Villegagnon, com suas ferramentas de guerra, atacava o bloco opaco da natureza bruta com o entusiasmo do artista que se coloca na frente do bloco de mármore para tirar dali uma *Pietà*. Em suas longas conversas sobre a Itália, sobre arte, sobre o movimento das idéias que revolviam toda a obtusidade dos antigos erros góticos, Villegagnon muitas vezes usara essa comparação diante de Just. Mas era a primeira vez que ele a compreendia.

A canoa deslizava tão depressa que em pouquíssimo tempo eles ouviram no silêncio da noite o marulho das ondas na praia. Just pulou na água e foi para terra. Um assobio chegou da sombra das árvores. Ele caminhou nessa direção e de repente sentiu uma manzorra agarrar a sua. Just levava um punhal na cinta. Crispou os dedos na empunhadura.

— Devagar! Você não tem nada a temer.

Just reconheceu a voz rouca e juvenil de Martin. Caminhou atrás dele até um acampamento estreito. Esse acampamento era composto de uma casinhola cuja entrada era iluminada por uma lamparina de azeite. Eles se sentaram em tocos. Martin ofereceu cauim ou suco de fruta. Foi pessoalmente até uma jarra de barro encher duas tigelas de um líquido claro que cheirava a abacaxi.

— Achávamos que você tivesse morrido — disse Just que, apesar do prazer que lhe dava rever Martin, sentia-se constrangido em sua presença.

— Estão me enterrando depressa demais...

— É por causa dos soldados que foram mortos do outro lado.

— Sim, eu soube disso. Mas também que idéia ir atrás desses anabatistas rústicos. Fomos sabiamente na direção das feitorias normandas. E a esta hora meus bravos soldados estão lá bem tranqüilos.

— Então, por que você voltou?

Martin fez um ligeiro silêncio, que nele era o espaço suficiente para a escolha e para a mentira.

— Acha que eu teria abandonado meus amigos?

— Que amigos?

Martin bateu com a palma das manzorras nos joelhos.

— Que amigos? Ouçam-no! Eis como somos recompensados. Atravesso toda essa maldita floresta para vir buscá-lo e você me diz: que amigos?

— Você voltou por isso?

Just desconfiava um pouco de Martin. Mas seu desejo de acreditar na bondade humana era tão forte, que ele não queria perder nenhuma chance de conseguir sua confirmação. Martin baixou os olhos, pois desconsiderava as vitórias muito fáceis, sobretudo quando assassinam a virtude.

— Onde está seu irmão?

— Na ilha.

— Ótimo. Acha que ele pode vir ter com você ainda hoje, se eu mandar a canoa de volta?

— Acompanhar-me, mas aonde?

— Não tem mais vontade de rever a França? Conheço o caminho dos assentamentos, agora. Vocês podem ser livres.

Just, por um instante, viu Clamorgan, a Normandia, depois todo o espaço ajardinado da França, as planícies da Itália, sua costa de pinheiros mansos e oliveiras.

— Vamos, responda — pressionou Martin —, é hoje mesmo que é preciso se pôr a caminho, o mais tardar, amanhã. Negociei nossos lugares num barco que parte em dez dias e fica a oito dias daqui.

Just estremeceu ao ouvir essas palavras e súbito entendeu o que o incomodava. Não renunciara a regressar à França, mas não queria que essa partida assumisse assim a forma de um abandono. Sentia agora que confiava bastante em Villegagnon para pedir-lhe sem rodeios para embarcar num dos navios que regressavam. Se

Colombe quisesse, seria até o próximo, que estava pronto e ia zarpar. Mas não queria traição.

— Preferimos ficar aqui — disse.

Martin contraiu involuntariamente o rosto. A vontade de pegar aquele bastardo pelo colarinho e dar-lhe um bom murro para acabar com seus ares superiores e suas idéias ocas o atormentava. Ficou tentado a lhe dizer sem rodeios que eles não tinham escolha e que se ele se negasse a fugir...

— Você tem até amanhã para pensar nisso — disse com irritação. — Se mudar de idéia, pegue uma lanterna e faça-a piscar três vezes na ponta oeste.

— Você não vai à ilha para se apresentar a Villegagnon?

Abatido com a ingenuidade dessa pergunta, Martin deu de ombros, apertou a mão de Just e acompanhou-o até a beira da praia. Ao voltar para a cabana, encontrou Le Freux, que saiu do escuro.

— Pena — disse este sobriamente.

— Afinal de contas — murmurou Martin, como se estivesse falando sozinho —, pior para ele. No fundo, paguei minha dívida: eu lhe devia a liberdade, não a vida.

CAPÍTULO 10

Rupert Melrose, guarda escocês e tocador de gaita-de-fole, há oito anos dedicava sua existência a Villegagnon. Essa paixão era fruto de um acaso extraordinário em que ele nunca pensava sem ficar com lágrimas nos olhos.

Foi no tempo em que Maria Stuart, aos seis anos, já quase se casara duas vezes. O rei da Inglaterra a queria como esposa para se apoderar da Escócia. Henrique II de França destinava-a a seu filho, o delfim; tencionava assim salvar na Escócia o partido católico. A pobre criança estava reclusa com sua mãe no castelo de Dumberton, submetida ao bloqueio de seus súditos protestantes revoltados.

Rupert, pobre lanceiro das Highlands, era um dos zelosos que percorriam os cais fortificados à beira do rio Clyde. Como todos os soldados católicos designados para sua guarda, Rupert era apaixonado pela princesinha morena. Seguia-a com ternura durante seu passeio matinal pelas muralhas. Que uma criança pudesse ser o centro de tantas intrigas e ao mesmo tempo irradiar tanta inocência era para ele um mistério perturbador. Naquela tepidez do mês de maio, a menina, conservando as anquinhas, às vezes saía ao ar livre de braços de fora. Rupert daria a vida para que semelhante tesouro jamais fosse maculado.

Infelizmente, a terrível pressão dos luteranos fechava o cerco sobre as cativas. Quando o inverno voltou, não havia dúvida que a fortaleza cairia. Aquela última primavera antes do drama fora a mais florida e a mais triste de todas as primaveras escocesas.

Além de admirar a pequena Maria, Rupert não tinha senão uma paixão: tocava gaita-de-fole. Era um instrumento que o satisfizera até então. Ele aprendera suas melodias olhando o dedilhado de seu tio e nada lhe parecia mais harmonioso que um dueto de gaitas-de-fole sustentado pela linha arredondada dos bordões. Ele ficara mortificado ao saber por seu capitão que a pequena rainha não gostava do som da gaita-de-fole e até o temia como um mau agouro. Rupert, em suas horas de folga que eram raras, recebeu então a ordem de não tocar, a menos que, caminhando nas pedras, conseguisse afastar-se suficientemente do castelo para o vento jogar suas notas no esquecimento do mar.

Sabia-se, até mesmo entre os soldados, que o rei de França havia despachado uma armada para libertar a criança e sua mãe Maria de Guise. Mas em matéria naval os ingleses eram perigosos. O almirante Strozzi, que comandava a esquadra francesa, estava impedido de chegar à Escócia e, a menos que se arriscasse a um combate onde não levaria a melhor, não tinha como furar o bloqueio britânico.

Os fidalgos franceses que rodeavam a pequena rainha passavam os dias perscrutando o sudoeste de luneta. Mas Strozzi não chegava.

Os cachos de glicínias azuis enroscavam-se nas fachadas, os salgueirais estavam prateados de folhas novas, brotos verdes rebentavam nas pontas dos galhos de carvalho. Rupert, com o duplo registro de sua gaita, transmitia essas alegrias sobre um fundo trágico de graves. Ele tocava na ponta de um promontório de granito batido pela ondas, a leste da fortaleza, de onde mal se podia vê-lo. Foi ali que, numa manhã de meados de maio, ele recebeu o choque do qual sua vida inteira seria o eco.

Três galeras afiladas deslizavam sobre a água a toda a velocidade de seus remos. No mar calmo, aproximavam-se rapidamente. Rupert logo avistou seus pavilhões: eram francesas. Ele ficou um instante confuso, procurando a direção do sol. Mas não havia dúvida possível: os barcos, por mais incrível que parecesse, vinham mesmo de nordeste.

Segurando a gaita pelas madeiras, como se apanha uma lebre pelas orelhas, o *piper* correu ao castelo para dar o alerta. As crianças brincavam nos terraços do torreão: Maria Stuart, com suas três amigas Marias: Seton, Fleming e Livingstone. Elas correram ao parapeito, do lado oposto ao que tantas vezes haviam perscrutado em vão. As três galeras, cujos tambores agora se ouviam, entravam no estuário e diminuíam a velocidade para encostar nos cais. Estupefatos, julgando tratar-se de um ardil, franceses da guarda e escoceses apontaram às pressas seus bacamartes para os barcos. Mas à medida que se aproximavam, via-se nos passadiços uma multidão de soldados acenar com seus capacetes e brandir suas espadas em sinal de alegria. Tão logo atracou, a primeira galera despejou um rio ruidoso de franceses exultantes. À frente deles, e ninguém cogitaria em lhe tomar esse lugar, um gigante contente, o nariz vermelho de lágrimas, uma grande cruz-de-malta no peito, corria para a fortaleza. A porta estava fechada e, enquanto não a abriam, o cavaleiro voltou-se para seus homens, fê-los ajoelharem-se e disse uma prece em latim com uma voz tão possante que todos os penedos da costa, que formavam uma concha, ecoaram essa oração. Pequenos caranguejos cor-de-rosa saíam de suas tocas para ver essa chegada. Finalmente, as dobradiças rangeram, a porta se abriu e, diante da rainha regente que apareceu, Nicolas Durand de Villegagnon gritou seu nome num soluço e prostrou-se no chão com um estabanamento idólatra.

Foi do alto da muralha que Rupert acompanhou a cena; de lá que viu pela primeira vez aquele homem diabólico que chefiara essa expedição. Sozinho, Villegagnon convencera Leon Strozzi a deixá-lo fazer o que ninguém havia feito antes em uma guerra: contornar toda a Escócia pelo setentrião e traçar uma rota nas ilhas do Extremo Norte para enganar a vigilância inglesa. E com um mapa incorreto de Nicolas de Nicolay, subtraído aos ingleses por espionagem, realizara esta façanha.

A corte da Escócia embarcou naquela noite mesmo e Villegagnon teve a felicidade insigne de oferecer dois grossos dedos seus à pequena rainha para que ela se instalasse sem problema na *Réale*. Alguns dias depois, ela estava em Morlaix, em segurança.

Tudo isso acontecia em 1548. Agora era 1556: desde aquela época, Rupert não deixara Villegagnon. Fazia parte de sua guarda escocesa e até, no seio desse corpo de elite, do grupo mais chegado que se revezava na porta do almirante. Não tocariam nele sem que Rupert jogasse sua vida no combate primeiro.

Fidelidade é um sentimento que pode ser facilmente satisfeito. Basta tolerá-lo. Enquanto Rupert pudesse seguir seu amo, estava feliz, no Brasil como em outro lugar qualquer. Sua única tristeza, embora leve, era o almirante, como Maria Stuart, não gostar de gaita-de-fole. Portanto, ele se afastava para tocar.

Como fora designado, naquele dia, para acompanhar o escaler que ia encher os tonéis, ele aproveitou para levar o instrumento. Só faltavam dois dias para expirar o prazo dado a Le Freux pelo almirante. Tudo estava mais calmo e parado que nunca. Não se via ninguém na praia.

Rupert não era um homem de imaginação. Para ele, calma era calma e não era necessário procurar mais longe.

Os marujos atracaram o escaler no pontão construído em frente às cascatas e começaram a desembarcar as barricas. Rupert afastou-se para oeste seguindo um pouco a linha dos coqueiros. Não perdia o barco de vista, portanto, não faltava com seu dever. Mas não resistia ao pequeno prazer de voltar àquele lugar da praia onde encalhara uma baleia. O enorme animal já lá estava há algum tempo. Sua pele secara ao sol e começava a rachar. Era fácil, agarrando-se às barbatanas, subir na cabeça. Rupert gostava de tocar ali, naquela espécie de rochedo negro. Olhava a baía e desde que evitasse a silhueta muito reconhecível do pão de açúcar, quase se julgava na Escócia. Naquela época do ano, a neblina escura imitava bastante bem o verão em sua terra. Ele começava por uma melodia de Aberdeen que lembrava uma cantiga de sua infância.

Carregar todos os barris até o pequeno barco demorava bastante. Desde a crise com os trugimães, mais ninguém em terra ajudava nesses serviços. Quando os marujos começaram a encher a última barrica, anoitecia.

Rupert estava feliz por ter podido tocar à vontade. Soltou o bico da gaita e preparava-se para desmontá-lo quando duas mãos vigorosas o derrubaram para trás. A última visão de Rupert no céu foi uma grande couve-flor branca que ele nunca comeria. No mesmo instante, uma lâmina experiente o degolou.

A noite estava bem escura quando assobios vindos do escaler chamaram o escocês para embarcar. Ele fez isso no último instante, a cabeça escondida no xale xadrez. A lua ainda não havia saído, o marujo no leme segurava uma lanterna furta-fogo. O escocês instalou-se no outro extremo do batel, que continuava às escuras. Ninguém falou durante a viagem de volta, pois o cansaço, a preocupação e a certeza desesperadora de nunca mais ter a consoladora companhia do cauim e das índias deixavam as caras sisudas.

A ilha estava escura: abusara-se das velas nos primeiros meses e agora a vida se organizava à luz do que aprazia ao céu prover em matéria de luminária. Na noite tempestuosa, sem estrelas nem lua por ora, cada pessoa ficava reduzida à sua sombra e se deitava mal o sol desaparecia. Os marujos de serviço foram para sua rede e o falso Rupert, bem-informado, rumou para o corpo de guarda. Uma clepsidra em cima de um pilar permitia à sentinela que guardava a porta do almirante e dispunha de uma pequena lâmpada medir a duração de seu plantão. Depois de ter virado duas vezes o instrumento, o homem bocejou, levantou-se e foi chamar "Rupert" no corpo de guarda. O revezamento processou-se em silêncio, como convém entre pessoas sonolentas e que não têm nada a temer.

Foi assim que, à uma hora da madrugada, Martin, em trajes de *piper* escocês, encontrou-se, como previsto, à porta do quarto de Villegagnon. Pela divisória vazada que dava para a praia, esperou que o luar estivesse suficientemente forte e, após uma invocação silenciosa ao deus dos ladrões em quem tinha muita fé, abriu lentamente a porta do quarto.

O plano dos bandoleiros era simples: isolar Villegagnon e depois matá-lo. A primeira parte desse programa estava realizada. Uma esmagadora maioria de imigrantes estava desanimada e revoltada com o trabalho ingrato que lhe impunham. O cavaleiro de Malta era culpado de todos os erros e sobretudo do último, que privava os infelizes das únicas compensações que encontravam para seu infortúnio. Na queda de braço que opunha o almirante aos trugimães, a simpatia dos imigrantes evidentemente ia para esses últimos. Eles admiravam sua liberdade, sua luxúria e, nessa atmosfera desconhecida dos trópicos, parecia que aí estava uma fórmula única e ao mesmo tempo suprema de realização. Em caso de ataque, podia-se então contar com sua neutralidade e talvez até com sua ajuda.

Restavam os soldados. Grande parte deles também estava vencida pelo desânimo, à exceção da guarda escocesa que parecia não dever nunca se desencorajar com coisa alguma. No entanto, dos mais valentes aos mais frouxos, todos tinham a mesma formação militar: precisavam de ordens. Os atacantes deviam então começar por privá-los disso.

Martin, abrindo esse drama, estava encarregado de atingir mortalmente o chefe supremo; tudo devia depois proceder dessa eliminação. Ele agora estava a dois passos da cama com sua lanterna. As cortinas estavam fechadas. Via-se, amarrada a uma das colunas, a corda da rede que Villegagnon estendia atravessada. Bater na cortina ou abri-la é um velho dilema de assassino no qual Martin não havia pensado antes. Muitas garotas do porto lhe haviam falado desses dois tipos de homens: os que deixam a luz acesa para fazer amor e os que preferem apagá-la. Ele mesmo pouco se importava: pegava o que lhe davam. Esse pensamento o fez rir no escuro e, como gostava de provocar, disse a si mesmo que, por uma vez, escolheria: puxou a cortina com um golpe seco.

A rede estava vazia.

Procurou febrilmente na cama e embaixo dela, onde estava o tesouro de guerra do almirante, tesouro este do qual ele não devia se apoderar senão depois de tudo terminado. Mas o cofre não estava ali. Arrancando de um golpe aquela echarpe de xadrez que o sufocava, Martin, extremamente lúcido como no momento mais difícil de uma emboscada, pôs-se a perscrutar a escuridão erguendo a lanterna. Não viu ninguém no aposento e sentiu que caíra numa cilada. Era hora de tomar coragem e apelar para todos os seus instintos diante do perigo. O ladrão, nele, veio socorrer o conspirador. E como para exprimir essa mudança com um gesto, Martin pegou maquinalmente a moldura dourada de uma miniatura que brilhava na mesa da sede do governo. Enfiou o objeto no bolso e, sem esperanças de se apoderar do outro tesouro, saiu. Infelizmente, vendo-o brandir sua lanterna assim diante da porta, seus cúmplices escondidos no escuro e vencidos pelos sustos da noite acharam que ele estava fazendo o sinal combinado e lançaram-se ao ataque. Uma tocha jogada na palhoça dos cavaleiros de Malta pôs fogo nas folhas de palmeira. Le Freux, que comandava o grupo dos assaltantes, mandou atirar através das divisórias em chamas. Dois bacamartes deixados para Martin pelos soldados desertores e um terceiro subtraído por Egídio constituíam todo o arsenal dos trugimães. Mas eles contavam que o fogo dessa artilharia assustasse os soldados pegos de surpresa. De fato, do corpo de guarda pularam escoceses desarmados e seminus, os quais foi fácil render.

Os atacantes julgaram ter conseguido uma vitória completa. Martin achou-a muito rápida e até estranha. Nenhum grito vinha do alojamento em chamas dos cavaleiros. Afora o punhado de guardas escoceses, ninguém saíra das cabanas.

Tudo estava em silêncio, salvo pelo crepitar das chamas. Às vezes, clarões de relâmpagos, no horizonte a leste, destacavam sem ruído a massa ameaçadora do pão de açúcar. Martin pressentia uma cilada. Farejava o ar como um perdigueiro e, de repente, instintivamente, quebrou sua lanterna. Um tiro de bacamarte vindo do forte ecoou quase no mesmo instante. Mas, sem luz, o atirador não o acertara.

Seguiram-se outros tiros e gritos de dor partiram da massa escura dos assaltantes.

Martin compreendeu logo que seus planos haviam sido revelados e que o almirante, por sua vez, lhes havia preparado uma cilada. Refugiado no forte com seus cavaleiros, ele descarregava um tiroteio cerrado contra os atacantes. O pânico tomou conta deles. Ouviram-se barulhos de debandada, de queda. Os escoceses haviam aproveitado essa distração para se vestir à sua moda com um pedaço de pano em volta dos quadris e, feito isso, não hesitavam mais em se lançar furiosamente na confusão. Do canteiro de obras do forte, o grupo de Villegagnon despencou-se para a praia, de sorte que barrava a retirada dos trugimães. A voz do almirante troava no meio dos combates.

A única parte do plano de ataque que se revelava exata era a neutralidade dos artesãos. Escondidos em seus alojamentos, a tudo assistiam imóveis.

As canoas que haviam trazido os homens de Le Freux haviam ancorado em dois lugares: na ponta sul da praia e, do outro lado, em direção à baía, metendo-se entre os recifes. Os fugitivos precipitaram-se pesadamente nas canoas, ameaçando fazê-las virar, e os remadores juntaram seus gritos aos dos combatentes e dos feridos.

Martin procurava outra saída. Vendo que tudo estava perdido, voltava a encontrar a ambição familiar, que até então sempre satisfizera: abandonar os outros à própria sorte e salvar a pele.

Foi na direção dos escaleres, mas os escoceses haviam chegado antes e montavam guarda em grande número. Primeiro, ele teve a idéia de ir a nado; há muito tempo praticava esse exercício, prevendo numerosas fugas com as quais sonhara. Mas a costa ficava muito distante.

Restava uma solução. Voltou à sede do governo e quis contorná-la para atravessar entre o forte e o reduto norte. Ao dobrar a esquina, viu uma sombra vir ao seu encontro, empunhando a espada. À luz do braseiro próximo, reconheceu Just.

— Não se mexa — ordenou-lhe este calmamente.

— Vejam só! — disse Martin. — Clamorgan. E me colocando em guarda. Vamos, deixe-me ir embora. Eu quis salvá-lo, não se esqueça disso.

— Você quis me afastar.

— E eu tinha razão — disse Martin —, pois parece que você luta como um leão por seu novo senhor.

Just continuava mantendo-o à distância.

— Você preferia uma briga equilibrada, antigamente — recomeçou Martin sem tirar os olhos dele. — Esta não tem nada disso.

Como de hábito, tocara no ponto que incomodava Just. Viu seu adversário olhar rapidamente em volta.

— Está procurando uma arma para mim? — riu.

E como o outro se perturbasse, ele pulou para o lado. Just investiu, não o acertou, virou-se. A situação era a mesma, a não ser que Martin dessa vez não estava de costas para a parede de folhas de palmeira, mas sim cercado pela escuridão aberta.

— Você faz esgrima de manhã com Villegagnon, disseram-me. Decididamente, mesmo se eu tivesse uma espada, estaríamos em desequilíbrio... meu senhor.

Simulando uma profunda mesura, Martin levara o braço até o chão e, de chofre, jogou um bom punhado de areia fina nos olhos de Just. Cego, este baixou a guarda, levou a mão livre ao rosto. Sentiu quase na mesma hora o murro de Martin percutir-lhe o estômago e desmaiou.

Foi semiconsciente que ouviu o almirante aproximar-se esbravejando. Depois, umas mãos o levantaram, ele julgou ver Colombe. E alguém, nesse simulacro de sonho, queixava-se que Martin havia escapado.

*

Ao raiar do dia, tiritando, contaram-se os cativos, os feridos e os mortos. Quanto a estes, a conta foi rápida: além de Rupert que estava desaparecido, três soldados haviam expirado. Do lado dos assaltantes, contava-se uma vítima de arcabuzada e dois afogados que não conseguiram embarcar. Havia mais dois soldados feridos, mas sem gravidade. Finalmente, na esplanada em frente à sede do governo, havia quatro cativos presos por braçadeiras de ferro que haviam sido trazidas dos barcos. Le Freux, Vittorio e Egídio estavam entre eles, mais um outro com o rosto todo costurado, emplumado como seu senhor, desdentado, parecendo um abutre.

Just fora levado para o baldaquim do almirante onde Colombe o velava enquanto ele voltava a si.

Era a hora da prece matutina. Villegagnon mandou buscar Thevet. Acabaram encontrando o franciscano escondido no canto de uma cisterna, embaixo da muralha do reduto sul. Ele tremia todo e afirmava gaguejando que nunca tivera tanto medo na vida. Puxava, supostamente para se acalmar, curtas baforadas nervosas de um enorme charuto de tabaco que ele sempre tivera a intenção de guardar para as grandes ocasiões.

— O senhor vai ou não conduzir a prece agora de manhã? — intimou-o Villegagnon.

— Minha decisão está tomada — disse Thevet com o olhar vermelho de um rato perseguido. — Volto para a França.

Villegagnon achava que o sábio sempre havia sido mais um fardo que uma ajuda. Obviamente, deplorava que a colônia ficasse assim privada de capelão, mas alguma vez fora o pobre cosmógrafo outra coisa senão um sábio?

— Está me ouvindo? — esganiçou-se Thevet, a quem a fraqueza do adversário de repente enchia de coragem. — Exijo partir com a expedição da *Grande-Roberge.*

O almirante deu um sorriso pálido e respondeu com doçura:

— Embarque hoje mesmo, padre. Conseguiremos passar sem o senhor.

Depois, voltou-se para Just. O rapaz estava em pé e tomava uma sopa de feijão.

— Está melhor? — perguntou o almirante.

Just fez que sim.

— Ótimo! Permita-me dizer-lhe que você lutou bem.

Colombe abraçou o irmão. Quem haveria de imaginar que as praias de coqueiros seriam o terreno de suas cruzadas? Just estava mais bonito que nunca com as olheiras dessa noite de vigília, a palidez que lhe voltava nessa estação de menos sol e sempre esse porte taciturno e nobre que era agora realmente o de um homem feito.

Villegagnon, para finalizar esse episódio e antes de ir descansar, saiu na esplanada e foi postar-se diante dos prisioneiros. Parou diante de Le Freux.

— Seu plano quase deu certo — disse o almirante. — Mas as melhores máquinas têm seus imprevistos. Sem aquele doidivanas que veio me pedir para se casar com as quatro mulheres, eu nunca teria sabido de nada. De fato — prosseguiu voltando-se para dom Gonzagues —, podemos mandar esse pobre-diabo sair de seu esconderijo. Esses senhores o deixarão em paz.

Dom Gonzagues coxeou até a enxovia escavada no forte, onde Quintin fora abrigado.

Entrementes, o almirante, sempre em pé diante de Le Freux, anunciou sua sentença.

— Você será enforcado — anunciou o almirante olhando para Le Freux. — E você — prosseguiu olhando o outro trugimão emplumado —, você foi visto dando uma facada num soldado. Forca também!

Todo mundo observava os condenados, para ver de que lado iam cair: o da apatia e dos pedidos de perdão ou o do ódio puro de que eram em geral tão pródigos. De uma forma que em outra circunstância qualquer seria cômica, os trugimães alternaram expressões de espanto, desprezo, acabrunhamento e insolência. Depois, sem dúvida compreendendo que nada dobraria Villegagnon, Le Freux lançou em sua direção uma cusparada demasiado curta que aterrissou na areia. E todos compreenderam que para aqueles dois, pelo menos, o caso estava perdido.

Depois ele girou até ficar de frente para os dois homens, que estavam amarrados a Le Freux, de costas, pela mesma corda.

— E esses dois aí — indagou Villegagnon —, quem são?

— Inocentes, senhor — implorou Vittorio.

Seu compadre e ele estavam em prantos.

Le Thoret, que estava perto do almirante, disse apontando para o veneziano:

— Esse é um prisioneiro cuja pena foi comutada.

— Então seu destino é viver sempre a ferros?

Vittorio viu nessa interpelação uma oportunidade de remissão. Afinal de contas, ele havia prestado atenção até o último instante, quando partiram para atacar a ilha: ninguém jamais lhe dissera "Ribère". Ele se ligara a impostores e não via por que ser solidário com sua queda.

— Ah!, meu senhor — gemeu —, minha fraqueza é cair sempre nas mãos de gente ruim que me leva a agir mal. Esses aí me chantagearam, para me ligar a eles.

Dizendo isso, apontou com a cabeça para Le Freux que estava atrás dele.

— Você se ligou sozinho — zombou este — até hoje de manhã, em todo caso.

— Cale a boca, sem-vergonha! — esganiçou-se Vittorio. — Você me corrompeu enquanto eu vim aqui para redimi-lo.

Egídio, vendo a brecha, mergulhou ali e começou também a se queixar de Le Freux. Com um gesto irritado, Villegagnon encerrou esse concerto de agressões.

— Alguém os viu matando? — perguntou para todo mundo ouvir.

Ninguém afirmou ter testemunhado isso.

— Nesse caso, que lhes seja dada mais uma chance. Eles trabalharão acorrentados até eu decidir em contrário.

O sol, naquele dia, não parou de brilhar, prova de que as chuvas chegavam ao fim. O almirante concedeu uma sesta generosa, o que permitiu a todos esquecerem os sustos da noite passada. Até as sentinelas dormiram. Assim, quando Martin, que chegara a nado à *Grande-Roberge,* escorregou por uma amarra, como aprendera a fazer na infância, ninguém reparou no leve rumor que ele fez na água. Silenciosamente, foi nadando até os escaleres, soltou um, puxou-o até duzentas braças da ilha. Então, içando-se por sobre a borda, pegou dois remos e pôs-se a remar com vontade.

Um escocês sonolento viu-o quando ele já estava quase na praia. Enquanto foi buscar um bacamarte e acabou de carregá-lo, Martin já havia desembarcado e sumido.

CAPÍTULO 11

Há vitórias que desesperam. A que Villegagnon acabava de obter era uma delas. O comandante trancou-se para refletir sobre esse fracasso. Durante dois dias, não o viram sair do aposento dotado de seteira onde ele trabalhava, comia e dormia. Só que ele não trabalhou nem comeu nem dormiu, ocupado que estava em caminhar de um lado para o outro gemendo. De vez em quando, parava e, com um grito, dava um murro violento no tampo de carvalho de sua mesa.

A obra era boa, Virgem Santíssima! Trazer a assistência da civilização a essas regiões de canibais era uma empreitada justa, gloriosa, necessária. Mas, para levar a bom termo essa grande Idéia, com quem ele podia contar? Com covardes e ladrões, ex-condenados e maus operários. Na própria noite em que os trugimães foram derrotados, quatro escaleres de desertores conduziram para a floresta trinta desses miseráveis. Eles preferiam a vida de luxúria entre os índios ao futuro honesto que lhes era oferecido.

Villegagnon dera ordens para que o acampamento dos civis de agora em diante fosse vigiado dia e noite. Uma sentinela dormia também no porto próximo aos escaleres. O inimigo externo não viera (ainda): a mortal corrupção brotara de dentro e toda a obra encontrava-se ameaçada com isso. Era preciso portanto renunciar? A própria palavra, para não falar na idéia, horrorizava-o. Diante das muralhas de Argel, em 1540, debaixo de chuva, quando Carlos V, a quem ele acompanhara a pedido da ordem de Malta, dera o sinal de retirada, ele, Villegagnon, fora o único de vinte e dois mil homens, dentre os quais quatrocentos cavaleiros, a voltar para fincar sua espada na porta da cidade. Ganhara ali uma arcabuzada, uma fratura ruim no braço esquerdo e algumas chacotas. Mas e daí, ele gritara aos mouros estupefatos que miravam nele de cima das muralhas: "Nós voltaremos!" Então, Le Freux...

Quando pensava nisso, Villegagnon dizia a si mesmo que o erro todo fora confiar a Thevet a tarefa de enquadrar seu rebanho corrupto. O franciscano não valia nada como pastor, não tinha de eclesiástico senão o hábito, quando se lembrava de abotoá-lo. Não se podia recriminá-lo por sua indiferença religiosa. Ele era feito à imagem daquela Igreja da França, inteiramente voltada para os interesses seculares: ao menos os seus não eram nem prebendas nem mulheres, mas somente a ciência. Podia-se absolvê-lo disso.

Mas o problema continuava o mesmo. O almirante escrevera ao rei e a Coligny para pedir reforços de soldados, de novos colonos e de fundos. As cartas partiriam em dois dias com a *Grande-Roberge* e com Bois-le-Comte. Mas, mesmo que lhe enviassem o que ele pedia — não se iludia muito quanto a isso —, restava o principal: o enquadramento espiritual desses miseráveis, a espinha moral da França Antártica, a alma de Genebra.

Esta era a palavra mais terna pela qual designava sua colônia. Genebra soava como Geneviève, e Geneviève era uma jovem de quinze anos que, quando ele tinha vinte, não o quisera. Genebra, Geneviève, Genève.

Calvino!

O punho de Villegagnon abateu-se sobre o carvalho e fez voar a jarra de estanho.

Calvino! Genève! Calvino, o reformador de Genève, Calvino, o grande pensador cristão que apelava para uma reforma da fé. Calvino, o homem fino, muito diferente daquele grosseiro Lutero que desencadeara anarquia e devassidão entre os alemães e que, felizmente, estava morto há dez anos, maldita fosse sua alma. Calvino, seu amigo!

Ainda que seus destinos depois tivessem sido diferentes, Calvino e Villegagnon haviam sido colegas na faculdade de Orléans. Pois o almirante a princípio não fora destinado às armas. Em sua pequena família de magistrados, em Provins, era-se naturalmente homem da lei. Após estudos honestos, embora de direito, Villegagnon inscrevera-se como advogado no parlamento de Paris. Aos vinte e um anos é que escolhera seu verdadeiro caminho. Talvez por causa das três espadas fincadas na areia que figuravam em seu brasão, talvez por causa de suas leituras de criança, talvez por causa de seu físico já por demais avantajado para o espaço dos causídicos e que o tornava mais apropriado para defender que para executar, talvez por causa de Geneviève, ele vestira para sempre a túnica carmim com a cruz-de-malta branca.

No entanto, quando recordava esse passado, e pensava em todos aqueles que lhe fora dado conhecer, era para os estudiosos, os artistas e os filósofos que Villegagnon dirigia sua admiração tonitruante. Cícero, Plutarco, Justiniano, Alciat para ele eram deuses. E Calvino, ao publicar há vinte anos a *Instituição da religião cristã*, conquistara seu lugar entre eles.

Sua paixão por ele estava tanto mais intacta quanto eles jamais se tornaram a ver. Se pensava em Calvino, Villegagnon via o aluno pálido, debruçado sobre seu trabalho, o jovem magro e febril que uma secreta humilhação de família inclinava a uma ávida revanche do espírito.

Era tão mais sobrenatural pensar que sob sua pena haviam nascido as suntuosas frases latinas da *Instituição*. Que a obra tivesse provocado polêmicas e anátemas, lhe era indiferente. Vivia-se numa época de idéias novas e de audácia. Villegagnon não duvidava que Calvino, homem do retorno às simplicidades dos primeiros tempos da Igreja, fosse a pessoa de quem ele precisava para armar seu rebanho em debandada.

Acendeu uma candeia, pois, a essa hora da noite, já não enxergava mais, e escreveu uma bela carta endereçada a ele. Lembrava-lhe inicialmente os velhos tempos de sua amizade, depois descrevia a colônia sob uma luz decerto favorável, mas não mentirosa. Estendia-se longamente sobre as grandezas futuras da França Antártica, mas não escondia de Calvino que precisava de uma assistência espiritual para botar no bom caminho suas tropas em debandada. Quantos pastores devia pedir a Calvino? Após ter pensado muito sobre isso e inicialmente ter deixado em branco o número, disse a si mesmo que cinco ministros seriam convenientes para assegurar na ilha um culto atento, e era melhor solicitar o dobro para conseguir esse número. Escreveu: dez. Interrompeu-se para refletir, depois voltou precipitadamente à escrivaninha. Se era para dar livre curso à sua audácia, acrescentou com uma pena firme que o envio de jovens casadouras seria também muito útil para a colônia. Não que a entrada do sexo frágil nesse santuário não lhe fizesse recear complicações, mas ele se rendia às evidências. Esses brutos sempre encontrariam o que se lhes queria proibir. Era melhor que jovens recatadas e de boa moral permitissem que os costumes se estabelecessem corretamente. Os primeiros casamentos seriam assim celebrados com cônjuges enviadas por Genève. Os que não tivessem o privilégio de conseguir uma poderiam ao menos se inspirar nesses exemplos para acertar sua conduta com as indígenas. E se, além disso, Calvino encontrasse entre seus genebreses uns artesãos hábeis, uns virtuosos lavradores, todo tipo de homens abundantemente dotados de coragem e de fé, que tivessem vontade de emprestar suas qualidades à grande empreitada brasileira, que os enviasse sem hesitar juntamente com os ministros e as virgens.

Na hora de apor um carimbo à missiva, Villegagnon foi assaltado por uma última dúvida. Decerto eram poucas as chances de Calvino responder favoravelmente a esse pedido. Havia muitos outros encargos e ambições. Mas, supondo que o fizesse, o que diriam em Paris? Villegagnon, que tinha a amizade dos Guise, que era cavaleiro de Malta e vice-almirante da Bretanha, não seria acusado de traição chamando para junto de si homens que a Igreja considerava suspeitos? Queira ou não, e apesar da moderação de sua doutrina, Calvino era considerado um huguenote, colocado por seus detratores no mesmo saco que a peste luterana.

Villegagnon ainda caminhou um pouco em círculos. Depois, como as mariposas que o ar úmido atraía em volta da candeia, descartou essas objeções com um gesto. Lembrou-se da corte de Ferrara, onde havia passado uma temporada. Renata de França, filha de Luís XII e mulher do duque de Ferrara, fazia reinar à sua volta uma mentalidade culta e tolerante onde todas as idéias novas eram debatidas. Bispos eram recebidos ali, e Calvino, apesar disso, era estimadíssimo. Diziam até que era o confessor da duquesa.

Villegagnon conteve-se para não bater mais na mesa, pois não queria perder sua luz. Mas, pronto! Eis o que queria fazer de Genebra: um lugar de paz onde cada um teria seu lugar, onde as audácias do espírito alimentariam uma fé verdadeira, de acordo com a simples frugalidade das origens, para o que as próprias condições da colônia ajudariam naturalmente.

Pôs a carta no contador de ébano, junto às que seriam confiadas à *Grande-Roberge*. Depois, com um grande gemido de cavilhas e encaixes bichados e corroídos pela umidade, atirou-se em sua rede atravessada na cama e começou a roncar instantaneamente.

*

As más notícias chegaram todas juntas naqueles dias após a vitória. Primeiro, ao se contar os que haviam fugido, viu-se que, entre eles, figuravam representantes de algumas corporações de ofício essenciais, tais como carpinteiros, ferreiros e um boticário. Então, ao ir fazer aguada, os marujos foram atacados, e quatro deles, crivados de flechas. Quando se trouxeram de volta os corpos, foi fácil reconhecer a seta comprida que os índios usavam confeccionada de caniço, com a ponta de osso ou às vezes feita com o rabo de uma raia venenosa. Era evidente que não se devia mais esperar a simpatia dos tupis, ao menos os da costa próxima, colocados sob o domínio dos trugimães derrotados. A conseqüência era que a comida fresca não mais seria encaminhada do continente. Seria preciso se agüentarem com as reservas de farinha, de mandioca e de salgados que Villegagnon felizmente tomara a precaução de acumular. Foi lembrado que, nos porões dos barcos, muitas barricas de grãos ainda não haviam sido descarregadas: centeio, trigo, cevada, rabanete, couves, alhos-porós. Havia com que se plantar tudo. Mas o almirante, optando por fortificar a ilha, não deixara disponível nenhuma terra arável, além do forte e das habitações. Era tarde para remediar isso e, de resto, a maioria das sementes, quando se foi ver, estava bichada e mofada. Todas as esperanças repousavam então na missão da *Grande-Roberge.* Bem negociada, sua carga permitiria provê-los de todo o necessário. Se fosse preciso agüentar seis meses esperando, eles apertariam os cintos e, conforme a necessidade, iriam fazer algumas compras nas feitorias normandas do fundo da baía — humilhação que Villegagnon esperava evitar a qualquer preço.

Na véspera da partida da *Grande-Roberge,* o almirante convidou seus oficiais superiores, Thevet e seus dois pajens para um jantar de despedida. A conversa precisava ser alegre para fazer esquecer o pouco que os pratos e os copos continham. Villegagnon empenhou-se nisso com sucesso. Seu corpo maciço e forte, à vontade nos campos de batalha, também aprendera nas cortes principescas a ser o instrumento do encanto e da poesia. Sua voz grossa fazia-o declamar versos com uma energia tão controlada que parecia exprimir as forças imensas que trabalham a alma apaixonada. Tinha uma capacidade ímpar para transmitir o trágico, o patético e, quando de repente começava a rir, o cômico. Acrescentando-se a tudo isso o fato de que cantava com uma voz de barítono suave e firme, compreender-se-á que esse cortesão perfeito pudesse fazer esquecer por essa noite a posição desesperada em que todos se encontravam por ora.

Uma garrafa de vinho que milagrosamente escapara dos perigos da travessia e da série de provações a seguir foi trazida à mesa pelos escoceses, com tanta delicadeza quanto se fora uma relíquia. Villegagnon abriu-a e, para a ocasião, mandou tirar copos de cristal de um estojo. Nada de canecas de estanho para esse néctar. Era preciso beber completamente, ou seja, primeiro com os olhos, fazendo a candeia faiscar lentamente em seu escarlate. E antes de erguer um brinde, Villegagnon pousou o copo e, olhando para Just, tirou uma folha de papel do bolso.

— "Senhor Just de Clamorgan" — leu —, "em nome de meu superior da ordem de Malta cujos poderes me são para isso conferidos, declaro..."

Toda a assembléia, novamente séria, um sorriso enternecido nos lábios, olhava Just.

— "... que durante o combate de 12 de fevereiro de 1556 na baía de Genebra, no forte Coligny, o senhor demonstrou grande valentia tanto para espionar o inimigo e persegui-lo quanto para investir sobre ele e repeli-lo. Um adversário desleal lhe fez um ferimento que poderia ter comprometido sua vida. Em conseqüência do que concedo-lhe a honra, para servir a Nosso Senhor Jesus Cristo, de usar as armas de cavaleiro."

Era uma cerimônia inesperada, anacrônica e que, em outra circunstância qualquer, poderia parecer cômica, mas Villegagnon oficiou-a com uma convicção que só os que se dedicam a transmitir uma tradição que sabem já morta demonstram. E Just, sem se deixar enganar por seu prazer, pretendia aproveitar a suspensão do tempo nessas terras desconhecidas para acreditar na ilusão de que essa fábula era verdade. Levantou-se, Villegagnon pousou-lhe a espada nos ombros e na cabeça, pronunciou algumas fórmulas aproximadas e encerrou o ritual com uma franca acolada.

Veio em seguida uma aclamação geral, depois bebeu-se. O amargor do vinho tinha um gosto de tristeza e de adeus. Cada um acompanhou seu percurso dentro de si mesmo até onde pôde, como se, ao acompanhar esse fogo nas profundezas, se encontrassem depois os lugares caros desaparecidos e todos os amores perdidos.

— Sua vez chegará — disse Villegagnon a Colombe. — Quando resolver criar barba.

Todo mundo riu menos ela, que ficou um tanto constrangida.

— Meus filhos — recomeçou Villegagnon sem insistir —, seu valor não é fortuito. É sinal de raça. Seu pai era um homem de armas perfeito.

Depois sentou-se, sinal de reflexão e contrariedade.

— Quis o destino que ele começasse por uma derrota. Ele estava em Pavia quando o rei Francisco I foi feito prisioneiro. E seu pai o acompanhou no cativeiro. Tudo talvez tenha vindo daí...

Ensombrou-se, acompanhou um pensamento que não manifestou. De repente, voltou a si.

— Depois — recomeçou falando mais alto —, ele fez as campanhas da Liga de Cambrai; em seguida, Sua Majestade enviou-o a Roma para negociar o casamento de Catarina de Médicis com seu filho, nosso rei atual.

Os olhos de Just brilhavam.

— Foi assim que ele se tornou um homem da sombra, meus filhos, um negociador, um emissário secreto, encarregado de tarefas complicadas e que não deixavam de ter riscos. Dois agentes do rei foram assassinados no rio Pó em 1544, quando estávamos em paz.

— Então — disse Colombe com espanto —, quando ele nos levava de cidade em cidade, não era para lutar?

— Às vezes, ele lutava com armas de verdade. Com freqüência, manejava outras, mais secretas; preparava a paz ou a guerra.

Ele tossiu.

Just e Colombe se olharam. A idéia de que seu pai fosse qualquer outra coisa que não um soldado os desorientava. E nada os surpreendia tanto quanto saber que ele poderia ter sido uma espécie de diplomata.

— Não lhes posso dizer muito mais — concluiu Villegagnon então —, pois não nos víamos muito.

— E sua morte? — perguntou Just, que parecia cobrar o pagamento de uma dívida.

O almirante baixou os olhos e refletiu. Em volta da mesa, Bois-le-Comte, o oficial que devia comandar a *Grande-Roberge,* estava tenso e sem expressão. Thevet dormia e dom Gonzagues estava perdido numa rima inencontrável para Marguerite. Só Le Thoret acompanhava com atenção essa conversa.

— Sei o que todo mundo sabe — disse Villegagnon com irritação. — Ele foi morto em Siena, na Toscana, um ano antes de nossa partida.

— A Toscana não é... espanhola? — perguntou Just que sabia alguma coisa sobre a Itália graças a leituras recentes.

— É, mas a cidade de Siena se revoltara e chamara os franceses.

Um mal-estar estranho impedia Villegagnon de falar à vontade. Ele trocou um olhar cheio de desconfiança com Le Thoret.

— Finalmente, lutamos ali, pronto, e seu pai morreu.

— Ouvi dizer — lembrou Just — que ele estava em desgraça com o rei da França.

— De fato, ele antes havia se negado a se unir às tropas que defendiam o Piemonte.

— Por que o rei o mandou para Siena, se ele se negara a lutar no Piemonte?

— O rei não o mandou para lá — disse Villegagnon, mas o mesmo mal-estar o impedia de se explicar melhor.

Le Thoret continuava a olhá-lo intensamente; depois dirigiu o olhar severo para os Clamorgan.

— Quer dizer — disse Just afligindo-se — que ele estava com os espanhóis?

— Tudo isso é muito confuso — cortou Villegagnon apressadamente e acrescentou com uma voz possante: — E, aliás, eu não estava lá.

Seguiu-se um longo silêncio.

— E nossa mãe, o senhor a conhece? — interveio Colombe.

Há muito tempo ela esperava a oportunidade para fazer essa pergunta embaraçosa. Como dessa vez não parecia possível agravar o mal-estar, ela se decidiu.

O silêncio que se fez era tão intenso, que tirou dom Gonzagues de seus versos e Thevet de seu sono.

— Não! — disse Villegagnon laconicamente e, para não ser pressionado a ir mais além, levantou-se de chofre e fez um brinde ao novo cavaleiro.

— Agora — continuou depressa para não ver voltarem as questões constrangedoras —, meus queridos filhos, eis uma última coisa que eu tinha para lhes dizer. Vocês me serviram lealmente, embora as condições de sua partida não tivessem sido normais. É meu dever...

Antes da frase seguinte, ele se interrompeu e, em seu rosto coberto por uma barba escura, viu-se tremer um pequeno nervo acima do queixo.

— ... dizer-lhes que são livres. Se quiserem embarcar na *Grande-Roberge* e embora, afora o senhor abade, ela não leve nenhum passageiro, eu os autorizo a isso.

Just e Colombe estremeceram e, entreolhando-se, leram cada um nos olhos do outro a mesma perplexidade quanto ao significado dessa emoção.

— Não estou lhes pedindo uma resposta imediata. Procurem entrar num acordo. A *Grande-Roberge* zarpa amanhã à tarde. Até ser retirada a passarela, podem se decidir.

*

Just não disse uma palavra quando foram se deitar. No dia seguinte, chamou Colombe para uma conversa decisiva. Os dois seguiram pelo pequeno caminho que, entre as fundações ao norte da fortaleza e a linha recortada dos recifes, já se tornara um lugar de meditação para os melancólicos e de complô para os revoltados.

Just preparara uma longa explanação que Colombe ouviu caminhando devagar ao seu lado. Ele desenvolveu francamente todas as razões que eles tinham para regressar, a usurpação da herança de Clamorgan, seu futuro, a dignidade de Colombe, e tomou como ponto de honra dar a todos esses argumentos uma força predominante. Depois, evocou a posição contrária: a posição desesperada de Villegagnon, a ajuda que eles podiam lhe dar, a grandeza da França Antártica.

Colombe sorria e deixava seu olhar percorrer a costa distante, para o lado da grande ilha dos maragatos que se via ao longe. O sol confirmava seu triunfo mais um pouco. As nuvens vencidas rastejavam no chão a oeste, agarradas a longínquas cadeias de montanha. Saturada de um excesso de verde das chuvas das últimas semanas, a natureza redobrava de ternura e sedução.

Quando Just afinal se calou, Colombe lhe dirigiu seu olhar luminoso, impregnado do azul que o mar acabava de jogar ali, e disse rindo:

— Você se esforça muito, meu Just! Acha que não sei há muito tempo o que quer?

— E o que é? — exclamou ele corando.

Ela pegou-o pela mão e, saltitando à sua frente, foi sentar-se embaixo do aterro. O entulho já seco reverberava o calor do sol. Alguns restos de moitas, brancas de sal e de poeira, tremiam ao vento.

— Nós ficaremos — disse ela —, e estou feliz com isso.

Just estava abalado por emoções contraditórias. Não gostava da idéia de que alguém pudesse ler seus pensamentos com tanta facilidade. A seus olhos, um homem, ainda por cima cavaleiro, devia ser tão impenetrável quanto valente. Por outro lado, sentia com alívio que não teria que expor tudo o que sentia e que não lhe agradava mencionar.

Pois o dever pelo qual ele pretendia se decidir ajudando Villegagnon em sua perigosa posição era efeito da sincera afeição que sentia agora pelo cavaleiro. A oportunidade política de constituir uma França Antártica não era senão a cara improvisada que tomava para ele a idéia de honra, de glória e de sacrifício, que tinha suas raízes nas mais magníficas quimeras de sua infância.

Quando a *Grande-Roberge*, que seria comandada por Bois-le-Comte, partisse, restariam, para dar assistência a Villegagnon, Le Thoret e aquele pobre dom Gonzagues cuja saúde tornava-o cada dia mais apto para fazer versos e menos para qualquer outra empreitada.

Just sentia que era chamado à ação e ao comando. Colombe, por seu sorriso, dispensava-o de explicar toda a felicidade que ele sentia com isso.

— E você? — perguntou ele, confirmando com isso que, no que lhe dizia respeito, a decisão estava tomada.

Ela custou um pouco a responder. O que queria não era menos claro, mas ela não procedia, como ele, por dedução de argumentos abstratos. Tentava analisar claramente o que sentia e viu que dois sentimentos dominavam. O primeiro era o prazer que tinha de dividir a felicidade de Just. Não queria dizer nada e preferia deixá-lo acreditar que ela compartilhava os mesmos sonhos. No entanto, isso já não era tão verdadeiro. Na realidade, pouco se lhe dava a França Antártica. Ela olhava para essas idéias grandiosas com a mesma ironia com a qual olhava para Villegagnon, que pretendia encarná-las. Em compensação, um segundo sentimento a invadia há alguns dias.

— Quero voltar para junto dos índios — disse.

O destino de Paraguaçu, todas as suas amigas, aquele prisioneiro que desenfiava seu colar, os jovens, os velhos, as crianças, os guerreiros, toda a tribo lhe fazia falta.

— Os índios! — exclamou Just. — Nem pense nisso. Eles agora estão em guerra conosco.

— Os da costa — objetou ela.

A reação de Just obrigou-a a argumentar. Mas ela não tinha nenhum projeto, nenhuma intenção verdadeira. Só sabia que queria conhecer ainda uma vez a grande paz da floresta, banhar-se nos córregos e esforçar-se para perder sua sombra de barulho até poder andar na natureza sem perturbá-la.

— Conheço uma outra tribo, no interior, que poderia nos ajudar, talvez.

Improvisava.

— E sou a única de nós a falar a língua deles, agora.

Just olhava a irmã. A estranheza de seu rosto nunca o impressionara até então, esses olhos que pareciam ao mesmo tempo olhar dentro das pessoas e refletir a alma de quem contemplavam; essa beleza cada vez mais completa, longilínea, magra, florentina como a representaram os pintores dessa escola no século precedente.

O que os separava, pela primeira vez, tornava-se para ele mais visível que o que os reunira na infância. E todo o turvo encanto dessas diferenças enchia-o de uma emoção assustadora.

— Sim — disse tentando assumir uma contenção de político —, como trugimã, sem dúvida, você pode ser útil.

— E você pode convencer Villegagnon disso — emendou ela sem desconfiar que essa fórmula sem conseqüência seria captada pelo novo cavaleiro como a base de um acordo, ou seja, de sua parte, como um juramento.

Ele refletiu algum tempo.

— Está bem — disse afinal —, assumo o compromisso.

E surpresos os dois com o aspecto que tomava seu destino, voltaram aos escaleres para assistir à partida da *Grande-Roberge.*

CAPÍTULO 12

— Continue sem mim, não agüento mais — gemeu Quintin caindo sentado numa raiz grossa.

O chão subia e não era firme. Subtraía-se sob os pés. Troncos de louros e jacarandás erguiam bem acima da terra o trifório dos primeiros galhos, depois a abóbada da cobertura. O sol, difractado pelas folhas como através de um vitral vegetal, acabava de dar à floresta esse aspecto ordenado e colossal de catedral que deixava Quintin tão pouco à vontade.

— Vamos, não é hora de esmorecer — disse Colombe com irritação.

Tinha na mão uma das bússolas do navio que Villegagnon fizera a gentileza de lhe emprestar para se orientar na mata.

— Pensei que você conhecesse o caminho, que soubesse como estabelecer um vínculo com seus amigos...

— Tudo isso — disse Colombe sempre perscrutando o mostrador escuro — era para o almirante nos deixar partir.

— Meu Deus! — suspirou Quintin.

Estava menos espantado com o perigo que abatido antecipadamente com a idéia de acabar sua vida longe dos humanos e cercado de macacos.

— Dizer que talvez jamais eu torne a vê-las...

"As" designava suas quatro companheiras sobre as quais não parava de martelar os ouvidos de Colombe desde sua partida da ilha, há três dias.

— Não entendo — murmurava ela, indiferente às lamúrias do pregador. — Estamos quase no paredão que separa a baía da outra costa. Mas não cruzamos com ninguém.

— E com quem quer que cruzemos, Senhor, num lugar desses? — implorava Quintin. — É óbvio que nenhum outro ser humano jamais se aventurou por aqui.

É que ele não conhecia os nativos senão por ter alugado quatro índias, a fim de conduzi-las ao paraíso. Já Colombe se lembrava de ter percorrido trechos de mata assim fechada sem perturbar sua imobilidade. Ela sabia que os índios podiam não perturbar em nada esse silêncio sepulcral onde de vez em quando irrompiam sonoros sortilégios de pássaros invisíveis ou macacos gritadores. O fato de nenhum humano ter surgido desde que eles haviam entrado na floresta inicialmente a tranqüilizara, pois ela temia as tribos hostis da beira-mar. Seu isolamento, agora, era motivo de alarme para ela. Via duas explicações possíveis para isso, igualmente desfavoráveis: ou não havia ninguém lá, ou eles estavam perdidos. Ou a animosidade contra os colonos havia conquistado todas as tribos e eles deviam ter medo de ser vítimas disso de uma hora para outra.

Sempre de olhos grudados em sua agulha imantada, Colombe seguia para o sul ziguezagueando entre os troncos, quando, de repente, deu um grito.

— O que foi? — gritou Quintin levantando-se.

Num segundo, estava ao lado dela, olhando em volta sem compreender.

— No chão — balbuciou ela apontando com o dedo.

Um corpo nu jazia de costas. Era um índio da tribo de Paraguaçu. Sua esmeralda labial era bem reconhecível. A morte, amolecendo-lhe a boca, fizera o lábio cair em cima do nariz, como a tampa de uma jarra. Os olhos estavam abertos. A deterioração da floresta começava a fazer fervilhar em volta do cadáver um halo esbranquiçado de larvas que certamente já deviam lhe encher as entranhas. Mas a parte do corpo que se mostrava aos caminhantes ainda estava intacta. A pele, que guardava vestígios de pintura ritual de jenipapo nas coxas, não estava rasgada nem ferida. O homem não fora morto em combate. Aliás, era raro um combatente ficar assim no campo de batalha. Os índios se preocupavam muito em enterrar seus mortos. Quanto a seus inimigos, eles os consumiam, segundo se dizia, no próprio local do combate. Ora, aquele ali não fora saboreado senão pelos vermes.

O escuro da floresta não permitia um exame muito rigoroso. Mas Quintin, tapando o nariz, teve coragem de se ajoelhar para conferir, de perto, um detalhe que lhe chamara a atenção.

— Olhe essas pústulas — disse a Colombe que não demonstrava muito interesse por esse espetáculo e puxava-o para longe dali. — Ele está com o corpo coberto delas. Parece catapora.

Macabra, a descoberta desse despojo não deixava todavia de ser animadora para Colombe. Mostrava que estavam perto.

— Ele não deve ter tido tempo de chegar à aldeia — disse ela retomando a trilha.

Quintin já não pensava em descansar. Seguiu-a com perplexidade. Uma hora depois, encontraram outro corpo, com as mesmas marcas.

Apesar de tudo, Colombe conservou o bom humor, pois começava a se lembrar dos lugares. Chegaram à entrada larga da aldeia, onde estava dissimulada uma armadilha cujo mecanismo ela mostrou alegremente a Quintin. Eles o contornaram, viram de longe a grande oca e Colombe, toda feliz, quase corria e se anunciava aos gritos.

Mas nada quebrava o silêncio. A oca estava vazia, seu teto em parte afundado. A selva, com apetite, comia as clareiras e os terreiros que os índios haviam aberto com suas fogueiras. Salvo por alguns cacos no chão, nada subsistia do passado da aldeia. Mas tampouco havia cadáveres ali.

Colombe sentou-se num toco, pôs as mãos na cabeça e entregou-se à sua decepção. Quintin, a quem essas relíquias todas nada diziam, só via que, desde a partida, era a primeira parada que faziam num lugar mais ou menos decente. Tirou a rede do saco, estendeu-a entre dois postes e deitou-se para dormir um pouco. Mas o balanço lhe fez voltar à cabeça o suplício de Le Freux, que a essa hora devia estar pendurado na forca com seu infeliz sócio. Essa era uma das razões pelas quais Quintin ficara feliz de ter sido designado para acompanhar Colombe. Mas essa lembrança deixou-o com a boca seca: ele se levantou na rede levando a mão ao pescoço. Quis o acaso que exatamente nesse instante ele visse o homem que saía da oca e passava em silêncio por trás de Colombe para tentar entrar na floresta.

O indivíduo sem dúvida permanecera imóvel e escondido enquanto eles inspecionavam o interior da oca. Se fosse índio, teria se esgueirado para a floresta sem esforço. Mas era um branco e, embora habituado à floresta, precavia-se demais.

— Pare! — ordenou Quintin.

Aproveitava o fato de se encontrar na sombra para dar a impressão de estar armado. Dois mosquetes apontavam em sua voz. Infelizmente, como de hábito, Quintin não tinha coisa alguma à sua disposição para se defender.

Felizmente, o desertor não parecia hostil. Vendo-se descoberto, abriu ligeiramente os braços, virou-se e veio colocar-se na clareira, de frente para Colombe.

Tinha o rosto marcado, sem idade, daqueles que não se sabe se os trópicos envelheceram antes da hora ou conservaram além da conta. Um tufo de pêlos louros no cocuruto da cabeça por pouco o teria destinado a figurar nas coleções de Thevet, entre os abacaxis. Estava vestido como os trugimães com panos pitorescos, mas, diferentemente de Le Freux e seus beleguins, não fazia nenhum esforço para imitar a indumentária do fidalgo. Jaqueta e calções compridos sem forma deixavam-no parecido em termos de rusticidade com Colombe, diante de quem foi sentar-se.

— Olá! — disse ele tranqüilamente.

— É francês? — perguntou Colombe num tom de surpresa e quase de censura, de tal maneira lhe desagradava encontrar um branco nessa aldeia onde ela achava que iria rever seus amigos.

— Todo mundo é francês, por aqui, para não ser comido. — Depois acrescentou com esse mesmo sotaque muito carregado que o tornava apenas compreensível. — Até eu, que sou inglês.

— E o que faz nesta aldeia? — prosseguiu Quintin no mesmo tom sobrenatural de ira que julgava próprio para inspirar temor e respeito.

Mas o inglês tinha uma aparência tão plácida que essas ameaças soavam ridículas.

— O mesmo que vocês, imagino. Passeio.

— O que aconteceu com os índios? — perguntou Colombe.

— De onde vêm para não saberem? — disse o homem olhando-a atentamente.

O estranho e belo olhar da menina impressionou-o, mas ele não deixou transparecer medo algum.

— Foram embora em massa por causa da epidemia — continuou.

Quintin pulou da rede e, a curiosidade sobrepujando a desconfiança, também se adiantou para o sol.

— De catapora, é isso?

— Não sei de nada. Não há médico por aqui. Vocês conhecem os índios: eles dizem que isso é um espírito maligno e lhe deram um nome deles.

— Morreram todos? — insistiu Colombe.

— Todos, não. Mas muitos. Ouviram falar em Cunhambebe?

— Não, quem é?

— Um índio valente, que tinha matado muitos inimigos em combate e feito uma porção de prisioneiros. Seu povo o venerava como uma espécie de rei. Os negociantes das feitorias que ele visitava de quando em quando até o haviam ensinado a atirar de canhão. O que ele gostava era de botar um em cada ombro e fazê-los disparar sem largá-los.

O inglês levantou-se e, rindo, fingiu que descarregava duas peças para trás, virando a cabeça para mirar. Depois, sentou-se de novo lugubremente.

— Bem, o coitado morreu em dois dias, cheio de cascas.

Quintin sacudiu a cabeça. O desaparecimento de um fanático pela guerra não devia desesperá-lo. Mas ele pensava em suas quatro índias e fungava.

— Vocês vêm das feitorias? — arriscou o inglês.

— Não, da ilha. Estamos com Villegagnon — precisou Colombe um tanto rapidamente, pois sentia-se em segurança com esse homem.

— Coitados! — exclamou ele levantando-se de um pulo.

Ela lamentou sua franqueza e ouviu Quintin recuando.

— Se os índios os encontrarem — continuou o inglês —, jamais confessem isso. Eles estão convencidos de que foi a chegada de sua colônia que trouxe essas doenças.

— Convencidos por quem?

— Pelos trugimães da costa.

— Você não é um deles? — espantou-se Quintin.

— Eu! — disse o inglês indignado.

— Perdão — desculpou-se Quintin —, eu achava que todos os brancos desta costa fossem amigos de Le Freux.

— Le Freux — disse o inglês com desprezo. — É verdade que foi esse bandido que recebeu vocês. E vocês tiveram a recompensa!

— Ele também, a esta hora — objetou Quintin que, por essa réplica, estava quase feliz por saber que o trugimão estaria balançando numa forca.

Um silêncio constrangedor seguiu-se a esse diálogo.

— Nunca ouviram falar em Pay-Lo? — perguntou o inglês.

Colombe e Quintin olharam-se com perplexidade.

— É você?

— Não — exclamou o inglês. — Eu sou apenas Charles.

— Quintin.

— E eu, Colin.

Feitas as apresentações, todo mundo sorriu satisfeito. Colombe não conseguia acreditar que o mesmo cenário onde ela havia vivido com os índios pudesse servir para apresentar personagens tão diferentes. A idéia de que um simples nome pudesse aproximar dois seres e permitir saber quem eles eram pareceria bem ridícula aos tupis que ali viviam.

— Pay-Lo é o homem mais importante de toda esta baía — disse o inglês solenemente.

— A que tribo ele pertence? — indagou Colombe.

Charles riu mostrando os horríveis tocos de dentes que haviam sobrevivido a diversas travessias.

— À mesma que a nossa. Ou antes, à de vocês. É um branco e era francês antes de virar... o que é.

— Ou seja?

Quintin fizera essa pergunta com uma expressão amuada, sinal de que temia alguma nova enumeração de façanhas guerreiras à maneira de Cunhambebe ou de patifarias, como as de Le Freux.

— É um homem de grande sabedoria e extrema bondade.

— E onde vive esse santo? — perguntou Quintin em tom irônico.

O que ele sabia daquele país não o deixava muito disposto a acreditar que tais qualidades pudessem permitir que alguém sobrevivesse e fosse respeitado ali.

— A dois dias daqui, numa floresta que os índios chamam de Tijuca.

— Por que nos perguntou se o conhecíamos? — perguntou Colombe.

— Vocês queriam saber se todos os brancos estavam com Le Freux. Bem, estou tentando mostrar que muitos, felizmente, não reconhecem a autoridade desses bandidos.

— E esse Pay-Lo, de alguma maneira, é o chefe deles.

— Ah! — riu o inglês —, se ele os ouvisse! Ele, um chefe? Talvez, afinal de contas, eu nunca encarei a coisa dessa maneira. Em todo caso, é um chefe que não dá nenhuma ordem, não castiga, não distribui recompensas.

A descrição enternecida desse homem que eles não conheciam deixava os recém-chegados bastante indiferentes. Colombe, em particular, voltara à nostalgia que sentia dos índios e não se consolava.

— Conhecemos uns índios aqui. Acha que é possível encontrá-los?

— Será delicado — murmurou o inglês sacudindo a cabeça. — Os índios têm o hábito de ir embora assim, numa noite, porque suas maracas mandam que façam isso para acalmar os espíritos. Parece que alguns chegaram a um grande rio que fica para oeste e atravessa a floresta das Amazonas.

Colombe, com a ponta do pé, fazia rolar na terra dois pequenos búzios brancos caídos de um colar. Ocorreu-lhe procurar vestígios semelhantes para seguir a fuga dos índios. Depois, viu o absurdo dessa idéia. Suspirou.

— A única pessoa que pode saber alguma coisa é Pay-Lo — precisou Charles.

— Você nos passou a imagem de um velho sábio e eu o imaginava recluso.

— Ele é, mas, milagrosamente, sabe tudo. Aliás, tenho certeza de que os conhece.

— A nós? Villegagnon, o senhor quer dizer.

— A todos vocês e a vocês dois em particular, se tiverem tido relações com os índios.

Quintin se perturbou um instante, depois prosseguiu:

— E por que ele nunca se manifestou, se é tão bem informado e tão bom? Por que nos deixou nas garras de Le Freux até isso provocar a morte ou quase?

— Porque Pay-Lo sabe esperar.

— Sendo assim — indagou Colombe —, acha que ele pode nos ajudar a encontrar os índios?

— Acha — complementou Quintin sem deixar vir a resposta — que ele também pode ajudar a colônia a sobreviver fornecendo-nos víveres frescos e água?

— Pay-Lo — disse o inglês pausada e ponderadamente — não é um comerciante. Ele não tem nada para vender e não deseja comprar nada.

Quintin exprimiu sua decepção com um amuo.

— Mas se a causa de vocês for justa e ele quiser ajudá-los, ele tudo pode.

Colombe tomara sua decisão e, quando se virou para Quintin, compreendeu que ele estava de acordo com ela.

— Aceitaria, Charles — disse ela arregalando os olhos —, levar-nos até esse Pay-Lo, a quem gostaríamos de conhecer?

O inglês tomou-lhe as mãos e disse:

— Ah, eu ficaria muito feliz com isso. De verdade. Cada vez que posso apresentar Pay-Lo a uma pessoa que seja digna, parece que faço... algo de útil.

A contenção britânica freara seu impulso lírico, mas a emoção era sensível em sua voz sem a ajuda das palavras.

— Podemos partir hoje à noite, se quiserem — continuou ele. — Ainda estamos perto demais do litoral para meu gosto. Le Freux está morto, certo, mas parece que um jovem bandido que chegou com vocês conseguiu escapar e pretende ser agora o chefe dos traficantes da costa.

Martin, pensou Colombe.

— Ao que parece, ele é mais perigoso do que Le Freux era.

Quintin foi dobrar sua rede. Cada qual comeu dois peixes defumados, bebeu um pouco d'água e pôs-se a caminho.

Charles guiou-os através da floresta. Atravessaram encostas plantadas de imbés de folhas largas e moitas de aroeiras perfumadas nas clareiras. Encontraram novamente matas seculares e escuras, e grandes extensões secas cobertas de cássias em flor.

Sem parar de subir, mas dando mil voltas impostas pelos rochedos ou pelos riachos, às vezes contemplavam a baía cada vez mais longe. E certa manhã, entraram em imensas moitas de algodoeiros, de onde se viam emergir ao longe grandes pinheiros.

— Tijuca — disse Charles enxugando a testa. — Já vamos falar com Pay-Lo.

III

CORPOS E ALMAS

CAPÍTULO 1

Um ano se passara desde a partida da *Grande-Roberge* para a França. O inverno voltara, com sua umidade, suas poças, suas grandes enxurradas. Depois, tornara a dar lugar ao interminável verão tropical. Nesse ano de privações em que a água era escassa, tirada do fundo das cisternas, o sol inclemente quisera dar aos infelizes defensores do forte Coligny mais uma provação: o calor permanecera escaldante durante meses. De dia, os homens já não tinham mais a proteção da sombra, pois todas as árvores da ilha haviam sido cortadas. E, nas noites sufocantes, o socorro do sono também lhes era recusado: eles gemiam nas redes.

Tudo andava mais devagar. Emagrecidos, esgotados, muitos deles atingidos por febres constantes, os colonos não se mostravam muito mobilizados para o trabalho. O forte não ia para a frente. Suas muralhas a meia altura, longe de indicar o iminente término da obra, davam a todos a sensação de que a ambição de Villegagnon era superior às forças de que ele dispunha. A estação das chuvas, derretendo tudo, fizera os muros desmoronarem. Esses retrocessos atingiram tanto o moral quanto o edifício.

Desde a volta do calor, o continente, no litoral, com suas florestas ricas e sua sombra, exercia uma atração mais forte que nunca. Apesar da segurança redobrada e da vigilância constante, nove homens ainda conseguiram fugir.

Just, durante esse ano, tornara-se um homem feito, e sentia-se bem assim. Lera todos os livros da biblioteca trazida por Villegagnon e mostrava-se capaz de falar sobre os grandes temas da época. As aulas de esgrima haviam feito dele um verdadeiro homem de guerra. A força com que manejava a espada ou o bacamarte era tanto mais extraordinária quanto ele estava, como os outros todos, mais magro, coberto de eczemas e feridas. Em seu corpo já delgado, essas fraquezas pareciam atacar a pele até a trama e pôr a nu seu esqueleto. Seus dois olhos negros tomavam-lhe o rosto; a barba, que ele não podia raspar por falta d'água, cobria o resto. Só seus cabelos conservavam toda sua força negra. Villegagnon fizera dele seu braço direito, no mesmo nível de Le Thoret, que comandava os cavaleiros.

Just era responsável pela obra. Era a incumbência mais difícil: ele lidava com os homens e devia obrigá-los a trabalhar. As privações lhes forneciam um pretexto para se furtarem a isso. Mas a verdadeira razão da lentidão dos operários era, antes de tudo, o ódio que tinham a Villegagnon. Imputavam-lhe tudo: sua decepção por terem vindo para essa ilha, a crueldade de tê-los privado de álcool e de companheiras, a vigilância da qual eram objeto. Just, que agora abraçara as idéias de Villegagnon sobre a França Antártica, a grandeza da castidade, as belezas do sacrifício, encontrava nos trabalhadores da obra só sarcasmos e hostilidade surda. Quando tentava persuadi-los da necessidade de terminar o forte antes das novas chuvas e sobretudo quando evocava o perigo dos portugueses, via acender-se em seus olhos mais esperança que medo. A esses homens, tudo parecia preferível à manutenção da ditadura maldita de Villegagnon. Se os portugueses chegassem, eles os acolheriam como libertadores. Uma nova revolta não era para ser descartada. Os cavaleiros e Just dormiam armados e em grupo, assegurando turnos de guarda. Assim, as belezas pálidas da manhã tropical, o mar esmeralda e o céu lavado encobriam tantos temores e ódios que quase causavam horror, como um esgar pintado por escárnio na pele de um moribundo.

No continente, Martin retomara a antiga autoridade de Le Freux, aumentando-a com seu engenho. Para fazer frente aos normandos da outra margem, que estendiam sua atividade na direção do Cabo Frio, começara a tecer uma rede de relações com as terras situadas mais ao sul, do outro lado do rio das Vasas, e muito ao norte, até a Bahia. Dizia-se até que seus emissários agora estavam em contato com os portugueses de São Salvador. Seu ódio a Villegagnon continuava igual, e ele dificultava muito aos colonos o acesso ao continente, mandando atacar os escaleres, proibindo os índios de lhes vender qualquer coisa. No entanto, sua influência sobre as tribos não era exclusiva. Em sua maioria, salvo os da beira-mar, os índios continuavam fiéis a Pay-Lo, que Colombe conhecera na Tijuca. Graças ao acordo que ela fizera com ele, a ilha continuava recebendo mandioca, peixes secos e frutas. Os escaleres iam carregá-los à noite no fundo da baía, onde um pequeno grupo de índios, protegidos por uma ponta de pedra, haviam conseguido escapar da autoridade de Martin e seus trugimães. Assim, para subsistir, o almirante nunca precisou recorrer aos normandos do outro lado.

Colombe, depois desse êxito, fora encarregada de ir regularmente com Quintin à morada de Pay-Lo. Just continuava não gostando dessas perigosas viagens em terra indígena, mas compreendia sua utilidade. Ademais, devia alegrar-se pelo fato de sua irmã ser a única entre os imigrantes a conservar uma saúde admirável, extraída das águas claras da montanha, da sombra doce das florestas e das frutas que ela colhia nas árvores.

Ela havia partido há um mês quando, naquela manhã de domingo de março, um escocês encarregado da vigilância da ilha deu o alerta com muitos gritos. Quatro barcos cruzavam a barra e entravam na baía. Não eram os primeiros desde que eles estavam instalados na ilha. Toda vez, aliás, era a mesma confusão. Mas, até então, só haviam aparecido navios isolados, e todos haviam rumado para as feitorias. Esses quatro aproaram sem hesitação no forte Coligny. O vento em popa os impelia sem que tivessem necessidade de bordejar e, aparecendo de proa, não deixavam seus pavilhões à vista.

Durante um bom tempo, uma agonia silenciosa apoderou-se da ilha. Se a armada fosse portuguesa, a derrota era inelutável. O alerta, longe de levar a uma demonstração de força, evidenciara fraqueza. As muralhas inacabadas desmoronariam com as primeiras balas, os canhões mal conservados durante as chuvas não atirariam a não ser que a pólvora não estivesse muito molhada. Quanto à tropa, ela se encontrava em petição de miséria, esgotada pelas privações. Aliás, metade dos supostos defensores da ilha corria o risco de usar o pouco de energia que lhe restava para apunhalar a outra metade pelas costas.

Mas, por outro lado, se os navios fossem franceses, eles estariam salvos.

Passou-se uma hora sem que nenhum sinal permitisse identificar os recém-chegados. Os cavaleiros encomendavam a alma a Deus e os outros pediam ao diabo que os livrassem da sua. O calor era sufocante e um enxame de mosquitos, saído do brejo onde antes cresciam taboas, picavam as canelas como uma vanguarda traiçoeira.

Afinal, em sua luneta, Villegagnon pôde discernir um pavilhão. Era do rei da França.

A esperança devora tudo: se lhe for recusado o alimento que ela aguarda, contenta-se com outro, desde que a ajude a sobreviver. Todos os que esperavam a derrota de Villegagnon e a chegada dos portugueses aclamaram os franceses. Decerto, eles poupariam o almirante, mas, ao menos, salvariam a todos. Na ilha, só havia gritos de alegria, baques de ossos se encontrando em abraços magros, roçar de caras barbadas. Villegagnon ordenou que se desatracassem dois escaleres e instalou-se num deles para servir de piloto aos navios quando eles se aproximassem dos recifes. Sob o sol a pino do meio-dia, ele foi sem chapéu, com Just a seu lado, camisa aberta, em pé no barco no meio de cordas jogadas de qualquer maneira na pressa da partida. Quando chegaram junto do primeiro barco, cujo casco estava branco de cracas, iniciaram um breve colóquio com o pessoal a bordo. Os chefes da expedição queriam desembarcar imediatamente. O capitão mandou pendurar uma escada de costado ao pé da qual os dois escaleres esperaram sem balançar, pois o mar estava parado. Três personagens sérios desceram, um vestido como fidalgo rural e os outros dois todos de preto.

Foi no espaço sem recuo do escaler que se fizeram as apresentações. Os três homens estavam em ótimo estado para quem acabava de chegar de uma viagem de quatro meses.

— Philippe de Corguilleray, senhor du Pont — disse o primeiro homem, que usava um gibão de veludo vermelho e calções da mesma cor.

Esboçou uma grande saudação terrestre que uma onda interrompeu, e acabou nos braços de um dos remadores.

— Pierre Richer — anunciou um dos homens de preto sem sorrir nem abandonar o ar da mais preocupada gravidade.

Usava uma barba curta, grisalha, aparada em ponta. Nenhum ornamento vinha alegrar seu traje de mangas e calças compridas, negro como uma gralha, de linho grosso. Mostrando que era o chefe e que não se expressaria nenhuma opinião fora a sua, designou com um gesto parcimonioso o outro personagem vestido de preto e disse por ele:

— Guillaume Chartier.

Na mesma hora, uma rajada de vento buliu com a espinha da baía e encrespou a água em volta do escaler. Mas Villegagnon não tinha intenção de se deixar distrair por essa marola súbita que o transformava em marionete.

— O rei da França os envia? — gritou ele para saber a que grande figura dirigir suas lágrimas de alegria e suas ações de graças.

— Não — disse Richer, agarrado à cabeça de um remador. — Calvino. Somos ministros de Genève.

As ondas haviam passado, o barco estava de novo parado: foi tão-somente a surpresa e uma brusca comoção no cérebro que jogaram Villegagnon para trás. Ele se estatelou no barco e quase fez todos irem a pique.

*

Transportado sem consciência para sua cama, o almirante aos poucos voltou a si. Deu instruções a Le Thoret e a Just para acomodar os recém-chegados. Depois, permitindo-se pela primeira vez desde sua infância longínqua um dia na cama, concentrou-se na carta de Calvino que du Pont lhe entregara.

Enquanto isso, os navios ancorados perto dos outros dois, velas ferradas, faziam uma soberba armada ao sol. Um enxame de escaleres despejou na praia pencas de passageiros. Esse desembarque era bem diferente daquele que, há dois anos, depositara na ilha ainda deserta uma primeira carga de franceses. Os recém-chegados, em primeiro lugar, estavam bem de saúde. Sem ter a bordo um Villegagnon para proibir toda e qualquer abordagem, os navios aproveitaram para piratear algumas presas na viagem: navios mercantes isolados, comboios mal protegidos e até navios de guerra, desde que fossem inferiores em número e em armamentos. Tanto que ao longo de toda a viagem, estiveram abastecidos do necessário e até de um apreciável supérfluo. Uma nau de vinho da Madeira, interceptada pouco após a partida, os alegrara. Em seguida, tiveram o socorro de víveres frescos retirados das sotas de um inglês que singrara tão depressa desde Portsmouth que não consumira quase nada. E para terminar, antes de chegar ao Cabo Frio, apoderaram-se de um navio espanhol carregado de salgados. Prestes a chegar, deram-se ao luxo de rebocá-lo, após terem abandonado a tripulação à própria sorte em dois escaleres. Eis por que, tendo partido de França em três navios, eles chegaram à Guanabara em formação de quatro. Contentes com seu belo cruzeiro, agilizados por combates fáceis em que estavam certos de levar a melhor, bem alimentados e saciados de bons vinhos, os recém-chegados, reunidos na praia, defrontavam-se horrorizados com o bando mudo dos que os haviam precedido.

Magros, sujos, acossados, os veteranos da ilha estavam divididos entre a vergonha e um orgulho pernicioso. Vergonha de estarem reduzidos ao estado lamentável de uma tribo selvagem reclusa numa terra que ela mesma devastou. Orgulho de ver lhes serem entregues essas presas ainda bastante inocentes a quem seria necessário inculcar as duras realidades da colônia. Eles que tanto haviam sofrido tinham o sinistro consolo de não mais ser, de agora em diante, a última estação do sofrimento: podiam transferi-la para alguém mais desarmado ainda. Encarregaram-se disso imediatamente. Cada um dos veteranos, guiado pela semelhança com o que fora no passado, dirigia-se a seu homólogo: os soldados aos soldados, e os artesãos, ofício por ofício, àqueles que acabavam de chegar.

Mostrar a ilha, indicar onde os recém-chegados ficariam alojados, ou seja, no chão embaixo de telheiros de folhas de palmeira, transmitir informações relativas a horários e ao trabalho deram a oportunidade de estabelecer um primeiro vínculo. A decepção dos recém-chegados e sua confusão deixaram os antigos na expectativa de fazer alguns arranjos e avaliando o preço dos mesmos.

Just foi encarregado de conduzir a seus alojamentos os personagens mais importantes da nova expedição: Du Pont, Richer e dez artesãos protestantes, seguidores de Calvino, vestidos de preto como os pastores e convencidos da própria importância. As ordens de Villegagnon estipulavam que se mandasse evacuar os alojamentos dos cavaleiros para os oferecer a eles. Essas cabanas, encostadas na muralha em construção do forte, possuíam uma parte erguida em pedra e uma cobertura de placas de madeira. Na penúria geral, essas comodidades eram consideradas quase um luxo. Just, ao apresentar essas celas aos recém-chegados, tinha consciência de lhes dar uma grande honra. Mas um soluço indignado foi a recepção que teve, quando abriu diante de du Pont a poterna de pinho que dava para o primeiro cubículo.

— É nesse buraco que pretendem nos acomodar? — indignou-se o fidalgo.

Ele era mais ou menos da mesma idade que Villegagnon, mas sua constituição mais frágil dava uma impressão de usura e de sofrimento. Just, cheio de consideração, não sabia o que responder.

— É o que temos... de mais bonito — gaguejou.

— Como! Em dois anos, com todos esses artesãos, vocês não foram capazes de edificar casas melhores?

— Isso quer dizer — disse Just embaraçado — que o almirante quis dar importância primeiro à segurança. Construímos o forte...

Du Pont levantou o nariz para as muralhas em construção e o olhar de desprezo que lhes lançou deu a Just de repente a medida do que restava fazer para torná-las imponentes.

— Parece-me ter visto — interveio Richer com uma voz fina, vibrante como uma mola — que o Sr. de Villegagnon mora em instalações mais respeitáveis. Vocês encontraram tempo, ao que parece, para lhe edificar um palácio.

— Não para ele — protestou Just conservando um tom respeitoso. — Era preciso uma sede de governo para manifestar a autoridade do rei sobre estas terras.

— Uma sede de governo! — disse du Pont com condescendência. — Vamos admitir, mas, nesse caso, com que direito o senhor de Villegagnon seria o único a usufruir dela?

Ele estava prestes a se exaltar. O pastor Richer deu-lhe um toque no braço e, com um olhar significativo, fê-lo compreender que não era hora de acertar essa questão.

Du Pont recomeçou, tossiu e, após uma inspiração suficiente para abastecê-lo de ar durante toda sua visita, entrou na primeira cela. Os outros tomaram cada um posse da sua, Richer sozinho, o resto dos protestantes alojados dois a dois. Quando deixaram seus objetos pessoais e tornaram a sair com um ar abatido, Just convidou-os a prosseguir a visita. Levou-os à obra do forte.

— O almirante deseja, a fim de evitar tumultos, que o trabalho recomece a partir de amanhã. Podem mandar seu pessoal se apresentar na obra após a colação? Vamos dividi-los em grupos. Irei esperá-los pessoalmente para designar seus lugares.

— Nossos lugares! — exclamaram os recém-chegados.

— Villegagnon nos vê como seus cavoucadores? — emproou-se du Pont.

— Dele não, meu senhor — disse Just com seriedade —, da França Antártica. Ninguém está dispensado dessa tarefa. É da maior importância que este forte fique pronto antes das chuvas. Até agora, evitamos um ataque dos portugueses, mas...

— Rapaz — começou du Pont com superioridade —, seu almirante sem dúvida é excelente na organização...

Trocou um olhar irônico com Richer.

— ... mas, deixe-me dizer-lhe que não parece muito a par da política. Agora, mais do que nunca, é improvável que os portugueses arrisquem-se a descontentar a França nas Américas. Desde a abdicação do imperador...

— O quê! — cortou Just. — Carlos V abdicou?

— Há dezoito meses. Será possível... que desconheçam isso?

O espanto de Just mostrava que era. Os recém-chegados olharam para a ilha à sua volta com uma expressão ainda mais apavorada. Os que a povoavam encontravam-se num estado de abandono pior que náufragos. Eram sem dúvida os únicos civilizados a não ter ouvido a repercussão da notícia da queda do maior príncipe do mundo.

— Assim é que — recomeçou du Pont com a paciência que se usa para educar uma criança — a Espanha e o império encontram-se agora separados. Carlos V não chegou a legar tudo a seu filho Filipe II e seu irmão Fernando recolheu a coroa imperial. Todas as potências européias assinaram a paz. Não seria bem visto Portugal vir botar lenha na fogueira por...

Teve um engulho.

— ... esta ilha!

Essas notícias eram boas, mas os últimos meses de obediência e esforço haviam feito de Just um verdadeiro soldado.

— Não importa — disse sacudindo a cabeça. — Enquanto o almirante não tiver decidido nada, é preciso continuar o forte e eu os levarei amanhã aos seus lugares.

*

A noite surpreendeu todo mundo na confusão do fim da tarde. Baús jaziam na praia, os escaleres continuavam seu vaivém. Como era de se prever, dez dos veteranos aproveitaram o ensejo para fugir para o continente e constatou-se a fuga no dia seguinte.

Mas os recém-chegados não estavam habituados ao toque de recolher que a falta de candeias impusera aos habitantes da ilha. Acenderam muitas lanternas e até tochas nos quartos. Cada qual brandia sua lâmpada ou sua vela e a ilha inteira parecia em festa.

Quando essa iluminação adquiriu todo seu brilho, Richer, tendo na mão um grande candeeiro, foi atrás de Just e agarrou-o pela manga.

— Agora que escureceu — disse —, está na hora de desembarcar as jovens.

Just olhou para ele um instante como se se tratasse de recomeçar as maquinações secretas e condenáveis de Le Freux. Mas, pelo aspecto austero do pastor, compreendeu que era exatamente o oposto. O desembarque supunha manobras de pernas e de descida de escada que pareciam pouco compatíveis com a dignidade de virgens protestantes puras. Para destiná-las a casamentos honestos, convinha não fazê-las logo de início aparecerem em posições de circassianas.*

---

* Mulheres originárias da Circássia, região européia situada a noroeste do Cáucaso, onde os sultões escolhiam suas favoritas. [N.E.]

— O que está previsto para elas, em termos de alojamento? — perguntou Richer.

Como tinha sua idéia a esse respeito, acrescentou:

— Não poderíamos abrigá-las na sede do governo?

Just estava alarmado com a idéia de que Villegagnon, preso ao leito, fosse bruscamente confiado à guarda dessas criaturas. Mas que outra alternativa propor? Estava desesperado quando uma associação de idéias veio, de saiote escocês, lhe dar a solução.

— A palhoça dos guardas escoceses! — disse orgulhosamente.

Os pobres caledônios já haviam suportado sacrifícios bem piores. Seriam colocados na antecâmara de Villegagnon, que com isso só estaria mais bem guardado.

As jovens esperavam num dos barcos, trancadas no castelo de popa com suas governantas. Just acompanhou Richer para buscá-las. Quando entraram no aposento, viram cinco magros vultos negros em pé e outras tantas aias atiradas em cadeiras. Fazia um calor sufocante ali dentro. Quando Just entrou, os olhos baixaram, assumiram uma expressão recatada, o que não impedia que voltassem furtivamente para fitar o belo rapaz que acompanhava o pastor. Embora a claridade dentro e fora do barco fosse forte, Just não recebeu dessas jovens impressões muito nítidas. A bem dizer, o que o impressionou não foram os corpos nem as caras, mas aqueles vestidos pretos, aquelas farturas de mangas, um perfume de sabão misturado aos aromas um tanto azedos de um suor que não era de homem.

O navio não era muito confortável. No entanto, Just espantou-se com a idéia de que esses seres delicados iriam ser submetidos implacavelmente às condições precárias da ilha. Não lhe ocorreu que Colombe vivia ali com ele com a maior naturalidade e que as índias povoavam aquela terra em partes iguais com os homens desde a eternidade.

Passada a primeira emoção, um farfalhar de tecidos amassados e uns arrulhos aliados aos suspiros rabugentos das governantas tomaram conta do recinto. Dez rostos passaram diante de Just que não guardou nenhum, senão aquele, extraordinariamente amassado, de uma das camareiras que lhe fez pensar numa iguana. Ele se censurou por essa idéia e olhou para o chão, rubro de vergonha.

Entretanto as jovens, incomodadas com a brisa mais fria, agarravam atabalhoadamente e aos gritinhos a escada de costado.

— Ajude-me a transportar a última — disse Richer, de quem Just se tinha esquecido.

Atrás dele, entrou num compartimento do castelo que era separado da sala principal por uma cortina.

— Como vai ela? — indagou o pastor à governanta que estava sentada ao lado da cama.

— Creio que será preciso carregá-la — suspirou a aia. — A febre não baixou.

— Para essa, que está doente — insinuou Richer —, parece-me preferível reservar uma das cabanas ainda vagas, entre aquelas com que nos agraciaram.

Depois, fez menção de se inclinar para a alcova escura. Mas, com aquela musculatura franzina, não parecia muito capaz de levar um corpo, mesmo de moça. Just ofereceu-se, e o pastor lhe cedeu o lugar sem insistir. A doente estava enrolada numa ampla capa preta com um capucho que lhe escondia o rosto. Just disse a si mesmo que ali embaixo qualquer pessoa haveria de ferver. Enfiou as mãos sob o corpo deitado e sentiu-o estremecer. Com agilidade, levantou-o, surpreso com sua leveza.

— Cuidado — disse Richer.

Depois, para desfazer qualquer equívoco, acrescentou:

— É minha sobrinha.

Just já havia chegado à porta e saía no convés. Uma corrente de ar em volta do mastro de repente fez cair o capucho. Duas grandes lanternas, penduradas na verga da carangueja, lançaram indiscretamente sua claridade no rosto que apareceu. Com as longas mechas negras que o emolduravam e dois olhos febris que pareciam sorrir, era de tamanha beleza que Just quase deu um grito. Um leve franzir de lábios o deteve e, abaixando o capucho com uma das mãos, ele disse a si mesmo que não se desenharia uma boca de outra maneira se se quisesse significar um beijo. A desconhecida não se manifestou mais até ele a deixar no umbral de sua cela.

CAPÍTULO 2

Para Colombe, aquele ano fora feliz. Ela possuía liberdade de movimentos, ia e vinha da ilha ao continente. Vivia ao lado de Just e era uma grande felicidade ter deixado assim a infância para entrar na idade adulta sem se afastar dele. Achava-o cada vez mais belo, ria com ele de mil lembranças e pensava que sua nova pose de cavaleiro valente lhe ia bem. Ele mostrava uma grande energia nessas circunstâncias difíceis e ela o admirava por isso. Ele era severo sem ser duro, sabia empolgar os homens, seus olhos brilhavam de idealismo. Tudo o que em Villegagnon, seu modelo, chegava ao exagero e quase ao ridículo, nele assumia um equilíbrio, uma feliz modéstia que faziam a verdadeira grandeza. O almirante pregava a castidade repisando os mesmos anátemas contra a Mulher, o que Colombe não podia mais ouvir sem repugnância e revolta. Já Just adotara esse ideal como uma ascese e, ao contrário, conservava uma grande doçura no trato com as mulheres; dava provas disso sempre pela maneira humana como tratava as escravas índias da obra. Nesse rigor, Colombe encontrava facilmente seu lugar. Toda a ilha já adivinhara que ela era uma menina. Mas como era útil por suas viagens ao continente, além de muito querida, ninguém iria denunciá-la. Assim corriam dias de fraternidade em que, reconhecendo a diferença de seus sexos, Colombe e Just de alguma forma concordavam em não a levar em conta. Eles ofereciam a seu amor o espaço protetor e livre da amizade casta, da camaradagem de ação, em suma, de uma cavalaria viril que podia admitir também uma Joana d'Arc.

Colombe aceitava essa situação porque não tinha outra escolha e porque Just mostrava-se feliz com ela. Mas teria sido mais difícil suportá-la se suas longas ausências junto aos índios não a tivessem enchido de uma outra felicidade.

Desde que conhecera Pay-Lo, vira que reencontrara o mundo do continente e que este lhe era fiel, quando o julgara perdido e hostil. Guardava uma lembrança inesquecível deste primeiro encontro. Atrás de Charles, o inglês, Quintin e ela chegaram às serranias cobertas de mata que dominam a baía no sul. O pão de açúcar parecia pequenino, visto ali de cima, e o pico do corcovado lhe fazia uma concorrência esmagadora. Ao abafamento da baía sucedia o frescor vindo do mar, temperado com agruras de altitude. O domínio de Pay-Lo não era marcado por limite algum. Sentia-se que se entrava ali porque às essências selvagens de pau-brasil e pinheiro misturavam-se cada vez com mais densidade árvores úteis e que quase podiam ser qualificadas de domésticas: cajueiros carregados de frutos, copaíbas cujo tronco exsudava um óleo precioso, algodoais. Ninguém sabia se algum dia essas árvores haviam sido plantadas ou se, sentindo a presença de Pay-Lo, haviam ido até ele como os reis magos carregados de presentes.

Há pouco, num pinhal fresco estalando de agulhas secas, eles haviam encontrado o início de uma longa escada de toras. Durante quase uma hora, galgaram as centenas de degraus suaves de madeira e de terra solta que serpeavam no morro coberto por uma floresta suntuosa. Nesse caminho, bandos de sagüis e de papagaios lançavam suas aclamações. Mais acima, trinta pavões estendiam suas plumas coloridas como setas direcionais. Os caminhantes haviam cruzado com uma tribo de índios que desciam nus, como é natural, e sorridentes.

Afinal, a casa aparecera. Foi preciso Charles apontá-la para eles, pois eles não a teriam notado. Era, na verdade, um entrelaçamento de telhados de ramagens sustentado por troncos de árvores vivas. De alguma forma, dera-se uma cobertura ao peristilo natural da floresta, e a casa não era senão um jogo de divisórias de madeira colocadas entre esses troncos, levantadas pelas brotações, rachadas, erguidas, dobradas pelo crescimento da vegetação à qual se amarravam essas finas claustras. Contudo, havia uma ordem em todo esse conjunto. Embora não tivesse porta, a casa possuía uma entrada, à qual os degraus levavam. No chão, neste vestíbulo, fora colocado sobre a terra batida um painel de ladrilho português em cujo centro estava representada uma elegante cesta de frutas. Um jogo de jarras, cobertas de esmalte cor de fogo, mobiliava essa entrada em seu contorno. Uma confusão de bengalas, frutas velhas, sombrinhas aí se amontoava. Atrás de Charles, eles penetraram mais na casa. Em sua penumbra, esquecia-se a presença das árvores altas que faziam seu esqueleto. Um cheiro de argila fresca e de resina era só o que lembrava que a construção era um vão de natureza concedido pacificamente aos homens. Toda a habilidade de quem a arrumara consistia em tê-la escondido na montanha de um lado e, do outro, em tê-la aberto para o espaço do horizonte que nada poderia esconder. A vista, desse lado, caía por sobre as ondas azuladas da floresta até os longes da baía, cor de líquen claro. As grandes convulsões da costa, esses morros pontiagudos que lhe davam o aspecto de mandíbula de cão, dessa altitude adquiriam a ridícula importância dos acessos de raiva infantis. E para oeste, o espaço infinito das serras lembrava que a baía era apenas um corte num imenso continente.

A beleza dessa vista eclipsava um pouco o espetáculo do interior. Mas, quando se voltava à penumbra dos cômodos, não se ficava menos espantado. Eles eram mobiliados com objetos familiares e ao mesmo tempo surpreendentes; uma enorme efígie, arrancada da proa de um navio, feições contraídas, revestida de vermelho e ouro, arcas de couro ornadas de cabochões de bronze, esmaltes da França, uma baixela de prata. Tudo isso estava atirado de qualquer maneira, entregue à confusão e à familiaridade dos animais. Dois papagaios haviam tomado posse de uma gaveta alta, aberta numa credência. Toda uma sucção de insetos ligava essas madeiras trabalhadas ao chão de terra onde corriam raízes e desembocavam tocas. E, quando a noite caía, dezenas de sapos palpitavam ritmadamente na penumbra, como pequenos corações arrancados vivos de peitos sagrados.

Por ocasião da primeira visita deles, Pay-Lo estava doente. Eles foram recebidos por sua mulher, uma índia longilínea e circunspecta, enrolada num xale de algodão branco que lhe dava um ar de patrícia romana. Havia muitas outras mulheres, jovens ou velhas, circulando pela casa. Elas riam e não manifestavam nada que diferenciasse as senhoras das criadas. Quintin tinha os olhos brilhando diante de toda essa gente para converter. Colombe teve que chamá-lo se não à razão, pelo menos à prudência. Guerreiros tupis entravam e saíam com um ar marcial. Às vezes eram admitidos no quarto onde Pay-Lo estava recluso e saíam dali meditando sobre suas opiniões. A construção era tão frágil que, apesar da opacidade das divisórias e do atravancamento dos cômodos, ouviam-se passar todos os ruídos, como dentro de uma floresta. Gritos de crianças invisíveis indicavam que a propriedade de Pay-Lo devia ter muitas outras choças, dissolvidas na mata, e abrigar muitos agregados.

O primeiro encontro com o mestre aconteceu um dia pela manhã. Charles veio buscar Quintin e Colombe e anunciou-lhes com um sorriso largo que Pay-Lo sentia-se melhor. Ele os esperava no terraço de toras que prolongava o cômodo principal. Construída sem cobertura, essa simples plataforma de madeira estendia a mão no meio dos troncos de louros e pinheiros, sobre o fundo rutilante da baía distante.

Cada presença ganhava o valor de aparição e a de Pay-Lo era a mais perturbadora que havia. Tudo nele era frágil: seu corpo franzino, seu pescoço magro, suas mãos grandes, e, no entanto, como um assaltante teimoso que resiste às balas e às flechas, sentia-se que ele era capaz de manter a morte a distância há mais tempo do que seu destino determinara. Pay-Lo não era somente velho. Era a própria imagem do tempo. Tudo o que aparece da vida quando os anos a usaram até revelar seu coração e seu espírito transparecia em seu rosto enrugado. Uma barba branca segurava esses traços órfãos no berço calmo de seus cachos sedosos. Em suas bolsas franzidas, dois olhos claros pareciam felizes de ter banido toda censura, toda amargura, todo ódio, para estarem apenas límpidos de curiosidade.

Depois de ter saudado os recém-chegados, Pay-Lo virara-se para Colombe e, mergulhando no fogo de seus olhos claros, dissera-lhe:

— Com que então, estou vendo Olho-Sol.

Ao ouvir isso, ela teve a impressão de estar de novo entre aqueles a quem procurava. Até a entonação de Pay-Lo lembrava Paraguaçu, e Colombe não teve dúvida nenhuma de que ele soubera por ela de sua alcunha.

Mas, antes de abordar o tema dos índios, Pay-Lo, respondendo às perguntas que Quintin preparara metodicamente, apresentara-se e lhes falara da missão deles.

Eles primeiro ficaram impressionados com o fato de, efetivamente, ele saber de tudo. Desde o desembarque de Villegagnon na ilha até suas mais recentes rixas com Le Freux e Martin, Pay-Lo estava a par dos mínimos detalhes da colônia. Dedicou-se a dissipar esse mistério e a evitar a desconfiança deles.

— O que querem — disse com simplicidade —, os índios me contam tudo. Eles me conhecem. Sou o europeu mais velho desta terra.

— O senhor naufragou, suponho? — disse Quintin.

— Por extraordinário que isso lhes pareça, não. Vim para cá voluntariamente e foi por minha vontade que aqui fiquei.

— Era negociante?

Pay-Lo, magérrimo diante do gigantesco tronco das árvores, esfregou os olhos para afastar um véu de lassidão.

— Absolutamente — respondeu.

Obviamente, ele só consentia nessas confidências que forçavam sua modéstia porque elas lhe pareciam necessárias.

— Meu nome é Laurent de Mehun e os índios daí tiraram Pay-Lo, o que quer dizer pai Laurent. Meus pais eram de boa, porém pequena, nobreza, imaginem.

Ensinaram-me o *quadrivium* e tornei-me doutor em filosofia. Apaixonei-me pela geografia. Foi seguindo os mercadores normandos que aqui cheguei nos primeiros dias deste século.

— Mas — exclamou Quintin — os portugueses só chegaram em 1502!

— Exatamente, e se vocês tivessem chegado até dois anos antes, teriam conhecido um dos homens que eles deixaram aqui. Sabem que eles aportaram um pouco mais para cima, na direção da Bahia.

Pay-Lo fez um gesto indicando o norte e com essa vista que abarcava todo o continente, parecia que centenas de léguas podiam reduzir-se ao pequeno espaço indicado entre dois dedos.

— Cabral, que era o chefe dessa primeira expedição, embarcara ex-condenados em massa, porque ninguém queria se aventurar. Quando tocou no Brasil, mandou erguer uma cruz na praia e ordenou que ali fossem deixados dois dos degredados que lhe haviam sido entregues. Foi terrível, os infelizes gritavam, agarravam-se à borda dos barcos e os marujos tiveram que bater-lhes com os remos para fazê-los largar. Eles se viram naquela costa desconhecida, sozinhos, apavorados.

— E o senhor já estava lá?

— Há um ano. Eu havia me recusado a regressar com os normandos. Quando encontraram os dois portugueses, os índios os conduziram a mim. Um deles viveu aqui até morrer. O outro foi para São Salvador depois que os portugueses fundaram a cidade.

— Então — exclamou Colombe —, o senhor é que descobriu o Brasil!

— Isso não tem rigorosamente nenhuma importância. É preciso toda a pretensão dos europeus para achar que esse continente esperava a vinda deles para existir.

Colombe baixou os olhos. Censurava-se por ter expressado uma opinião tão ingênua.

— Quanto a mim — acrescentou sorrindo gentilmente o velho —, foi este país que me descobriu.

Assim era Pay-Lo, e eles aprenderam, no decorrer de longas conversas e passeios, a conhecê-lo e a amá-lo.

Quando lhe perguntaram por que ele havia permitido que Le Freux colocasse a ilha sob seu império perverso a ponto de quase destruí-la, ele respondera:

— Nas florestas daqui, o mal combate o mal. As fracas espécies que sobrevivem só podem esperar uma coisa: que seus inimigos se matem uns aos outros. Por que teria eu mais simpatia por Villegagnon com suas idéias de conquista do que pelos trugimães da costa, mesmo que estejamos de acordo que estes últimos sejam bandidos?

No entanto, na segunda visita da dupla de franceses, dois meses depois, Pay-Lo aceitara ajudá-los a abastecer a ilha. Falara com os índios e conseguira que uma tribo da baía lhes colocasse à disposição produtos que eles iriam buscar, tomando cuidado com as emboscadas de Martin.

— Faço isso por você, Olho-Sol — dissera ele. — E por seu irmão que trata os índios com humanidade naquela sua ilha maldita. Mas ele é o único.

O único pedido a que Pay-Lo aquiescera de bom grado fora mandar procurar Paraguaçu e sua gente. A tribo dela passara por ali durante a fuga, no início da epidemia, mas desde então ele não sabia mais de seu paradeiro. E mesmo que tivesse feito alguma coisa para procurar saber, não obteria nenhuma informação.

Já era a terceira estada deles com Pay-Lo e a tribo ainda não fora encontrada. Talvez tivesse sucumbido às febres. Talvez tivesse fugido para territórios ocupados por inimigos. Mais ao sul, os maragatos, aliados dos portugueses, atacavam impiedosamente os tupis da baía que se perdiam em suas terras.

A cada vez, além do tempo da viagem, Quintin e Colombe consagravam longas semanas à sua estada com Pay-Lo, cuja casa não tinha mais muito segredo para eles. Eles conheciam seus recantos, os terraços, os subterrâneos. Os móveis mais bizarros já lhes eram familiares. Pay-Lo recolhia ali tudo que os naufrágios traziam à costa. Os índios, tão logo um navio era arrastado para os arrecifes, carregavam nas costas os baús, os papéis, os objetos e as partes esculpidas e subiam à casa do velho, teoricamente, para levar-lhe aquelas oferendas. Se encontravam sobreviventes, levavam-nos também. Pay-Lo abastecia-os de tudo e, sem lhes dar qualquer ordem, mostrava-lhes seu modo de viver. Seus seguidores, por conseguinte, eram livres para ir aonde quisessem. Alguns ficavam na casa, como aquele cozinheiro francês que preparava lingüiças e pernis estufados à moda de Anvers. Outros se espalhavam pela baía, e formavam vários pontos onde se estendia a doce influência de Pay-Lo.

Além de sua mulher atual, o patriarca tivera muitas companheiras, exatamente à maneira dos costumes indígenas e sem jamais infringir as regras que os nativos respeitavam. Criara muitas crianças e sua parentela era tão numerosa que por toda parte, na baía, caçadores tupis podiam se dizer de sua linhagem. Restava dele, na floresta, uma pista azul no fundo das órbitas ariscas dos guerreiros nus. Ao vê-los, os europeus jamais poderiam imaginar que tinham tanto de seu sangue.

Quando os navios carregados de protestantes chegaram à baía, Colombe estava na terceira viagem às terras de Pay-Lo, sempre acompanhada de Quintin. Já chegara há quase quatro semanas e sua estada ia terminando. Ela aprendia a fazer tecidos de plumas com as mulheres quando Pay-Lo, certa manhã, mandou chamá-la. Chegando à casa do patriarca, ela o encontrara na companhia de dois guerreiros tupis com seus beiços furados e os grandes discos que os dilatavam.

— Meu sobrinho Avati — começou Pay-Lo designando o índio. — Ele acaba de subir de Copacabana para me anunciar a chegada de um comboio de barcos. Estão se dirigindo para as ilhas.

— Os portugueses! — exclamou Colombe que, de repente, imaginou Just em perigo.

— Não me parece — disse Pay-Lo sacudindo a cabeça. — Eles não deram tiro de canhão; aliás, teríamos ouvido aqui o eco dos combates. Acho que são antes os reforços que Villegagnon pediu.

Depois, olhando sua mão nodosa, acrescentou:

— Infelizmente.

Quintin chegou nesse instante, todo ofegante.

— Ainda pregando o evangelho? — exclamou o patriarca rindo, pois não ignorava nada do ardor missionário do homenzinho e se divertia com isso como todo mundo em sua aldeia.

— Talvez prefiram aguardar aqui para ver como ficam as coisas — continuou. — Nesse caso, fiquem à vontade.

Mas Colombe não conseguia esconder a impaciência.

— Se quiserem partir agora, Avati vai conduzi-los. Os trugimães estão cada vez mais perigosos na costa. Sigam os conselhos de meu sobrinho e ele evitará que caiam nas mãos deles.

Pela terceira vez, Colombe e Quintin despediram-se do velho e desceram para a baía ensolarada.

CAPÍTULO 3

Tão logo refeito da indisposição, Villegagnon mandara informar aos ministros e a du Pont que os iria receber oficialmente na sede do governo no dia seguinte. Depois, o almirante e os recém-chegados iriam juntos até o pequeno fórum onde se realizavam as preces para que ali fosse finalmente celebrada a eucaristia.

Du Pont dirigiu-se de má vontade a esse compromisso, vestido com um gibão azul que conservara limpo para essa grande ocasião. Villegagnon, por sua vez, usava, contrariando sua desordem habitual, uma túnica com a cruz-de-malta imaculada. Just ocupava seu cargo de lugar-tenente com dignidade, apertado num colete de veludo feito na véspera pelo costureiro. Richer e Chartier, os pastores, estavam de preto dos pés à cabeça.

A bem dizer, a gravidade desses recém-chegados não deixava de desorientar Villegagnon. Ele fora de início impossibilitado de recebê-los por causa da doença. Mas, agora que estava restabelecido, manifestava uma alegria verdadeira e espantava-o não os ver compartilhá-la.

— Meus caros amigos — disse ao ver seus hóspedes entrarem —, queiram sentar-se.

Du Pont, diante disso, recuou como se fora picado por um inseto venenoso. Repeliu a poltrona que lhe era estendida com a mesma energia que teria usado para desviar um punhal da garganta.

— Como foi sua viagem? — perguntou Villegagnon cada vez mais surpreso.

— Não poderia ter sido melhor — respondeu secamente du Pont.

Entretanto, olhava em volta e via o que lhe pareciam ser luxos comparados à acomodação que lhe fora imposta: a cama de colunas, a mesa e os jarros, os livros...

Desde os atentados, a sede do governo recebera algumas melhorias próprias sobretudo para torná-la mais segura. Suas paredes eram de pedra, sustentadas por traves de madeira grossa; um chão de troncos de palmeira aplainados à enxada produzia um efeito macio sob os passos.

— E na França, puderam falar com Coligny? — perguntou o almirante.

— O almirante Coligny — declarou du Pont com esse mesmo ar ultrajado que Villegagnon custava tanto a entender — é meu vizinho. Minhas terras em Corguilleray ficam perto de Châtillon, sua propriedade. Ele não nos recebeu apenas: confiou-nos a missão de vir.

Villegagnon não via nada de mais na resposta, salvo o tom.

— Fico feliz de saber — disse — que, na França, passou a época das perseguições contra as idéias novas.

— Há dois anos, a Igreja da verdade desenvolve-se aí com vigor — interveio Richer.

A delicadeza que ele usava para formar as palavras dava à sua arrogância uma aparência de doçura.

— E vai crescer ainda mais na França Antártica! — exclamou Villegagnon com entusiasmo.

Por um instante, ocorreu-lhe oferecer alguma bebida, mas lembrou-se da iminência do sacramento e ficou feliz por ter permanecido calado.

— A França o quê? — perguntou du Pont franzindo os olhos.

— Antártica. É idéia de um cosmógrafo que estava aqui, o abade Thevet. Ele havia proposto Equinocial e acabou se detendo em Antártica.

— Thevet... — refletiu du Pont. — Não foi aquele que levou essa erva que ele faz defumar em volta dele? Chama aquilo de angoumoisina* porque nasceu em Angoulême, e briga como um cão com Nicot, que diz tê-la conseguido dos portugueses antes dele.

Esse comportamento não atestava muito a seriedade do personagem. Villegagnon censurou-se por tê-lo mencionado.

— Seu lugar-tenente lhe deu a notícia sobre o imperador? — perguntou du Pont designando Just.

* De Angoumois, região que ocupa a maior parte do departamento de Charente. [N. T.]

— Sua abdicação. Sim. É um presente de Deus. Assim têm certeza de que os portugueses...

— Nos deixarão em paz.

Villegagnon trocou rapidamente um olhar com o fidalgo. Súbito, compreendeu o que lhe parecia estranho em sua presença. Por que, se nada temia para a colônia, Coligny havia enviado esse militar e que promessa lhe havia feito? Foi tomado por uma súbita desconfiança, a qual se esforçou para afastar.

Entretanto, a verdade não lhe podia passar pela cabeça. Pois du Pont, longe de ter sido imposto por Coligny, na verdade não parara de maquinar para que essa missão lhe fosse confiada. Nessas maquinações, a ambição tinha alguma influência, mas era sobretudo a natureza que se fazia imperiosa. O infeliz capitão sofria de hemorróidas terríveis que não lhe davam sossego. Para não pensar nelas, estava pronto para todos os combates, contanto que não tivesse que ir a cavalo. Como dizia sem fazer piada, sua última esperança era morrer de pé.

— Padre — disse Villegagnon virando-se para Richer —, conduzi sozinho as preces este ano. De alguma forma, revesti-me da dupla função de César e de papa. Cedo-lhe de bom grado esta última.

Era uma maneira firme de declarar que pretendia conservar a outra.

— Agora, se desejarem — acrescentou —, nós os acompanharemos com muito gosto para assistir à celebração do sacrifício da Ceia.

Villegagnon estava suficientemente inteirado das coisas, desde o caso dos Cartazes* até seus encontros em Ferrara, para evitar a palavra missa e usar o termo moderno. Richer fez um sinal de assentimento.

— Verão o quanto — prosseguiu o almirante — este lugar é propício à prática de uma religião pura, de acordo com os costumes antigos, quando Nosso Senhor a fundou.

Essa apologia da simplicidade, que os reformados só podiam subscrever, calou as críticas que eles tinham nos lábios em relação à sua rústica residência. No entusiasmo, Villegagnon correu até a porta, deixou entrar o sol e, recebendo uma grande inspiração dessa claridade, arrastou todos atrás dele para a luz.

Na praça, todos os ocupantes da ilha assistiram à cerimônia. Os antigos e os novos permaneciam separados e olhavam-se inamistosamente. O escândalo da magreza, da imundície, do relaxamento impressionava os recém-chegados e eles

* Caso provocado pela afixação em diversas grandes cidades de panfletos, ou cartazes, violentamente anticatólicos, o que acarretou uma severa repressão de Francisco I contra os protestantes. [N. T.]

juravam a si mesmos nunca chegar àquele ponto. Ao passo que a saúde, a força, o asseio daqueles que acabavam de desembarcar pareciam aos velhos colonos um insulto aos seus sofrimentos que eles não poderiam tolerar por muito tempo.

O ofício convocou Deus para arbitrar essas fraquezas. E todos ficaram surpresos ao vê-Lo responder a esse apelo. O preto dos ministros, seus semblantes circunspectos, a doçura de seus modos de repente encontravam sua utilidade e passavam a ser os chamarizes milagrosos do Espírito Santo. Os mais antigos lembraram-se da última cerimônia que os enchera de fervor no cais do Havre e choraram. Desde então, nem os estouvamentos de Thevet nem os discursos disciplinares conduzidos como uma investida por Villegagnon haviam despertado neles o menor sentimento de devoção. No confronto com a natureza, sempre fora ela que impusera sua força: eles haviam virado o joguete de seu sol ou de suas chuvas, de seus monstros, de sua vegetação, de seus mares. Nenhum Deus viera defendê-los nesse combate. E eis que, de repente, graças a esses pastores, Ele mostrava que não os havia abandonado. Os homens levantavam a cabeça e olhavam a baía com outros olhos. Suas praias mudas, suas florestas sufocantes, seus morros pontiagudos e, antes de tudo, o pão de açúcar recuavam timidamente diante da grande explosão silenciosa do Criador que aparecia. Essa visão punha nos olhares apetites de vingança e clarões de orgulho.

Na liturgia dos pastores, as orações recitadas lentamente assumiam um tom de conversa: não era necessário gritar para se fazer ouvir pelo Criador que estava entre eles. Tudo, naquela celebração, parecia novo e ao mesmo tempo familiar. O uso dos textos da Bíblia era maior que no catolicismo romano. A Virgem e os santos não mais interpunham suas sombras perturbadoras, assim os fiéis podiam aproveitar sozinhos seu hóspede divino e seu filho.

Quando chegou sua hora, a comunhão foi feita de maneira simples e natural, como em volta de uma mesa. No entanto, as duas espécies sob as quais foi distribuída haviam-se tornado tão raras na ilha — o pão branco das hóstias e mais ainda o vinho — que sua consumação agiu sobre os corpos para lhes dar a certeza de que uma divindade os penetrava.

Villegagnon acompanhou toda a cerimônia banhado de lágrimas. A alegria, a emoção, o sentimento de ter triunfado e de dever todo o mérito a esse Deus de simplicidade e de delícias que lhe estava sendo dado misturavam-se para submetê-lo ao entusiasmo mais esmagador. Os pastores contentaram-se em não exigir prosternações nem grandes expressões corporais, pois ele não teria tido forças para se conter e se teria jogado a seus pés soluçando. Mas, na hora da eucaristia, ele mandou assim mesmo que fosse colocado no chão um pequeno coxim de veludo bordô, que Just, a seu pedido, trouxera da sede do governo. Ele recebeu o pão e o vinho ajoelhado em cima dessa almofada, menos pelo conforto do que para interpor entre aquela terra e ele esse resguardo próprio para manter afastados todos os malefícios da natureza e fazê-lo permanecer, por mais baixo que fosse, no puro espaço sagrado do céu.

*

Pouco a pouco, as populações se misturavam no estreito espaço da ilha. A atividade ali estava de novo tão intensa que ela até parecia superpovoada. As diferenças tendiam, além do mais, a se atenuar: os recém-chegados, colocados no regime da farinha de mandioca, começavam a adquirir uma tez acinzentada e os mais antigos, revigorados pelos vinhos que o comboio dos protestantes havia capturado, caminhavam talvez com menos equilíbrio, mas com uma segurança nova.

O trabalho na fortaleza recomeçara e as muralhas já atingiam quase a altura prevista. Bastaram dez dias para se obter esse progresso, prova de que muito havia sido feito antes e que só o desespero dos colonos os fazia ver essa empreitada como impossível.

O único acontecimento que quebrara a rotina do local fora a partida anunciada de trinta dos recém-chegados. Estando um dos barcos que os haviam trazido obrigado pelo contrato com os armadores a regressar imediatamente, esses poucos recalcitrantes haviam declarado que ninguém os faria permanecer por mais tempo naquele lugar. Villegagnon teria facilmente resolvido esse assunto, mas du Pont tomara a defesa dos refratários e eles foram autorizados a partir. Isso foi um mau exemplo para os outros. No entanto, os novos haviam chegado há tão pouco tempo e os antigos há tanto que estavam todos imunes à nostalgia e consideravam essas demissões com indiferença.

Voltou-se ao trabalho.

Entre as novidades que marcavam a mudança de época e lançavam o primeiro comboio na pré-história estava a presença das mulheres. Os que guardavam na memória o tempo em que Le Freux abastecia a ilha de cativas podiam medir toda a diferença. As que haviam chegado de Genève nada tinham da licenciosa nudez das rameiras submissas. Elas eram sérias e mais que vestidas. Mas era isso que aumentava seu encanto. Cada final de tarde, expulsas de suas choças como pintinhos que o calor fez eclodir, elas saíam de braço dado com suas governantas. Um dispositivo rigoroso instituído pelo almirante permitia assegurar que o caminho estava livre para sua passagem. Os escravos índios eram inspecionados para que nenhuma parte indiscreta de suas pessoas fosse esquecida de fora à vista das passantes. Os cavoucadores deviam abotoar as camisas. Até os macaquinhos que faziam cabriolas nos aterros eram enxotados a pedradas para que fossem mostrar em outro lugar suas nádegas azuis.

Então apareciam as jovens. Vinham vestidas de preto ou cinza, e essa simples nuança bastava para torná-las singulares. Para os colonos habituados à violência das cores da baía, os azuis do mar, os verdes da selva, o amarelo dos papagaios, o vermelho da lama eram todos atributos do horror natural ao qual eles estavam sujeitos. Esse preto e esse cinza eram puras invenções humanas e desencadeavam neles um imenso apetite de civilização. Nenhuma dessas jovens era realmente bonita, considerando-se cânones estéticos rigorosos. A recusa em recorrer a artifícios ornava-lhes os rostos de mais espinhas que carmins. Dietas inadequadas as haviam emagrecido ou estufado. Em resumo, particularmente, nenhuma dessas Vênus era isenta de defeitos. E no entanto, sua perfeição saltava aos olhos. Pois eram, individualmente e em conjunto ainda mais, como diria Villegagnon, a Idéia da Mulher. Além do mais, a Idéia pura da Mulher pura. Nesse mundo em que a natureza não poupa a ninguém o espetáculo de sua corrupção, onde tudo se compenetra, se violenta e se emprenha, elas eram a virgindade, a dedicatória única de um ser à pureza, em suma, as mulheres com as quais o amor poderia tornar-se oração.

Nada esgotava tanto os cavoucadores quanto vê-las passar sem poder atirar-se em cima delas.

Ninguém sabia quem determinara o programa de sua deambulação. É certo que era difícil oferecer-lhes um espaço deserto para passear. Mas nem por isso se era obrigado a conduzi-las, como era o caso, a trilhas estreitas da obra, levando-as forçosamente a esbarrar nos infelizes trabalhadores. Sentia-se nessa encenação a intenção contraditória de mostrar a todos o recato dessas jovens e ao mesmo tempo lembrar que estavam disponíveis. Pois a razão de estarem ali continuava sendo o casamento e, enquanto não estavam acasaladas, tinham tão pouca utilidade quanto um pedreiro sem sua colher.

Evidentemente, os pedidos afluíram junto a Villegagnon. Ele empenhou-se desde o primeiro dia para concluir dois noivados com rapazes do primeiro comboio que lhe serviam de lacaios. Isso daria tempo para examinar outras candidaturas. Elas eram muitas e insistentes. O almirante adquiriu a agradável certeza de que até as aias, trazidas no entanto sem essa intenção, encontrariam também quem com elas ficasse.

Entretanto, das seis jovens que haviam desembarcado, uma permanecia invisível. Desde que Just a levara para o escaler e a conduzira a terra, ela se trancara na palhoça que lhe fora reservada. Essa defecção não parava de inquietar Villegagnon, pois fazia-o recear perder uma das preciosas e raras oportunidades de casamento que lhe eram oferecidas. Just, por sua vez, não esperou as ordens do almirante. No fim de alguns dias, sugeriu que seria bom, talvez, ir saber notícias dela. Sua aflição sincera depois lhe pareceu um estratagema, quando Villegagnon o encarregou de ir pessoalmente saber notícias da jovem.

A cabana onde ela residia com sua governanta era a última de uma longa série, em direção ao reduto oeste. Antes, naquele lugar, havia uma moita de bambus, e alguns rebentos perdidos ainda despontavam em volta das paredes. Quando chegou, Just ficou um bom tempo indeciso do lado de fora. A choça não tinha porta mas sim uma cortina, e ele não sabia bem como se anunciar. De dentro, chegaram-lhe os acordes baixíssimos beliscados de um instrumento musical.

Just tossiu e o barulho que saiu de sua garganta abafou as notas, fez chegar ao interior um silêncio e depois murmúrios. Finalmente, a camareira abriu a cortina, ostentando um ar severo.

— Venho saber notícias da senhorita — balbuciou Just.

Depois, acrescentou, como para brandir um escudo:

— Da parte do almirante.

— Está melhor — respondeu secamente a matrona, depois soltou a cortina e desapareceu.

Just sentia-se mal com esse tratamento arrogante. Ficou um instante postado ali, enquanto no interior os murmúrios redobravam. Afinal, a cortina tornou a se abrir.

— Se quiser vê-la — disse a aia com um esgar amável.

Just entrou. O exíguo espaço da cabana fora dividido em dois por um pano. Num canto, estava aberto um virginal e acima de seu estreito teclado tremiam as folhas de uma partitura. Uma enxerga, enrolada em cima de uma arca, devia servir à aia. Não havia nessa espécie de antecâmara nenhum sinal da jovem. Mas quando a governanta, após ter dado uma última olhada para o outro lado, abriu a divisória de tecido, ela apareceu, no meio de todos os seus pertences. Cofres abertos, uma mesa cheia de livros perto da fresta, um estojo de toalete em faiança, alguns vestidos pendurados numa espata de palmeira calçada nas pedras das paredes para servir de cabide, tudo isso formava um cenário agradável e fazia esquecer a pobreza da cabana. A jovem estava sentada na beira da cama, mãos nos joelhos, olhos baixos.

Deixou que Just tivesse tempo de se impregnar livremente, e dessa vez em plena luz do dia, de sua beleza. Uma harmonia de negro, como um responso ao padrão de seu vestido, vinha de seus cabelos puxados e de suas finíssimas sobrancelhas. Sua pele branca alternava-se com esses toques escuros, como no teclado. Ele viu o nariz regular, o fino queixo, e aqueles pontos das têmporas em que, nas morenas, uma penugem vem desenhar um sombreado acima do rosto. Como se isso tudo não bastasse, a jovem ergueu os olhos e apontou para ele as duas bocas de fogo de suas pupilas.

— Obrigada, senhor — disse ela com uma voz muito firme, redonda e quase grave —, por não nos ter abandonado.

— O almirante — começou Just, pois até se esquecera da existência da palavra "eu" — está preocupado com sua saúde.

A jovem suspirou e, estendendo a mão comprida para a borda da cama, alisou devagarinho uma prega do tecido.

— Minha saúde está melhor, eu lhe agradeço. Mas...

Just estremeceu. Pareceu-lhe que ela ia chorar.

— ... mas ainda não me sinto em condições de sair daqui.

— Nada a apressa.

Seria a idéia de vê-la só; Just formara essa frase irrefletidamente.

— Ah!, senhor — disse a jovem tornando a pousar os olhos nele, e ele viu lágrimas ali.

Just não soube que atitude tomar.

— O senhor parece tão bom — gemeu ela. — Sinto que se pode falar consigo.

— Certamente. Se houver alguma coisa que eu possa fazer...

Ela fez que não com a cabeça, mas devagar, para não desarrumar seus traços.

— O senhor não desconhece, suponho — disse ela de repente erguendo atrevidamente a cabeça —, por que querem nos ver passeando nem o que querem fazer de nós. Mesmo sendo sobrinha de pastor, não sou exceção. Não demora muito, serei posta nesse tipo de leilão.

— Mas por que aceitou vir? — interveio Just que via naquela confusão como que um eco de sua própria revolta quando o fizeram partir sob o efeito de uma mentira ignóbil. — Será que lhe esconderam a verdade?

— Não, senhor, ela me foi dita, mas não tive escolha. Meus pais morreram em perseguições, há dez anos. Só sobrevivi à fogueira graças a meu tio. E quando ele decidiu vir para cá, estava fora de questão eu ficar sozinha sem ele.

Tendo assado seu admirador de um lado, a jovem começou então a pegá-lo do outro. Mudou de repente de tom e de humor. Com um ar alegre e uma voz cantante, embora sem ofender o respeito que sua compostura exigia, prosseguiu:

— Mas, perdoe-me! Estou me entregando a confidências... Canso-o, talvez. E nem sequer me apresentei. Meu nome é Aude Maupin, natural de Lons-le-Saunier; minha camareira é a Srta. Chantal.

Ambas fizeram uma elegante reverência à qual Just respondeu desajeitadamente, pois Villegagnon não lhe havia, a esse respeito, ensinado coisa alguma. Disse seu nome.

— A senhorita nem sequer pôde ir à Ceia, ontem? — sugeriu ele com doçura.

— Eu gostaria muito de ter ido, pois tenho uma grande necessidade do sacramento. Mas se abrir exceção para essa saída, serei condenada a todas as outras.

Just estava tão indignado quanto ela com a idéia de ver essa pura criatura entregue ao pesado leilão que expunha essas inocentes aos que queriam tomá-las como mulher.

— Talvez haja algum meio de dispensá-la disso — continuou ele. — Vou falar com o almirante. Ele tem relações excelentes com seu tio e, talvez...

Aude parecia amuada e Just receava demais desagradá-la para não se interromper imediatamente.

— Excelentes, pode ser — disse ela acidamente. — Não sei se permanecerão assim por muito tempo.

— Por causa de suas condições de alojamento? — antecipou-se Just. — Ah!, eu sei, mas acredite que vamos fazer os maiores esforços.

— Não é só isso — disse a jovem com um ar cada vez mais severo, e seus olhos escuros causavam admiração quando ela afetava dureza.

Just alarmou-se.

— Seu almirante precisa se corrigir — acrescentou ela solenemente.

— Corrigir-se? Mas como?

— Ele teve, durante o ofício divino, uma conduta muito suspeita, segundo meu tio. Há nele vestígios de idolatria que deverão ser extirpados o quanto antes.

— De idolatria!

— Ele não se ajoelhou em cima de uma almofada de veludo para receber a comunhão?

— De fato. Mas que mal há nisso?

Aude fulminou-o com o olhar. Mas, imediatamente, pareceu afastar esses pensamentos com uma elevação de ombros.

— Meu tio — concluiu — saberá acabar com esses exageros.

Just ia responder, argumentar, mas ela já estava sorrindo e mudando de assunto.

— Sua bondade me toca, senhor. Parece-me que, sob sua proteção, eu poderia encontrar segurança para sair um pouco. Quando se realizará o próximo ofício, sabe?

— Acho que seu tio e o almirante estão decidindo a cerimônia de dois casamentos, que serão celebrados ao mesmo tempo.

— Chantal, está ouvindo? — exclamou a jovem. — Em breve haverá uma nova Ceia. Ah, se o senhor soubesse como a comunhão me conforta e me faz falta.

— Eu a acompanharei, se desejar.

— Oh, obrigada! Obrigada — disse ela tomando as mãos de Just.

Esse ímpeto durara uma fração de segundo. No entanto, ele sentiu por muito tempo em suas mãos a pressão morna daquelas palmas esguias. O resto do dia passou em devaneios.

CAPÍTULO 4

Aos poucos, o choque das idéias novas propagava-se pelas consciências da ilha. Os primeiros colonos viram inicialmente na chegada dos genebreses um socorro material e importante. A promiscuidade pouco a pouco atenuara essa percepção para dar lugar a outra: os que acabavam de desembarcar não tinham somente todas as ingenuidades dos homens saudáveis; tinham também idéias bizarras e crenças singulares. No entusiasmo caótico da chegada, elas foram acolhidas como o resto: com um misto de solicitude e inconsciência. Mas, um belo dia, alguém se lembrou de pronunciar a palavra "huguenote", e todo mundo passou a olhá-los com mais curiosidade.

Alguns, dentre aqueles que Villegagnon tirara da prisão, estavam familiarizados com essas idéias. Pagaram com sua liberdade a sedução que os escritos de Lutero exerceram sobre eles. Mas essa primeira Reforma, na França, fora abafada no ovo vinte anos antes. Eles, que não haviam conhecido senão perseguição e clandestinidade, olhavam com entusiasmo para esses novos huguenotes que estavam no poder em Genève, organizavam Igrejas reformadas por toda a França e vinham livremente até as Américas, com a recomendação dos ministros mais chegados de Henrique II. Estes se colocaram de bom grado entre os fiéis da nova religião.

Mas muitos outros reclamavam. Era preciso convencê-los, pregar. Os pastores reuniram por toda a ilha grupos aos quais ensinaram a nova doutrina. Bíblias circulavam. Comentavam-se textos. Fartos de selva, de mar e de pão de açúcar, os colonos lançavam-se com volúpia em discussões teológicas que os faziam recuperar as preciosas divisões humanas e a própria essência da civilização.

Mas esse proselitismo desencadeava a indignação de um último grupo: o que recusava categoricamente qualquer idéia de abjurar a fé católica. Dom Gonzagues era o porta-voz, junto a Villegagnon, dessa tendência rigorosa.

— Nunca — dizia ele deixando tremer a barbicha — hei de abandonar a Virgem Maria.

É certo que ele não gostava do clero e via nele muitos defeitos. Mas, quando todas as Catherine e as Marguerite o haviam tão indignamente desdenhado, a mãe de Deus sempre o acudira e ele não pretendia se mostrar ingrato.

Villegagnon acalmava-o como podia. A bem dizer, achava também no mínimo desastrado da parte dos huguenotes exigir uma profissão de fé dos que aderiam a eles. Não havia necessidade de conversão: as crenças eram muito próximas. A Reforma não era como uma volta às origens? Ele dissera isso no momento da primeira Ceia e essas palavras pareceram contentar todo mundo.

O almirante pôs-se também a trabalhar com afinco para armar essa doutrina ecumênica. Irritava-se por sua biblioteca ser tão reduzida e sua memória tão fraca. Mas com o que sabia, e conhecia milhares de páginas de cor ou quase, reuniria sólidos argumentos para opor a ambos os lados, a fim de reaproximá-los.

Ele abordava essa batalha com a mesma moral que um combate armado. Era assim: ele não conseguia fazer nada senão como atleta. Just ajudava-o, às vezes, até muito tarde, à luz de vela, a ler velhos textos e a recopiar fragmentos dos mesmos. O almirante estava felicíssimo com essa volta brusca da curiosidade, da cultura, das especulações. Com isso, negligenciava completamente as obras da ilha.

Por discreta que tenha sido, foi a chegada de Colombe que provocou a primeira crise. Quando voltou das terras de Pay-Lo, depois de frustrar as emboscadas espalhadas pela costa pelos beleguins de Martin e pelas tribos que eles controlavam, encontrou a instalação dos huguenotes já quase terminada. Ao ver de longe os novos navios, a massa de reforços que a ilha recebia, a saúde dos viajantes, Colombe inicialmente teve vontade de se alegrar. Ela podia não compartilhar os sonhos de seu irmão sobre a França Antártica, mas não podia deixar de estar feliz ao ver chegar ao fim a fase do temor e das privações. Mas Quintin quebrou esse encanto agarrando-se a ela mal pisaram na praia.

— Não! — gritou ele, subitamente lívido. — É impossível. Não são eles. Socorro! Aqui!

E foi correndo se esconder atrás dos gabiões de areia.

— O que há com você? — perguntou Colombe indo ter com ele.

— Esses homens de preto... — balbuciava Quintin, e batia queixo.

— Sim?

Colombe desconfiava que ele ia chorar, pois em casa de Pay-Lo ele passara muito tempo sem se conceder esse prazer. Mas não esperava soluços tão ruidosos, um tal espasmo de terror.

— Devo voltar para o continente — anunciou ele.

Já caminhava para os barcos. Colombe deteve-o.

— Explique-me. Se há algum perigo, é para todo mundo.

Quintin pareceu voltar a si. Fungou, passou nas faces as costas da mão onde havia grãos de areia grudados e respirou fundo.

— Foi um ano antes de nossa partida — começou. — Eu estava em Lyon.

— Pensei que estivesse em Rouen.

— Sim, mas, um ano antes, fiz essa viagem. Éramos um pequeno grupo em volta de um homem extraordinário. Era um médico espanhol, você não pode imaginar a que ponto ele era bom. Sabia tudo. Seu latim era puro e seus livros são maravilhas de inteligência. Chamava-se Michel.

— Michel de quê?

— Michel Servet — informou Quintin não procurando mais conter as lágrimas. — Os franceses condenaram seus livros. O que é muito normal num país que não entende nada da verdade.

— E os homens de preto? — perguntou Colombe que não fazia questão de prolongar essa situação incômoda.

— Esse pobre Servet achou que encontraria socorro em Genève. Acompanhei-o até a porta da cidade. Foi lá que os vi. Todos esses pastores, esses homens de preto.

— Mas você também, Quintin, está de preto.

— Não, não é a mesma coisa. Esses são os mesmos que vi em Genève. Um dos remadores, aliás, me confirmou isso.

Espiou pelo lado do gabião. Richer estava onde a praia desembocava, em cima de um caixote, e fazia um sermão que não dava para ouvir.

— Eles o queimaram, Colombe.

— Queimaram quem?

— Servet. Calvino não concordava com ele, tratou-o com mais severidade do que os franceses teriam feito. Mandou-o para a fogueira, está me ouvindo?

— Eu achava que os huguenotes eram a favor da liberdade.

— A deles! Mas o horrível Théodore de Bèze escreveu no ano seguinte uma brochura intitulada: *Du droit de punir les hérétiques* [Do direito de punir os heréticos]. Acredite em mim, preciso partir. Não ficarei mais um minuto na mesma ilha que essa gente.

Colombe levou quase uma hora convencendo-o. Prometeu-lhe fazer com que ele fosse encarregado o quanto antes de uma nova missão. Finalmente, ele aceitou se esconder para não correr o risco de partir sozinho para a floresta.

Ao procurar Just na ilha, Colombe ficou surpresa com o que viu. As obras do forte haviam progredido, mas agora pareciam interrompidas. Por toda parte, grupos discutiam animadamente assuntos tão inusitados naquele lugar quanto a imortalidade da alma, a salvação pela graça ou pela predestinação. Pregadores improvisavam no canteiro da obra. Os solitários, espalhados perto da praia, agora tinham uma Bíblia na mão. Parecia que toda a colônia de repente mergulhara na meditação.

Mas era uma meditação que nada tinha de pacífico nem de fraternal. Olhares desagradáveis eram trocados entre os grupos. A morada dos pastores era afastada e parecia objeto de permanente vigilância. Longe de levar à concórdia e ao otimismo, essa recrudescência de espiritualidade parecia aumentar a hostilidade, o isolamento e a inquietação. Quando afinal encontrou Just na sede do governo, Colombe viu com desgosto que Villegagnon e ele estavam contaminados pela mesma febre pregadora.

O almirante recebeu-a amavelmente e fê-la contar sua estada com Pay-Lo. Mas esse assunto não parecia interessá-lo muito, ao passo que as observações que ela havia feito ao chegar à ilha pareceram-lhe uma verdadeira descoberta.

— Virgem santíssima! — exclamou. — Tem razão, Colin. É a anarquia.

Pegou um maço de folhas que havia enchido de notas e pôs-se a reuni-las com as duas mãos.

— Tudo está claro agora para mim — disse. — Ou quase. Em todo caso, a partir de amanhã, reuniremos os pastores e debateremos. É preciso encerrar essas querelas, dar certezas à nossa gente e recomeçar o trabalho.

Colombe ficou para jantar na sede do governo com Just. Encontrou-o estranho e mudado. Fisicamente, era o mesmo, talvez dando uma atenção inusitada à própria aparência. Villegagnon há muito lhe emprestara navalhas. Ele não as usava. Agora, tinha as faces lisas e uma gola à espanhola muito cuidada. Sobretudo, não lhe dava muita atenção.

Ela estava acostumada que ele fosse taciturno e calmo. Mas a qualidade de sua ausência parecia-lhe ter mudado, sem que ela conseguisse explicar isso. Teve a intuição de que aquela atitude não significava que ele se tornara reservado, mas antes que estava com uma outra preocupação, que ela ignorava.

A entrevista solene entre Villegagnon, du Pont e os ministros foi organizada tanto mais depressa quanto os protestantes, de sua parte, tinham numerosas queixas a fazer e desejavam se explicar. Apresentaram-se na sede do governo no meio da manhã. O almirante preferira recebê-los sozinho, pois receava uma explosão de dom Gonzagues sobre a questão da religião. No entanto, para que a conversa tivesse uma testemunha, pediu que Just a assistisse.

Depois da entrada dos huguenotes, ficou claro que a discussão seria difícil. Eles não haviam voltado à sede do governo desde o dia da primeira Ceia. Du Pont, pelo modo como olhava para o mobiliário e a decoração do lugar, nutria um ódio evidente por essa pompa, de que estava privado. Decidindo não se deter na invalidez do fidalgo, sobre a qual acabou sendo informado, Villegagnon sentou-se numa poltrona e convidou os outros a fazerem o mesmo. Os pastores obedeceram, acostumados a não seguir nessa questão a ascese que du Pont se impunha. Portanto, ele foi o único a permanecer de pé.

O almirante indagou, inicialmente, sobre a saúde e a instalação dos pastores. Considerada uma provocação, essa atenção despertou resmungos.

— Meus caros irmãos — começou o almirante com um ar solene —, quero colocá-los a par de minha preocupação. Em uma palavra, é isso: o trabalho não progride mais. Parece-me que precisamos restabelecer a ordem. Discute-se muito, nesta ilha. O ardor teológico é muito importante, eu entendo. Mas não deve atravessar as exigências da vida e até da sobrevivência. Pois sem seu forte, a França Antártica fica à mercê de seus incontáveis inimigos.

Richer deixava o olhar percorrer o aposento, afetando indiferença. Mas quando se deparava com a Virgem de Ticiano, como se fulminado por um peixe elétrico, voltava de repente para Villegagnon, vacilando.

— Entre as crenças diversas que existem nesta ilha, acho que há mais concordâncias que divergências. O essencial é essa maravilhosa boa vontade que faz do ser humano uma obra de Deus. Acredito no Homem; os senhores também, tenho certeza. Bem, e a este ser racional, podemos dar razões para crer, tirando de nossas crenças uma base comum que permitia que cada um, sem trair a si mesmo, respeite os outros.

O silêncio hostil de seus interlocutores levou Villegagnon a lhes passar a palavra para tentar saber o que pensavam.

— Compartilhamos com muito gosto a idéia de que é preciso restabelecer a ordem aqui — disse du Pont com uma entonação de desprezo. — Aliás, foi esta a nossa impressão desde a chegada. Mas há que se reconhecer que a tarefa para nós não foi fácil. Obrigando-nos a fazer desde o início o trabalho de animais, o senhor quis nos neutralizar. E reserva para seu uso exclusivo essa sede do governo que, no entanto, deveria ser o símbolo de uma autoridade compartilhada. O que espera de nós?

Villegagnon, embora indignado com esse discurso, optou por permanecer calmo.

— Em primeiro lugar, parece-me que as pregações de agora em diante deveriam ser limitadas. Parece-me que meia hora por dia basta para lembrar ao homem seus deveres para com Deus. Parece-me também que o conteúdo dessas pregações deve ser moderado. Para não ofender certos espíritos apegados às tradições, acho que seria preciso proibir qualquer insulto contra o papa, por quem não tenho nenhuma afeição, como sabem, ou contra a Igreja em geral.

Du Pont queria intervir. O almirante sinalizou que desejava terminar.

— Enfim, creio sinceramente que é inútil obter abjurações e conversões. Mais vale reunir todo mundo em Cristo que dividir os que crêem nele.

— Reunimos os que conhecem e praticam a verdade do Evangelho — objetou severamente Richer. — Concordo com o senhor que é preciso suprimir o detestável espírito de discussão e de dúvida que é um obstáculo aqui para a serena acolhida da palavra divina.

— Eu estava certo — entusiasmou-se Villegagnon — de que teríamos esse ponto em comum.

— Está vendo — prosseguiu Richer sem compartilhar desse bom humor —, ao apresentar a Bíblia ao homem, ao lhe dar livre acesso aos textos sagrados, corremos o perigo de colocá-lo diante de sua própria nulidade. E, de fato, no mesmo instante vimos loucos perdidos interpretar a Palavra à sua maneira e tirar conclusões absurdas da verdade. Alguns chegaram até a afirmar que se o homem não pode se salvar por suas obras, é inútil fazer qualquer esforço para se corrigir. Que mate, que roube, que goze: só Deus pode lhe dar Sua graça e tirá-lo, se Ele quiser, da luxúria.

— Conheço esses fanáticos — confirmou Villegagnon. — Aliás, tivemos aqui mesmo um grupo de anabatistas.

— Onde eles estão? — perguntou du Pont tão prontamente quanto se fosse sacar a espada.

— Ao que parece, vivem nus na selva e voltaram ao estado de canibais.

Um silêncio horrorizado percorreu a assembléia.

— Eis por que liberdade não é nada sem explicação — prosseguiu Richer aliviado pelo fato de haver a evocação dos anabatistas tão naturalmente preparado sua conclusão. — Não podemos oferecer o Evangelho sem exigir ao mesmo tempo uma profissão de fé que faz o crente entrar na segurança de uma Igreja, ordena sua fé e regula sua conduta.

— Reconheço com muito gosto a necessidade de uma Igreja — disse Villegagnon. — Mas, convenhamos que, em geral, e mais ainda nesta pequena ilha, ter duas é supérfluo.

Richer exprimiu sua aprovação com um pequeno gesto de cabeça.

— Deveríamos facilmente conseguir um meio-termo examinando cada ponto — prosseguiu o almirante, revigorado com essa primeira troca de idéias. — Tomem, por exemplo, o celibato dos ministros: nada nos Evangelhos se opõe ao casamento dos padres e esta é uma decisão sobre a qual, racionalmente, deveríamos nos entender...

— Pare com essas blasfêmias! — cortou du Pont.

Compreendia-se por seu tom, seu modo de passear como se se sentisse em casa na sede do governo, que ele estava agora seguro de sua força e que, tomando o partido dos huguenotes, falava em nome de uma força inquebrantável e numerosa.

— Sim, pare — confirmou — de nos falar de razão, de debate, de meio-termo. Deus não é uma questão negociável. Não se pode transigir com a idolatria. Cerca de metade desta ilha abraçou a verdadeira fé. Fez isso livremente, quer dizer, reconhecendo a correção dos princípios de nossa Igreja e aceitando obedecer a eles. Não vamos perturbar a quietude dessas almas salvas tornando a questionar o que de agora em diante é reconhecido como verdade.

— Com licença — reagiu o almirante. — Não me parece que eu esteja aceitando coisa alguma da idolatria e, contudo, há certas práticas suas que contesto.

— Quais? — perguntou Richer num tom glacial.

— Bem, vejam — começou Villegagnon, feliz, no fundo, por estar afinal iniciando a polêmica —, consideremos a comunhão sob as duas espécies. Se nos reportarmos aos textos dos padres da Igreja, ela é perfeitamente legítima. Mas São Clemente, discípulo dos Apóstolos, especifica uma coisa sobre isso: o vinho deve ser cortado com água. Ora, o seu é puro. Essa é uma prática que deveriam aceitar corrigir, a menos que demonstrem seu fundamento teológico.

Ele acabou de expor isso com um fino sorriso de orador. Mas a indignação parecia ter deixado os protestantes sem sangue nas veias.

— Quem é o senhor — troou de repente du Pont — para questionar as regras de verdade de nossa Igreja?

— E quem é o senhor para as impor a mim? — replicou o almirante. — Por que deveria eu acreditar antes nisso que naquilo, se a razão não me guia para fundamentar minha opção? De que adiantaria ter estudado os grandes autores que deram ao homem durante séculos o socorro de seu espírito?

— Nada — disse lugubremente Richer.

Villegagnon ficou estático.

— Os autores de quem nos fala — esclareceu tranqüilamente o pastor — não conheciam Cristo. Seu pensamento, mergulhado nas trevas, não pode nos ajudar em nada. É preciso crer, só isso.

— É o que dizem também os padres e o papa — disse lugubremente o almirante.

— Sim — confirmou Richer com desprezo. — Mas a diferença é que eles estão errados.

Villegagnon olhava acabrunhado para o pequeno maço de folhas que havia preparado. Antecipara todos os argumentos, encontrara réplicas sutis para as objeções previsíveis, construíra uma síntese aceitável para todos. E eis que o próprio uso dessa liberdade lhe era negado. A Reforma, que ele esperava como uma libertação, enredava-o numa trama de violência onde ele se debatia em vão. Levantou-se por sua vez, caminhou pelo aposento e, passando diante do contador de ébano, distraiu-se a ponto de fazer o gesto familiar: abraçou-o. Nos momentos de grande confusão, era aí que encontrava sua energia. Os presentes olharam-no constrangidos. Encostado em seu peito, o painel de marfim e madeira transmitiu seu eco de majestade. Era véspera dos casamentos e só os pastores podiam celebrá-los. Villegagnon sentiu que devia mais uma vez sacrificar seus sentimentos, engolir a indignação, e ver apenas o interesse da colônia. Voltou-se para seus hóspedes, sorrindo para eles.

— Pois bem — concluiu fazendo um grande esforço para se dominar —, vamos por ora deixar de lado nossas diferenças e agir para fazer esta ilha voltar ao trabalho.

— Conte conosco para combater tanto o ócio quanto a idolatria — disse du Pont.

Seguiram-se exigências intermináveis concernentes à isenção de trabalho a lhes ser concedida, ao direito de reunião para os pastores na sede do governo e à implantação de um conselho junto ao almirante, no qual du Pont teria assento.

Villegagnon viu nessas medidas uma afronta à sua autoridade, mas também um reforço que lhe permitia contar com a obediência dos protestantes. E, finalmente, em troca do compromisso de se reduzirem e se moderarem os sermões, aceitou tudo.

CAPÍTULO 5

Eles eram os mais simplórios, era preciso que fossem os mais elegantes. Os dois primeiros noivos, vestidos com roupas novas pelo alfaiate, haviam sido escolhidos às pressas por Villegagnon. Ele próprio havia distinguido esses laureados, cujas virtudes, se não as qualidades, conhecia. Sua escolha recaíra sobre dois de seus lacaios não muito desonestos, um picardo e um provençal, nascidos sem muita inteligência e grosseiros, mas trabalhadores e de temperamento estável. As jovens eleitas compensaram o ligeiro pesar que esses partidos lhes provocaram pelo orgulho de serem as primeiras a receber o sacramento.

No dia marcado, a cerimônia realizou-se na esplanada habitual. A fim de que todo mundo pudesse imbuir-se desse exemplo, a ponto de desejar imitá-lo prontamente, Villegagnon mandara montar um pequeno palco de traves de coqueiro, onde se faria a celebração. Não se tolerava a ausência de ninguém na ocasião. Os escravos índios, homens e mulheres, eram chamados um a um. O almirante mandou que se instalassem na primeira fila. Assim, nenhum obstáculo esconderia deles o espetáculo que devia impressionar seus espíritos. As jovens entraram de braço dado com dois protestantes escolhidos entre os mais velhos, e que poderiam ser seus pais. Nada mudara em sua rigorosa toalete preta, mas para manifestar talvez o despeito que sentiam pela roupa, deram livre curso a uma audaciosa fantasia no penteado. Ou seja, haviam enrolado as tranças nas têmporas e recorrido, não sem recear alguma admoestação de última hora, ao uso impudico de pentes de marfim. Colocadas ao lado de seus prometidos, elas realçaram a tez com um carmim natural que lhes ficava muito bem; e como os dois malandros, cujo único vício fora a bebida quando havia, empalideceram, rapazes e moças ofereceram ao público enternecido uma tonalidade de faces quase igual, inspirada no presunto.

Mas essa harmonia, elevada no palco, escondia movimentos inquietos na assembléia e nos bastidores. Um jogo de olhares sutil unia três personagens todavia separados. Aude estava recatadamente colocada em um nível mais baixo que o palco entre as próximas candidatas a um leilão masculino. Conservava os olhos baixos, ao contrário das tolas das suas vizinhas que se embriagavam com os olhares de gavião lançados sobre elas pelos colonos esfaimados. Mas, de quando em quando, como havia visto Just na segunda fila, à esquerda, dirigia a ele um lampejo único, a um só tempo dolorido, recatado e lascivo. Just oscilava entre a atitude nobre que lhe era natural, o olhar vago, considerando no espaço essas Idéias cuja existência Villegagnon lhe demonstrara, e, por outro lado, uma observação furtiva, inquieta e ávida daquela com quem ele agora se preocupava. E perguntava-se por que estranha fraqueza de seu caráter, tão logo obtinha a resposta dos olhos que procurava, uma força irreprimível desviava-o dali e trazia-o de volta ao espetáculo aflitivo das virgens pastoras e seus leitõezinhos.

Colombe, do outro lado, podia observar ao mesmo tempo Just e a jovem protestante. Percebeu tudo: o nervosismo de Just, o interesse com que a jovem respondia, o esforço que ambos faziam para nada deixar transparecer. A princípio, divertiu-se com esse artifício. Era a primeira vez que via Just sair da casta reserva cavaleirosa que ele pregava pelo exemplo. Mas o comportamento da protestante desagradou-lhe. Esse modo sonso de fingir que nada havia solicitado, de assumir um ar inocente e vagamente irritado quando seus olhares se cruzavam, fê-la sentir que ali havia mais mentira que paixão. Ela viu um perigo nessa duplicidade e irritou-se ao sentir que Just não desconfiava disso.

De onde estava, Just viu primeiro o olho claro de Colombe pousado nele. E sua surpresa fez com que Aude procurasse também daquele lado e olhasse para ela. Desde então, o jogo mudou e cada qual procurou parecer o mais aborrecido possível por sentir-se observado.

No entanto, um drama mais considerável acontecia também discretamente próximo ao palco. Villegagnon, de acordo com sua posição, ocupava o lugar mais importante na assembléia. Como a liturgia protestante reconhecia apenas os dois sacramentos que figuram no Evangelho, o batismo e a eucaristia, a cerimônia logo tomou o aspecto de uma Ceia. A comunhão devia concluí-la. O almirante, por orgulho, não pretendia ceder no único ponto de doutrina que evocara diante do pastor: fazia questão de beber o vinho cortado com água. Não tendo Richer concordado com seu pedido, a dificuldade foi habilmente contornada. Villegagnon comungou, com seu escanção ao lado. Na hora de pegar o cálice, este acrescentou a água que deixava a bebida de acordo com a idéia que o almirante fazia do sangue divino. Horas antes, este ponto concentrara toda a querela. Vendo-o resolvido, o pastor julgou-se salvo. Foi então que sobreveio um incidente inesperado e no entanto previsível. Villegagnon tirou do bolso um pedaço de veludo bordado, estendeu-o no chão e ajoelhou-se. O movimento parecia particularmente agradável aos índios que lançaram exclamações de admiração.

Mas o pastor estava lívido.

— Vamos — murmurou —, levante-se.

Tinha a hóstia na mão e não a entregava ao comungante.

— Nunca! — murmurou o almirante. — Quando meu Deus aparece, eu me inclino diante d'Ele.

— Que exemplo o senhor dá aos índios? — disse o pastor sem levantar a voz. — Isso é pura idolatria.

— Adoro o Deus presente em pessoa.

— Adora uma hóstia de pão.

— Como? — indignou-se Villegagnon elevando bruscamente o tom. — Mas então...

Richer, a mão sempre crispada no pequeno disco branco, olhava em volta como um afogado. Naquela paisagem de aurora do mundo, entremeada de matas e montanhas, nenhuma referência humana podia tranqüilizar a vista. Eles estavam sós. De suas decisões, de seus fracassos, de seus erros dependia o povo humilde encolhido naquela praça, onde murmúrios, perigosamente, começavam a correr. De repente, entre aquelas caras confusas, Richer reconheceu a de du Pont. O grande político piscou, sinal de que o interesse ordenava uma retirada tática.

O pastor enfiou a hóstia na boca ávida e desdentada de Villegagnon e passou ao seguinte.

Na pequena confusão que se seguiu à cerimônia, todos foram unânimes em reconhecer que ela havia sido um sucesso. Esses primeiros casamentos permitiam que se esperassem novos tempos, como os velhos, na Europa, dos quais se sentiam saudades: casas de família, filhos legítimos, cooperação do homem com a mulher, paz.

No empurra-empurra, Colombe procurou Just sem intenção específica, apenas para estar perto dele, pois, desde sua volta, ela sentia-se só, estranha, com o desejo surdo de encontrar a seu lado a antiga segurança. Achou-o por acaso enquanto ele falava com Aude. Era tarde demais para fugir.

Just balbuciava. A soberania de sua personalidade estava como que subjugada por uma timidez avassaladora que o tornava desajeitado. E a jovem protestante, longe de conceber piedade pela vítima daquele combate desigual, mantinha a arma de seu rosto, de seus olhos, de seu perfume apontada para a garganta daquele que pedia clemência com o olhar. A chegada de Colombe aumentou o constrangimento de seu irmão.

— Eu lhe apresento... — gaguejou Just — meu irmão Colin. Colin, Srta. Aude Maupin, sobrinha do pastor Richer.

— Seu... irmão? — hesitou ela pondo em dúvida essa palavra. — Encantada.

Aude apontou para Colombe a lanceta de seu olhar, perfurou de um golpe o frágil tegumento de seu hábito sujo, revolveu sua garganta como que para expô-la e espetou seu coração até sair sangue.

— Ele serve de trugimão junto aos selvagens — apressou-se Just, e por essa explicação entendia-se que ele queria desculpar o traje índio de Colombe, nesse dia de festa.

Ela ficou aborrecida com essa covardia, mas não teria respondido se Aude, atacando por sua vez, não tivesse tomado a iniciativa do duelo.

— Junto aos índios — repetiu com uma compaixão maldosa —, coitado!

— E por que deveriam ter pena de mim por isso... senhorita? — protestou Colombe, olhando nos olhos da protestante.

— Porque os índios são uns selvagens!

O tom carregado de ironia dizia "e convivendo com eles, a pessoa fica selvagem".

— Para mim — disse Colombe censurando-se por não encontrar argumento melhor —, são seres humanos.

— Tem razão de esperar que eles se tornem humanos — suspirou Aude. — Pois, felizmente, nós lhes trazemos a fé.

— E eles nos trazem peixe e farinha.

Um silêncio muito breve acompanhou uma troca de olhares mortal. Just não encontrava o que dizer para pôr fim ao enfrentamento.

— Bela comparação! — prosseguiu Aude, que pretendia forçar sua vantagem. — O senhor assimila a fé a uma mercadoria. É assim mesmo que a concebem os papistas que comerciam gestos e orações. Infelizmente, entende, a fé não é uma questão de gestos, mas sim de graça.

— Aqueles a quem chama de selvagens não são tão desprovidos quanto acredita — disse Colombe.

A súbita lembrança de Paraguaçu, das cascatas e da casa de Pay-Lo fizeram-na sentir, pela primeira vez, que encontraria ali mais conforto que ao lado de Just.

Mas Aude não pretendia deixar nada no ar.

— É impossível — retorquiu. — Quem não conhece Cristo não pode ter a graça. Meu tio diz bem: esses nativos não têm Deus.

— Não têm Deus! — exclamou Colombe. — Mas parece-me que, ao contrário, têm muito mais que nós.

— Urgh! — exclamou Aude, exprimindo sua repulsa. — Ídolos. Não, "senhor", nada disso é o Deus que salva. A verdadeira graça não se imita.

Colombe mergulhou o aço de seus olhos pálidos no rosto a descoberto de sua imprudente adversária.

— Não é como a virtude — disse.

Surpresa consigo mesma por esse ataque e vendo a protestante empalidecer, Colombe súbito se deu conta de que Just estava a seu lado. Já o recriminara suficientemente por sua covardia para lhe dar a oportunidade de agravá-la, tomando partido contra ela ou, pior ainda, fazendo o papel do árbitro embaraçado. Assim, girou bruscamente nos calcanhares e desapareceu na pequena multidão.

*

Colombe pegara ao acaso o caminho à beira-mar, ao longo do forte. Desde o desembarque, aquele era sempre para ela o lugar para estar só e para meditar. Mas agora era dominado pela muralha, ao longo da qual ouviam-se os passos de sentinelas caminhando. Em alguns pontos, a muralha era vazada por cavidades estreitas por onde escorriam as águas. A rigor, ali cabia um homem agachado. Foi de uma dessas brechas que Quintin pulou, assustando-a.

— Achei-a! — gritou ele. — Quando partimos?

Ela o havia esquecido um pouco.

— Hoje de manhã — gemeu ele —, quase fui recrutado à força para a obra. Ainda agora um desses assassinos agarrou-se a mim quando eu ia buscar água, perguntando maldosamente se eu acreditava no purgatório.

— O que você respondeu?

— Quase disse que o inferno é onde eles estão e o paraíso é o resto, mas com essas coisas não se brinca. Quando partimos, Colombe?

— Tão logo seja possível — disse ela.

E de fato, tinha essa intenção.

— Observei muito o porto, ontem à noite. O soldado que faz o quarto turno é um gordo de Mecklembourg. Conheço-o bem: ele não consegue se impedir de cochilar. Basta subir num escaler...

— Eles estão amarrados por uma corrente — objetou Colombe. — E você sabe que eles têm ordem de atirar se virem alguém fugindo.

Quintin conhecia esses obstáculos e não tinha nada a opor a eles. Os dois se calaram.

— Dê-me até a noite — disse Colombe. — Vou ver o que posso fazer.

Ela pensou em ir falar com o almirante. Mas naquela hora queria sobretudo ficar só. Mandou Quintin esconder-se e continuou caminhando ao longo dos recifes.

Chegando à ponta da ilha, deparou-se com um grupo de índios cativos que lavavam sua roupa no mar. A água doce era escassa demais na ilha para que lhes permitissem usá-la para isso. Homens e mulheres se haviam despido para poder mergulhar a túnica na água. Os que haviam terminado esperavam a roupa secar ao sol, estendida numa pedra. A pequena comemoração que o almirante havia autorizado perto do porto para festejar os noivos havia relaxado a vigilância. Os escravos, por sua vez, estavam sozinhos. Colombe aproximou-se e, como eles fizessem menção de se afastar assustados, ela os tranqüilizou com palavras na língua deles.

Sentou-se perto de um grupo de mulheres e ficou calada. Por um instante, julgou ter voltado ao tempo dos passeios com Paraguaçu e teve vontade de se despir como as outras. Mas lembrou-se que estava na ilha. Ademais, esses cativos eram muito diferentes de suas antigas companheiras. Comprados por Le Freux aos inimigos, eles trabalhavam na obra do forte desde o início. Seu ar miserável e submisso revelava o medo com que viviam. Sentia-se neles uma tristeza que nada podia aliviar. Não que fossem maltratados. Villegagnon não havia mostrado até então muita crueldade para com eles. Mas arrancando-os de suas tribos e colocando-os naquela ilha de onde toda a vida natural aos poucos desaparecera, o cativeiro privara-os da floresta, da caça, dos adereços de plumas, em suma, do que constituía o quadro espiritual de sua vida. De alguma forma, eles já estavam mortos e aceitavam esse acréscimo de existência como uma inelutável condenação. Colombe, para dissipar o constrangimento suscitado por sua presença, perguntou o que haviam achado da cerimônia da manhã. Ninguém parecia querer lhe responder. Afinal, uma mulher mais idosa e enrugada disse em tupi:

— Por que vocês não fazem mais barulho quando dançam?

Colombe pediu que ela repetisse a pergunta e fez outras, para tentar entender-lhe o sentido. Pareceu-lhe afinal que os índios, que de francês só haviam aprendido as ordens curtas que lhes davam, haviam permanecido na ignorância do verdadeiro objetivo daquela celebração. Os adereços, o palco, os movimentos dos participantes haviam sido interpretados por eles como uma festa e eles só se espantavam com o ritmo extremamente lento em que dançavam esses brancos.

— Não era uma dança — explicou Colombe. — Mas sim um casamento.

Porém essa palavra, em tupi, evocava para os índios algo completamente diferente. Dois ou três deles sacudiram a cabeça com um ar incrédulo e vagamente reprovador.

— E por que vestem suas mulheres assim, se é para fazer filhos? — perguntou a velha.

O vestido das noivas fora sem dúvida o que mais havia espantado as índias. Colombe compreendeu que, à parte ela que se vestia como rapaz, elas jamais haviam visto uma européia com seus atavios. Vistas de longe após o desembarque, era a primeira vez que as protestantes se ofereciam livremente a seus olhares tão de perto.

— Elas estão vestidas — disse Colombe — e... vão despir-se depois.

Essa explicação embaraçada e mais ou menos ociosa fê-la corar, depois ela estourou na gargalhada e todos os índios, primeiro timidamente, depois com um prazer visível, a imitaram.

Quando o silêncio voltou, todos ficaram um instante contemplando a água que se tingia de rosa lambendo o costão.

— Eis então o que querem para nós! — exclamou uma mulher e as outras todas balançaram a cabeça sérias.

Colombe perguntou-lhe o que ela queria dizer. Hesitando muito, a mulher acabou explicando que há alguns dias os homens da ilha haviam voltado a assediá-las. No tempo de Le Freux, elas eram obrigadas a ceder a eles, depois viera um longo período em que a calma voltara. Ela não sabia que isso era por causa das ordens do almirante. Agora que os casamentos eram possíveis e até encorajados, elas voltavam a ser chamadas de lado e forçadas.

Colombe ficou envergonhadíssima ao ouvir o relato dessas brutalidades e pensou em Just, que, sem perceber, tornava-se cúmplice das mesmas.

— Assim — disse uma mulher —, o que eles querem é botar em nós também esses vestidos pretos, como nas outras.

Colombe teve vontade de rir dessa conclusão, mas esta recobria uma verdade tão pungente e tão grave que ela se conteve. Banidas da humanidade viva, essas índias ainda concebiam graus superiores no rebaixamento. Cativas, continuavam livres ao menos de si mesmas e, ainda que fossem escravas de todos, podiam ainda ter o receio de não sê-lo senão de um só, que satisfaria sua vontade na pessoa delas.

— Nunca pensaram em fugir? — perguntou Colombe em voz baixa.

Um estremecimento percorreu as índias que se entreolharam apavoradas. Ao longe, para o lado do porto, ouvia-se a algazarra dos festejadores. Bastou uma olhadela para que elas vissem que continuava não havendo nenhum guarda para as vigiar. Destacando-se do grupo, um homem alto, o ventre cheio de cicatrizes, aproximou-se de Colombe e lhe disse em voz baixa:

— Você conhece a nossa língua e seu olho diz que não é má de espírito — começou.

Um arrepio de alegria percorreu a espinha de Colombe, como o que a liberdade difunde no corpo quando a pessoa de repente decide acolhê-la.

— Está vendo, lá? — recomeçou o homem mostrando com o queixo um comprido tronco de palmeira atravessado nos últimos recifes. — Nós o escavamos em silêncio todas as noites. A canoa está pronta.

— Quantos homens ela pode levar? — murmurou Colombe.

— Dez, mas são as mulheres que queremos salvar.

— Ótimo! — exclamou Colombe. — Quando elas partem?

Súbito, o escravo mostrou um constrangimento inesperado. Olhou para o chão e disse lugubremente.

— Ainda não.

— Por quê? — indignou-se Colombe. — Está tudo pronto. Não se deve esperar.

— No continente — confessou finalmente o cativo —, elas estarão ainda mais mortas que aqui.

— O que quer dizer? Vocês conhecem a floresta. Podem se esconder, fugir.

— E ir aonde? Há luas e luas, somos prisioneiros; como vamos encontrar a nossa gente? Todos os da costa são nossos inimigos. Não temos armas.

Colombe pensou nos anabatistas que não haviam tido esses medos e aparentemente haviam sobrevivido, sem conhecer tanto da mata. Mas isso era fazer pouco caso do pensamento índio. Sem o auxílio dos espíritos e dos presságios, sem maracas nem caraíba para interpretar seus oráculos, os índios viam a floresta como um lugar de maldição e de forças hostis contra as quais estavam desarmados.

Colombe levantou-se, foi andando para o forte, olhou ao longe para a árvore oca, a praia azulada tão perto, do outro lado do braço de mar. Lembrou-se das palavras da protestante. O ódio que não podia sentir do irmão, misturado a essa ignomínia, explodiu contra ela. Súbito, ela se voltou para os tupis toda sorridente.

A luz da tarde iluminava-a bem de frente; um ligeiro ofuscamento colocava-lhe a pérola de uma lágrima nos cílios. Ela se sentia mais Olho-Sol que nunca, e foi convocando toda a misteriosa força de seu olhar que lhes disse:

— Vocês me ajudarão se eu os ajudar?

Eles não precisaram responder, pois já se via que a amavam.

CAPÍTULO 6

A vontade comum de pôr termo à anarquia teológica que paralisava a ilha traduzira-se por uma medida mínima: os sermões agora se limitavam a meia hora, uma vez por dia e num local combinado. Não comportavam mais nem ataques ao papa nem blasfêmias contra a Virgem Maria. Essa moderação contribuíra para trazer de volta um pouco de calma. Mas, de repente, a religião nova não progredia muito mais e a outra, fiel aos dogmas católicos, estava em condições de dizer que tinha triunfado. Dois campos se desenhavam, um desconfiando do outro, e sua hostilidade corria o risco de explodir a qualquer momento.

Continuava sendo urgente propor uma solução que preservasse a unidade. Uma inquietação na cúpula substituiu a agitação na base, que o fim dos sermões acalmara. Pois cada um tinha uma concepção pessoal de unidade, que supunha a capitulação dos outros. Para dom Gonzagues, revigorado pela direção do partido católico, os recém-chegados seriam perdoados tão logo recitassem o Credo. Para os protestantes, só era aceitável uma renúncia total à idolatria. Dedicavam-se a reforçar seu lado, a doutrinar os recém-convertidos nos princípios de Calvino e a organizar em seu seio uma polícia capaz de erradicar a heresia onde ela queira encontrar refúgio. Du Pont era o mestre temporal dessa facção e nada se fazia, com respeito ao povo protestante da ilha, sem que ele se pronunciasse.

Só Villegagnon não abandonara a idéia de um meio-termo razoável. A fim de estudar as propostas mais recentes do reformador de Genève e de ver se ainda era possível aproximá-las da religião de Roma, o almirante fizera com que lhe fosse entregue por Richer a última obra de Calvino intitulada *As ordenações eclesiásticas.*

Isso, aliás, não fora sem sofrimento, pois o pastor só possuía um exemplar e receava que Villegagnon quisesse aproveitar o ensejo para destruí-lo.

O que o almirante descobriu nesse texto espantou-o. Toda a liberdade, a audácia, a lava fervente do espírito que escorria através dos primeiros escritos protestantes se congelara nas *Ordenações*. A pretexto de colocar ordem nesses escritos, Calvino semeava a morte em suas próprias idéias. A Reforma, sob sua pena, tornava-se regras, castigos, polícia. Villegagnon lamentou ter apelado, por desconhecer essa evolução, para um homem desses. Mas o erro estava feito; era preciso sair dessa. Noite e dia, sem comer, sem sair nem descansar, Villegagnon picou em pedaços miúdos essas idéias todas, misturou-lhes ervas aromáticas tiradas dos Antigos, recheou tudo com fragmentos de Evangelho, amassou, refogou, dourou, temperou à sua maneira rústica de homem de guerra. Essa culinária teológica ajudou-o a assimilar as principais dificuldades e a reduzir muito o problema central que devia ser resolvido. Como intuíra, tudo, afinal, podia se arranjar. O celibato dos padres não era abordado pelo Evangelho, a gratuidade da salvação não era seriamente questionada pelo partido católico de dom Gonzagues: este desconfiava muito do clero para creditar-lhe o poder de salvar. E ainda era possível encomendar orações contra a moeda sonante; as preces poderiam ajudar a salvação, mas não provocá-la. A Virgem Maria constituía um obstáculo mais sério. Mas a alma poética de dom Gonzagues fornecia a solução: podia-se deixar os católicos celebrar Maria sem por isso reconhecer sua natureza divina. Afinal de contas, não seria a primeira vez que se atribuiria à mulher mais poder do que ela possuía. Os protestantes podiam admitir essa ternura, sem confundi-la com idolatria. Em matéria de liturgia, comungar sob as duas espécies estava de acordo com o espírito dos primeiros tempos; quanto à pureza do vinho, cada qual podia decidir sobre isso como lhe conviesse...

Finalmente, o nó da polêmica que se tratava de cortar, o centro propriamente dito do debate capaz, conforme seu desfecho, de separar para sempre os dois partidos ou de fazer deles mais de um, este era o ponto que o almirante entrevira no momento da Ceia: Cristo estava em pessoa na hóstia? Pois, na verdade, tudo procedia daí. Se ele não estivesse, o homem estava abandonado. Podia receber a graça divina, talvez, mas qualquer comunicação com esse Deus salvador lhe era vedada. Não era possível dirigir-se a Ele nem alimentar-se de Sua Vida. Deus enviara seu Filho, depois o tomara e o homem não tinha para si senão a palavra deixada pelo Salvador. Naquela ilha no fim do mundo, Villegagnon sabia o que solidão queria dizer. Se nunca sofrera seus efeitos era porque, pelo estreito canal da comunhão, pensava poder ser colocado sempre e em todo lugar na presença de seu Deus consolador, fonte de vida e de eternidade.

Se Cristo está na hóstia, o crente nunca está só, nunca está perdido, nunca está faminto. E no dia do Juízo, a ressurreição concernirá não só ao espírito dos mortos mas também à sua carne, vivificada pela absorção efetiva da carne de Cristo. Ora, nada estava claro sobre esse ponto. Os católicos falavam de transubstanciação: o pão e o vinho tornavam-se a verdadeira carne e o verdadeiro sangue de Cristo. Lutero usava a palavra consubstanciação: o pão e o vinho, sem deixar de ser matérias profanas, tornavam-se *também* a carne e o sangue de Cristo. Mas o que dizia Calvino? Ele parecia rejeitar as idéias católicas, como as luteranas, sobre esse ponto, negar a presença material de Cristo. E, entretanto, fustigava aqueles que, como Socin ou Zwingli, faziam da comunhão um gesto simbólico, vazio de Deus, a pura e triste comemoração eterna do Salvador desaparecido.

Aí estava o centro do debate. Era preciso intimar os calvinistas a se explicarem. Empurrando-os em seus redutos, o almirante esperava vê-los enfim cair de um lado ou de outro: ou afinal aceitavam — mesmo com reticência — a presença real, e Villegagnon garantiria que era capaz de aplainar todos os obstáculos que ainda restavam com os católicos, ou a rejeitavam. Então esse Deus inacessível, que abandonava o homem à solidão e à morte, não podia ser servido por ninguém. Os pastores eram então impostores e os sacramentos, palhaçadas. Os huguenotes não sobreviveriam a esse ridículo.

Villegagnon compreendeu que os estéreis conciliábulos dos ignorantes — que, felizmente, haviam terminado — deviam ser substituídos por uma discussão na cúpula, esclarecida com todas as luzes possíveis. Os reformados haviam repelido suas primeiras veleidades de debate: não poderiam se furtar a esta que seria bastante limitada, decisiva e sobretudo obrigatória. O almirante convocou mestre Amberi para fazê-lo redigir, nas devidas condições, uma citação.

Du Pont recebeu no dia seguinte a notificação do colóquio para o qual estavam convidados Richer, Chartier e alguns protestantes (dez, no máximo) cujo auxílio poderia ser julgado útil. A segurança dos participantes seria estritamente assegurada, nenhuma arma seria tolerada no recinto onde se realizaria o debate: os espíritos estavam suficientemente esquentados, em particular de parte de dom Gonzagues, para não tornar supérflua essa precisão. Du Pont informou imediatamente que estaria presente.

*

Sobre a cortina quase terminada do forte, restava assentar duas pedras retangulares, talhadas para servir de ameias. Just supervisionava essa operação delicada. A arte sutil da fortificação militar agora lhe era familiar. Esse conhecimento, no tocante ao mar, não era, na Europa, apanágio senão dos cavaleiros de Malta. Nenhuma praça-forte marítima era edificada sem seu conselho. Eles se guardavam de confiar a um livro, sempre passível de ser arrebatado, os segredos dessa arte. Ela se transmitia de mestre a aluno, e Villegagnon não tivera um mais atento que Just.

O jovem cavaleiro, apesar de todas as desventuras por que passara a colônia, sentia um orgulho profundo quando contemplava esse forte. Cada curva de muralha lhe falava: ele compreendia sua utilidade, admirava a inteligência de sua disposição, essa maneira fascinante que o pensamento militar tem de converter o movimento em geometria, de prever o ataque, seus eixos, sua velocidade, e de opor-lhe a resistência imóvel de uma muralha bem-feita. Não era desejável que os portugueses viessem provar a exatidão de seus cálculos. Mas, se o fizessem, Just confiava: a fortaleza agüentaria.

Ele caminhava naquela manhã na borda da muralha, onde em breve deveria interpor-se um parapeito de pedra. Rangidos de guincho, ruídos que lhe agradavam, acompanhavam a lenta subida de um bloco, na lança de um guindaste de madeira. Esse trabalho rigoroso que faria corresponder exatamente as massas rígidas dos materiais talhados constituía uma distração calmante para os difíceis relacionamentos humanos. Nos domínios do espírito, e mais ainda do coração — porém repugnava a Just pensar nisso —, tudo é sempre muito imprevisível, muito vago, muito dinâmico. As intenções mudavam de sentido, os sentimentos nunca estavam longe de seu contrário, os acordos revelavam-se instáveis, as tranqüilizações, delicadas. Nada valia a boa simplicidade de uma pedra esquadrejada pesando sobre outra, jurando-lhe fidelidade por séculos e séculos.

Assim, Just estava ligeiramente irritado, no momento em que o bloco chegava à sua altura e começava, sob a tração de dois homens, a girar lentamente, quando viu Colombe aproximar-se pelo topo da muralha e encaminhar-se para ele. Ele deu alguns passos em sua direção para que sua conversa, que ele temia, não chegasse aos ouvidos dos operários. A jovem parou diante dele. Naquela manhã já quente, a claridade do outono astral mostrava-a diferente para ele. Ele não saberia dizer em quê.

Talvez aquele ar de fúria, aquele olho inquieto que procurava evitá-lo fizeram-no temer alguma ponta de ironia ou de raiva. Mas ela lhe falou com doçura e, contrariando seus hábitos, sem sorrir.

— Estou de partida, Just. Precisamos nos despedir.

Com sua musculatura de homem de espaços abertos e praticante de esgrima, seu rosto mais fino, a lâmina reta de seu nariz, seus lábios ainda grossos rachados pelo vento salgado, ele estava muito diferente do adolescente desengonçado que desembarcara há dois anos e meio... Parecia que se construíra com o forte e com o mesmo material grave, polido, inalterável. Colombe quisera ao mesmo tempo impregnar-se uma última vez desse rosto e não ter que contemplá-lo. Receava provocar uma dolorosa cerimônia de adeus.

— Para onde vai? — perguntou Just.

Era como pegar a menor ferramenta possível para manejar uma substância delicada e talvez perigosa.

— Para junto dos índios.

— Outra vez! — exclamou ele.

Colombe criticou-o primeiro por comparar sua decisão atual a suas viagens anteriores, que ela fizera em outro estado de espírito. Mas logo disse a si mesma que, banalizando a questão, evitava ser obrigada a confessar que dessa vez não contava voltar.

— É — disse ela. — Outra vez.

Just baixou os olhos. Não conseguia entender tudo, mas sentia a repreensão contida nessa decisão. Sem conceber que o mundo índio pudesse ser outra coisa senão vida selvagem, o contrário abominável da civilização, Just percebeu o que uma referência dessas continha de crítica e quase de insulto. Amar a floresta era olhar para os esforços da colônia da forma mais implacável, formular o mais radical julgamento negativo.

— Vamos, Colombe — disse ele com um misto de timidez e acabrunhamento. — Tudo vai acabar se acertando, aqui.

Um instinto duplo dividia Just, dizia-lhe ao mesmo tempo que ela estava com a razão e que, no entanto, estava errada.

— Você vai ver, vamos chegar lá — acrescentou.

E, nesse momento, ela sentiu o que tem de incomparável a ligação que se pode adquirir desde a infância com outro ser. De suas brincadeiras em Clamorgan, de sua brilhante miséria na Itália até esses dias negros da travessia, esses medos, essas esperanças, eles souberam se dar tanto amor e coragem com essas palavras: vamos chegar lá. E o destino de cada frase mágica era mais cruel nessa hora em que, sem duvidar que chegariam lá, ela simplesmente não queria mais isso.

— Chegar a quê, Just? As escravas violentadas, a ilha destruída, ódio por todo lado, você não vê nada?

Mas o caminho de ronda bem retilíneo, o bloco que agora começava a baixar até o parapeito, o orgulho das armas, os barcos atracados, toda a baía esperando a conquista e o triunfo da França Antártica respondiam por Just. Ele se contentou em erguer os olhos e abarcar essas metamorfoses com o olhar. Ela compreendeu.

— Não suporto mais mentir — disse ela beliscando a camisa sem forma.

Isso era passar da grande mentira da colônia à mentira miúda que lhe concernia e sobre a qual, ao menos, eles podiam estar de acordo.

— Podemos confessar a verdade a Villegagnon — arriscou Just.

Mas o que ele dizia era mentira. Ela o conhecia bem demais para não sentir isso. Na delicada situação da colônia, Just não tinha intenção alguma de acrescentar esse aborrecimento ao cavaleiro. Sobretudo, tinha muito a temer nesse momento de tensão em que tudo podia virar tempestade. Disse a si mesma que ele era corajoso como sempre sob o fogo e o trabalho, mas ainda lhe faltava aquela força que converte a audácia externa em coragem íntima. Lembrou-se de seus olhares para Aude e toda a agressividade lhe voltou.

— Não vou estar aqui para o seu casamento — disse ela sem poder impedir seu olho de sorrir e machucar ainda mais que suas palavras.

— Meu casamento! — exclamou ele. — Mas do que você está falando? Eu nunca...

— Vamos — cortou ela dando de ombros —, ao menos, não seja cego: você a ama. Melhor para você.

Ela de repente teve vergonha de ter tão covardemente aplicado o ferro das palavras na chaga da verdade.

Desarmado como se tivesse recebido o golpe de uma lança, Just se perturbou, menos com o que ela tivera a audácia de lhe dizer do que por ter sido suficientemente covarde para não querer pensá-lo. A evidência o disputava com a indignação e ele não sabia sob que domínio se colocar. Colombe se desprezaria por aceitar uma vitória tão fácil.

— Desconfie de você mesmo, meu Just.

Quem podia saber? Não estava ela, no íntimo, feliz por essa paixão vir quebrar a comédia gasta da castidade e da camaradagem viril? O mal não era cada um deles ousar finalmente ser o que era, homem e mulher, mas sim o fato de que, perdendo o vínculo de infância que os unia, não pudessem entretanto formar outro; pois eram em primeiro lugar, por mais que ela sempre tivesse dúvida quanto a isso, irmão e irmã.

Quebrando o silêncio constrangido dos dois, um grito ecoou atrás deles. Ao pousar com muita violência o bloco de pedra, os operários o haviam rachado. Just correu para o guincho.

Colombe aproveitou para fugir sem olhar para trás.

*

O colóquio teve início no dia seguinte, tendo os huguenotes mandado dizer que estavam prontos para o confronto e não exigiam nenhum prazo para prepará-lo.

Os participantes se reuniram num novo local, contíguo à sede do governo. Villegagnon mandara edificá-lo para abrigar o futuro Conselho da ilha, a cuja constituição ele se sacrificara. Os dois pastores e meia dúzia de fiéis instalaram-se de um lado em bancos, enquanto du Pont estava recuado, de pé para seu conforto. Em frente, dom Gonzagues conduzia um pequeno grupo de artesãos em quem incutira um violento apego à Virgem Maria, ao mesmo tempo que a esperança de uma boa colocação.

Villegagnon instalou-se na estreita ponta da sala, à mesma distância dos dois grupos, Just e Le Thoret em pé atrás dele, um de cada lado das portas. Finalmente, o pobre notário Amberi estava sentado numa pequena carteira no meio dessas duas linhas de adversários e parecia designado para ser a primeira vítima da discussão. Uma hostilidade palpável enchia o recinto. Nos dias precedentes, muitos convertidos arrependeram-se de ter abjurado. Haviam sido pressionados, ameaçados. Estourara uma briga na obra. Cada um estava agora intimado a jurar fidelidade a um campo e devia se definir, embora a diferença exata entre ambos continuasse sendo ignorada. Não se sabia ao certo por que alguém se tornava "huguenote" ou "papista", mas, uma vez escolhida a que espécie se pertencia, não era mais possível mudar. Na sala, a impaciência se manifestava. Divisórias de folha de palmeiras construídas às pressas deixavam ver ao longe o branco da areia e a linha de jade das águas. O calor sufocante umedecera com o véu de uma bruma, estranha para a estação, que escondia o sol. Vários assistentes, constrangidos e se perguntando se não fariam melhor se pulassem as claustras e fugissem, espalhavam no ar imóvel uns odores de axilas inquietas.

— Está pronto, mestre Amberi? — indagou enfim Villegagnon.

O sinal de aquiescência do notário indicou a abertura dos trabalhos.

— Senhores — começou o almirante usando sua voz de bardo, própria para desencadear alegria e fraternidade —, cremos todos em Nosso Senhor Jesus Cristo. A luz e a verdade ainda estão em nossas mãos, nesta terra abandonada da qual vamos fazer o jardim do rei da França.

Dom Gonzagues suspirou. A palavra jardim sempre lhe despertava versos, pois ele gostava de evocar poeticamente a Mulher, seus cabelos penteados, seu carmim, suas pupilas sob as espécies metafóricas de aléias rigidamente traçadas, de canteiros e de lagos límpidos.

— Mas — gritou Villegagnon tirando o cavaleiro de seu torpor poético —, em face dos perigos que nos cercam, temos o dever de resistir unidos sem perturbar o entendimento dos que nos são confiados por divergências de somenos.

Esta última palavra levantou indignações de todas as partes. Os peitos inflaram, muitos produziram um som gutural como se se preparassem para sacar a espada.

Villegagnon, por mais que quisesse parecer à vontade, estava circunspecto. Ele que recebera os protestantes com alegria, acreditando que o espírito de liberdade e de controvérsia sadia doravante vigoraria na colônia, aprendera às próprias custas que para eles o debate não era bem-vindo. Não se devia aceitar lutar por ninharias.

— Vamos nos ater ao essencial — disse. — O resto procederá daí. Assim, formularei a questão diretamente: Nosso Senhor Jesus Cristo está, sim ou não, presente em pessoa na comunhão?

Pegando uma simples folha que preparara, ele expôs as conseqüências dessa presença para a salvação e a impossibilidade, a seus olhos, de fundar um culto que não reconhecesse isso. Nesse ponto, embora no centro, ele se mostrava mais perto dos católicos. Dom Gonzagues exprimiu seu assentimento. Richer tomou a palavra com solenidade.

— Sim — declarou administrando seu efeito. — Cristo está ali, durante a Ceia.

Manifestou-se um relaxamento no rosto crispado de Villegagnon. Dom Gonzagues empinou orgulhosamente a barba.

— Como diz Calvino — citou Richer alisando por sua vez um papel —, "nossas almas são saciadas da substância de Seu corpo a fim de que em verdade sejamos unidos n'Ele".

— Ah!, meu irmão — exclamou Villegagnon levantando-se —, eu o abraço.

Mas Richer, diante do perigo desse gesto, respondeu prontamente:

— Deixe-me acabar! Cristo está ali, eu disse...

Villegagnon tornara a sentar-se e sorria satisfeito.

— ... mas não está.

Um "oh!" de indignação sacudiu o lado católico e fez o almirante empalidecer de despeito.

— Não está — continuou Richer erguendo a mão para que o deixassem prosseguir —, porque Calvino diz: "Aqui não tem senão pão e vinho. E estas não são coisas para garantir a salvação de nossas almas; são alimentos caducos, como diz São Paulo, os quais são para o ventre."

— Virgem Santíssima! — berrou o almirante. — Vocês precisam se decidir. Ele está ou não está. Não depende de vocês tirá-lo dali ou botá-lo.

— Sim, justamente. Cristo está ali, porque nós o botamos — explicou Richer.

Ergueu-se um clamor do banco católico.

— É a fé do crente — continuou o pastor sem se perturbar — que o faz vir em espírito, em sua natureza divina. Mas, quanto a ele, ele está à direita do Pai, tão afastado do pão e do vinho quanto o céu da terra.

— Assim — gritou Villegagnon para abafar o tumulto do lado de dom Gonzagues —, o homem está abandonado, o homem criado por Deus à sua imagem, o homem que reflete Sua perfeição...

— Pare! — ganiu du Pont, que até então permanecera quieto. — Sim, pare com suas quimeras, almirante, sobre a bondade do homem. O homem não é bom. Está perdido, condenado, preso a seu destino de querer o mal e fazê-lo.

— E seu corpo sujo — acrescentou o pastor, olhos cheios de repulsa —, sua carne miserável não haverão de participar, felizmente, da Ressurreição do último dia.

Fez-se um silêncio profundo, cuja causa foi Villegagnon. Até então, ele defendia suas teses católicas com sinceridade mas com moderação, procurando o caminho do meio e o entendimento. Pois, de repente, naquilo que ele acabava de ouvir, era a fé do humanista, sua convicção mais íntima, que era atingida em cheio. O golpe era gravíssimo. Ele se levantou bruscamente e com tal força que os murmúrios cessaram de imediato.

Olhou alternadamente para du Pont e Richer com um ódio indizível. De todos os pecados que se podia cometer, eles haviam sucumbido ao único que ele não lhes podia perdoar: o de não amar seus semelhantes. Se ele, Villegagnon, queria defender a idéia de que o homem seria salvo, era por estar imbuído de sua beleza, de sua grandeza, e de uma perfeição que faz dele sempre o espelho de Deus, mesmo que tenha se quebrado na queda. Eles odiavam a si mesmos. O almirante compreendia melhor como essa religião do amor pudera ao mesmo tempo produzir aqueles monstros dos anabatistas. Se o homem é mau e nada pode fazer para se salvar, de fato, mais vale ele pecar à vontade e se saciar com seu próprio horror.

— Anotem! — rosnou afinal Villegagnon apontando para mestre Amberi. — Anotem o que separa e sempre há de separar esses senhores de nós.

Começou a propor uma fórmula de desacordo que Richer contestou, a ponto de redigir uma verdadeira certidão de divórcio. A pena do notário corria rangendo no papel ordinário. Num silêncio opressivo, cada qual calculava as conseqüências desse acontecimento.

Foi no momento de assinar que eles ouviram os gritos. O menor ruído, naquele aposento sem paredes, entrava livremente. Dessa vez, os gritos não vinham de um pássaro, e estavam próximos. Quando se intensificaram mais, reconheceu-se uma voz de mulher. Just, a um sinal do almirante, abriu uma das portas. Uma camareira, cabelos desfeitos, o vestido preto rasgado caído sobre um seio, olhos esgazeados, entrou na sala do conclave.

— Muito bem, Chantal, o que está havendo? — perguntou Richer.

— A senhorita Aude! A senhorita Aude! — gritava a aia.

— Vamos, vamos, fale.

Então, meio tonta, apoiando-se na cabeça do notário, a pobre mulher disse antes de desmaiar:

— Os canibais a comeram.

CAPÍTULO 7

Dois anos de loucura, mas não estava escrito que ele renunciaria: monsenhor Joaquim Coimbra fizera da reconquista do Brasil uma questão pessoal. Ele era o arauto desse partido, infelizmente minoritário, que queria que Portugal não ficasse nas Américas com o único objetivo de trazer dali ouro ou açúcar. Via naquela terra o campo para uma vasta expansão da fé, uma nova cruzada. E se um dia dom Joaquim tivesse chance de usar a tiara, seria levando a bom termo esse projeto que tinha a dupla vantagem de enfraquecer os franceses e servir à cristandade.

Mas nesses dois anos, desde que Cadorim o havia inteirado da expedição francesa, tantos obstáculos apareceram em seu caminho que o prelado inicialmente dera o caso por perdido.

Correndo a Lisboa como dissera ao veneziano, mas correndo no passo de sua parelha muito lenta, chegara após a abdicação de Carlos V. A primeira coisa que soube ao abordar o Tejo foi da trégua assinada entre a França e a Espanha. O soberano português, como ele receava, não quisera decidir nada nas Américas que pudesse perturbar essa concórdia européia. A França, em paz e livre de seu inimigo principal, o teria feito pagar muito caro.

Coimbra voltara a Veneza desgraçado. Felizmente foi para ver que a paz não duraria. Os negócios italianos continuavam como eram: um barril de pólvora, e o prelado, com um ar simplório, ali acrescentava assiduamente um pouco de sílex.

Quem espera pelo pior, mais cedo ou mais tarde, encontra algumas satisfações. Estas vieram naquele bendito verão de 1556, quando duas notícias chegaram ao bispo. Uma era pública: a chegada de Francisco de Guise à Itália, à frente de treze mil homens. A ambição desse grande capitão, ansioso para se fazer coroar rei de Nápoles e colocar seu irmão no trono de Pedro, quebrava a trégua européia. A conseqüência, a curto prazo, seria a retomada da guerra entre a França e a Espanha. Um ponto positivo, que livraria os portugueses de qualquer escrúpulo nas Américas!

A outra notícia, mais secreta, ele devia a Cadorim. O veneziano, muito a contragosto, tivera que partir em outra viagem. Para a França, de novo, é que o mandaram. Ele estava em Paris, onde espionava a corte. Coimbra fora tão generoso com ele, que ele continuava a lhe enviar despachos de quando em quando. O último continha uma informação importante: a iminente partida de ministros calvinistas para o Rio, com a bênção, se esta palavra pode ser usada para heréticos, do rei da França.

De posse dessas preciosas notícias, Coimbra se fechara em sua carruagem. Quebrando três eixos, uma lança e os próprios nervos, chegara a Lisboa bem-disposto, apesar dos pesares, e sabendo o que devia fazer.

Preparando a ofensiva com o confessor do rei e seu círculo jesuíta, o bispo voltara à carga junto ao soberano. Não podia, dessa feita, ser mais oportuno. No começo de 1557, a ruptura entre a França e a Espanha estava consumada. Lutava-se em Flandres. O caminho estava livre. Além disso, para João III, que era muito devoto, a entrada dos huguenotes em seu Brasil era, entre outras coisas, insuportável. Que os normandos pecassem ali, ainda passava. Mas que se apresentasse aos canibais uma religião que desvirtuava a verdade, isto era inaceitável e injustificável.

O rei nomeou um novo governador para o Brasil, encarregando-o de partir o quanto antes para Salvador da Bahia. Sua primeira missão seria pôr fim à absurda passividade dos colonos portugueses que só pensavam em seus engenhos de açúcar. Os pobres jesuítas lutavam nas selvas para propagar a fé: já era hora de levar-lhes socorro, pois neles é que residia a verdadeira missão de Portugal. Quanto ao Rio, era muito simples: era preciso conquistá-lo e erradicar todas as sementes diabólicas que ali se haviam espalhado recentemente. Os dias de Villegagnon e seus malditos franceses estavam contados.

Dom Coimbra podia voltar a Veneza satisfeito. Todavia, antes de confiar novamente suas vértebras à tortura das estradas precárias, ele fazia questão de ter uma conversa com o novo governador do Brasil. O homem de guerra, tão logo chegou a Lisboa de sua província, foi encontrar-se com o prelado.

A entrevista realizou-se perto da igreja de São Francisco, num pequeno claustro tranqüilo de paredes azulejadas até a altura de um homem. Mem de Sá, o governador designado, fez uma entrada nada menos que magistral. Era um homenzinho cambaio, tão franzino que a couraça, que ele não abandonava, supria-lhe a fraqueza do esqueleto e evitava que se esparramasse no chão como uma planta sem guia. Mas, para desmentir essa debilidade corporal, ele mantinha erguida uma cabeça enorme, com as protuberâncias de olhos saltados, beiçolas e nariz. Cabelos pretos, grossos e crespos como astracã, dos quais dependiam vários pequenos arquipélagos igualmente vigorosos, sobrancelhas e bigodes, contribuíam para dar mais ardor a esse rosto sobrecarregado de apetite, violência e crueldade.

O bispo Coimbra acolheu seu visitante com um duplo movimento de horror e contentamento: não se poderia imaginar melhor anjo exterminador para enviar aos huguenotes.

— Ah! — exclamou ele, renunciando com prudência a estender seu anel à mandíbula de tal dogue. — Como estou feliz em vê-lo, senhor governador!

Um rosnado fez as vezes de resposta cortês por parte de Mem de Sá. E como, no mesmo instante, um fio de saliva lhe escorrera para o lábio, ele limpou-o com as costas da mão. Coimbra estava encantado de mandar tal presente aos franceses.

O bispo fez seu convidado sentar-se numa poltrona de couro e começou a lhe falar sobre o Brasil. Contou-lhe tudo a respeito do Rio: as primeiras suspeitas portuguesas quando rumores vindos de Paris pareciam indicar uma tentativa de colonização rival; as informações obtidas em Veneza; a partida dos reformados. Dom Joaquim reparou com satisfação que, ao ouvir essa palavra, Mem de Sá perdia sua imobilidade e deixava perceber movimentos de nariz e orelhas que queriam dizer cerco e caça. Mas o homem de guerra não parecia entender os pontos de interrogação que todavia o bispo introduzia de forma bem nítida no começo e no fim de suas frases. Um certo mal-estar, uma fumaça acre, invadia a conversa e fez o prelado tossir. Afinal, quando ele também fez silêncio, vencido por um desânimo com toques de pânico, Mem de Sá abriu a boca, revelando dentes fortes, rosados como coral, e disse:

— É preciso fazer a guerra, no Rio.

Sua voz tinha a gravidade lenhosa de um armário ventríloquo.

Com que então, ele falava. Falava e pensava. Ademais, pensava bem. O bispo recobrou imediatamente algumas cores. Justificado por essa resposta, que mostrava que ele não pecara em vão, começou suavemente, com humor, loquacidade e alegria sincera, a fazer ao governador mil comentários sobre o Brasil, os jesuítas, os canibais, a perfídia francesa, a ajuda dos venezianos, o insuportável estado das estradas, a suavidade do vinho do Douro, o rei, a corte, ele próprio. E ao chegar a esse tema preferido entre os demais, suspirou e, afinal, calou-se.

O sino do campanário bateu as duas badaladas de um ofício, que ressoaram no silêncio do claustro.

— É preciso fazer a guerra, no Rio — repetiu Mem de Sá, na mesma oitava do sino.

— Sim — concordou dom Joaquim baixando a cabeça.

Existem forças a que as pessoas devem saber se submeter.

E para mostrar que tencionava digerir essas nutritivas palavras até o último suco, ele cruzou as mãos sobre o estômago e ficou um bom tempo calado.

Mem de Sá continuava aguardando pacientemente. De quando em quando, suas pesadas pálpebras varriam com seus cílios duros o globo sem brilho de seus olhos. Coimbra disse a si mesmo que tinha pouco tempo para ir ao essencial e, desprezando preliminares, foi direto ao assunto.

— Senhor governador — disse destacando as palavras. — O senhor só dispõe de poucas forças, em Salvador da Bahia. Ao que eu saiba, o rei não deu ordem de lhe conceder o auxílio de novas tropas. Uma vez que, como o senhor diz tão bem e com tanta clarividência, é preciso uma guerra no Rio...

— Sim — cortou Mem de Sá.

— ... de fato — retomou Coimbra tirando um lenço para enxugar a testa —, bem, permita-me confiar-lhe uma disposição, que devo a nosso agente veneziano.

Andorinhas, com seu rabo bifurcado, voejavam muito alto no céu pálido. Mem de Sá ergueu os olhos para elas e fungou.

— Uma disposição importante — precisou Coimbra elevando a voz, pois não conseguia dissimular a irritação. — Posso confiá-la a si?

Mas, sabendo o pouco caso que seu interlocutor fazia dessas questões, não esperou resposta alguma.

— Pois bem — continuou ele inclinando-se. — Vocês terão um homem, no meio dos franceses.

O prelado deu conta, com os termos mais simples possíveis, da existência de Vittorio.

— A senha para encontrá-lo — disse — é "Ribère".

Nada se moveu no rosto do governador.

— Ri-bère — repetiu Coimbra, que então suava em bicas.

Não veio reação alguma. Ele recomeçou a explicação. Lembrando-se do cálice de vinho do Porto que lhe fora servido, Mem de Sá pegou-o com aquela mão ossuda e avidamente bebeu um grande trago.

— Ribère — terminou Coimbra com um arremedo de sorriso que não conseguia esconder seu desespero.

A hora soou em outro campanário mais longe, em notas agudas. Mem de Sá ficou atento e pareceu contar as badaladas. Na última, levantou-se, meneou-se para descer um pouco a couraça e puxou as mangas.

O bispo acompanhou-o solicitamente até a porta pela qual ele chegara. Aí, Mem de Sá fez uma pausa, olhou para o prelado e disse com uma voz súbito mais clara:

— É preciso fazer a guerra, no Rio.

Depois, empertigou-se e acrescentou como um grito de guerra:

— Ribère!

E, imediatamente, desapareceu pela poterna.

CAPÍTULO 8

Deitada em sua cama, Aude, coberta com uma colcha de pano, recebeu gemendo o tropel dos visitantes alarmados. Seu tio e du Pont vinham à frente, mas Villegagnon e Just haviam se precipitado atrás deles. Em volta da cabana, ouvia-se zumbir um grupo indignado, onde se misturavam os sectários dos dois partidos.

Aude gemia e esse preliminar de sofrimento bastante visível era o tributo a ser pago pelos erros de vocabulário da idiota daquela Chantal. A camareira, que acompanhava os visitantes, esforçando-se para reconstituir o pudor por trás daquele vestido rasgado, amarrava a cara.

Era óbvio que ela se exprimira mal. Os canibais não haviam comido, no sentido próprio da palavra, a Srta. Aude. Nos olhares espantados e quase decepcionados, esta entendia que já a viam aferventada e esquartejada quando ela ainda estava viva e era capaz de se explicar. Richer pediu-lhe sisudamente para contar todo o ocorrido.

— É horrível demais! — soluçou ela injetando mais um pouco de patético num quadro que os espectadores poderiam achar tranqüilizador, em comparação com seus receios.

— Vamos, minha filha, é preciso contar para assegurar a ordem — murmurou du Pont, acolhendo a mão trêmula de Aude no refúgio de suas manzorras em concha.

— Bem — começou ela violentando sua sensibilidade. — Foi há menos de uma hora. Como todas as tardes, fui dar uma volta com Chantal nos fundos do forte, pelas pedras.

Um lenço, que ela apertava nervosamente contra o rosto, vinha contradizer a evidência: embora conservasse os olhos secos, Aude queria dar a impressão de que fazia essa confissão em prantos.

— Eu gostava desse lugar — sonhou, e, pelo uso do imperfeito, devia-se entender que ali ela não poderia nunca mais voltar —, o mar ali é tão lindo.

— E faz bem para a tez — interveio Chantal.

Todos os olhares, inclusive o de Aude, intimaram-na a não perturbar o inquérito com suas tolices.

— Hoje — recomeçou Aude —, primeiro não encontramos ninguém. Acho que todos os homens da ilha estavam reunidos aguardando o resultado de seu colóquio, não é, querido tio?

Richer fez que sim e Villegagnon, que dominava todos por uma cabeça, tossiu de constrangimento. Pois estava na origem dessa assembléia e receava que, indiretamente, ela tivesse sido a causa do atentado.

— Estava tudo calmo — prosseguiu Aude —, e aproveitamos esse sossego para ir um pouco mais longe, para a ponta da ilha que tanto apreciamos, porque se vê toda a baía e a floresta ao fundo. Foi então que nos atacaram.

— Quem?

— Os índios — precisou ela.

— Nossos escravos? — perguntou Villegagnon, a quem esse grupo cativo pertencia.

— Sim, os que ajudam a construir o forte. Ou antes, as mulheres deles, pois parece que os maridos não se meteram.

— E o que elas fizeram? — insistiu Richer.

Aude julgou oportuno deixar escapar um soluço que ela escondeu com as mãos. Afirmada essa consternação, ninguém ousaria rir de sua descrição.

— Bem — começou ela com repugnância —, elas despiram as túnicas num instante. Estavam todas cobertas de pinturas vermelhas e pretas que as deixavam iguais a uns demônios.

— É o caso! — indignou-se Villegagnon.

— Elas começaram a bater palmas e a dançar em volta de nós. Era preciso que vocês ouvissem os gritos que elas davam, sobretudo duas, mais velhas, que pareciam bruxas.

Ouviam-se no recinto os soluços de Chantal.

— O círculo se fechou. Estávamos mudas de pavor. Ninguém pode imaginar como elas eram horríveis de aspecto e como cheiravam mal. O cheiro do inferno não deve ser muito diferente.

— Mas o que queriam? — indagou Richer.

— Era o que não compreendíamos. Não sabíamos sequer se elas tinham um plano, um chefe, ou se só estavam dominadas por uma loucura de primitivos.

— Assim mesmo — interveio Chantal —, havia uma outra...

— Eu ia falar dela — cortou Aude irritada.

— Que outra? — perguntou Richer.

A jovem fez uma pausa para administrar seu efeito e lançou para um determinado lugar da assembléia um breve olhar, que atingiu o alvo.

— É preciso de fato lhes dar esse detalhe horrível, por mais que me repugne evocá-lo. Entre aqueles monstros saídos direto do inferno, havia uma, a mais jovem, que pertencia à nossa raça civilizada.

— O quê! Uma branca — exclamou Villegagnon —, e de onde pode ter vindo?

— Ah, almirante, o senhor a conhece bem.

Um murmúrio de indignação percorreu o pequeno recinto e os olhares se voltaram para Villegagnon.

— Ela estava coberta com as mesmas pinturas que as outras, mas mesmo assim podia-se perfeitamente reconhecê-la. Ela tem aqueles olhos brancos como rabanetes que lhe dão uma expressão idiota, embora ela esteja longe de sê-lo, infelizmente.

Villegagnon, incrédulo, virou-se para Just e viu que ele estava lívido.

— E além disso — precisou Aude azedamente —, um colo bem-feito e com o qual é espantoso ela ter podido durante tanto tempo se fazer passar por menino.

— Quem é? — perguntou Richer que não havia reparado muito em Colombe.

Aude olhava Just.

— Um de meus pajens, e de quem eu gostava — disse orgulhosamente Villegagnon.

Ele não desejava que outra pessoa senão ele respondesse por aquilo que era sua responsabilidade. Iria se entender com Just oportunamente e sem testemunhas.

— Travestido? — disse Richer com repugnância.

— Parece — respondeu Villegagnon. — Eu não sabia.

Muitos, na ilha, sabiam, e a revelação do sexo de Colombe era para eles menos espantosa que sua participação no atentado.

— E o que fazia essa menina com as índias? — perguntou du Pont.

— Ela as comandava. Aliás, era um prodígio ouvi-la falar a língua delas. A pobre menina virou uma verdadeira selvagem.

— E o que ordenou que elas fizessem? — perguntou Richer.

— Ah!, meu tio, não me faça falar demais. Já foi penoso aturar essas danças de condenados em que elas me expunham suas intimidades de modo bestial; não desejo me sujar mais fazendo essa descrição.

Nesse assunto, sempre se pode confiar na imaginação. O contador hábil deixa o ouvinte completar tais cenas, em função de sua idade e de seus desejos. Uma brisa obscena acariciou por um instante essa assembléia de homens frustrados e os manteve mudos, à beira do prazer e da indignação.

— E depois? — perguntou Richer engolindo em seco penosamente.

— Depois veio o ultraje completo. A branca deu uma ordem e as outras se atiraram em cima de nós, arrancaram nossas roupas e começaram a nos morder.

— Elas queriam devorá-las cruas?

Era o ponto que Aude temia. Pois, em algum momento, seria preciso atenuar o drama e revelar um pouco da farsa. Chantal e ela tinham nos braços apenas marcas superficiais de dentadas, algumas das quais já haviam desaparecido. Toda a encenação das selvagens visava infundir o maior medo naqueles homens, à simples evocação de que elas eram canibais. Mas era forçoso admitir que elas não tiveram nenhuma intenção de lhes fazer mal. De todas as mordidas, a única séria era a do ridículo.

Com aqueles chupões nos braços nus e nos ombros, Aude inspirava mais pena que horror. O sinistro resumo que Chantal fizera a princípio dando o alarme estava ali para acentuar a impressão geral de alívio e também, infelizmente, provocar alguns sorrisos.

— Não pediram socorro? — indignou-se du Pont. — Ninguém pôde vir acudi-las?

Seu cenho franzido indicava que ele via nisso o indício de mais uma negligência, talvez de um complô.

— Gritamos o mais que pudemos — ganiu Chantal.

Mas Aude achava melhor não evocar muito o momento em que, esperneando e se debatendo no chão, elas começaram a grasnar sob a mandíbula de suas consumidoras, como que autenticando seu caráter comestível.

— Foi tudo muito rápido — disse para encerrar esse capítulo. — Mal caímos no chão, elas fugiram, sempre comandadas por aquela francesa que voltou aos costumes selvagens.

Just sentia Villegagnon ferver a seu lado.

— E para onde elas foram? — rosnou ele, prestes a dirigir-se imediatamente ao local para ministrar os castigos adequados.

— Estava tudo previsto — disse Aude balançando a cabeça. — Um tronco de árvore, oco no meio, flutuava junto aos recifes. Elas se precipitaram ali dentro e fugiram para o continente remando.

— E ninguém as viu, ninguém deu o alarme! Ninguém atirou nelas! — berrou Villegagnon. — Então o que faziam as sentinelas na guarita?

— É que na mesma hora — disse uma voz atrás, perto da porta —, alguém começou a jogar pedras nos escaleres.

Le Thoret, na qualidade de chefe dos guardas, interviera para justificar seus homens. O almirante fulminou-o com o olhar.

— E então?

— Então, meus soldados pensaram que alguém estivesse tentando roubar os batéis. Correram para lá.

— E quem havia jogado essas pedras?

— Vimos uns índios fugindo para os gabiões.

— Entendo — disse Villegagnon. — Uma distração enquanto as outras escapavam. Quantos desertores?

— Nove índias — disse Le Thoret — e... ela.

Mesmo agora, quando ela estava fora de perigo, ele não podia se resolver completamente a denunciar Colombe. Há muito o soldado estava ciente da verdade a respeito dela, mas sempre procurara protegê-la. Por duas vezes, interviera junto a seus homens para que silenciassem o que haviam descoberto sobre ela. Ela desconhecia tudo dos benefícios desse anjo da guarda silencioso.

Era tarde demais. Os culpados, a essa hora, já estavam longe. No quarto, ouvia-se Chantal soluçar. Villegagnon avaliou por um instante a situação, depois, adiantando-se para a cama, disse com uma voz cavernosa e solene:

— Apresento-lhe minhas desculpas, senhorita. Que Deus a restabeleça e a proteja.

Girando bruscamente nos calcanhares, saiu atravessando uma cerca dupla de caras contraídas que ele começou imediatamente a odiar, todas elas, sem exceção.

*

Uma chuva fina, fora de época, espalhava pela praia um vapor quente que não molhava a areia em profundidade. Ao saltar da canoa, Colombe e as índias ainda riam do pânico que causaram às duas protestantes. Nua, coberta de uma fina película de suor, borrifos de água do mar e da chuva, Colombe ainda estava excitadíssima com a ação e o perigo. Sentia-se feliz por ter conquistado a liberdade não só no vasto espaço do mundo, mas também no minúsculo local onde ela lhe fora recusada por tanto tempo. Além do mais, compartilhava e via com prazer as índias perderem aqueles gestos de submissão, recuperarem as antigas cautelas da floresta, tocarem em troncos vivos, folhas, raízes, voltarem ao universo palpitante da mata.

Quintin as havia precedido na véspera acompanhando a aguada e permanecendo em terra. Esperava-as no estreito promontório defendido pela única tribo imune à tirania de Le Freux no passado e, agora, de Martin. Era esta tribo que, a pedido de Pay-Lo, ainda aceitava fornecer água para as necessidades da ilha.

Mas, embora se mostrassem amistosos com os franceses, esses tupis continuavam sendo índios habitados por crenças mágicas. Ao verem chegar as mulheres cativas, pegaram os tacapes, emitiram gritos e mostraram sua intenção de mandar matá-las. Colombe receou um novo drama. Interpôs-se, depois jogou-se na frente do chefe.

— Essas mulheres são inocentes! — exclamou.

— São tabajaras — rosnava o índio que não desgrudava os olhos delas. — São nossas inimigas.

— Poupe-as — disse Colombe. — Olhe bem: não são mais tabajaras, mas sim pobres escravas semimortas de trabalho.

As infelizes estavam encolhidas umas contra as outras. O que elas temiam acontecia. Sentia-se que não estavam com medo. Talvez estivessem até aliviadas por tornarem a encontrar a ordem, ainda que implacável, que era a delas.

— Os tabajaras — obstinou-se o chefe — mataram muitos de nossos guerreiros. Não podemos perdoá-los. Seria contra a regra e os espíritos nos censurariam.

— Tenha piedade — repetiu Colombe.

Mas sentia que essa palavra não tinha sentido algum nas atuais circunstâncias. Os guerreiros já se aproximavam para agarrar umas mulheres.

— Um momento! — gritou Colombe, a quem esse último extremo inspirava mais uma idéia. — Elas não são suas.

O chefe olhou para ela sem compreender.

— Vocês as venderam aos brancos — explicou com veemência. — Elas são nossas. Se tocar nelas, é roubo.

Os franceses esforçavam-se para revestir os índios com uma pequena panóplia moral; o respeito à propriedade era seu elemento mais claramente exposto e ao mesmo tempo mais distante das concepções deles. Os tupis não conservavam nada em sua possessão que o vizinho não pudesse compartilhar sem pedir licença. Eles instintivamente faziam o mesmo com os brancos, o que os deixava indignados.

Ainda que não tivessem captado inteiramente o motivo dessa reação, os índios haviam compreendido que o ato denominado "roubo" pelos estrangeiros era o que mais lhes causava aversão. Lamentavam secretamente por esses infelizes a quem a penúria, sem dúvida, impelia a dar tanto valor a objetos inanimados. Davam como prova disso o fato de virem eles buscar até nas Américas coisas tão naturais e abundantes quanto a madeira.

À evocação de um possível roubo, o chefe tupi mostrou um embaraço sincero. Pensou, olhou suas prisioneiras e disse a si mesmo que o lucro que obteria com elas seria escasso. Uma saudável prática da antropofagia estipulava que só os homens podiam ser comidos. Então, o que faria com essas mulheres? Quanto mais esmiuçava essas infelizes desgastadas pelo trabalho, menos entrevia uma maneira aceitável de consumi-las.

— Deixo-as para você — disse finalmente a Colombe, com nojo. — Mas elas não podem ficar em nosso território.

Assim o grupo de desertores, munido com um grande saco de couro cheio de caça defumada e farinha, seguiu imediatamente em direção à floresta.

A garoa de verão cobria as folhas com um verniz novo que avivava as cores. Grupos de tamanduás e porcos-do-mato passeavam na esperança de encontrar algum chafurdeiro. As índias estavam radiosas. Seus pés já não tinham mais intimidade com os terrenos diferentes e perigosos da floresta: elas iam saltitando com um medo delicioso, como se estivessem dançando. Quintin ia de mãos dadas com duas, com a certeza exaltadora daquele que conhece o caminho do paraíso.

Dormiram duas vezes na estrada, abrigados por rochedos. A chuva parou no segundo dia. O verão tornou a tomar posse do céu, como um adulto que se entrega novamente a uma tarefa após fingir confiá-la por um momento a seus filhos.

Durante toda a subida, Colombe sentiu-se perfeitamente feliz. Não que se orgulhasse de seu ridículo atentado. Apenas havia previsto dar um susto em Aude e se deixara levar por sua inspiração do momento fingindo-se de canibal. Mas estava feliz sobretudo por ter deixado cair a máscara e afirmado duplamente sua liberdade: desvelando sua identidade verdadeira e mostrando que, por ser mulher, a pessoa não é obrigada a se fechar nessas outras prisões que são o recato, o falso pudor e os vestidos de babados. Naquele momento, correndo entre ramos de eufórbias e manacás, com aquele corpo exercitado e acariciado com pinturas rituais, jovem e rijo como as folhas túrgidas de látex, ela sentia-se no cruzamento de todas as forças e de todas as doçuras, de todas as firmezas e outras tantas ternuras. Nenhum lugar do mundo, nenhuma época lhe poderia ter dado essa liberdade, essa força. Enquanto o azul pálido da água da baía esboçava-se acima das árvores, ela sentia sua alma adquirir o mesmo tom pastel e sem sombra da felicidade.

Colombe agora conhecia bem os caminhos da costa. Enveredou por um mais longo e mais seguro, que subia serpeando no meio de penedos escuros salpicados de bromélias em flor. No alto, chegaram a um bosque de pinheiros colunares, bem reconhecível sobre seu promontório. Bastou-lhes então seguir uma várzea larga coberta de quaresmeirinhas e sapucaias para chegar a um ponto de onde se avistava a casa de Pay-Lo.

O velho estava sentado numa espécie de trono feito de raízes retorcidas amarradas com fios de embira. Duas índias muito jovens penteavam delicadamente seus compridos cabelos e sua barba. Pelo cheiro de flores e conchas que dele emanava, compreendia-se que ele acabava de tomar um banho. Para isso, servia-se de um imenso jarro de barro cheio de água aquecida no fogo dentro da qual gostava de ficar sentado por várias horas.

Colombe contou-lhe toda a história da fuga do grupo. Quando chegou às mulheres tabajaras, ele refletiu.

— Conheço a tribo delas, ela se mudou e não há muitas chances de alcançá-la sem topar com bandos de goitacazes que são teimosos como jumentos e por nada deste mundo deixarão de fazer picadinho delas.

As mulheres haviam se espalhado pelo vasto espaço de árvores e choças que constituía o domínio de Pay-Lo. Os índios as haviam acolhido com bondade, davam-lhes de comer e beber.

— Mas, se quiserem — disse Pay-Lo —, elas podem ficar aqui. Minha família e todos os que vivem conosco não lhes farão mal nenhum.

Colombe, que se sentara a seus pés, a cabeça apoiada em seus joelhos, ficou um instante calada enquanto ele lhe acariciava delicadamente os cachos louros.

— Tenho notícias de sua amiga — recomeçou Pay-Lo.

— Paraguaçu? Ela está viva?

— Está, a tribo dela voltou por aqui. Eles perderam muita gente durante a epidemia.

Pela primeira vez, ocorreu a Colombe que talvez, sem saber, ela tivesse trazido para os índios a doença e a morte.

— Posso ir vê-la? — indagou.

— Ela disse que preferia vir visitá-la. Vou mandar dizer-lhe que você está aqui.

Colombe descansou a cabeça. Dois tucanos, empoleirados num baú entalhado vindo da Europa, e que agora se enraizara em meio às samambaias e às buganvílias, observavam a cena com gravidade.

O desaparecimento do perigo, o esgotamento da longa caminhada, a excitação que precedera a partida, tudo isso recaía pouco a pouco na calma mornidão dessa floresta. O espírito sossegado de Colombe voltou para a ilha. A repulsa que a impelira com tanta força a sair dali dava lugar a uma bruma de nostalgia de onde emergia a figura amada de Just. Preparando sua fuga da ilha, ela não avaliara até que ponto queimava todos os seus navios, proibia-se de voltar e, portanto, de revê-lo algum dia. A embriaguez da libertação abandonou-a de repente quando ela pensou que, para ficar novamente livre e inteira, amputara uma parte de si mesma. E agora via-se presa ao desejo de reunir-se a ele.

CAPÍTULO 9

Desde o funesto dia da ruptura com os protestantes, a agressão a Aude e a partida de Colombe com as índias, Villegagnon não saíra mais da sede do governo. Um lacaio lhe servia bebida e comida sem vê-lo nem lhe dirigir a palavra. Mais ninguém era admitido em sua presença e Just não era exceção.

A ilha prendia o fôlego. A obra avançava devagar e nada, por assim dizer, acontecia ali. Um tempo de calor, após o curto intermédio de chuva, combinava com essa ociosidade dando-lhe o caráter espesso e enlanguescido do sono. Os homens dormiam pelos cantos sombreados, sonhavam também nas pedras, os pés dentro d'água. Pareciam esperar algum sinal misterioso, um estrondo da terra ou das águas, que viria lhes indicar o que deviam fazer e, sobretudo, por que estavam ali. O forte Coligny, belo, imponente, em muitos aspectos admirável, erguia-se diante deles como um enigma e parecia menos destinado a protegê-los de improváveis inimigos que do sol.

À noite, a ilha se animava. Todavia, estava-se longe das comemorações chulas da época de Le Freux. Seu cadáver, que continuava pendurado com o de seu cúmplice na forca onde Villegagnon os fizera supliciar, não media apenas o tempo decorrido pelo grau de sua putrefação; ele era o símbolo dos dias de embriaguez e de olvido amoroso. Tanto que ninguém passava embaixo do reduto oeste diante desses espectros sem tirar o chapéu nem fungar.

Desde o divórcio dos partidos, as noites já não eram mais povoadas de murmúrios e carícias, mas sim de complôs, de conspirações, às vezes de rixas. Os católicos, ainda os mais numerosos, reuniam-se nas imediações da sede do governo, no porto e até na entrada do forte. Gostavam de se ver em grupo, pois eram em maior número que os outros. Quanto ao resto, nada acontecia. Descobriam-se no meio desta facção alguns crentes sinceros, bem a par do dogma e dos decretos do papa, saudosos da pompa romana, da missa, dos sacramentos variados, particularmente, para esses grandes pecadores, da confissão. Eram os mais raros. Outros lutavam pela Virgem ou por um santo padroeiro a quem se julgassem devedores por ter sobrevivido. Muitos estavam ali simplesmente por acaso; ficariam muito embaraçados ao explicar sua escolha. Estes, embora os menos fanáticos e justamente por sua indolência, eram considerados os mais perigosos. Pois era para eles que se dirigia a propaganda adversa. Assim, para relaxar a pressão da suspeita que os sufocava, eles tomavam o partido de proclamar um ódio que inicialmente não sentiam, mas do qual a celebração coletiva acabara por enchê-los.

Mais grave ainda era a ausência de chefe. Dom Gonzagues assumia esse papel em falta de outra pessoa. Mas começava a tornar-se ridículo e até a preocupar: um debate mais longo, uma vigília mais desanimada precipitavam-no publicamente num devaneio poético que se transformava em ronco sonoro. Para acabar de desarmar esse partido, que, no entanto, pretendia ser a expressão do bom direito e do poder soberano, faltava-lhe uma doutrina. Sabia-se que um grande concílio fora reunido em Trento pelo papa, mas seus trabalhos se eternizavam e os fiéis da Igreja romana ainda não haviam recebido uma mensagem clara sobre em que deviam acreditar e o que deviam fazer.

A violência era, portanto, a única esperança e o cimento desse partido tosco. A evocação dos tormentos e assassinatos que eles infligiriam aos protestantes era mais eficaz que as orações para manter os espíritos entusiasmados. As pessoas se dedicavam a espionar os inimigos, a maquinar meios de acabar com eles. Essas ocupações davam à questão a tranqüilizadora simplicidade de uma campanha de guerra.

Os protestantes, menos numerosos, mas mesmo assim formando um contingente expressivo graças às conversões, haviam se reunido no outro lado do forte. Nessa ilha de dez arpentos,* onde duzentos passos separavam um lado do outro, uma linha invisível que mestre Amberi não anotara em seu cadastro, mas cuja certidão de nascimento ele redigiu no fim do colóquio sobre a eucaristia, marcava o campo de cada facção. Com os protestantes, os chefes tinham força total: du Pont no âmbito temporal, sempre ocupado, dando ordens, verificando sua execução, e Richer no espiritual, armado com a doutrina de Calvino, tendo afastado a dúvida, se não o demônio, e capaz de ministrar os sacramentos, de conduzir a oração.

* Forma antiga de medida agrária. [N.E.]

No entanto, esse partido não desejara a ruptura, ainda que sua intransigência a houvesse causado. A extensão de sua influência estava limitada pela crise e, agora, contavam-se os huguenotes. A reclusão de Villegagnon e a incerteza da situação provocaram nos protestantes longas meditações e debates na cúpula. Richer era a favor de uma atitude ofensiva, talvez por causa da humilhação sofrida por sua sobrinha. Ele era partidário de se retomarem os sermões, de se fazerem discursos públicos conclamando os indecisos a participar, a exigir, a ser brusco, a provocar. A Jericó do partido católico não tardaria a desmoronar diante desse barulho de trombeta. Du Pont, ainda que não fosse de seu feitio, defendeu a prudência. Era preciso se fortalecer, levar discretamente a termo muitas conversões bem contratadas com moderados que ainda não haviam aderido a um campo definido. Entrementes, ele propunha enviar um dos barcos que os haviam trazido para pedir reforços a Genève. E eles atacariam depois de os haver recebido.

Finalmente, as duas tendências concordaram em um meio-termo. Ficou combinado, antes de mais nada, que Chartier, o segundo pastor, iria a Genève solicitar o parecer de Calvino sobre essa crise e, ao mesmo tempo, recrutaria novas tropas, tão treinadas nas armas quanto nas preces, próprias para falar com os católicos na única língua que eles entendiam, ou seja, a da força. Mas, para satisfazer a sede de ação de Richer, decidiu-se também que durante esse tempo os protestantes manteriam a iniciativa no campo em que sua superioridade era certa. Uma vez que eram os únicos a contar com mulheres e pastores, ninguém podia disputar com eles a santa operação dos casamentos. Richer participou que, em duas semanas, procederia publicamente a duas novas uniões.

*

O mais solitário, nesses dias de rancor e medo, era incontestavelmente Just. Ninguém mais do que ele tinha a sensação de haver perdido tudo. Villegagnon, após o relato do atentado, chamara-o e pedira num tom glacial que ele confirmasse, sob sua honra, o que fora dito sobre Colombe. Just obedecera, mortificado. O almirante não quisera saber o que os levara a mentir durante tanto tempo e, portanto, Just nada dissera sobre esse assunto. O cavaleiro de Malta retirara-se com uma cara pavorosa, expressando ao mesmo tempo desinteresse, indignação e desprezo. Just ficara como esmagado.

Com isso, ele compreendia que Colombe partira para sempre. A última conversa que tiveram aparecia-lhe como uma última chance que lhe fora dada de segurá-la. Ele olhava para a mata, em volta da ilha, com o primeiro horror que sentira no dia em que desembarcaram. A mesma impressão de efervescência, de presenças invisíveis, de vidas monstruosas empenhadas em se perpetuar em seu desamparo e em seu absurdo apertava-lhe o peito e o oprimia. Acrescentava-se a isso agora o remorso de lhes ter entregado o ser de que ele mais gostava no mundo. A escolha de Colombe era uma decisão desesperada, a manifestação de uma decepção, e ele se considerava o único causador dessa infelicidade.

Nem o partido católico, com as pieguices de dom Gonzagues, nem o partido protestante, que ele sentia hostil, podiam lhe servir de refúgio. Just vagava durante longas jornadas nas muralhas, tendo como única companhia sua obra abandonada. Esta obra humana privada de sentido pelas querelas dos homens era um produto de sua melancolia. Como tal, ele a prezava. Em certas horas, quando o sol ia bem alto e o pão de açúcar mais as florestas todas da costa revelavam seu emaranhado assassino, sua confusão, Just sentia orgulho de pertencer à única espécie capaz de ordenar a natureza segundo sua idéia, de criar em pedra e em madeira a imagem retilínea, pura, equilibrada da perfeição. Todas as lições do almirante — quer concernissem a Platão ou às fortificações militares — lhe pareciam próprias do homem nesta terra. Mas outras horas, sobretudo à tarde, quando uma grande viseira fazia sua escuridão baixar sobre o azul das águas, Just ficava desgostoso. Contemplava tristemente a sombra violeta das muralhas e o contraste de luz que fazia aparecer, antes que se fizesse noite, o contorno imperfeito de suas paredes, os golpes de cinzel na pedra, os defeitos de alinhamento e de tamanho. De que eram capazes, ele e seus semelhantes, senão de construir muros, separar, dividir, constranger? Ao chegar, eles haviam começado o forte, depois, para impedir as fugas, haviam cercado a ilha de gabiões e sentinelas; agora, os muros serviam de fronteira para duas facções. Amanhã, talvez, seria para conquistá-los que elas lutariam.

Ele percorria a noite inteira a cortina, escutava os gritos, os suspiros trazidos do continente pelo vento úmido. Seria Colombe que o chamava? Quando a lua subia, o forte inacabado assumia feições de ruínas. Ele pensava no torreão de Clamorgan, em sua hera, em seus fossos vazios. E se acabava adormecendo, encolhido contra o parapeito, era para fugir dos pesadelos.

Uma tarde, quando perambulava de um lado para o outro, sempre sozinho, pelo caminho de ronda do lado norte, ele ouviu distintamente vozes embaixo.

A ociosidade, mais que a curiosidade, o fez se debruçar. Pelo caminho que beirava o mar, a trilha das solidões aonde ele fora tantas vezes com Colombe, vinham duas mulheres. Quando reconheceu Aude e sua governanta, era tarde demais, elas já o haviam visto.

Desde o caso do atentado, Just não fora mais visitar a jovem protestante. Sem conseguir analisar seus sentimentos por ela, dedicara-se a tirá-la da cabeça. Recriminava-a por ter sido o instrumento da partida de Colombe e talvez até seu motivo. Lembrava-se, não sem raiva e vergonha, de sua conversa após a cerimônia. Mas o que mais o segurava para não a rever era incontestavelmente o simples comentário de Colombe dizendo-lhe "você a ama". Ele rejeitava tanto mais violentamente essa idéia quanto não estava inteiramente certo de que ela fosse infundada.

Aude sobressaltou-se ao ver a coroa de cabelos negros de Just acima das ameias. Apertou o braço de Chantal e as duas pararam. Foi então que Just viu, dez passos atrás das mulheres, o vulto de dois soldados cedidos aos huguenotes e que lhes serviam de segurança. Aude pareceu por um instante que ia falar, mas os dois oficiais logo as alcançariam; ela se contentou com um olhar lançado a Just como uma repreensão, uma pergunta e uma promessa. Depois retomou seu passeio com um passo seguro.

Just pensou à noite nesse encontro e recriminou-se por estar perturbado com isso. Depois de jantar sozinho como sempre nos fundos da sede do governo, conseguira tirar Aude da cabeça, o que o alegrava. A melancolia, ao menos, não exige decisão. Ela embala e transforma aquele de quem ela se apodera em um bebê voluptuosamente pendurado a seu seio. Mas estava escrito, decididamente, que esse consolo não lhe seria permitido. Ao chegar — para lá dormir — à obra que transformara em seu domínio, ele encontrou um dos soldados da guarda de Aude esperando-o no escuro, sentado num bloco esquadrado.

A muralha era como a linha avançada dos dois campos. Poucos passeavam por ali, mas ficara certo que os sectários de ambas as religiões podiam deslocar-se livremente por toda a sua extensão. Portanto, o soldado não manifestava inquietação.

— Tenho um recado — disse a Just.

Era um soldado da Sabóia, bastante simples e sorridente; gostava de todo mundo, exceto de Villegagnon que fora rude com ele, e du Pont soubera explorar habilmente esse ressentimento.

— O pastor Richer quer conversar com você. É importante, ao que parece. Quer me seguir?

Como na época de Le Freux, esse chamado do inimigo tinha tanto de sedução quanto de perigo. Mas agora Just já não estava em posição de querer salvar o que quer que fosse. Foi mais por indiferença que por convicção que aceitou.

Entrando no reduto protestante atrás do soldado, Just avaliou pela primeira vez a profundidade da desconfiança que opunha agora as comunidades. Personagens tranqüilos, espalhados pelo caminho, fingindo estar sonhando ou dormindo, na verdade estavam colocados em destaque para dar o alerta em caso de incursão inimiga. Um soldado disse-lhes uma senha e foi graças a isso que eles puderam seguir seu caminho em paz. Atrás do reduto leste, organizara-se o campo huguenote. Os homens estavam reunidos em volta das fogueiras onde se preparava o rancho, arma do lado, como tropas num acantonamento de campo de batalha. Olhares hostis acompanharam o vulto de Just, pois todos conheciam o braço direito de Villegagnon.

Aproveitando a interrupção da obra, du Pont fizera os cavoucadores trabalharem para ele. Eles haviam edificado cabanas de material resistente e até uma grande sala que devia servir para a assembléia dos chefes. Just notou indignado que muitos blocos de pedra de cantaria, destinados a terminar o forte, haviam sido levados para lá e colocados na estrutura edificada às pressas dessa contra-sede do governo. Para grande espanto seu, o soldado, ao chegar diante desse prédio, contornou-o e, prolongando um pouco seu caminho, foi até uma pequena construção nova em folha, encostada na muralha do forte, coberta de folhas de palmeira recém-cortadas. Fora aplainado um terreiro entre a abertura dessa cabana e o mar. Nesse terreiro, havia uma mesa e dois bancos. Iluminada por um lampião pousado no tampo, Aude esperava ali, sozinha. Ela fez sinal para que ele se sentasse à sua frente, e o soldado desapareceu na noite.

Just instalou-se e olhou um instante à sua volta. O mar estava bem próximo. Ouvia-se seu murmúrio nas pedras a alguns côvados. Do lado da muralha, a cabana nova estava iluminada e aberta: via-se que estava vazia. Na direção do reduto, a massa dos huguenotes espremidos em volta das fogueiras produzia um murmúrio contínuo de sermões ou preces. O lugar era habilmente escolhido para um encontro dessa natureza. Preservava o pudor, realizando-se à vista de todos, que poderiam atestar o recato dos atores. Mas era bastante afastado e deserto para que pudessem conversar livremente sem que ninguém mais os ouvisse, se falassem baixo.

— Ainda bem que o senhor veio — começou Aude. E, para cortar no ato qualquer protesto, acrescentou: — Foi meu tio mesmo que mandou chamá-lo. Ele achava necessário também que eu lhe falasse.

Just não estava muito à vontade para responder. Disse a si mesmo que as circunstâncias explicavam seu constrangimento, mas a beleza desse rosto tão puro, salpicado de reflexos de luz e sombras profundas, não era estranha à sideração de sua alma.

— Eu queria lhe dizer... — retomou Aude.

Depois, manifestou certa hesitação, para que a expressão o assegurasse da perturbação que ela mesma sentia.

— ... o quanto estou desolada por causa desse incidente.

Just levantou-se, pronto para dizer que também sentia muito, mas ela o deteve.

— Não falemos mais sobre isso — cortou ela. — Não era o fato que eu evocava, mas apenas suas conseqüências: minha reclusão forçada, seu silêncio, as recriminações que, talvez, lhe tenham sido feitas. Em uma palavra, saiba apenas que o considero inocente e lhe conservo toda a minha... estima.

Esse discurso, visivelmente preparado, era entremeado de hesitações como as que acrescentam os atores que sabem perfeitamente seu texto, mas querem fazer o público pensar que o estão inventando. E a última palavra fora escolhida com a lentidão de uma mão apalpando frutas numa compoteira.

— Estou honrado — disse afinal Just, a quem esse protocolo tranqüilizava. — Creia que se eu tivesse podido impedir esse ultraje...

— O mais grave não é o ultraje pessoal — cortou Aude. — Já lhe disse: está esquecido. Mas esse ato irresponsável precipitou a separação entre os homens na ilha. O cristianismo que representamos oferece o lamentável espetáculo de seu divórcio.

Era exatamente o que Just pensava. Ele recriminava Colombe por não ter feito caso senão de seus sentimentos, seus amores e seus ódios, sem os submeter à pressão superior do interesse geral.

— Os irmãos estão prestes a se dividir agora.

E por essas palavras, na mente de Just, a separação de um irmão e uma irmã, que ele tantas vezes deplorara ultimamente, eclipsou-se diante de uma ruptura mais grave da fraternidade: a que mantinha unida a frágil comunidade de todos os homens. Com seu vestido abotoado, sua gola de renda severa, mas de um requinte delicado, sua pose digna e misteriosa, a jovem protestante lembrava um pouco a ordenação rigorosa do forte, com seu pregueado de muralhas, seu barrado de ameias, sua força elegante. Ela era um contraponto ao abandono vicioso dessas florestas canibais e sem lei, a cuja confusão Colombe cedera.

— Está vendo? — retomou Aude —, não há tantas pessoas que saibam e sintam o que estamos dizendo aqui. Se houver uma chance de reunir um dia todos os cristãos desta ilha, é reforçando os laços entre os homens de boa vontade. O senhor é um deles.

Assim colocado nesse registro geral, Just sentia-se à vontade para aquiescer e até acrescentar:

— Sim, como a senhorita tem razão! Nem tudo está perdido, desde que se oponha uma barreira aos fanáticos. O próprio almirante, tenho certeza, espera uma prova de que o amor entre os homens é mais forte que as querelas que os separam.

— O amor, é isso — confirmou Aude assumindo por sua vez uma expressão de entusiasmo que redobrou o brilho de seus olhos —, o amor... entre os homens.

Just, ao ouvir essa última frase, perturbou-se. Depois, um súbito relaxamento fez ambos rirem embaraçados.

— O que é preciso — retomou Aude para Just não ter tempo de tentar analisar sua emoção — é tomar os melhores de cada lado, para dar o exemplo.

E como seu plano consistia em tirar partido da urgência, com o risco de exagerá-la, ela manifestou uma hesitação imperceptível, como faz alguém que resolve entrar no meio das chamas, e disse:

— Meu tio está decidido a celebrar casamentos aconteça o que acontecer. Será uma pena eles não servirem para aproximar o que está mais separado, quer dizer, esses dois grupos de cristãos que se digladiam contra os mandamentos de amor de Jesus Cristo.

Just não compreendera bem.

— Seu tio já sabe quem ele deve unir?

— Não — precisou Aude —, esse é o ponto. Ele celebrará os casamentos tal como lhe propuserem. Mas na falta de vínculo com... mediante... ele só deverá resolver unir em matrimônio casais que pertençam à nossa religião. Ora, isso em nada contribuirá para a aproximação.

— Compreendo — disse Just. E acrescentou, contradizendo essa afirmação: — O que posso fazer nesse sentido?

— Bem, encontre rapazes de seu grupo para se casarem com nossas moças. Convença o almirante, ou outro que tenha esse poder, a autorizá-los a contrair essa união.

Just entristeceu-se. Não tinha nenhum acesso a Villegagnon e não via dom Gonzagues nem os sanguinários que o rodeavam concordarem com outra coisa senão um rapto.

— Receio não ter nenhuma chance de conseguir isso.

— O ódio deles chega a esse ponto?

Sem responder, Just fez que sim com a cabeça.

Aude fez um silêncio, que ela havia previsto. Foi com naturalidade e quase com alívio que ela começou sua conclusão, que era também seu objetivo.

— Nesse caso — disse com gravidade —, cabe a cada um assumir suas responsabilidades. Quando a palavra não é mais lícita, é preciso fazer como Cristo e pregar pelo exemplo.

A melodia do salmo 104, cantada baixinho pelos homens, vinha dos lados das fogueiras.

— Se de cada lado — disse Aude olhando Just intensamente — adiantar-se o ser mais belo, mais sábio, mais audacioso, mais cheio de perdão e de paz, e que a vontade de cada um deles seja encarnar por sua união a paz, a ordem, a moralidade e o amor...

Sua boca, formando essa palavra, reassumiu por um instante a forma que Just havia visto nela na primeira noite, quando a carregou do barco, e que tanto lhe lembrara um beijo. Depois, ela se perturbou e, para terminar, disse apressadamente, como murmurando:

— ... parece-me que a ilha seria salva.

Em silêncio, envolvidos pelo sopro do mar e por vozes surdas, eles se olharam por um bom tempo através do halo de luz do lampião. Pequenas mariposas voejavam em volta da chama como impacientes almas de crianças dançando em farândola em seus limbos.

Estava tudo dito, e o que não havia sido dito não devia sê-lo. Aude levantou-se, como se não contivesse mais a forte emoção que a habitava, deu um breve adeus e seguiu com um passo ligeiro para a grande sala onde seu tio devia estar. Just, ainda que envergonhado consigo mesmo, teve tempo de contemplar sua cintura fina, o pregueado mole de seu vestido amplo, o delicado afloramento de carne de seus pulsos sob os punhos de renda. Insensibilizado que estava ante os nus grosseiros e selvagens que o horrorizavam tanto quanto as matas, sentiu uma emoção violenta diante dessa mulher vestida. O gênio da civilização estava todo nessa habilidade de desabrochar o sexo escondendo-o, em revelar dissimulando, em emocionar até a alma pelo recato e o artifício.

Quando o soldado acompanhou-o até o lado católico, Just teve a terrível impressão de chegar a um exílio.

CAPÍTULO 10

Chartier partira para a Europa no início de junho, aproveitando ventos favoráveis. O navio que o levava era o menor da esquadra. Os católicos, felizes de ver enfraquecer-se, por pouco que fosse, o campo adversário, haviam aceitado abastecê-lo de água e de víveres. Cantando salmos, os protestantes acompanharam o esquife com os olhos até o horizonte já carregado de nuvens. Todas as suas esperanças estavam agora em Calvino, a quem o pastor devia se apresentar tão logo chegasse. As chuvas não tardariam mais, com seu cortejo de lama, arrepios e miasmas. Richer, para livrar-se das tropas do desânimo que os ameaçavam, insistiu em retomar a iniciativa o quanto antes. A data dos casamentos foi antecipada, e bastaram oito dias para organizar a cerimônia.

Evidentemente, o objetivo dessa celebração não era apenas a união das duas jovens restantes e dos dois artesãos que du Pont escolhera para elas. Embora as que as haviam precedido já estivessem grávidas e prometessem assim aumentar o partido protestante, era claro que esse meio não podia ser empregado a curto prazo para fazer número contra o adversário. O verdadeiro valor dos casamentos era o exemplo. Já não se tratava, como antes, de desviar os colonos do vício, pois o conflito religioso ao menos tinha o mérito de distraí-los disso. A ambição dos chefes huguenotes era mostrar a todos e, portanto, sobretudo aos outros que eles continuavam sendo os únicos com plena capacidade de convocar Deus e assegurar a salvação. Conseqüentemente, era importante que a cerimônia não fosse acantonada no reduto protestante, mas que içasse o estandarte da verdadeira fé à vista de todos. O único lugar capaz de lhe dar essa repercussão era o forte. Testemunha neutra, dominando com sua massa os dois territórios adversários, a altivez da fortaleza seria um altar conveniente, mais perto do céu.

Dois dias antes da cerimônia, um guarda mais audacioso que os outros e que desconhecia ter inimigos entre os inimigos foi encarregado por du Pont de levar à sede do governo a notícia da celebração. Entregou uma carta a um escocês e voltou contando que fora bem recebido, mas que Villegagnon, pelo que entendera, continuava recluso.

Du Pont não sabia bem como interpretar esse desaparecimento. Decerto, ele confirmava a ausência de chefe no partido adversário e era preciso se alegrar com isso. Mas, por outro lado, esse silêncio era muito pesado para não estar impregnado de mistérios, como os papistas gostam de conceber. E para os perseguidos, os mistérios têm sempre um travo de armadilha.

De qualquer maneira, era tarde demais para recuar. Nem sequer podia-se tirar daí alguma conclusão militar e colocar homens de armas no *front.* Uma convenção tácita entre os dois partidos estipulava que ninguém procurasse emboscar soldados no forte, sob pena de desencadear as hostilidades. Portanto, foi como um grupo afável, o pastor à frente com du Pont de cabeça descoberta, seguido pelos noivos e, atrás destes, todo o contingente de civis do campo protestante, que o cortejo avançou de manhã bem cedo. Richer teve a satisfação de ver, ao chegar ao teto do forte, que, do lado católico, havia um grupo de curiosos tranqüilamente reunido. Muitos, quando ele apareceu, tiraram o chapéu e se persignaram, o que era de bom augúrio. Os escravos índios todos, sempre carentes de distrações, haviam-se colocado entre os basbaques.

Deixados à vontade, os huguenotes deram à cerimônia o caráter ingênuo e simples, embora solene e recolhido, que era para eles a maneira conveniente de se dirigir a Deus e não a um ídolo. Os noivos se colocaram em volta do pastor e todo mundo ficou impressionado com seu bom aspecto e sua naturalidade, ao menos em comparação com seus predecessores nessa situação.

Aude estava na primeira fila da assembléia, sentada com naturalidade e, como por obra do acaso, do lado em que podia abarcar o porto, a sede do governo e todo o campo dos católicos com o olhar. Seus olhos seguiam com recolhimento e ternura a disposição do pequeno grupo em volta do celebrante e não pareciam ver com que avidez era encarada, de todos os lados. De fato, não restava senão ela, agora, para unir. Depois, seria necessário convocar como reforço o grupo de reserva das governantas, o que despertava menos entusiasmo. Mas Aude, impávida e recatada, ignorava soberbamente a concupiscência de que era objeto. Seu olhar pairava muitas vezes ao longe, e seria muito embaraçoso adivinhar exatamente aquilo que ela procurava ali e se desesperava por não ver.

A cerimônia já ia bem avançada quando ela afinal teve a satisfação de ver surgir Just. Ele ficara muito tempo olhando a costa, oculto pelo reduto sul. Parecia que esperava algum sinal misterioso vindo das matas, um grito que não fosse de macaco nem de garça. Mas nada, naturalmente, lhe aparecera para fazer contrapeso à sua decisão. Desde sua conversa noturna com Aude, ele não conseguia pensar em outra coisa. Graças a essa fascinação, a melancolia o deixara, assim como o desespero. A energia da jovem e o que ele não chegava a denominar seu desejo lhe haviam infundido uma esperança nova. Era-lhe mostrada uma saída. À terrível divisão dos homens, que lhes minava a obra, os dois podiam opor a graça de sua união. Mas não tinha ele outras razões para desejar isso? Em uma palavra, o que sentia por ela? Estava decidido a não se fazer essas perguntas, destacando os motivos gerais e generosos de sua decisão. No entanto, sentia que, sob esses argumentos racionais, agitavam-se sentimentos menos claros e talvez contraditórios. A jovem em si mesma não deixava de atraí-lo e ao mesmo tempo assustá-lo. Naturalmente, era a primeira mulher civilizada que lhe fora dado conhecer desde que se tornara adulto. Tudo nela era belo, justo e bom, reflexo dessa idéia perfeita do homem que Deus, como dizia Villegagnon, colocou na mulher, para fazer dela, apesar de seus vícios, o instrumento de sua redenção. Mas, como a superfície lustrosa da floresta, feita de ondulações verdes, de puras inflorescências de louros, de copas de paus-brasis, esconde no interior odores de morte e combates sem amor, o jeito doce e humilde de Aude deixava, se não perceber, pelo menos adivinhar fundos mais turvos, uma paciência menor e talvez, simplesmente, violência.

No entanto, naquela ilha abandonada no fim do mundo, à beira da guerra fratricida, Just não estava mais buscando a felicidade tranqüila, mas sim a força de um ideal, o ímpeto de uma ação. Ele não tinha que fazer uma escolha de burguês, responsável por seu bem-estar e desejoso de difundi-lo harmoniosamente em sua família. O fato de haver em Aude uma energia assustadora não devia, no fundo, desagradá-lo. A bem dizer, desde a noite de sua conversa, ele já se comprometera consigo mesmo. Casaria com ela. Só a lembrança de Colombe, a certeza de realizar assim um ato que tornaria definitiva sua perda, enchia-o de dor. Mas não viera nenhum sinal que o tivesse impedido de cometê-lo.

Por um princípio de cortesia ensinado por sua irmã, que, no entanto, não o praticava muito, Just foi se lavar e ajeitou os cabelos com uma almofaça. Trocou de camisa, vestindo aquela que constituía todo seu guarda-roupa. Esta não tinha colarinho e ele sem querer pensou que deixara a nuca a descoberto, como um condenado à morte. Foi então que apareceu aos olhos devotos que Aude fingia passear pelo horizonte.

A intenção de Just era simples. Conceber o que tinha a fazer era uma boa maneira de se acalmar. Ele calculara os mínimos detalhes, até o número de passos para ir de um ponto a outro. Primeiro tomaria seu lugar na assembléia, acompanharia a cerimônia, depois, no último minuto, antes que o pastor dispersasse o grupo, adiantar-se-ia e lhe pediria solenemente a mão da sobrinha. Se esta lhe fosse concedida, faria então, de seu posto elevado, um discurso para os dois campos dos quais esperava paz. Agradecia no íntimo a Villegagnon por tê-lo abastecido de referências cultas; indo de uma citação a outra, como o viajante caminha de pousada em pousada, teria menos chance de se perder, ou de ser atacado no caminho.

Just entrou em silêncio no forte, subiu a escada que dava nas muralhas e tomou seu lugar na cerimônia. Seu coração palpitava. Ele evitava olhar para Aude. Essa precaução era inútil, mas ele ainda não sabia disso. Pois estava escrito que o perigo, naquele dia, não viria das almas nem dos olhares e que surgiria quando menos se esperasse, de forma imprevista.

O celebrante começara a recitar textos tirados da Palavra de Deus. A cerimônia corria normalmente, ou seja, uma leve sonolência começava a invadir a assembléia, volúpia que dispõe a acolher o sagrado e a deixar a alma falar.

As gordas nuvens imóveis no horizonte, de vestido violeta e chapéu branco, eram como uma segunda assembléia, maior que a primeira, envolvendo-a com sua muda benevolência. Agitados pelas tempestades iminentes, bandos de papagaios voavam manquejando de um cume a outro. Uma enorme borboleta vermelha e azul voejou longamente em volta do pastor, e o resquício de infância que havia nas almas fez com que elas vislumbrassem um anjo. Dois dos noivos, que se continham com dificuldade, aproveitaram o pretexto para desatar a rir.

Richer leu a parábola de Lázaro lançando olhares para o partido adversário. Todo mundo compreendeu quem era aquele morto que Jesus podia ressuscitar. Mais de um efetivamente disse a si mesmo que a ausência de padre semeava nos católicos uma verdadeira morte espiritual. Uma saudade da concórdia e da comunhão invadia lentamente alguns corações. O pastor sentia-a e se inspirava muito mais para mantê-la.

O barulho súbito que veio da sede do governo produziu nessa paz um verdadeiro choque. Primeiro foram vozes, barulhos metálicos, de portas. Depois formou-se um pequeno grupo no terreiro que logo avançou para o forte.

Distinguia-se sobretudo nesse esquadrão o vulto alto dos escoceses. Em uniforme de gala, boina xadrez na cabeça, *kilt* afivelado, brandindo a alabarda, os caledônios marchavam com um passo marcial mas tranqüilizador, pois evocava mais solenidade do que guerra. No meio deles, à frente, trotava dom Gonzagues, a barba alisada, envergando a túnica de cavaleiro de Malta, uma máscara de cólera no rosto, onde também se via o ríctus de dor de seus reumatismos. Mas, quando chegou à base das muralhas, o grupo abriu-se como uma noz e, de dentro, à guisa de cerne, expeliu o corpanzil de Villegagnon que entrou majestosamente no forte. Embora o pastor tenha prosseguido suas ladainhas sem parecer notar coisa alguma, ninguém o ouvia mais. Todos os olhares estavam voltados para a boca da escada de onde o almirante emergiu lentamente. Ele tinha um aspecto assustador. Seus longos dias de jejum o haviam deixado macilento e quase esquelético. Nas falhas de uma barba emaranhada entremeada de fios grisalhos, aparecia a pele amarela e brilhante, esticada sobre pontas de ossos que quase a arrebentavam. Dentro de um ciclone de olheiras e rugas, o olho do cavaleiro, fundo como o de um agonizante, lançava feixes de brasa.

Mas o mais espetacular era seu traje. Abandonando o uniforme de Malta com o qual todos estavam acostumados a vê-lo envolvido, enfiara-se numa fatiota nova, confeccionada no maior segredo pelo alfaiate nos dias precedentes. O gibão era de um tecido de seda azul-rei que reluzia ao sol, os calções de um amarelo vivo eram bufantes nos quadris, e suas duas pernas emagrecidas estavam revestidas de calças colantes de estamenha verde-maçã. Uma capa vermelho-sangue e um gorro branco, confeccionado em lona de vela, complementavam a plumagem desse monstruoso papagaio. Mas a espada na ilharga tirava de qualquer um o desejo de rir.

Abriram-se alas, e o almirante, com uma majestade natural, instalou-se na primeira fila, de frente para du Pont. Dom Gonzagues, puxando da perna, veio se colocar a seu lado. Então Villegagnon plantou seus olhos apavorantes nos do pastor e esperou. Richer mostrou sua coragem continuando a oficiar como se nada ou quase nada tivesse acontecido, mas via-se sua mão tremer segurando a Bíblia. O silêncio voltara, agitado por um vento úmido, e as palavras santas escoavam ali como de uma cisterna desventrada. De repente, sobrepondo-se às mornas entonações do celebrante, elevou-se a voz de Villegagnon. Todos conheciam bem a potência de seu órgão para compreender que ele ainda estava falando baixo. No entanto, podia-se ouvi-lo de um reduto ao outro.

— Não entendo — espantou-se, inclinando-se imperceptivelmente para dom Gonzagues — onde estão as casulas, as sobrepelizes, os ostensórios?

Richer, em seu indefectível traje preto, perturbou-se ligeiramente. Começava a entrever o que viria depois. A cerimônia estava no ponto em que era preciso unir os noivos. Ele se adiantou para o primeiro casal, pegou a mão direita dos dois prometidos e pronunciou algumas palavras.

— Ah! — exclamou Villegagnon. — Gonzagues, dê-me o santo crisma, faça o favor.

O velho capitão, bem a par da encenação, tirou do bolso um frasco de barro.

— Cá está! — disse o almirante dirigindo-se a Richer. — Está composto segundo as regras: uma parte de sal, duas de azeite de oliva e uma de saliva.

Dizendo isso, adiantara-se, o frasquinho na mão. O pastor recuou com uma expressão de horror.

— Como, não os unge com o santo crisma! — indignou-se Villegagnon.

Deixou passar alguns segundos estendendo-lhe o frasco, o outro parecendo defender-se do recipiente. Depois, com um sorriso maldoso e um ar de falsa cortesia, o almirante voltou para seu lugar.

— É muito estranho — recomeçou dirigindo-se a Gonzagues. — Um casamento sem unção santa. Enfim... observemos o que vem depois.

Du Pont se agitava. A assembléia, paralisada de medo, via o carro da catástrofe desabalar fatalmente encosta abaixo e aguardava a explosão.

Os casais, um após o outro, foram unidos à moda protestante sob o olhar de Villegagnon que fingia surpresa e incredulidade. Chegou a hora da eucaristia. Richer, enquanto oficiava, calculava mentalmente o que podia fazer para evitar o incidente. Interromper naquele instante a cerimônia teria sido sensato. Mas, sobre dois cavaletes fora colocada uma prancha de madeira onde pão e vinho aguardavam de forma visível demais para que viessem a ser negligenciados. Com mais coragem na mente que nas veias, pois o corpanzil do cavaleiro fazia volume na primeira fila, o pastor começou a ministrar a comunhão.

— Pela Virgem e todos os santos! — exclamou alegremente Villegagnon. — O corpo de Nosso Senhor Jesus Cristo!

Tremendo realmente, o pastor segurou o pão. O almirante adiantou-se para o altar e postou-se ali à frente, com todo seu tamanho ameaçador.

— Antes de me prosternar — disse fitando o pastor com seus olhos consumidos pelo jejum —, o senhor me assegura que ele está mesmo aí?

Du Pont julgou que estava na hora de intervir. Pulou do lado da mesa onde estava Richer e, para acudi-lo, disse com firmeza:

— Pare com esse escândalo, senhor! Recue. Volte para seu lugar.

— Meu lugar é na primeira fila diante de Deus, quando ele me concede a graça de se dar a mim.

— Esta graça lhe é dada proporcionalmente à sua humildade — retorquiu du Pont.

— O senhor me garante que ele está mesmo aí? — repetiu Villegagnon sem se importar com outra coisa senão o pastor e a hóstia que tremia na ponta de sua mão.

— Ele está aí em substância — disse Richer, que tentava uma última finta teológica.

— Em substância! Muito bem — retomou Villegagnon com uma alegria assustadora. — Pois é sua substância que eu quero. Tenho fome dele, está me ouvindo, quero rasgar Seus músculos e beber Seu sangue, alimentar-me de Sua carne e sentir em minhas entranhas o calor de Seu coração.

Ele dissera essas palavras gritando. Sua voz de baixo troava como uma tempestade e seu traje estranho, cor de céu de tempestade, de sangue e de relâmpagos, parecia fazer dele um ser de outro mundo caído ali para promover uma inefável represália contra os homens.

Richer recuou. Tudo ia desmoronar. Foi então que du Pont, num sobressalto, tomou o lugar do celebrante, bem na frente de Villegagnon, e pronunciou lentamente esta única palavra:

— Canibal!

O verde brilhante das águas pareceu encrespar-se sob esse choque. O próprio pão de açúcar recebeu o golpe inclinando-se, as muralhas do forte vacilaram. Só o assombro impediu que a multidão fugisse. Villegagnon retesou-se como se tivesse sido transpassado de um lado a outro. Essa imobilidade era tão aterrorizante que, quando veio, a violência quase tranqüilizou.

No assombro geral, só os índios, do lado católico, emitiram um murmúrio de admiração. Essa cerimônia lhes parecia menos estática que as anteriores e, para dizer tudo, mais de acordo com a idéia que eles tinham de festa. Villegagnon lançou-lhes um olhar ameaçador que os fez calar e, de um golpe, sacou a espada. Dom Gonzagues imitou-o e os escoceses ergueram suas bisarmas.

Só a presença do cálice e dos pães, confirmando, porém tarde demais, sua força sagrada impediu que Villegagnon agredisse o homem que estava atrás dessas coisas.

— Hei de fazê-lo engolir essa palavra — berrou o almirante.

Alertado pelos gritos, os soldados huguenotes corriam às armas. Carregavam-se bacamartes. Do lado católico, mais embaixo, armou-se também uma confusão. Mas Villegagnon permanecia imóvel, empunhando o gládio como um grande pássaro heráldico. De repente, formulou sua sentença, que retardava o massacre.

— Desapareçam! — gritou. — Impostores, hereges, assassinos do verdadeiro Deus! Eu lhes dou quinze dias para deixar esta terra que macularam e nunca mais voltar.

Du Pont conhecia bem a relação de forças para se arriscar a dar pessoalmente o sinal de combate. Assumiu uma expressão glacial de indiferença e desprezo.

O almirante, sem embainhar a arma, deu meia-volta bruscamente e saiu, acompanhado de dom Gonzagues e dos seguranças. Os protestantes, quando ele desapareceu, desceram a escada também.

Just, que não se mexera, viu Aude passar à sua frente, olhos baixos. Não conseguiu interpretar nada no breve olhar brilhante que ela lhe lançou.

Ficou sozinho no forte, desamparado, atordoado, e compreendeu que também devia abandonar esse lugar consumido pelo ódio, escolher seu campo. Pensou um instante em Colombe, desejou ficar perto dela, retomar seus antigos folguedos em Clamorgan. Olhou longamente para a mata, depois desceu. E seus passos, sem querer, levaram-no em direção à sede do governo.

IV

SIENA

CAPÍTULO 1

Martin agora reinava sobre um império, mas de terror. A violência que impunha aos índios da costa para submetê-los era administrada por um grupo de bandidos sem fé nem lei que ele devia tiranizar também. Por cinco vezes nos últimos meses, escapara de assassinatos. Ele, o homem mais poderoso dessa costa, o mais rico também, sem dúvida, não estava livre de sua eterna preocupação de pequeno mendigo: sobreviver, salvar a pele, rolar na lama de combates arriscados e emboscadas desleais. Não dormia senão de dia, numa rede de algodão fino que lhe permitia distinguir através do pano, se estava acordado, a aproximação de vultos ameaçadores. Tinha um punhal na mão direita e um sabre à mostra contra a ilharga. Já as noites eram passadas em bebedeiras. Fazendo o cauim correr a rodo e submetendo as mulheres aos caprichos de seus beleguins, Martin mostrava, como chefe, sua prodigalidade e seu poder. Mas o bandido perseguido que ele continuava sendo tranqüilizava-se ao ver esses rivais corruptos vomitando e muitas vezes incorrendo no erro de, no auge da embriaguez, revelar seus negros desígnios contra ele. Então, liquidava-os.

A verdade era que não conseguia se acostumar à sombria solidão dessa selva. As horas da noite eram para ele momentos de terrível agonia e desgosto. Ele construíra uma casa no alto da floresta da encosta do pão de açúcar. Esse promontório o tranqüilizava porque escapava à escuridão apavorante das profundezas das matas. Encostando-se ao paredão duro e liso da montanha, ele tinha certeza de nada temer ao menos nessa direção. E desde que o dia raiava, do outro lado, podia ver distintamente o mar e a ilha de onde o cão daquele Villegagnon o expulsara.

Construída por índios escravos e baseada nas plantas dos carpinteiros que se haviam unido a ele, sua casa tinha alguma semelhança com as moradias dos comerciantes do porto de Honfleur. No passado, quando vivia por ali, deitado nos cais entre um revés e outro, imaginara-se muitas vezes como um burguês próspero e respeitado. Então, povoava em sonho uma daquelas casas de madeiramento aparente, via-se com roupas bordadas a ouro recebendo os poderosos, ouvindo as crianças correrem no andar e os criados puxarem água no poço, nos fundos. Agora, ele era mais rico que os ricos daquele pobre burgo da Normandia. A seus pés, tinha a maior baía do mundo, onde corriam os produtos de um continente. Ele teria podido comprar dez casas nas docas de Honfleur. Mas porque reinava nas Américas, porque só tinha a seu serviço incapazes ou primitivos, seu palácio era uma pálida cópia empenada que ameaçava desmoronar a cada chuvarada. Ele a decorara com os mais belos objetos roubados das feitorias ou dos navios, mas essa confusão não tinha estilo nem elegância. Para o essencial, realizava suas reuniões nas clareiras perto da costa, como fazia Le Freux no passado.

Só trazia alguém à sua casa para lhe mostrar seu poder. À noite, iluminado por dezenas de tochas, cada cômodo servido por três escravos vestidos com uma libré azul que ele mandara confeccionar especialmente, aquele prédio rudimentar assumia ares quase majestosos. Martin colocava a seus pés três índias escolhidas entre as mais belas e sentava-se numa grande poltrona espanhola de patas de leão. Com aquelas olheiras fundas, aqueles punhos fortes e aquele nariz quebrado, tinha o ar melancólico de um infante cruel. Mas a cena não podia enganar senão a um estrangeiro, e era raro aparecer algum por ali. Assim, tão logo soubera, naquela manhã, que o grego voltava de Salvador com um emissário português, Martin mandara preparar para recebê-los essa cerimônia noturna que era todo o seu prazer.

Era noite há duas horas, uma noite muito escura e sem estrelas, o que indicava a presença de nuvens ruins. Mas ainda não era exatamente a estação das chuvas, e Martin esperava que ela chegasse o mais tarde possível. Sua casa mal construída esvaía-se por todos os lados. Perdia toda a soberba quando havia mau tempo. Felizmente, ainda que se ouvissem as rajadas de vento nos jacarandás, o ar continuava seco e quente. Os visitantes entraram pelo portão e um índio fardado de lacaio conduziu-os ao amo.

O grego continuava com aquela cara fechada e suja de sicário. Era um dos condenados à morte resgatados por Villegagnon. Fugira na noite em que Le Freux atacara a ilha. Martin confiava nele para cumprir as missões violentas e distantes das quais o incumbia. Mas dele não esperava expressões de admiração: aquele animal não via nada. Ficou mais satisfeito com o português.

O homem era baixo, sujo como quem acaba de passar semanas vivendo como as aves aquáticas, mas, por trás dessa aparência miserável, reconheciam-se os traços de reserva e gravidade de um personagem bem-nascido. Sua juventude — ele não devia ser muito mais velho que Martin — era sobrecarregada por uma barba cerrada e pelos cabelos curtos quase encarapinhados. Um nariz finíssimo e comprido e maçãs salientes lhe davam um ar altivo e arisco. Martin, que entendia de homens e só por esse conhecimento pudera manter-se vivo, captou logo que olhou nos olhos de seu visitante um lampejo de inteligência, de nobreza e de astúcia que o tornava bem-vindo.

— Agostinho Alvarez da Cunha — recitou o homem inclinando-se.

Exprimia respeito pelo senhor da propriedade e ao mesmo tempo uma serenidade de boa cepa que afirmava: somos da mesma raça que comanda. Martin gostava disso.

— O senhor me procurava, ao que parece, dom Agostinho — disse Martin deixando a mão projetar-se do trono e recair na cabeleira submissa de uma escrava.

— O senhor não é o homem mais poderoso desta costa? É possível se fazer alguma coisa aqui sem sua ajuda? — disse Agostinho com uma seriedade de cortesão que não excluía um sorriso de conivência.

Martin não estava acostumado a esses reconhecimentos, embora tudo tivesse feito para inculcá-los nos malandros que dirigia. Lançou um olhar de satisfação para os quatro ou cinco acólitos que povoavam o aposento, refestelados em bancos.

— E o que tenciona fazer por aqui, senhor? — prosseguiu Martin nesse mesmo tom cortês que gostaria tanto de ver adotado por seus assassinos.

— A mesma coisa que o senhor, ilustríssimo cavalheiro.

Essa última expressão, literalmente traduzida do português, era um tanto excessiva. Martin olhou os bandidos com irritação. Sem dúvida nenhuma, aqueles falastrões, na próxima orgia, iriam zombar dele por causa desse título.

— Meu nome é Martin — precisou.

— Eu sei, ilustríssimo senhor Martin — confirmou o outro obstinado com sua etiqueta exagerada.

— Então — recomeçou Martin para abandonar essa questão de título —, o que vem fazer aqui "como nós"? Seria também comércio, tráfico de madeira e de frutas?

Para dizer isso, assumira o ar antipático do negociante que recebe um concorrente. Mas não acreditava muito nisso. O grego, pedindo-lhe para receber Agostinho, dera a entender que seu projeto podia trazer muito dinheiro para Martin e para seu grupo.

— Não — disse dom Alvarez. — Não temos nenhuma intenção de prejudicar suas atividades. Nosso objetivo é puramente político: queremos tomar o forte Coligny e matar Villegagnon.

Numa certa roda, e desde que a violência ali seja simples e banal, o anúncio de um crime pode ser recebido com a cordialidade comovida e agradecida que se exprime quando se recebe um presente de aniversário. Martin levantou-se ao ouvir essas palavras, aproximou-se de dom Alvarez e segurou-lhe as mãos.

— Esplêndido! — disse apertando-as calorosamente. — É uma excelente idéia.

— Esta terra — retomou o emissário — pertence a Portugal, de acordo com títulos incontestáveis e antigos. Todos os que a cultivam e nela comerciam são bem-vindos.

Fez um gesto de cabeça amável para Martin, que o retribuiu.

— Mas aqueles que vêm em armas desafiar nosso rei, que pretendem pilhar o país e além do mais pervertê-lo com uma religião de erro e de sangue haverão de ser expulsos.

Martin foi sentar-se novamente e mandou puxar duas cadeiras para o grego e dom Alvarez. Foram servidos cauim e uma grande bandeja de frutas. Martin subitamente via seus esforços recompensados. Deus sabia quantas aulas haviam sido necessárias para introduzir uma aparência de civilidade nessa selva. Ele teve até que estrangular com as próprias mãos um índio que teimava em enfiar a mão no lugar mais indiscreto de sua libré enquanto servia as bebidas. E graças à educação desse cavalheiro, tudo isso adquiria pela primeira vez um sentido.

— Nosso rei — recomeçou dom Alvarez depois de terem feito alguns brindes — acaba de enviar à Bahia um novo governador, Sua Excelência o senhor Mem de Sá. Tive a honra de acompanhá-lo. Chegamos a Salvador há três meses. Ele me incumbiu de lhe trazer suas saudações em nome da Coroa.

Martin explodia de satisfação. Atravessara o Atlântico no fundo de um porão, escapara da morte, conquistara um império a ferro e sangue, comera carne humana com os índios, emprenhara índias, juntara ouro, já perdera as contas dos homens que matara, e eis que um rei da Europa lhe enviava suas saudações...

— O senhor me fará o favor, caro dom Alvarez, de transmitir-lhe as minhas — disse Martin fazendo caras de delicadeza e submissão. — Queira dizer-lhe que não há nada que ele possa me pedir que eu não vá executar imediatamente, se me for possível.

— Justamente.

Martin estremeceu. Chegava-se ao que importava.

— Sua Excelência o senhor Mem de Sá é um homem piedoso — recomeçou o português. — Ele não quer continuar, como seus antecessores, a defender apenas os plantadores e os negociantes. Não estamos na América pelo açúcar e o algodão, mas pela fé e a honra. Ele está decidido a enviar uma expedição à baía do Rio de Janeiro que aniquilará Villegagnon, substituirá sua usurpação por um poder leal a nosso rei e mandará depois um poderoso exército de jesuítas capazes de disseminar aqui a verdadeira fé. Sua ajuda, ilustríssimo senhor, será decisiva para se chegar a isso.

Já não cabiam as pieguices do protocolo. Martin se levantou para pensar bem e depressa.

— Minha ajuda lhe está garantida — disse —, mas o que posso fazer exatamente?

— As forças de nossas colônias ainda são limitadas. Temos que nos guardar de dois perigos. O primeiro seria enviar uma expedição demasiado fraca e o cão desse francês nos resistir. Devemos ter meios de liquidá-lo apesar de suas defesas. O outro perigo seria consagrar a isso muitas tropas e enfraquecer inutilmente nosso assentamento de Salvador da Bahia enquanto durar essa campanha. Para isso, precisamos saber exatamente de que forças dispõe o inimigo.

— Isso não é impossível — disse Martin. — Podemos colocar vigias nas praias, observar, contar os canhões, levantar plantas.

— Muito bem — disse dom Alvarez. — Mas isso não nos basta.

Inclinou-se à frente.

— Queremos conhecer as forças dele de dentro — disse num tom mais baixo. — E até, se entende o que quero dizer, agir de modo que o inimigo não tenha tempo de usá-las.

Martin fitou-o.

— Entendo. Uma traição...

O português confirmou balançando a cabeça.

— Será difícil — resmungou Martin, que ficara sombrio. — A ilha é vigiada e não imagino como fazer alguém entrar ali. A não ser comprando um dos que vão a terra. Mas eles vão sempre em grupo, agora, e vigiados.

— Não procure — disse orgulhosamente Agostinho. — Essa informação nós temos.

Martin fez um ar de espanto.

— Sim — confirmou o português —, temos um homem no local. Apenas lhe pediremos que entre em contato com ele, que lhe providencie aquilo de que ele possa precisar e que nos transmita suas informações.

Era uma notícia singular, quase incrível. Martin pediu a descrição do espião. Dom Alvarez lhe descreveu Vittorio. "Esse salafrário?", pensou Martin, mas soube se conter.

— Ele só responde a um sinal — disse Agostinho. — É preciso lhe dizer "Ribère".

— "Ribère"! — repetiu Martin rindo, pois pensava em Vittorio e não podia se impedir de admirar sua surpreendente habilidade.

— Dê-nos seu preço para essa mediação — disse Agostinho.

O grego lançou um olhar guloso a Martin. Era exatamente o que ele previra. Havia muito dinheiro naquele negócio. Uma oportunidade de fortuna que Martin, por certo, saberia agarrar. Mas o jovem chefe refletia. Desde a proposta de dom Alvarez, ele avaliara a força de sua própria situação: sem ele, os portugueses corriam um grande risco e a habilidade militar de Villegagnon podia provocar um desastre. O futuro do Rio de Janeiro estava em suas mãos. Já não se tratava de dinheiro. Ser poderoso num país onde nada havia já não lhe bastava. Ele já era rico demais para o que podia gastar ali. O que desejava era ser alguém quando este país fosse tudo. Pensou ainda longamente em silêncio e disse:

— Aceito, mas eis minha condição.

Dom Alvarez estava imóvel. Esperava uma quantia e sabia o que podia dar.

— Quero títulos de propriedade para esta terra em que estamos. Eu a conquistei em nome dos trugimães da costa, que eu comando. Ela nos pertence. Seu rei deve reconhecer isso e... me fazer duque.

Um vento fresco, que chegara com a lua cheia, veio do terreiro. Dom Alvarez, surpreendido por essa friagem, arrepiou-se todo. Perturbado tanto pelas palavras quanto pelo cauim, de repente pediu para se retirar, a fim de refletir sobre sua resposta.

*

Desde que saíra de sua longa reclusão, Villegagnon não sossegava. A altercação com os protestantes servira de declaração de guerra. O almirante andava em seu campo como se desse as ordens finais antes de uma batalha. A negligência das últimas semanas, em que tudo funcionara sem chefe, tivera conseqüências deploráveis sobre a disciplina, a farda, o abastecimento. Villegagnon distribuiu admoestações e castigos sem mostrar mais aquela humanidade rude que antes lhe era característica. Passando pela forca onde Le Freux acabava de apodrecer, sentiu o desejo de ali pendurar novos frutos. Um colono que, durante uma aguada, fora surpreendido poluindo-se com uma índia foi enforcado. Até o fim, ninguém levou a sério aquela pena, nem mesmo o infeliz que avançou para a corda sorrindo. Mas o próprio almirante retirou o tonel em que ele subira, e foi com mais incredulidade do que sofrimento que o condenado se debateu pendurado em seu laço de cânhamo.

Os índios foram as próximas vítimas da nova crueldade de Villegagnon. Um deles, oficialmente por ter adormecido no trabalho, mas na verdade, talvez porque rira alto durante o casamento, fora condenado ao chicote. Julgando o carrasco por demais indulgente, o almirante tirara-lhe a correia das mãos e batera com tanta força e por tanto tempo que o índio ficara desacordado no chão.

Todas as ordens foram endurecidas. Quem fosse visto à noite na praia sem motivo, mesmo se não estivesse tentando nada na direção dos escaleres, devia ser abatido sem ser interpelado. Qualquer contato com os protestantes era considerado um ato de alta traição e o próprio Villegagnon aplicaria ao culpado a sentença que julgasse adequada. Por essa fórmula, compreendia-se que a morte seria ainda muito pouco e que ele se reservava o direito de fazê-la ser precedida de outros tormentos. A oração agora era obrigatória, pela manhã e à noite. O almirante, na falta de celebrante consagrado, garantiria a leitura santa e a condução da oração. Ele desenhara uma série de fardas de gala e os costureiros trabalhavam dia e noite em sua confecção. Chegou até a mandar tirar da parede as tapeçarias da sede do governo para fazer estolas e casulas. Mandou fabricar essas peças em nanquim e em seda natural, em lona de vela, em estamenha e até em couro de estofamento. Não aparecia senão nessas túnicas engalanadas, arrastando capas, ostentando gorros franzidos, chapéus largos, barretes com plumas espetadas.

O tocador de gaita-de-fole o acompanhava por toda parte e anunciava sua entrada com uma espécie de toque retumbante. Um remendão, louro e corado, foi considerado adequado para o serviço de pajem. Segurando no peito a Virgem de Ticiano, acompanhava o almirante quando este ia conduzir as preces.

Just, unindo-se ao campo católico, inicialmente fora testemunha muda dessas evoluções. Mas, desde o segundo dia, Villegagnon mandara chamá-lo à sede do governo. Recebera-o a sós no salão de audiências. Just ficara surpreso ao encontrar o almirante só de camisa de batista. A farda de cerimônia com a qual ele desfilara naquela manhã estava pendurada num manequim de madeira.

— Entre! — ordenara o almirante. — Sente-se.

Just esperara um bom tempo Villegagnon sair de seu mutismo. Ele parecia ouvir alguma voz vindo do céu.

— Você me mentiu — troara o almirante voltando à terra.

Just receara receber também um castigo exemplar. A bem dizer, estava tão acabrunhado que não teria protestado.

— Isso prova que você não é melhor que os outros — recomeçou Villegagnon no mesmo tom espetacular.

Depois, de repente, amaciou e sentou-se à outra ponta da mesa, sobre a qual pousou um cotovelo.

— Mas também não é o pior, longe disso.

Passou a manzorra nos olhos fatigados.

— Ao menos — disse —, é corajoso e inteligente. Todos os homens pecam. Foi erro meu ter achado que você poderia escapar a essa lei.

Just não sabia que atitude tomar: a do condenado ou a do arrependido. Contentou-se em deixar as duas mãos pousadas sobre os joelhos e conservou os olhos baixos.

— Eu o perdôo — prosseguiu apressadamente Villegagnon. — Perdôo e volto a lhe dar minha confiança. Ou antes, empresto-a pois, acredite, dessa vez, hei de vigiá-lo. Você comandará metade do exército.

Essa última palavra não tinha muito sentido. Just ergueu as sobrancelhas espantado.

— Estamos em guerra, não sabe?

Just sacudiu a cabeça.

— Aqui já não há mais soldados nem colonos, nem escravos, nem empregados. Há um exército. Esse exército divide-se em dois: de um lado, os cavaleiros e os antigos militares. Do outro, todos aqueles que trabalhavam sob sua supervisão na obra e que agora você comandará para a guerra.

— Mas os que eu fazia trabalhar não sabem lutar — arriscou Just.

— Você lhes ensinará a disciplina e os rudimentos da luta. Pode-se fazê-los atirar com os canhões e manejar maças de madeira. Encomendei à forja cutelos para cada um deles.

Villegagnon dera ainda uma quantidade de detalhes a respeito do que esperava de suas novas tropas e de seus chefes. Fazia calor, nesse meio de tarde abafado pela grande mão de uma tempestade distante. Villegagnon mostrava menos energia que no início da conversa. A certa altura, assumiu um tom relaxado e solto, sem dar mais ordens, mas tomando o caminho sinuoso da confidência.

— Ensinei-lhe que o homem é bom — disse sem esperar resposta. — Meu grande erro foi acreditar nisso. Esses protestantes me salvaram, à maneira deles.

Olhava para a Virgem, que o remendão tornara a pendurar de esguelha, e que parecia toda rosada e feliz de tomar ar com tanta freqüência.

— A verdade é que o homem decaído está maculado com uma proporção variável de pecado. Alguns ainda são perfectíveis, mas outros estão além do resgate. Eles encarnam o mal, só isso. Para aperfeiçoar a humanidade, é preciso educar aqueles que podem sê-lo... e eliminar todos os outros.

Villegagnon terminara essa peroração quase em voz baixa. Mas, de repente, acordara e levantara-se de um pulo.

— Vi meu erro — gritou. — É *inútil*, compreende, recorrer à razão para justificar a fé. Crer é submeter-se, Virgem Santíssima! Os padres é que compreenderam isso. Os homens não vão a Deus, eles *se rendem* a Ele. Quer dizer que capitulam diante de Sua onipotência.

Chegara diante de sua farda amarela e azul, pendurada no cabide de madeira como um papagaio.

— Não se pode servir a Deus senão pela força. Os ornamentos, a música, a arte mais pesada, que deixam os homens esmagados com sua nulidade, eis o que pode fazer Deus triunfar. Se não, são as víboras, os malditos...

Dizendo isso, empinou o nariz como um mastim na direção do forte e, mais adiante, na do reduto protestante, atraído pela vingança.

— Só ficarei sossegado quando esses porcos tiverem partido — rosnou.

Depois, voltando-se para Just, acalmou-se um pouco e retomou o tom prático do início.

— Você há de assegurar o embarque deles para a costa em dez dias. Não quero atraso, nem fraqueza, nem tampouco ingenuidade: eles serão perigosos até o fim.

— Mas onde eles se alojarão no continente? — ousou Just assim mesmo.

— Onde? — riu Villegagnon. — Que contem com a providência de seu falso Deus para responder, ora! Que ele dê covas e abismos a esses porcos, que os lance em seu inferno e lá os faça arder! A menos que prefira vê-los dentro da barriga dos bichos selvagens, se estes não tiverem medo deles.

Just saiu de perto do almirante todo inflamado com essa idéia de vingança e recuperado por uma oração exaltada.

Depois, voltou ao quartel-general dos cavaleiros onde se tomavam disposições militares. Uma terrível melancolia o oprimia. Sem dúvida, estava feliz por Villegagnon tê-lo perdoado. Mas não compartilhava seu entusiasmo nem seu ódio. Quando se tratara de construir a França Antártica, o ardor do cavaleiro o conquistara e ele sentira a mesma vontade que ele de dar a vida para defender uma idéia, construir uma obra.

Sem dúvida, um ensinamento não faz mais que beliscar, num jovem espírito, cordas já tensas. Quando o almirante lhe transmitira a mensagem dos humanistas, Just reconhecera nela as cores claras de sua palheta pessoal, tons de azul, ocre claro, violeta, que lhe vinham talvez de seus anos esquecidos da Itália. Ao passo que hoje, tudo nele se rebelava contra a negra filosofia que o almirante professava. A própria idéia de assumir um dos grandes comandos da ilha o deixava indiferente e quase envergonhado. A fuga lhe estava proibida, o ardor, inacessível. Ele nem sequer ousava pensar em Colombe tamanha era sua vergonha de se ver com os olhos dela.

CAPÍTULO 2

Colombe agora andava nua. Tomara essa decisão depois de sua volta à terra de Pay-Lo. A confusão que sentira no primeiro momento ao deixar a ilha dera lugar a uma raiva surda contra tudo o que dali provinha. Uma vez que o mundo a rejeitara, ela também o rejeitava. Nada lhe parecia tão grotesco e criminoso quanto essa ridícula tentativa colonial. Ela via em Villegagnon um monstro embriagado com seu poder. Seu ódio contra a mulher era a expressão de seu pavor diante da vida, da natureza, do amor. Em lugar dessas doçuras, esse jardineiro do horror cultivava a guerra, a destruição, o ódio. Pouco a pouco, para aliviar a falta que sentia de Just, Colombe começou a incluí-lo no negro quadro que pintava para si mesma da ilha e daqueles que ali viviam. Se ele pegara tão facilmente a marca da autoridade, a ponto de se fazer seu instrumento, era sem dúvida por ser constituído de um metal mais vil e mais maleável do que ela pensara. A continuar a sofrer esperando notícias dele que não chegavam, ela preferiu refugiar-se sob o monte de queixas que tinha da colônia.

Assim, acabou achando que o destino, afastando-a daquele inferno, na verdade, lhe fora favorável. Sua infelicidade era uma sorte, contanto que ela tivesse a audácia de ajudar a levar até o fim as deduções que esse fato impunha. A primeira era que ela jamais voltaria ao mundo europeu. A segunda mandava-lhe reconhecer que ela agora pertencia ao mundo da floresta das Américas. Ela devia se entregar à sua simplicidade e à sua paz. Pay-Lo ainda era apenas uma etapa. Um dia, ela se uniria a uma tribo e viveria entre outros índios. Precisava, até lá, combater tudo o que nela podia separá-la ainda dessa vida natural, tudo o que o velho mundo lhe havia legado em termos de detestáveis preconceitos e necessidades. Despir-se fora a primeira etapa nessa nova direção.

As mulheres de Pay-Lo usavam trajes variados e, entre esses, a nudez não era senão uma das maneiras de aparecer. Elas receberam a decisão de Colombe com simplicidade, cortaram-lhe os cabelos à moda índia, desenharam-lhe na pele tatuagens de urucum. Pay-Lo, a primeira vez que a viu assim, não demonstrou surpresa nem reprovação. Disse-lhe apenas, como um terno e respeitoso cumprimento, que, se não fosse velho e inerme, casar-se-ia com ela. Presenteou-a com pulseiras de búzios e de madrepérola.

Só Quintin manifestava um pouco de constrangimento diante da Colombe índia. Ele que, no entanto, fora o primeiro a lhe ensinar a piedosa simplicidade do corpo, afligia-se de ver este, talvez por causa de sua brancura, desnudo a seu lado. O pobre homem, aliás, nessa época vivia uma crise de consciência. Tendo entrado nos domínios femininos de Pay-Lo com uma forte ambição missionária, ele primeiro convertera à sua religião do amor meia dúzia de mulheres da casa. Beijava-as de uma em uma prodigando-lhes muitas carícias, tudo temperado com leituras santas. Mas logo viu que isso para elas era mais um assunto de brincadeira. Elas sempre davam um jeito para que uma ou outra surpreendesse a lição no meio. Então a evangelizada fugia rindo com a amiga e Quintin ficava a ver navios.

Afinal, um belo dia, uma delas se mostrara mais séria. Era uma índia alta de traços pesados chamada Ygat. Seu rosto quadrado, chato, marcava as expressões lentamente. Ela não era, como as companheiras, de rir e caçoar à toa. Quintin, apresentando-lhe o Evangelho, não sentira nela essa excitação um tanto frívola que em geral se apoderava das mulheres que ele tentava converter. Aquela não sofrera nada nem impusera nada: respondera a seus gestos com outros, cheios de gravidade e ternura. Ele se abandonara nela no primeiro dia, pensando menos no Evangelho, por sua vez, do que no sorriso de êxtase que fizera nascer em seus lábios grossos.

Não há pregador competente que não tenha vontade de se repetir. Quintin acabara consagrando à educação de Ygat o essencial de suas forças e de seu tempo. Mais grave ainda, já não se sentia mais com gosto de levar a outros seu ensinamento. Este estado o deixava triste. Ele se abrira sobre seus problemas com Pay-Lo.

— Então o que o deixa tão infeliz nisso tudo? — perguntara o velho.

— Não compreende? Dediquei minha vida à propagação de um Evangelho de amor. E eis que me encontro sem forças para cumprir meu apostolado.

Pay-Lo pegara a barba com a mão nodosa e a cofiava.

— Não poderia deixar que eu também aproveitasse esse ensinamento? — perguntou ingenuamente.

— Nunca! — exclamou Quintin indignado. — Eu prego o livre emprego do prazer. E meu desejo me leva para as mulheres.

— Não é isso que eu queria dizer — esclareceu Pay-Lo. — Você não poderia apenas me explicar em que se manifesta esse amor que a mensagem de Cristo parece encerrar?

— Bem — disse gravemente Quintin —, é uma linguagem cujo alfabeto é o corpo. Declina-se em carícias, em gestos ternos e conclui-se por essa comunhão dos seres que os tira de seus limites e os faz entrever a vida eterna.

Pay-Lo refletira longamente. Depois, estendendo a mão para um esquilo ruivo que passeava saltitando à sua beira, disse a Quintin:

— Vou provocá-lo um pouco, está bem? Mas parece-me que os protestantes têm razão de querer queimá-lo.

— Por quê? — assustou-se Quintin.

— Porque eles denunciam a salvação pelas obras e você pratica isso.

— Não entendo nada do que está dizendo.

O esquilo subira na mão de Pay-Lo e ele o levou ao colo. O olho redondo do bicho fitava Quintin com desconfiança.

— Você dá muita importância aos gestos, meu amigo! — disse Pay-Lo. — Para provar o amor que, como você, considero divino, parece-lhe que basta praticar seus ritos. Você fica, permita que lhe diga, nas aparências.

Quintin baixou os olhos.

— Você distribui carícias como outros traficam relíquias ou vendem indulgências para ganhar o paraíso.

— E o que posso fazer de diferente, uma vez que são os nossos desejos? — retorquiu Quintin.

— Ah, não tenho conselhos para lhe dar — disse, calmamente, Pay-Lo. — Parece-me simplesmente que o que está acontecendo com você é uma grande sorte.

— Sorte! De não poder mais disseminar o amor?

— De não o disseminar mais, pode ser... — disse Pay-Lo.

E, olhando Quintin com um sorriso luminoso e bom que desarmava, acrescentou delicadamente:

— Mas de conhecê-lo.

*

Afinal, um belo dia, Paraguaçu chegou. Sua tribo se encontrava nas proximidades e ela viera sozinha, a pé, para ver a amiga. Colombe estava nas cascatas naquela manhã com as outras mulheres. Paraguaçu foi ter com elas e o reencontro se deu na água clara em meio a lágrimas, gritos, duelos de galhos, coroas de flores.

— Como você mudou, Olho-Sol!

— Mudei de vestidura? — riu Colombe.

— Não, de corpo. Quando a conheci, você era um gatinho esfolado, e olhe que bela mulher está. Já tomou algum homem?

Colombe amuou. A liberdade das índias sobre esse assunto não a embaraçava. Ela gostaria de ser como elas, contar simplesmente seus desejos e seus amores. Mas embora agora se vestisse como elas, ainda não se livrara dos pesados pudores sob cuja capa maceram na Europa as chagas da alma.

— Não — confessou.

— E... seu irmão? — perguntou a índia que se lembrava da confidência feita há algum tempo na aldeia.

— Morreu — respondeu precipitadamente Colombe.

Depois corou, mas, como Paraguaçu parecesse profundamente comovida com essa notícia e lhe afagasse o rosto, acrescentou:

— Para mim.

Essa confissão surpreendeu-a, mas ela não teve o gosto de aprofundar isso. O assunto a constrangia demais para que ela fosse adiante. Levou a confidente numa outra direção perguntando-lhe o que havia feito durante aquele tempo todo.

Paraguaçu súbito ficara pensativa e triste.

— Minha família conheceu o grande castigo dos espíritos — disse a índia. — Eles se enfureceram conosco. Mataram meu tio, meu pai, minha mãe, todos os meus primos. Para aplacá-los, tivemos que fugir. Mas, apesar dos sacrifícios, das oferendas, os caraíbas não conseguiram acalmar os demônios. Agora não passamos de seis.

Colombe lembrava-se dos cadáveres que encontrara na floresta e da aldeia deserta. Abraçou Paraguaçu e deixou-a chorar um bom tempo.

Não ousou pedir-lhe notícias de Karaya, o jovem cativo com quem ela outrora passava suas noites. Colombe receava ouvir que ele também estava entre os mortos, consumido pela doença, se não pelos homens.

Elas não tocaram mais nesses assuntos, voltaram para suas brincadeiras, para a felicidade de estar juntas. Agora, graças a Paraguaçu, Colombe podia acalentar a esperança de entrar completamente no mundo índio. Sentia-se pronta para isso e o desejava. Quando a jovem voltasse para sua tribo, proporia acompanhá-la.

À noite, Pay-Lo mandou preparar um grande jantar pela volta de Paraguaçu. Apesar das nuvens cada vez mais ameaçadoras, ainda estava quente e o dia fora bonito. A refeição foi servida nos terreiros todos iluminados de lampiões e candelabros. Pratos de caça, temperados com especiarias e acompanhados de aipim, chegaram da cozinha. Preparadas em braseiros de pau-brasil em potes índios, essas iguarias eram servidas em bandejas de prata com as armas do rei da Inglaterra, recuperadas nos destroços de um navio de guerra, para finalmente serem consumidas com as mãos.

Na confusão de baús e cômodas que se amontoavam pela casa, Colombe descobrira uma flauta de belo feitio, fabricada na Áustria, intacta em seu estojo de jacarandá forrado de tafetá. Tocou alguns trechos após o jantar. Pay-Lo fechara os olhos, vencido pela nostalgia. Os índios estavam quietos. Mais sensíveis ao ritmo que à melodia, mudavam de expressão segundo os registros do instrumento. Ora este os acalmava com suaves trinados, ora os alarmava com arpejos baixos e ameaçadores. Colombe fez a flauta circular entre os índios, que a olhavam por dentro e por fora, convencendo-se finalmente de que era um simples tubo de metal. Eles olharam para Olho-Sol com mais respeito ainda. Era evidente para eles que nela é que morava o misterioso pássaro com o qual seu rosto a aparentava e que continha o espírito dos mortos. Eles não tinham dúvida de que fora sua voz que haviam acabado de ouvir.

Um doce torpor seguiu-se a esse concerto. Pay-Lo desejara que o jantar fosse regado a vinho Madeira, do qual possuía tonéis recém-encalhados para os lados do Cabo Frio e transportados por homens. Em vez do cauim que excita, o vinho conduzia os índios a um silêncio povoado de sonhos. Barulhos de bichos, chiados, murmúrios, devoração ecoavam na mata em volta. Mas, além disso, de várias direções chegavam rumores de festa, surdas percussões de tambores, guizos de maracas e risadas sonoras.

A Colombe, que o interrogava sobre esses ruídos, Pay-Lo disse simplesmente:

— Os índios reconstituíram suas forças, desde a epidemia. Correm para celebrar seus sacrifícios antes da volta das tempestades.

— Seus sacrifícios...?

— Humanos.

Um horror inesperado apoderou-se de Colombe diante dessa palavra. Por mais estranho que isso fosse, ela encarara sua vida de índia como um abandono à doçura e à naturalidade. A sinistra palavra canibal para ela estava ligada ao ódio e à ignorância que caracterizava Villegagnon, quando ele falava dos indígenas. Ela acabara excluindo até a existência dessas práticas. Pay-Lo, em silêncio, fumava tranqüilamente diante dela um charuto de tabaco. Ela olhou-o com um sorriso de desconfiança.

— Então, você também acredita nisso?

— Em quê?

— Que eles são canibais.

Piscou lentamente os olhos, talvez para afastar a fumaça que envolvia seu rosto.

— Não cabe acreditar ou não. É um fato.

— Eles comem seus semelhantes?

— Sim.

— Já viu isso?

— Claro.

Paraguaçu, sentada ao lado de Colombe, deixava pender a cabeça e os ombros olhando fixamente as mariposas em volta da lâmpada. Ela não entendia francês e gostava de se deixar embalar pelas doces entonações dessa língua.

— Por que eles fazem isso? — perguntou Colombe que de repente sentia sua nudez como uma fraqueza e tremia.

— Por quê? — recomeçou ele pensativo. — Quem sabe exatamente? Por certo não para se alimentar, como pensam nossos amigos da ilha...

Ele esboçou um sorriso, mas, vendo a expressão dolorosa de Colombe, voltou a ficar sério e sua voz assumiu uma entonação terna.

— Os índios — recomeçou — vivem na floresta onde tudo morre e renasce, onde as forças estão permanentemente se trocando entre o momento da agonia e o do nascimento. Quando comem os inimigos, pois só estes são reservados para este fim, é para assimilar a força deles. Aliás, começam fazendo os prisioneiros conviverem muito tempo com eles.

— Mas por que os infelizes não fogem?

— Porque compartilham das mesmas crenças. Se conseguissem voltar para junto dos seus, seriam tratados como covardes e condenados à morte também.

Colombe olhava Paraguaçu adormecida e pensava de novo em seu antigo amigo. Sentia que agora não poderia mais indagar sobre ele, de medo do que poderia ouvir da amiga.

— Então — disse fingindo naturalidade —, eles se deixam... abater como animais?

— Não — respondeu Pay-Lo após um longo tempo de reflexão —, eu não diria isso. Eles se resignam à própria sorte, mas demonstram a maior coragem. Quando vão ser sacrificados, começam sendo amarrados a uma árvore por oito ou dez dias, só pela cintura. Assim conservam as mãos livres para jogar tudo o que encontram por perto em cima dos aldeões que vão comê-los. Insultam seu assassino até o fim, juram que sua família há de vingá-los e, nesse ponto, freqüentemente têm razão.

Colombe ultrapassara a repugnância. Entrava numa fascinação que a fazia desejar avidamente saber tudo.

— E como mandam matá-los?

— Como? — espantou-se Pay-Lo. — Bem, os caraíbas organizam todo um ritual com danças e o oráculo das maracas. Depois, o executor se adianta, com um tacape decorado com uma grade vermelha no lugar onde baterá na testa...

— E eles comem... tudo? — perguntou Colombe lívida, contraindo os lábios, mas querendo saber tudo até o fim.

— Absolutamente tudo. Cada pedaço do cadáver é ritualisticamente destinado a esse ou aquele grupo.

Ouvindo as respostas seguras do velho, seu tom natural, Colombe de repente teve uma dúvida.

— O senhor fala disso com muita desenvoltura — arriscou. — Já...

— Participei dessas cerimônias? Sim, claro. Estou aqui há tantos anos. Mas, quanto a comer carne humana, nunca cedi a isso. Nunca — repetiu com firmeza.

Ela talvez não tivesse gostado menos dele se ele confessasse o contrário, mas ficou aliviada com essa resposta.

— Sou totalmente contra a condenação à morte. Os índios sabem disso e os que vivem aqui aceitaram renunciar a essas práticas.

— Eles, talvez — objetou Colombe —, mas os outros, os que estamos ouvindo?

O barulho dos banquetes estava tão próximo que o vento às vezes trazia, com ignóbeis aromas de gordura, a salmódia de um feiticeiro que parecia provir daquelas imediações.

— Mas se formos falar com eles — explodiu Colombe —, se nos interpusermos, se gritarmos?

Ela quase fizera isso e Paraguaçu, sonolenta, levantou a cabeça.

— Bem, eles olham para você como se você quisesse atentar contra a vida do grupo deles, uma vez que é incorporando a força do morto que esperam protegê-lo e defendê-lo. E é você que corre o risco de ser condenada à morte.

— Parece-me que nesses casos é que a força...

Pay-Lo riu silenciosamente, mas com pequenos espasmos muito longos que Colombe odiou.

— Parece-me que você está indo pelo mesmo caminho que os jesuítas de São Vicente. Eles mandam incendiar as aldeias canibais; seu princípio é que é preciso matar os índios para impedi-los de matar.

Colombe se calou, mas a impaciência deixava seu queixo trêmulo. De repente, tinha vontade de fugir. Mas aonde ir quando o mundo de onde viemos nos rejeitou e o que despir quando estamos nus?

— Compreendo sua revolta — murmurou suavemente Pay-Lo —, é preciso conservá-la intacta. Eu gostaria que você soubesse que a minha continua com o mesmo vigor, apesar dos anos. E, no entanto, acredito sinceramente que se quisermos fazer os índios mudarem, primeiro precisamos nos forçar a reconhecer... que eles têm razão.

Ele parecia pesar essa palavra numa balança invisível.

— Está vendo, Colombe, nós dois nascemos num mundo onde o normal é destruir o inimigo. Já os índios o incorporam. Eles têm a admirável qualidade de se nutrir do que se opõe a eles. Você joga quatro notas musicais, e eles as absorvem em suas melodias. Você pousa seu chapéu num banco, e eles fazem com ele um adereço para a festa. Eles aprenderam isso com a floresta onde tudo se interpenetra e se fecunda, onde o que não é devorado devora. Nada lhes é mais estranho que nosso espírito agrícola que suprime todas as espécies para guardar apenas uma, que nos é útil. E o que eles se proíbem de fazer com as plantas também não fazem com os seres humanos.

Pay-Lo estendeu a mão e acariciou a testa de Colombe. Por fina e nodosa que fosse, seu contato com sua carne a tranqüilizou.

Paraguaçu estendera a mão para um prato e amassava um bolinho de mandioca.

— É preciso aceitar que eles nos transformam, se quisermos transformá-los — disse Pay-Lo.

Era tarde para ele, e, tendo dito isso, levantou-se penosamente. Uma mulher amparou-o para entrar na obscuridade de sua casa.

Colombe ficou um bom tempo sonhando na floresta onde, realizados os sacrifícios, a paz pouco a pouco voltara.

CAPÍTULO 3

As guerras de religião são sempre providenciais para os criminosos. De repente, a violência torna-se santa; contanto que eles saibam fingir devoção, ao menos em palavras, são autorizados por um Deus a praticar as infâmias há muito sonhadas. Não escapara a Vittorio todo o proveito que podia tirar da luta das duas facções que disputavam a ilha. Quando dom Gonzagues, durante o longo retiro de Villegagnon, tomara a frente do partido católico, Vittorio se atirara a seus pés e lhe suplicara que ele o deixasse prender-se à causa da Madona. Isso supunha apenas que o livrasse das correntes de ferro que Villegagnon mandara passar em seus tornozelos ao perdoá-lo após a conjuração de Le Freux. Dom Gonzagues facilmente aquiescera a esse pedido, e o veneziano mostrara-se digno da confiança nele depositada.

Sua frágil corpulência, sua experiência pessoal nas armas, que o tornava sobretudo apto a delas fazer uso contra adversários que não as tinham, não preparavam muito Vittorio para ingressar na tropa regular. Mas, como espião, ele era uma maravilha. Era um dos raros personagens a poder rondar por toda parte, inclusive no campo dos protestantes, a quem convencera de que estava ressentido com o almirante por tê-lo condenado injustamente antes da chegada deles. Tudo o que captava aí chegava aos ouvidos de dom Gonzagues, que assim podia conhecer os planos do inimigo e contrariá-los.

Consumada a ruptura, após a terrível cerimônia dos casamentos, Vittorio ficou por algum tempo ocioso, pois os protestantes não admitiam mais estrangeiros entre eles. O almirante, em reconhecimento por seus serviços e para aproveitar suas qualidades, designara-lhe então outra tarefa, mais perigosa, porém mais proveitosa.

Villegagnon era hábil. Uma vez que afastasse os protestantes da ilha, podia recear um novo perigo: que eles se unissem contra ele aos trugimães da costa. Apesar da repugnância que esses miseráveis lhe inspiravam, o almirante devia então aceitar aproximar-se deles. Foi com essa finalidade que, com toda a raiva que sentiu na hora dos casamentos, teve bastante juízo para se conceder quinze dias de descanso, dando esse prazo para os protestantes irem embora.

Enquanto isso, apressou-se para enviar um emissário a esse Martin que, segundo se dizia, comandava os bandidos do continente. Por recomendação de dom Gonzagues, considerou Vittorio adequado a este fim. O risco era evidentemente o ex-condenado aproveitar essa missão para fugir. A fim de minimizá-lo, o almirante o fez entrever uma grande recompensa, se ele chegasse ao resultado que lhe fora determinado.

Foi assim que um dia, após desembarcar de um escaler que fora buscar água doce no fundo da baía, Vittorio afastara-se de propósito até dar a impressão de que se perdera. Sua falta foi notada na volta e, à noite, ao ser informado dessa ausência, Villegagnon fingiu ter ficado contrariado.

Em seguida, o suposto desertor caminhara muito tempo ao longo da praia, sob a magra cobertura dos coqueiros. Esperava um sinal vindo da mata mostrando-lhe que fora visto. Era assim que faziam os fugitivos. Os índios da costa tinham ordem de capturá-los com brandura e levá-los a Martin, que decidia se eles eram suficientemente maus para ingressar em sua tropa de elite. De fato, de manhãzinha, um contingente de selvagens cercou Vittorio, que adormecera placidamente na praia, a cabeça sobre um pequeno monte de areia que ele cobrira com seu casaco de lona. Sem dizer uma palavra e com tanta brandura quanto podia esperar desses primitivos de beiço furado, o veneziano deixou-se conduzir pelas trilhas da mata até uma palhoça onde Martin esperava para examiná-lo.

— Ora veja só! — exclamou o príncipe dos trugimães. — Você!

— Ah! Martin — respondeu Vittorio com a inflexão sincera daquele que encontra a humanidade na saída dos infernos. — Que surpresa maravilhosa!

E ainda totalmente imbuído dos hábitos que voltara a adquirir com dom Gonzagues e que lhe lembravam seu país, pôs-se a louvar a Madona ajoelhado. Mas o espanto de Martin era ainda mais poderoso que essas imprecações. O ex-mendigo olhava para Vittorio com um espanto que podia ser interpretado como hostilidade.

— Achava talvez que eu tivesse sido enforcado com Le Freux? — perguntou o veneziano para dissipar as suspeitas e começar a se explicar.

— Não — disse Martin sem atenuar a inquietante fixidez de seu olhar.

E, súbito, fez sinal para que os poucos indivíduos que estavam à toa na cabana e nos arredores se retirassem para onde não fosse possível ouvi-los.

— Temos que conversar — disse.

Vittorio, pela primeira vez desde que deixara a ilha, começava a ter medo. Quando ficaram a sós, Martin sentou-se face a face com o suposto fugitivo.

— Como sabia que o procurávamos? — perguntou.

— Vocês me procuravam? — espantou-se o veneziano. — Eu não sabia.

Martin perscrutava-o com os olhos. Mas era impossível interpretar qualquer outra coisa nessa cara de assassino além de uma sombria perturbação beirando a sinceridade. No entanto, no íntimo, Vittorio se alarmava. O plano que o almirante elaborara para ele pressupunha que ele conquistasse a confiança de Martin a ponto de este lhe permitir voltar à ilha. A suspeita de que parecia ser objeto dificultava esse pedido.

— Há oito dias — disse Martin —, quebro a cabeça para saber como entrar em contato com você.

— Comigo? — exclamou Vittorio, de repente muito preocupado porque sua experiência lhe ensinara que não podiam estar procurando por ele senão por maus motivos.

— Sim, com você — confirmou Martin.

E, franzindo os olhos, acrescentou:

— Não desconfia por quê?

Vittorio procurava, entre todas as suas más ações, qual poderia ter incomodado os trugimães. Não encontrou nenhuma. Quanto às boas, o exame foi mais rápido. Foi então que, no meio dessa floresta ainda molhada das primeiras chuvas, onde tudo era só casca e folhagem, uma palavra ecoou no ouvido do veneziano trazendo-lhe à mente uma luminosa fachada do Havre, cintilações de barco e a voz doce de Cadorim.

— Ribère — dissera Martin.

— Como? — murmurou Vittorio mergulhado em seu sonho.

— Ribère — confirmou o bandido olhando-o fixamente.

Súbito, lágrimas rolaram silenciosamente no rosto barbado do veneziano.

— Até que enfim! — gemeu.

Martin olhava-o com surpresa e não podia se impedir de sentir por ele uma admiração sincera. Então esse ladrão de capotes por quem ele não dera nada, de aspecto tão insignificante e que aparentemente só servia para humildes tarefas de gatuno, era o homem em quem as mais poderosas nações da Europa haviam baseado sua política. Ele era, e havia sabido ocultar isso, o agente dos príncipes, dos bispos, do governador. Não havia dúvida de que sabia mais do que demonstrava. Sua presença providencial naquele lugar era, aliás, a prova de uma influência superior a que continuava submetido, embora sua modéstia e a prudência o mandassem negá-lo.

— Onde eles estão? — perguntou Vittorio voltando a si.

— Quem?

— Os portugueses.

— Não vão demorar mais — respondeu Martin, os olhos brilhantes porque agora essa chegada lhe dava tantas esperanças quanto a "Ribère".

Ambos comungaram um instante na idéia dessa libertação onde se misturavam visões de glória e de ouro.

— Você terá que voltar à ilha — recomeçou Martin adotando dessa vez seu tom prático e de comando.

Vittorio espantou-se um pouco com essa conclusão. Sempre imaginara que, o dia em que ouvisse a palavra mágica, seria levado pelos ares para a liberdade. Mas, uma vez que o novo trabalho a que o destinavam combinava, ainda que por outros motivos, com as prescrições de Villegagnon, ele fez que sim com a cabeça.

— Eu ia lhe dizer isso — confirmou.

E Martin viu nessa presciência um mistério maior que impunha respeito.

— Você deverá dar um jeito para Villegagnon mandá-lo aqui regularmente.

— Isso será mais fácil — disse Vittorio —, uma vez que ele também me havia incumbido de uma missão junto a você.

Contou-lhe em linhas gerais a querela com os protestantes e sua expulsão iminente para o continente. Martin prometeu não fazer nenhuma aliança com eles, e essa boa vontade lhe custava tanto menos quanto dissimulava a verdadeira ofensiva, que viria dos portugueses.

— Dê-lhe minha palavra — declarou Martin com sua nova ênfase de futuro duque.

— Darei, mas...

— Como? Isso não basta?

— Sim, claro — apressou-se Vittorio. — Mas precisarei provar que conquistei sua confiança.

— Bem, leve isso a Villegagnon — disse Martin tirando um medalhão do bolso.

Era uma pequena miniatura emoldurada com um simples friso arredondado. Representava uma mulher de rosto circunspecto, uma touca de renda nos cabelos.

— Peguei isso na mesa dele, na noite do ataque. Para dar sorte, quando tudo vai mal, eu roubo.

— Eu — disse Vittorio —, é quando tudo vai bem.

— De agora em diante, você servirá de ligação entre nós. Pelo menos é o que ele vai achar e a razão pela qual vai enviá-lo. Mas, na verdade, é no outro sentido que você será útil. Os portugueses querem saber tudo sobre as defesas da ilha.

Ele pormenorizou as primeiras informações que era importante coletar.

— Será necessário eu me refugiar aqui antes do ataque — precisou impacientemente Vittorio. — Você me prevenirá.

— Sim. Mas você deverá ficar lá até o fim. Se se desincumbir bem da tarefa, nem haverá combate.

Vittorio amuou. Todo o plano lhe convinha, salvo esse fim. Mas disse a si mesmo que haveria tempo de descobrir quando chegasse a hora.

A discussão foi longa. Vittorio fez um primeiro relato sobre o que ele já sabia. Quando anoiteceu, Martin conduziu-o até sua casa no alto para impressioná-lo um pouco com seu poder. Recomendou-lhe que, sem dar detalhes sobre a localização desse quartel-general, dele fizesse uma descrição lisonjeira a Villegagnon tão logo regressasse.

No dia seguinte, no meio da tarde, espias colocados por Martin próximo à praia anunciaram um novo escaler, que acabava de carregar víveres. Vittorio postou-se junto da água e acenou muito, gritando. Os marujos se aproximaram, reconheceram-no e o embarcaram. Martin, escondido atrás de uma moita de eufórbias, olhava o vulto moreno patinhar na água clara e içar-se penosamente agarrando-se às forquetas. Era bastante pungente saber que o destino de várias nações, ao menos por uma parte de sua história, repousava sobre um ser tão modesto, e tão valoroso.

*

Na véspera do dia em que os protestantes deviam deixar a ilha, as primeiras trovoadas rebentaram com uma força inesperada. Choveu a noite inteira e, de manhã, mal se viu a aurora de tal maneira o céu continuou escuro, com nuvens carregadas. O chão estava molhado; a água vazava fria do teto encharcado das palhoças. Just teve esperança de que Villegagnon adiasse a expulsão. Mas isso estava fora de questão. O almirante não queria atrasar um dia que fosse o cumprimento da sentença que decretara, e as boas notícias trazidas por Vittorio não o estimulavam a tomar nenhum cuidado.

Desde o início da manhã, Le Thoret distribuiu por diversos pontos do forte e da praia seus soldados armados até os dentes. Uma linha de bacamartes carregados, calçados em forquilhas, estava disposta no trajeto que fariam os reformados para ir do reduto até os batéis.

Just foi incumbido de confirmar a decisão a du Pont e de organizar com o partido protestante a marcha para esse segundo exílio. O ponto delicado era a revista. O almirante era categórico a esse respeito: nenhuma arma deixaria a ilha. Alguém, em seu nome, devia assegurar-se disso revistando um a um os banidos antes de seu embarque.

Du Pont indignou-se com esse procedimento, quis negociar, reclamou que só os soldados podiam ser submetidos à revista. Just foi à sede do governo e voltou assegurando que Villegagnon não consentia nisso. Os protestantes pediram um prazo. Just voltou uma hora depois, para encontrar as dificuldades estranhamente aplainadas.

— Que seja — declarou Richer. — Vamos nos submeter à revista.

Just respirava.

— Mas com uma condição — acrescentou o pastor. — Que seja o senhor e mais ninguém a efetuá-la.

Tentado a aceitar esse acordo sem protestar, Just de repente lembrou-se das mulheres. Seria ele mesmo que passaria a vergonha de submetê-las a tal tratamento?, perguntou.

— Julgue por você mesmo se está livre de isentá-las — disse du Pont com desprezo.

Infelizmente, as ordens de Villegagnon eram formais: ninguém, fosse de que sexo fosse, devia escapar à vigilância necessária. Just hesitou. Depois disse a si mesmo que se tal ultraje tinha que ser cometido, era melhor que ele fosse seu instrumento: ao menos se esforçaria para torná-lo decente e talvez até, na última hora, evitá-lo.

Precedida de estrondos espetaculares, que ricocheteavam lugubremente nas montanhas, a chuva recomeçou, morna e torrencial. Os protestantes estavam aglomerados na entrada de suas choupanas, com as pobres bagagens a seus pés. A água já inchava esses fardos e esses sacos, deformando-os e deixando-os pesados. Just começou examinando os soldados um por um. Depois, eles partiam em fila para o porto, patinhando na lama. Du Pont decidira ir com eles, para ser o primeiro a chegar em terra e preparar um acampamento seguro para os que viessem depois.

A chuva não parava e caía com tanto barulho que tornava menos tranqüilo o silêncio mantido pelos banidos. Just sentia em si os olhares de ódio e estava quase aliviado com isso. Ele próprio não se via com olhos mais indulgentes e se desprezava profundamente por ter aceitado tal incumbência.

Felizmente, terminado o embarque do primeiro contingente, do lado católico, alguém gritou ordenando que ele recomeçasse seu sinistro exame. Ao menos assim, ele teria a mente ocupada e poderia esquecer a vergonha e as dúvidas. Um novo contingente de homens adiantou-se para ele de mãos erguidas. Ele os apalpava de cima a baixo com tanto mais facilidade quanto a água lhes colava as roupas na pele e não deixava nada ser facilmente dissimulado.

A angústia lhe dava sede. Ele começou a sorrir interiormente por receber esse castigo absurdo: estar com sede no meio de tanta água.

Afinal restaram apenas Richer e as mulheres.

O pastor ressaltou que a dignidade de pessoas do sexo frágil proibia que elas fossem exploradas em público. Aliás, elas continuavam escondidas no mais escuro de suas cabanas. Just apresentou-se diante da primeira. Quando entrou, viu uma das casadas com o marido mais apavorado que ela. Certificou-se às pressas e quase sem tocar neles de que não possuíam arma alguma. Depois, esperou ao lado deles passar um tempo conveniente, para mostrar que não deixara de ser rigoroso na revista. Em seguida, passou à segunda cabana. Na terceira, encontrou as duas aias das noivas esperando-o de mãos para cima, o olhar alterado como se tivessem tomado Deus por testemunha da inutilidade de qualquer resistência. Elas se deram conta com atraso de que ele se contentava em perpassar-lhes a mão e não lhe manifestaram nenhuma gratidão por isso. Nas cabanas seguintes, as duas casadas há menos tempo aguardavam sem os maridos, prova de que, talvez, a interrupção violenta da cerimônia não tivesse deixado Richer totalmente seguro de sua validade. Para grande surpresa sua, Just viu na choça seguinte três aias, as das casadas e Chantal. Viu no sorriso desta uma mensagem enigmática que o perturbou.

Quando saiu, a tempestade se intensificava e se transformava em granizo. Um pequeno tapete de pedras brancas estendia-se na terra encharcada. Brumas brotadas do chão morno alastravam-se rente às paredes. Just hesitou um instante e, emocionado com a dedução que acabava de fazer, contando mentalmente as ocupantes das cabanas, constatou que, de fato, Aude o esperava sozinha.

Há momentos finais que a consciência dilata, como uma arca, para acolher todos os seres que o coração alimentou e que, por uma violência vinda de fora, vão perecer. Just sentiu que se fixara num desses instantes intermináveis em que as emoções se atropelam e enfrentam outros tantos pensamentos contrários, armados para exterminá-las.

Aude estava em pé, bem perto da entrada, tanto que ao entrar na escuridão do recinto, Just logo se viu à sua frente, a ponto de encostar nela. Ela usava um vestido cuja gola arredondada mergulhava para a base de seu pescoço. A pálida claridade de fora entrava pela fresta da cortina aberta. Chegava, fraca, até seu rosto e desenhava no escuro um relevo de cinza no fundo de uma lareira. Só seus olhos arregalados brilhavam, e, nessa penumbra úmida, não parecia possível eles estarem tão iluminados pela luz de fora.

Just sentiu contra seu rosto a respiração febril da jovem e um desejo violento o fez vacilar de emoção. Ficou imóvel, perplexo, tão enojado consigo mesmo, com tamanha sensação de vazio e de ausência que súbito ficou tentado a abandonar seu corpo como uma pele morta. Mas quase imediatamente sentiu em seus lábios a delícia morna de uma abertura desconhecida. Custou um pouco a entender que uma boca pousara em sua boca. Depois, como uma fruta que, mal se prova, já se devora, respondeu com todo seu ser a esse beijo.

O tamborilar do granizo nas palmeiras intensificava-se em volta deles, com um barulho de decolagem. A tepidez úmida do ar se precipitava no estreitamento de seus corpos como um ácido que de repente torna visível a substância incolor na qual foi derramado.

Então, súbito, por uma imperceptível pressão de seus dedos finos, ela se afastou:

— Salve-nos — murmurou.

Just ainda estava afogado no poço de doçura à beira do qual acabava de se debruçar. Seu espírito batia contra suas paredes. Ele não conseguia formar idéias coerentes. Um caos de imagens era o que produzia. Viu-se com ela na praia, com ela num barco, com ela em um dia de sol na Itália. Estava com uma vontade louca de tornar a estreitá-la nos braços.

— Depressa — disse ela.

E essa palavra, de repente, fez voltar toda a escuridão e toda a tempestade, todo o perigo e todo o desespero.

— O que posso fazer? — respondeu ele, decidido a obedecer ao que ela concebesse.

Uma tensão, ainda que invisível, súbito foi transmitida do corpo que ele continuava segurando até suas mãos. Foi como se o alarme tivesse vindo dela.

— Mate-o.

Ele olhou-a imóvel, mas talvez seus olhos se tenham arregalado mais e dado a impressão de que ele sonhava.

— Salve-nos — repetiu ela. — Mate-o!

— Quem?

A tensão tornou-se crispamento. Agora era ela quem o apertava, agarrando com as duas mãos a gola de sua camisa ensopada.

— Ele! — gritou ela.

E como se o ódio que exprimia de repente em seus olhos não bastasse, ela o sacudiu. Depois, pronunciou o nome maldito pondo nos lábios um desprezo e uma dureza tão grandes quanto a ternura e o abandono fingidos que ali colocara há pouco.

— Villegagnon!

Just largou-a.

— Villegagnon — ela repetiu com uma voz alta que redobrava o ronco das trovoadas. — Mate-o e serei sua.

— Não — gritou Just.

Um espaço que não era mensurável, mas que distanciava o amor do ódio, os separava.

— Nunca — repetiu ele com a firmeza de um ser que descobre em si mesmo uma vontade irremediável.

Tudo voltara. O ligeiro frio que a umidade põe no ar, o peso dos objetos e das paredes, a náusea.

— Malditos sejam os católicos! — exclamou ela.

De repente, tão subitamente quanto sentira sem esperar o calor do beijo, ele sentiu uma dor aguda no flanco, e um fluido inesperado, mais quente, misturou-se à água que pingava de sua camisa encharcada. Levou a mão à ilharga.

Aude já havia passado por ele para sair da casa. Just virou-se e chegou à entrada. Olhou-a se afastar sob a cortina d'água e disse a si mesmo que de novo o granizo substituíra a chuva. O grupo das outras mulheres e Richer já estava formado e enveredava pelo caminho da praia. Ela os alcançou. O grupo passou na frente dos bacamartes. Capas jogadas sobre as armas deixavam-nas parecidas com estranhas aves pernaltas cujo cano se via luzir como um bico.

Just não fez um só gesto para detê-los, e essa imobilidade, vista de longe pelos soldados, foi interpretada como um consentimento. No momento em que o último escaler desatracava, Just olhou sua mão, viu sangue e compreendeu. Conteve-se o mais que pôde e, quando a embarcação desapareceu na bruma, largou o ferimento e caiu estirado na lama.

CAPÍTULO 4

Recostado no espaldar de sua cadeira, Villegagnon olhava os três homens se atarefarem em suas escadas. No andar térreo do forte, atrás da grande entrada abobadada, uma sala de pé-direito alto com o teto ornado de vigas de palmeira servia agora de local de reunião e, durante as chuvas, de capela para celebrar os ofícios. Ali, numa das paredes-cegas, é que fora erguido o imenso painel de madeira. Os carpinteiros trabalharam vários dias para serrar ao comprido as toras de louro e juntar as tábuas. Em seguida, foi necessário espalhar sobre essa superfície monumental uma mistura de pó de osso e cola animal, depois poli-la com a ajuda de pequenas pedras-pomes que se achavam em abundância pelo chão. E agora, o almirante tinha a satisfação de vir ver as cores serem aplicadas.

Os três pintores eram operários de construção na falta de artistas de verdade. Mas sabiam desenhar mais ou menos, e deles só era pedido um trabalho de copista. Sobre um pequeno cavalete, destacava-se a pequena tela de Ticiano representando a Madona, que se devia reproduzir ampliada no gigantesco suporte. Os discípulos tropicais do mestre veneziano olhavam de esguelha para o original e transferiam as formas, a carvão vegetal, para um grande esboço. A Virgem assumia laboriosamente novas dimensões. Cada um se ocupando de uma parte do futuro retábulo, as proporções se ajustavam mal. O rosto da Madona era pequeno demais, seu peito, enorme e o Menino Jesus desaparecia naquele mar de mamas. Foi preciso recomeçar três vezes. Afinal, tudo ficou mais ou menos harmonioso e sobre um fundo vermelho vivo destacou-se a monumental silhueta da Mãe de Deus, com a qual Villegagnon tencionava impressionar os espíritos. Se a chegada dos protestantes teve um mérito, foi o de fazer o almirante compreender o que ele agora tinha que fazer. Ele não teria tido necessidade de usar o chicote com os índios, nem mesmo de ser tão duro com os colonos, se tivesse se colocado antes sob a proteção de imagens temíveis e adoráveis como essa que se esboçava à sua frente.

Tão logo terminasse a estação das chuvas, ele mandaria começar as fundações de uma igreja contígua ao forte. Enquanto isso, continuava conduzindo sozinho os ofícios religiosos, todas as manhãs, e logo o faria sob a proteção da imensa Madona que imporia respeito à assembléia com seu doce olhar divino.

Infelizmente, enquanto primeiro o quadro e depois a igreja não ficavam prontos, era preciso conservar os métodos fortes. Desde o reatamento das relações com Martin e seus trugimães, batéis voltavam a fazer o comércio com as aldeias próximas à costa. A vigilância, de novo, se impunha quanto às deploráveis inclinações dos homens. O almirante mandara erguer um pelourinho onde expunha ao tempo os que haviam sido surpreendidos embriagados. Pois o cauim voltava, com as mercadorias. Os que estavam encarregados das entregas eram de novo tentados a se divertir com as índias. Mas era difícil pegá-los em flagrante; aqueles cães, que estavam em grupo, davam cobertura uns aos outros quando se tratava de mentir. Por isso, à menor suspeita, Villegagnon mandava aplicar a tortura. Orgulhava-se muito da saleta coberta de ganchos, anéis e tenazes que os ferreiros lhe haviam arrumado. Cada vez mais tinha o alento, quando trabalhava na sede do governo, de ouvir pela janela os gritos lancinantes que saíam desse porão. Sorria de alegria com isso: para ele, eram como os hinos da Verdade. Não podia ficar indiferente ao ruidoso esforço que um homem, ajudado por seus semelhantes, fazia para se corrigir. Descobriamse, por esse método, muitos culpados que, do contrário, permaneceriam na trágica solidão de seu pecado. Castigos de vários tipos lhes eram aplicados, indo das simples porretadas até o afogamento, passando pela flagelação pública e muitos outros corretivos. Só a força por ora estava excluída: o tempo ainda estava muito úmido para que as cordas corressem como deviam.

Com essas idéias de disciplina, o almirante voltou a si. Os pintores terminavam de aplicar laboriosamente camadas de tinta cor-de-rosa sobre as carnes santas da tela. Ele os encorajou à sua nova maneira, isto é, prometendo mandar arrancar-lhes os olhos se eles não copiassem Ticiano direito. Depois, saiu. A estação das chuvas começara de fato. Ela adquirira seus hábitos: as manhãs eram belas e frescas e, por volta do meio-dia, bandos de nuvens se reuniam como basbaques. Antes do anoitecer, elas haviam invadido tudo, o calor tornava-se abafado, depois desabava a tempestade. Villegagnon estava orgulhoso de suas novas botas de couro de tatu, confeccionadas por um velho sapateiro da ilha. Elas lhe permitiam atravessar as poças sem molhar os pés. O essencial no caso não era o conforto, mas sim a dignidade. Ele queria andar sem correr. A majestade agora fazia parte de seu sistema de governo, com a crueldade e a fé.

Do forte, o almirante foi para os fundos da sede do governo, para onde davam os quartos. Entrou no primeiro, onde Just estava deitado. Duas figuras com a expressão tristonha discutiam ao pé de sua enxerga.

— Bem, senhores, como está nosso doente? — perguntou o almirante.

Com aquelas fardas sujas de lama e aquelas mãos calejadas, os dois homens mais pareciam cavoucadores. E, de fato, haviam sido usados nessas rudes tarefas até que a fuga do boticário veio deixar a colônia desprovida de luminar médico. Um ressaltou que fora empregado de um farmacêutico. O outro, cujo irmão era cocheiro de um médico, usou essa prestigiosa referência como recomendação para dizer que sabia curar. Nenhum dos dois podia ser acusado de impostura já que, freqüentando os homens do ofício, tanto um como outro haviam se apoderado de seu maior segredo: ostentar ares importantes e usar poderosas locuções latinas que mantinham a doença a uma distância respeitosa e mais ainda o paciente.

— Renovamos a aplicação de pó de vitríolo na ferida — disse um dos pseudodoutores. — O sangue estancou.

— E o vulnerário está agindo bem: embebemos o curativo com tintura de aloé, na falta de aristolóquia.

— Sim — gemeu o outro. E repetiu com um ar desolado: — Na falta de aristolóquia.

— À parte isso — disse Villegagnon que respeitava a ciência, mas não a considerava senão um domínio estreito espremido entre a arte militar e a religião —, como ele se sente?

— Está com dor de cabeça — precisou um dos especialistas.

— Estamos considerando a aplicação de um cuculo — disse o outro sentenciosamente.

— Virgem Santíssima! — exclamou Villegagnon. — Ele está nesse ponto?

Os pois pseudodoutores assumiram um ar de desdém.

— Um cuculo! — repetiu o almirante espantado.

Depois, dando-se conta de que não estava assustado senão por uma palavra, assumiu um tom humilde para perguntar:

— Mas, na verdade, o que exatamente vem a ser um cuculo?

— Um cuculo — disse com altivez o primeiro médico — é uma touca de fundo duplo cheia de pó cefálico. Aplica-se sobre a cabeça do paciente quando ele tem enxaqueca.

— E esse pó consiste em quê?

— Em uma decocção de ervas.

— Recomendamos que seja — acrescentou o outro — exclusivamente de benjoim, cinamomo e íris.

— Bem, o que estão esperando? Ponham-lhe um cuculo se isso vai lhe fazer bem.

— É que nos faltam os ingredientes.

— Quais?

— O benjoim — respondeu o primeiro profissional.

— O cinamomo — acrescentou o outro.

— E as íris — terminou de má vontade o primeiro, baixando a cabeça.

— Entendo — rosnou Villegagnon.

E os botou porta fora.

Just ainda estava fraco. Mantinha os olhos fechados. O almirante veio até sua cama, à beira da qual pousou uma nádega, quase afundando com seu peso o móvel com doente e tudo. Just abriu os olhos.

— Está comendo direito? — resmungou o almirante.

A visão de seu protegido ferido deixava-o triste e, portanto, o embaraçava.

— Você perdeu muito sangue — recomeçou.

— Está tudo bem, almirante, estou recobrando forças, só isso.

— Muito bem! De forças, acredite, você vai precisar. Vamos fazer grandes coisas. E em primeiro lugar, esteja certo disso, vamos vingá-lo.

Just sacudiu a cabeça.

— O quê! — indignou-se o almirante. — Você teima em negar as evidências. A quem vai convencer de que se feriu sozinho, como afirma? O punhal ensangüentado que encontramos ao seu lado não era seu, que eu saiba.

O ferido levantou a mão do lado direito e fez o gesto de apagar no ar uma inscrição inútil.

— Você acabará por nos dizer quem, exatamente, o feriu. Isso só me interessa para reservar a esse criminoso o castigo exemplar que tal ignomínia exige. Quanto ao resto, sei muito bem como hei de proceder. O culpado é du Pont, juntamente com seu bando de heréticos. É só isso que conta.

Seguiram-se infalivelmente ladainhas agradecendo a Deus por ter feito a lâmina resvalar nas costelas. Se Just tinha a pele do flanco intumescida e preta do acúmulo de sangue no tecido, era sem que a parte interna tivesse sido afetada. Villegagnon sabia por experiência própria, pela convivência com campos de batalha, que nenhum ferimento é benigno. Era preciso esperar que o corte fechasse e o paciente estivesse de pé para ficar tranqüilo. Mas, assim mesmo, havia coisa pior.

Se a visita se prolongava, Just logo adormecia. Então o almirante tirava o medalhão que Martin lhe devolvera. Contemplava longamente o rosto adorado de sua finada mãe. Rezava por sua alma. Às vezes, quando o dorminhoco respirava regularmente e ele se deixava vencer por esse torpor, via-se na idade de Just velando, na mesma posição em que estava hoje, sua mãe doente. Parecia-lhe aí que a corajosa mulher ia enfrentar Deus e corria para seu julgamento. Depois disso, para imitá-la, ele nunca mais parou de se lançar em combates cuja audácia jamais lhe parecera comparável a essa agonia.

Quando Just, encorajado pelo silêncio do almirante, tornou a adormecer, o visitante saiu silenciosamente. Caminhou devagar até a sede do governo pensando nas decisões a tomar. A partida dos protestantes era apenas uma primeira etapa. Ele também queria ver-se completamente livre deles, fosse porque haviam morrido na costa ou porque haviam embarcado finalmente de volta para Genève. Em todo caso, jamais Villegagnon estivera tão confiante quanto ao futuro da colônia. A educação espiritual estava em curso, o término do forte os protegeria de um ataque externo. Quanto à aliança com Martin, por limitada que ainda fosse, permitiria saber mais sobre os trugimães, pois, no dia em que se visse livre dos protestantes, ele poderia se voltar para eles. O almirante dera a Vittorio informações precisas sobre esse ponto e o espião, com uma louvável precisão, trazia-lhe a cada vez detalhes inestimáveis sobre as forças e as táticas de Martin.

O bom humor resultante dessas deduções deixou o almirante pouco inclinado a receber bem Le Thoret quando o encontrou postado à entrada da sede do governo.

— O que quer de mim? — resmungou Villegagnon.

Ele sabia muito bem. O capitão se metera numa enrascada. O almirante o castigara e desde o anúncio de sua pena, Le Thoret tentava fazê-lo reconsiderar sua decisão.

— Quero uma entrevista — disse solenemente o soldado.

Veterano das guerras do Piemonte, ferido em Cérisoles e em Caselle, Le Thoret tinha o direito de entrar nos domínios do almirante quando queria. Se pedia uma audiência, era para exprimir o caráter pessoal e ao mesmo tempo excepcional do assunto.

Villegagnon entrou e deixou a porta entreaberta para que o outro pudesse segui-lo. Quando ficaram a sós na sala de audiências, o taciturno capitão, de pé, o gorro na mão, esperou que o interrogassem.

O almirante tirou o gibão azul e a capa amarela, sentou-se e afinal perguntou-lhe:

— O que mais quer de mim, Le Thoret? Por sua cara, vejo que não tem intenção de me falar das únicas coisas que me interessam: a defesa da ilha e o aniquilamento dos reformados.

— Não — confirmou Le Thoret. — Não é disso que quero falar com você.

Ele tinha o raro privilégio de chamar o almirante de você, usando o tratamento típico dos companheiros de armas.

— Pela última vez, almirante, peço-lhe que me faça justiça.

Alto e magro, Le Thoret tinha um rosto comprido que um cavanhaque parecia puxar desmesuradamente para baixo.

— Foi feita justiça — disse Villegagnon servindo-se de uma bebida.

— Não é a verdadeira justiça, almirante.

Ele tinha uma voz baixa que saía estranhamente de seu pescoço fino onde um grande pomo-de-adão parecia exercitar-se no trapézio.

— Você sabe — declarou — que não ofendi La Faucille.

Esse era o nome do comandante da fortaleza. Teoricamente, ele estava sob as ordens de Le Thoret, mas a hierarquia era um tanto vaga, no que tangia à relação dos dois. Intimado por Le Thoret a executar uma tarefa que ele se negava a fazer, La Faucille respondera com arrogância. O velho capitão o chamara de pretensioso e os dois teriam se enfrentado à espada se seus homens não os tivessem apartado. O caso chegara ao almirante. Em si, não tinha muita importância, mas revelava o fundo deletério de um clima de violência, suspeita e ciúme. Com base num código dos exércitos em campanha da época de Carlos VIII, numa exegese duvidosa de *Sobre a guerra dos gauleses*[*] e em sua própria irritação do momento, Villegagnon fizera o julgamento.

— Você foi considerado culpado — disse claramente o almirante —, sofrerá sua punição, que aliás me parece bem leve.

---

[*] *Comentários sobre a guerra dos gauleses*: obra de Júlio César datada de 51 a.C. [N. T.]

Ignorando a surda ameaça contida nessa resposta, Le Thoret olhou nos olhos de seu chefe e irmão de armas.

— Pela última vez — perguntou solenemente —, aceita ou não reconsiderar essa negação de justiça?

Nos últimos meses, Le Thoret vinha andando cada vez mais retraído e sombrio. Sua obediência parecia gasta como um tapete pisado por uma quantidade excessiva de negligentes. Ele que servira a reis, marchara com tropas em campanha, enfrentara temíveis adversários, aceitava mal proteger uma chusma de artesãos desarmados. A lamentável expulsão dos huguenotes acabara de desgostá-lo. No entanto, ainda não teria dito nada se a mecha da injustiça não tivesse sido levianamente acesa no barril de pólvora de seu desespero.

— Não — respondeu Villegagnon.

Os dois se olharam um instante, e por seus olhos despojados de patentes, de títulos, de precedência passou uma firmeza que não estava, nem de um lado nem do outro, decidida a fraquejar.

— Mandarei reunir a colônia daqui a dois dias para assistir à execução da sentença — concluiu Villegagnon. — Como você foi condenado, reconhecerá em público seu erro, chapéu na mão, com um joelho pousado no chão e será suspenso de seu comando por três semanas.

— Como queira — respondeu Le Thoret enfiando o gorro na cabeça.

Na manhã seguinte, após o ofício, Villegagnon foi chamado às pressas para examinar pistas suspeitas e uma caixa de armas descoberta em cima de uma enseada de recifes na ponta ocidental da ilha. Aproveitando essa distração que ele mesmo preparara, Le Thoret deu tranqüilamente ordem a seus soldados para desamarrarem um batel no porto. Embarcou ali, e quatro arcabuzeiros, que o seguiam desde a Itália, pegaram os remos. Fugiram sem ser perturbados.

*

Tão logo chegaram ao continente, depois de expulsos, os huguenotes reuniram-se debaixo da proteção das primeiras árvores. Mas a chuva, embora tivesse acalmado no fim da tarde, encharcara tudo: as roupas, o chão, a ramagem das árvores. A água se concentrava nas grossas folhas brilhantes e caía em finas cascatas como de pequenos funis. A primeira noite fora terrível, interminável. Os infelizes refugiados tiritavam de frio e de febre, encolhidos, abraçando os joelhos, para manter uma aparência de calor dentro do corpo. Du Pont, em virtude de sua enfermidade, ficara de pé até o meio da noite e acabara caindo de exaustão, estirado na areia encharcada.

Aude contara ao tio o fracasso de sua missão. Ainda que não quisesse saber nada a respeito dos métodos que a sobrinha contava empregar, Richer aprovara a iniciativa sem reservas. Ela demonstrava nesse caso uma coragem que ele censurara du Pont por não ter tido. Não podia se impedir de olhar com irritação o velho fidalgo. Se ele tivesse seguido seus conselhos e se mostrado mais agressivo, o projeto de suprimir Villegagnon há muito já teria sido levado a bom termo e sua pobre sobrinha não teria sido obrigada a se sacrificar, para salvar a honra.

Quando Aude confessou ao tio, ainda por cima, ter apunhalado Clamorgan, ele teve mais pena dela por isso. Confiara-lhe um punhal para se defender e não duvidava de que ela o usaria apenas em último caso, para preservar o pudor. O resultado todavia era mais importante que as circunstâncias. O fato era que esse atentado iria enfurecer Villegagnon ainda mais. Não só eles estavam na penúria e encostados numa selva hostil, mas ainda podiam temer ser perseguidos como os hebreus, por um faraó que certamente não seria detido por um braço de mar.

De manhã, por sorte, eles não viram nenhum movimento hostil na ilha, que avistavam ao longe. Isso foi uma oportunidade para novas preces. Jamais Richer se congratulara tanto consigo mesmo por saber de cor uma tal quantidade de salmos. Com eles, havia encorajado os companheiros a noite inteira e, de manhãzinha, ainda os tinha de sobra. A clemência de Deus, que até então não se manifestara muito, gratificou-os a manhã inteira com um sol quente que secou as roupas. Mas, como de hábito, as nuvens se acumulavam no céu, e o dia não terminaria sem que elas se rompessem. Era preciso pois correr para encontrar ou construir um abrigo.

Para cúmulo da sorte, naquele dia favorável, eles viram homens saindo da floresta conduzidos por um jovem branco. Embora tivessem tido poucas oportunidades de ir ao continente, os huguenotes sabiam da existência desses trugimães da costa. Não guardaram senão uma coisa de sua sinistra reputação: eles eram inimigos de Villegagnon. Restava portanto uma chance de convencê-los de que não eram inimigos deles.

De fato, o jovem ladrão que se apresentou com o nome de Martin recebeu-os amavelmente, embora com ares altivos completamente descabidos. Eles conheciam bastante os hábitos dessa região miserável para saber que a presunção era uma doença comum àqueles que nela haviam residido e não se melindraram com isso.

— Senhor — começou du Pont dirigindo-se a Martin no mesmo tom presunçoso —, à sua frente estão pobres inocentes agredidos por uma mão injusta. O senhor não é amigo do culpado, nós sabemos. Talvez aceite ser nosso.

Martin gostava de ser homenageado por um fidalgo, mesmo que transformado em croquete por ter passado a noite rolando na areia molhada.

— Saiba, senhor — respondeu com soberba —, que ninguém há de ofendê-los enquanto estiverem em minhas terras. Podem contar com a minha proteção.

Um murmúrio de alívio percorreu o grupo transido dos banidos.

— É nossa vez de lhe dizer — acrescentou du Pont exaltado por essa acolhida — que nossas forças, tão logo reconstituídas, hão de se unir lealmente às suas para combater esse usurpador, esse tirano, esse monstro.

Mas Martin não tencionava chegar a isso. O acordo que ele fingira concluir com Villegagnon excluía qualquer ação hostil, enquanto os portugueses não estivessem na baía. Por ora, era importante que Vittorio pudesse continuar transitando entre os dois lados, trazendo suas preciosas informações. A bem dizer, Martin não tinha o que fazer com esses huguenotes e poderia perfeitamente jogá-los no mar. Todavia, seu senso de interesse inato mandou que os poupasse. Antes de mais nada, ele contava tirar algum proveito dessa proteção, pois era inédito pessoas como aquelas não terem guardado algum dinheiro sonante, mesmo no pior da adversidade. Em seguida, era preciso preservar o futuro. Se algum dia o plano dos portugueses viesse a fracassar, hipótese pouco provável, era importante não se desarmar totalmente diante de Villegagnon. E esses aliados esfarrapados, com seus poderosos apoios na Europa, podiam nesse caso revelar-se preciosos.

— Vamos, meus amigos — disse Martin olhando o grupo ainda trêmulo dos refugiados. — Seria muito cruel que alguém hoje lhes pedisse que combatessem. Contentem-se em sobreviver e se refazer. Sigam-me, vamos acomodá-los.

Prevendo a chegada iminente dos protestantes, da qual fora informado por Vittorio, Martin, na véspera, mandara evacuar a aldeia índia situada na borda da floresta. Levou para lá o grupo e lhes mostrou as cabanas de folhas de palmeira. Embora mais rudimentares do que as que lhes serviram de moradia na ilha, elas lhes pareceram de um luxo e um conforto ímpares.

Puseram ali suas coisas para secar e atiraram-se em cima da refeição que os índios lhes haviam preparado.

Quando rebentou a tempestade, no final da tarde, eles estavam em seco e felizes. Já não lhes parecia impossível esperar ali sossegadamente a volta de Chartier com os reforços de Genève. Então, soaria para Villegagnon a hora do julgamento.

CAPÍTULO 5

Muito poucos, entre os europeus que bebiam cauim, sabiam como esse destilado era fabricado. Ou antes, sabendo-o, recusavam-se a pensar nisso e sobretudo a assistir à sua preparação. Nisso eram encorajados pelos índios que estavam convencidos de que um bom cauim não podia ser cozinhado na presença de homens. O ideal, para prepará-lo, era dispor de virgens. As mulheres casadas podiam juntar-se a elas, desde que respeitassem uma estrita abstinência durante os dias dessa operação. Algumas velhas que a idade fizera voltar à castidade também eram admitidas, contanto que lhes restassem dentes.

Colombe gostava muito dessa preparação. Era um dos momentos mais serenos dessa paz índia de que tanto gostava. Ela esquecera um pouco seus alarmes antropofágicos e o barulho dos banquetes, a cada noite, já não era para ela senão um sinal habitual e longínquo de festa.

Sentada no chão de pernas cruzadas em volta de uma fogueira, ela mascava uma raiz de mandioca amolecida por um primeiro cozimento. As outras meninas em volta e, em primeiro lugar, Paraguaçu, sentada a seu lado, faziam o mesmo. Era uma mastigação laboriosa, metódica, na qual se devia convocar o máximo de saliva. Havia tanta diferença entre esse gesto intencional e o mastigar automático de uma pessoa comendo quanto entre o ato de se alimentar, egoísta em seu prazer, e o de cozinhar, cujo objetivo são os outros. Quando a raiz, bem embebida de suco, amolecia e ficava pegajosa, era preciso se levantar. Uma tina de barro, da altura de uma criança de dez anos, fervia em fogo brando. A raiz mastigada era ali cuspida com todo o cuidado, juntamente com um rastro de baba tão longo quanto possível. Ao longo do dia, a tina se enchia até a boca dessa mistura de vegetal e sucos, e a fermentação era prolongada em fogo brando. Em seguida, a preciosa beberagem era dividida em frascos. As mulheres, como muitos outros segredos de fabricação, guardavam para si os detalhes do nascimento do cauim. A bebida era apresentada aos homens já pronta em belos frascos com a forma de uma pequena garrafa de Borgonha.

Durante essa mastigação, as mulheres podiam falar. Isso inclusive era recomendado, pois a mandíbula se soltava e havia uma salivação maior.

Após ter brincado muito com Colombe naquela manhã, Paraguaçu lhe deu uma notícia inesperada.

— Vou voltar amanhã para minha tribo — disse.

De boca cheia por causa de seu trabalho, Colombe ficou quieta.

— Já! — balbuciou.

Depois, foi cuspir sua raiz um pouco antes do amolecimento exigido. Por mais que falasse tupi correntemente, não era fácil dar as entonações características dessa língua com a boca cheia.

— Vou com você! — exclamou.

Colombe esperava esse momento há muito tempo. A estada com Pay-Lo era para ela apenas uma etapa. Assim, ficou espantada e decepcionada ao ver a amiga abanar a cabeça.

— Impossível — respondeu a índia energicamente.

— Mas eu serei discreta — insistiu Colombe. — Respeitarei suas leis, trabalharei.

Paraguaçu lançou-lhe um olhar hostil que a congelou. Desde sua volta, elas tinham uma cumplicidade sincera. Durante suas longas conversas, à noite, a índia interrogara Colombe sobre a França, sobre sua vida, sobre a concepção de amor que se tinha na Europa. Paraguaçu estava surpresa com esse sentimento, não porque os índios o ignorassem, mas porque o usavam de outra maneira. O amor era para eles uma aptidão múltipla e fragmentada que não se contentava apenas com um único ser. Amavam-se os filhos, os pais, a tribo, amavam-se o sol e as árvores favoráveis, amavam-se a água das cascatas e o vento morno nas praias, amava-se a terra que supre as necessidades humanas, amavam-se a noite e o dia, o fogo e o sal, a ema e a anta. E nesse tecido fechado de amor e de medo, não se imaginava que um único ser monopolizasse tudo para si. Além do mais, quando se tratava de uma escolha tão ligada à ordem do mundo quanto a de um marido e de um pai para seus filhos, a preferência individual não contava e até podia ser considerada criminosa. Cumpria submeter-se às regras da tribo. No entanto, Paraguaçu, pelas mil perguntas que fazia, mostrava o quanto a seduzia a imagem nova que Colombe lhe pintava do amor.

A intimidade dessas conversas tornava ainda mais incompreensível a brusca recusa da índia à proposta da amiga. Colombe ainda insistiu um pouco. Mas cada tentativa acendia nos olhos de Paraguaçu a mesma expressão de cólera e um medo que beirava o pânico.

— Eu poderia acompanhá-la... em outra ocasião? — concedeu Colombe.

— Sim, Olho-Sol! — exclamou Paraguaçu súbito aliviada com essa idéia. — Em outra ocasião e tantas vezes quanto você quiser. Mas não agora.

Por estranha que fosse essa concessão, Colombe aceitou-a e, quando terminaram de mascar a mandioca, ela acompanhou a amiga até a casa. Aparentemente, Paraguaçu esperara o último minuto para anunciar sua partida, pois seu pequeno alforje estava pronto. Ela partiu imediatamente sem olhar para trás.

Colombe não teve muito tempo para ficar perturbada com esse desaparecimento repentino, pois Pay-Lo, pouco depois da terrível tempestade que inundara tudo na semana anterior, adoeceu gravemente. A floresta, na estação das chuvas, adquiria uma vida nova, com o crescimento súbito do vegetal, o musgo que cobria de verde a base dos troncos, as divisórias de folhas de palmeira que a chuva engrossava. Todos os barulhos eram atenuados e esse ensurdecimento, aliado ao silêncio inquieto que todos guardavam na casa para não perturbar o patriarca, instalava um clima de expectativa e preocupação. Toda a vida parecia tensa, armada, vigilante, como para barrar a entrada da morte que rondava.

Colombe foi admitida para velar Pay-Lo, revezando-se com outras mulheres, pois era importante não deixar o doente só, antecipar-se a seus desejos, suas necessidades, nunca deixá-lo face a face com os espíritos malignos que procuravam se apoderar dele.

O velho estava deitado em sua grande rede, esticada em cada ponta por uma trave de madeira. Seu quarto, em cujo chão corriam raízes nuas, era repleto de diversos objetos de sua estimação. Havia mapas amarelecidos pendurados nas paredes misturados com troféus índios. As cabaças decoradas confinavam com os vasos em faiança de Delft. Numa grande moldura de plumas e bambu, uma pequena paisagem da Europa representava uma aldeia sob a neve. Havia toda uma família de livros encadernados em couro aconchegada sobre uma tábua; a umidade a velara ao mesmo tempo que inchava as folhas como brotos querendo rebentar.

Pay-Lo respirava com dificuldade, e longos acessos de tosse o esgotavam. Mas seu espírito estava intacto e ele gostava de conversar, apesar de às vezes lhe ser difícil formar as palavras. Foi assim que ele contou a Colombe a expulsão dos protestantes. Mas, às vezes, eram lembranças antigas que lhe voltavam e suas palavras misturavam ambas as coisas, o passado mais remoto e o presente mais recente.

— Minha vida mudou — disse uma vez a Colombe — quando li Pomponazzi. Eu nunca teria vindo para cá sem seu grande livro.

A seu pedido, Colombe fora pegar a obra na estante. Era um pequeno volume com as páginas gastas, que Pay-Lo enchera de notas nas margens.

— É um discípulo de Averróis — prosseguiu folheando o livro com melancolia. — O único que resistiu à influência de Platão.

Sua vista ruim não conseguia mais ler, mas ele conhecia tão bem o texto que as páginas não eram mais que o suporte de sua lembrança.

— Para ele, Deus está em toda parte. Não se pode separá-lo das coisas. Ele está em cada ser, em cada objeto. Nada acontece que não seja a expressão de sua vontade.

Ele suspirou e pousou o livro na barriga.

— O grande erro de todos os outros foi ter colocado Deus no céu e tê-lo intimado a não mais sair dali. Um só Deus é muito pouco e, além do mais, ele é ausente; nós o reencontraremos após a morte. Que miséria.

De repente, semi-erguendo-se com esforço na cama de lona, adotara um tom de invectiva que Colombe jamais havia visto nele.

— Veja como se digladiam para saber se Deus ainda está na hóstia ou se não está em lugar nenhum... Eles o expulsaram de sua criação e eis que ficam discutindo sobre coisas irrelevantes para ainda lhe dar um lugarzinho.

Cansado desse esforço, deixou cair a cabeça e suspirou.

— Calma, Pay-Lo — disse Colombe tomando-lhe a mão.

Com esse contato, ele ficou mais tranqüilo e, quando prosseguiu, sua voz estava mais serena.

— Quando conheci os índios, pareceu-me finalmente encontrar um mundo livre dessas loucuras, um mundo respeitado.

Ele mantinha os olhos abertos na penumbra vazia.

— Tudo é sagrado para eles, as flores, os rochedos, as águas que correm dentro da montanha. Uma infinidade de espíritos habita e protege os objetos, as paisagens e os seres. Não se pode tocar em nada que não libere essas forças e limite o mal que podemos fazer ao mundo.

Uma índia entrara em silêncio trazendo uma cesta de frutas. Permanecia em pé à porta e Pay-Lo, sem olhar para ela, sorriu para essa nova presença, que ele sentira.

— Mas os outros... — murmurou, e a amargura se apoderara dele de novo. — Despojando a natureza do sagrado, eles a deixaram sem proteção, submetida à vontade assassina dos homens. Basta ver o que fizeram com a ilha deles. Lá não vinga mais nada e agora é a eles mesmos que eles destroem. Se algum dia forem os senhores de toda esta terra, farão dela um cemitério.

E, depois de uma pausa, acrescentou:

— Não foi o homem que foi expulso do paraíso terrestre, mas sim Deus. E o homem apoderou-se da criação para destruí-la.

À medida que os dias passavam, o estado de Pay-Lo permanecia idêntico. Ele pairava em limbos que não pareciam pertencer totalmente à vida e no entanto seus sonhos eram povoados de lembranças e cores, de felicidade e tristezas. Sua existência lhe voltava e fazia dessas horas que precediam a morte uma quintessência voluptuosa de toda sua vida.

Uma noite, dois guerreiros subiram da costa para anunciar que um dos lugartenentes de Villegagnon fugira e pedia para ser recebido na casa de Pay-Lo, juntamente com quatro soldados que o acompanhavam. Os dois tupis estavam aflitos e temiam uma cilada, mas o patriarca disse-lhes que deixassem os desertores virem. Foi assim que Le Thoret foi conduzido até ele.

O velho soldado continuava o mesmo: seco, rijo, taciturno. Só perdera de vez a submissão a Villegagnon. Apresentou-se diante de Pay-Lo com a dignidade arisca de um prisioneiro de guerra que lutou muito. Só pediu para poder regressar com seus homens o quanto antes à França num dos navios mercantes que acabavam de ancorar na baía.

— Por que não fica aqui? — perguntou-lhe Pay-Lo. — Os índios precisam de um homem como o senhor, para lhes ensinar a lutar como os europeus. Chegará um dia em que eles não terão mais que se defender de bandidos, mas sim de exércitos.

Le Thoret rejeitou esta proposta da maneira mais categórica. Não que desprezasse os índios: não tinha opinião formada sobre eles. Mas era feito para obedecer e nunca tivera a ambição de ser chefe de ninguém.

Repetiu que queria embarcar no primeiro navio e regressar. Pay-Lo não insistiu. Conhecia bastante os normandos dos assentamentos para lhes recomendar Le Thoret. Ao que sabia, várias pequenas caravelas iam e vinham regularmente nessa época do ano. Propôs ao velho soldado descansar um pouco em sua casa antes de mandar levá-lo ao outro lado da baía. Este recusou e pediu para partir assim que um guia índio pudesse acompanhá-lo. Sua partida ficou acertada para dali a dois dias.

Colombe encontrou-o à noite, ao voltar das cascatas. A visão desse digno cavaleiro, associado para ela a Villegagnon, postado no salão da casa de Pay-Lo, com aquela confusão barroca e aqueles excrementos de papagaios, surpreendeu-a como o encontro inesperado de dois mundos. Ele não pareceu menos perturbado ao vê-la adiantar-se nua, coberta de pinturas índias e de conchas com uma naturalidade que, para ele, era o cúmulo do despudor. Contudo, apesar desse constrangimento e assumindo uma expressão ainda mais austera que de hábito para afastar qualquer ambigüidade, Le Thoret manifestou o desejo de conversar com ela em particular. Colombe propôs-lhe que compartilhasse seu jantar. Encontrou-o um pouco mais tarde, numa sala contígua às cozinhas, e lá chegou depois de ter-se envolvido num xale que cobria o essencial do que poderia incomodar o veterano. Mas restavam seus olhos, que ela não se habituara a esconder e que o fitavam com seu brilho pálido.

Le Thoret começou dando-lhe notícias de Just. Ao saber de seu ferimento, Colombe, que se julgava desligada e serena, de repente foi invadida por uma inquietação dolorosa, e manifestou-a por mil perguntas angustiadas.

— Fique tranqüila — disse Le Thoret. — Ele não está em perigo. Em alguns dias, estará tão forte como antes.

Depois, acrescentou com um sorrisinho irônico:

— E igualmente belo.

Jamais, desde que a expedição partira do Havre, ele manifestara abertamente o menor interesse por Just e Colombe. Aliás, não era caloroso com ninguém. Contudo, por vários pequenos gestos seus para com eles, Colombe sempre sentira que podiam contar com ele. Quando Just começara a aprender com Villegagnon, Le Thoret nunca demonstrara desconfiança nem ciúme. Ajudara-o lealmente. E Colombe sempre ficara com a sensação de que no dia de sua fuga com as índias, ele facilmente poderia tê-la detido. Ela o vira de longe, na praia, armado com um bacamarte. Mas ele não atirara.

Enquanto Le Thoret se perdia em notícias sem importância a respeito da ilha, dos huguenotes e do forte, Colombe sentiu que ele tinha algo a lhe dizer. Esse homem apagado, que não concebia faltar com a disciplina em nada que fosse, julgava-se sem dúvida liberado de um peso de silêncio. Ele visivelmente queria lhe falar. Talvez até fosse esta a razão de sua presença em casa de Pay-Lo, pois, por lhe ser útil, esse desvio não podia ser considerado indispensável. Afinal de contas, ele poderia ter fugido diretamente para os assentamentos do fundo da baía: não havia muito risco de que fosse mal recebido.

Colombe tentou ajudá-lo nessa confissão com uma grande dose de paciência e maior ainda de vinho Madeira. Afinal, quando esgotaram os assuntos do momento, e os gordos pingos de uma tempestade começaram a deslizar pelas folhas do teto, provocando aquele incomparável relaxamento dos sentidos que a chuva dá a quem dela está abrigado, Le Thoret decidiu-se a ir ao que interessava.

— Servi sob as ordens de Clamorgan na Itália — disse.

Ao ouvir esse nome, Colombe estremeceu. Desde que fugira, jurara a si mesma chamar-se a partir de então Olho-Sol. A esperança de não ser filha de ninguém não tornava impossível para ela o sonho de ter nascido entre esse povo que ela amava.

— Fiquei com ele oito anos — acrescentou Le Thoret, como se este detalhe lhe desse autoridade para testemunhar.

Para Colombe, ficava cada vez mais claro que ele não viera evocar gratuitamente essas lembranças, mas que, no meio delas, jazia algo de essencial que ele procurava revelar.

— O que lhe contaram a respeito dele é exato — prosseguiu.

A impessoalidade do enunciado designava evidentemente aquele chefe que ele não mais reconhecia, Villegagnon, de quem queria esquecer até o nome.

— Mas quem lhe falou de Clamorgan não podia fazê-lo de modo tão completo quanto eu, pois não serviu sob suas ordens.

Na boca do soldado, isso queria dizer: não o amou.

— Ora, parece-me que hoje, dado... o que você se tornou, não deve mais ignorar certos fatos.

Colombe calou-se; esperava a continuação. Le Thoret custou um pouco a escolher a brecha por onde poderia atacar.

— Foi depois da batalha de Cerisoles — começou finalmente. — Clamorgan comandara a infantaria e eu combati sob suas ordens com minha companhia de arcabuzeiros.

Ele parou um instante, orgulhoso do início e reunindo coragem.

— A situação era confusa. Os imperiais estavam derrotados, mas ainda circulavam muitos deles em bandos pela região. Tínhamos companhias de mercenários que ninguém comandava de fato e que se pagavam com o butim. Em toda a campanha, viam-se subir colunas de fumaça: eram as aldeias piemontesas que esses saqueadores incendiavam.

Uma grande borboleta vermelha e bege, que a tempestade expulsara para a casa, voava pesadamente em cima deles.

— Clamorgan só seguia as ordens que queria. Obedecia a seu gênio e o tinha de sobra. Em Cerisoles, isso já ficara provado. Um bom general lhe dizia: é preciso vencer. Bastava isso. Mas quando ele viu os saques e lhe ordenaram que não se metesse naquilo, ele fez que não ouviu. E nos enviou para deter os esfoladores.

Colombe não via aonde ele queria chegar. Jamais gostara dos relatos de batalha e agora ainda menos que antes.

— Eu estava ao lado dele — prosseguiu Le Thoret. — A vitória estava garantida há muito tempo e no entanto ele ainda arriscava a vida em emboscadas com os saqueadores. Pois os mercenários se enfureciam e não queriam renunciar à pilhagem. Atiravam em nós. Ainda houve muitos mortos em nossas fileiras. Cada vez que tentávamos proteger uma aldeia, a população custava a compreender que queríamos o bem. Às vezes, alguns camponeses nos recebiam com golpes de forcado e até nos preparavam armadilhas.

A evocação do combate tornava o velho soldado loquaz. Essas campanhas regulares, mesmo em seus desdobramentos incertos, eram tudo o que lhe faltara desde que ele estava nas Américas. Mas, observando o silêncio de Colombe, ele se acalmou.

— Um dia — recomeçou mais baixo —, chegamos a um pequeno povoado deserto, onde nos indicaram que havia mercenários. Era no Piemonte, a uma altitude bastante grande; viam-se brilhar ao longe os cumes nevados das montanhas. À guisa de povoado, havia apenas quatro casas de pedra cercadas de estábulos. Os animais mugiam, desassistidos. Postamo-nos em volta das casas e chamamos. Mas ninguém respondeu. Então, com muita prudência, entramos nelas.

Neste ponto, Le Thoret baixou os olhos. Sua valentia possuía um limite secreto: ele tinha pavor a sangue. Gostava de combater porque a guerra desafia a saúde, a coragem e a destreza. Mas, desde que se via na presença de feridos, de prisioneiros, de civis, perdia todo o ardor, a ponto de quase se acovardar.

— O que vimos era terrível... Todos os camponeses haviam sido massacrados antes do amanhecer, em suas camas... Os móveis haviam sido derrubados... tudo fora vasculhado... haviam roubado o que a miséria poupara àqueles infelizes...

Seus olhos estavam cheios de visões que ele não descrevia e que deixavam brancos entre suas frases.

— Já íamos partir quando um de nossos soldados gritou. Ele notara algo se mexendo num depósito. Clamorgan aproximou-se e viu... duas crianças escondidas numa carroça de feno.

Ele olhou para Colombe.

— Uma delas era uma meninazinha de cabelos encaracolados. O outro, um menino.

— Just! — exclamou ela.

As lanternas furta-fogos lançavam no escuro grandes fachos de luz amarela que iluminavam um papagaio.

— Não — disse Le Thoret com gravidade.

No silêncio da sala, ouvia-se o pássaro arranhar a tábua torneada que lhe servia de poleiro.

— Clamorgan saiu do celeiro com uma criança em cada braço, e vimos seus olhos brilharem ao sol. Todos os soldados se reuniram para vê-las.

Colombe estava perturbada até as lágrimas, mas o enigma dessa outra criança, a seu lado, encobria sua emoção.

— Quem era? — perguntou.

— Um camponezinho, como você, e que certamente não era seu irmão, pois não se parecia com você. Vocês tinham mais ou menos dois anos, tanto um quanto o outro. Numa aldeia vizinha que fora pilhada alguns dias antes, estavam precisando de braços. Só queriam o garoto. E nós o deixamos ali.

Colombe, nessa noite índia, atravessada de presenças desconhecidas, via ressurgir esse passado como um animal nunca visto, mas cujo grito parece familiar.

— Depois, já não estava mais em questão dar você a quem quer que fosse. Clamorgan colocou-a em cima de seu cavalo e a levava orgulhosamente para todo lado. Já se via que ele a amava.

— E Just? — insistiu ela, entrevendo o que Le Thoret queria lhe dizer, mas procurando saber os pormenores.

— Você tem que imaginar — recomeçou o velho soldado decidindo atacar dessa vez numa outra direção — o que era nossa vida durante essas campanhas da Itália. Naturalmente, havia batalhas e mais amiúde escaramuças. Mas conhecíamos longos momentos de ociosidade e estávamos estacionados em cidades. Clamorgan tinha amizades no norte da Itália.

Não estava muito claro para Colombe aonde poderia levar essa digressão. Todavia, deixou Le Thoret prosseguir, com medo que ele perdesse a paciência se ela tornasse a cortá-lo.

— Antes dessa última campanha, em que Clamorgan a recolheu, havíamos conhecido uma longa trégua, durante a qual seu pai viajara para a Itália. Ele gostava especialmente do Milanês onde entrara quinze anos antes com Francisco I e que havíamos perdido novamente.

Era óbvio que Colombe não estava com muita cabeça, naquele momento, para essas explicações políticas.

— Fique sabendo apenas que ele conhecera uma mulher ali, que era parente dos Sforza, ainda que distante: uma grande família, em todo caso, e pouco importa seu nome. Vi um retrato dela. Era uma jovem de cabelos negros retintos, com um nariz muito comprido mas fino, e esta é a única coisa digna de nota que posso encontrar para dizer sobre sua beleza, que era perfeita. Ele havia tido um filho com ela e o deixara com a mãe quando foi lutar no Piemonte.

— Ele? — perguntou ela.

Mas Le Thoret queria primeiro que ela soubesse tudo.

— Depois de Cerisoles, Clamorgan deixou-a aos nossos cuidados, na guarnição. E cavalgou até Milão. Naturalmente, estávamos em guerra e ele era soldado. Mas você não deve imaginar que as fronteiras estivessem fechadas. Um homem sozinho podia ir a qualquer parte, sobretudo tendo amigos. Quando chegou a Milão, não sei exatamente o que aconteceu. Eu não estava lá. A jovem havia morrido? Casara-se com outro? O fato é que Clamorgan levou o filho de volta para o Piemonte. E é desde essa época que você e Just estão juntos.

O velho soldado fizera bem em confidenciar seus segredos: a emoção de Colombe se atenuara com isso. Restava um simples fato, perturbador e de conseqüências maiores do que ela podia avaliar naquele momento.

Toda sua vida se iluminava com essa nova luz. Mas, quanto ao efeito dessa revelação sobre os seus sentimentos, este ainda era confuso. Ficara alegre ou descontente? Saber que Just não era seu irmão tornaria mais fácil para ela desligar-se dele, julgá-lo e talvez odiá-lo, ou, ao contrário, seria o sinal de que o último obstáculo que a impedia de amá-lo completamente deixara de existir? Seria muito difícil para ela dizer. Só conseguiu perceber imediatamente a friagem da noite, acentuada pelas tempestades. Levantou-se para pegar uma colcha de algodão e enrolou-se nela.

— Já falou com Just? — perguntou.

— Não — disse ele —, não pude.

E, com efeito, ele fora ferido quase ao mesmo tempo em que Le Thoret deixava a ilha.

— Então ele nada sabe sobre tudo isso?

— Quando chegou de Milão — objetou Le Thoret sacudindo a cabeça —, ele tinha dois anos mais que você e tenho certeza que podia compreender.

Súbito, uma grande onda de ternura apoderou-se dela; ela pensou em Clamorgan que quisera a todo custo que eles fossem criados como irmãos.

No entanto, Le Thoret, aliviado com sua confissão, manifestava que ainda tinha muito a dizer; ela o interrogou até o dia raiar sobre esse pai que lhe parecia perder e ao mesmo tempo descobrir.

CAPÍTULO 6

Três meses haviam-se passado desde a chegada dos protestantes à terra firme. Eles haviam organizado uma rotina feita de orações, de turnos de guarda na direção da praia e da floresta, a fim de frustrar um eventual ataque de Villegagnon. Mas este nunca viera. O inimigo principal era o tédio que entregava as horas novamente quentes a um interminável torpor. Muitos membros da pequena comunidade contraíram febres. Era o caso de se perguntar, vendo-os delirar em suas redes, se eles não eram os únicos a terem descoberto um meio de se distrair durante a sesta.

Algumas mulheres também tinham uma certa atividade e manifestavam algum entusiasmo: três das esposas estavam grávidas e todas as aias se atarefavam preparando berços e fraldas. Já Aude olhava essas coisas com desprezo. Desde seu atentado contra Just, ela se fechara num mutismo altivo e rejeitara várias propostas de casamento. A comunidade estava sem chefe. Du Pont, esgotado com tantas provações, parecia ter perdido toda a energia para resistir e combater; uma úlcera feia contraída no ombro enfraquecia o pastor Richer e o deixava indisposto. Aude, pouco a pouco, assumira sobre o grupo a ascendência que uma virgem indomável pode exercer sobre homens, sobretudo quando eles a sabem capaz de assassinato. Ela tratava agora Martin de igual para igual, aproveitando que o bandido a temia e provavelmente a desejava. Mostrava-lhe claramente que não sentia por ele as mesmas fraquezas. Essa assimetria lhe dava um poder sobre Martin que ninguém mais, entre os exilados, fora capaz de exercer. Pois tudo dependia dele. As tentativas que alguns protestantes, por ordem de Richer, fizeram para se aproximar dos índios e conquistá-los como aliados acabaram fracassando. Um dos artesãos, chamado Jean de Léry, percorrera as aldeias da mata para observar os costumes dos tupis. Ele em vão procurara uma entrada em suas almas, por onde a verdadeira fé pudesse ser introduzida. Tivera uma breve esperança ao conhecer um índio chamado Pindauçu, que afirmava ter sido convertido por Thevet. O índio usava um camisolão de algodão que imitava o hábito dos franciscanos, recitava o Pai-Nosso e precedia todos os seus atos do sinal-da-cruz. Todavia, quando Léry aprendeu um pouco mais a língua tupi, não tardou a ver que Pindauçu era um pobre de espírito que executava esses gestos sem lhes compreender o sentido. Não tinha o menor conhecimento de Deus. Por essa imitação, manifestava apenas a admiração que tinha por Thevet, pois este, com a ajuda de sua medicina, curara-lhe a filha. As últimas dúvidas a seu respeito deixaram de existir quando Léry teve a prova de que Pindauçu, embora se afirmasse cristão, continuava antropófago.

Assim desenvolveu-se nas consciências protestantes a idéia de que a redenção dos índios era impossível. Só os papistas, com aquela ridícula maneira de se contentar com gestos, podiam tomar a imitação por conversão e macaqueações por manifestações da graça.

Quando desistiram totalmente de fazer deles homens e salvá-los, os reformados contentaram-se em observar os costumes dos selvagens como se faz com animais ou vegetais. E o respeito que demonstravam por eles não era senão o avesso de uma indiferença absoluta que os excluía da humanidade. Ninguém se dá ao trabalho de apresentar Jesus Cristo aos antílopes ou aos búfalos; mesmo assim, pode-se encontrar algum interesse no comércio deles...

À medida que as semanas iam passando, ficava claro para os huguenotes que não podiam contar com outro socorro senão com o que chegaria de Genève. Martin abastecia-os da quantidade de água e comida necessária estritamente para sua sobrevivência, e Aude ainda tinha que negociar essas rações passo a passo para que elas fossem suficientes. A inatividade e as privações enfraqueciam gradativamente os protestantes. Seu moral estava no fundo do poço. O menor incidente podia levá-los ao desespero. Curiosamente, esse susto temido não veio nem de Villegagnon nem dos trugimães. E não foi senão mais assustador.

Uma noite, dois artesãos que foram colher plantas na selva não voltaram. Achou-se que tinham se perdido. Como no segundo dia eles ainda não houvessem aparecido, Aude mandou pedir que Martin os procurasse. Ele protelou e, para que aceitasse, Aude teve que lhe pedir pessoalmente, apontando-lhe seus olhos negros que o apavoravam. Finalmente, os corpos foram encontrados pendurados no galho de um cedro. Os infelizes estavam horrivelmente mutilados, eviscerados por dois golpes de machete que lhes traçavam uma cruz sangrenta no ventre. Nenhum índio teria feito isso e, naquela região, respeitavam muito Martin para tomarem tais liberdades.

Este crime permaneceu um mistério até ser seguido de outro, mais horrível ainda, cometido próximo à aldeia dos protestantes. Dessa vez, uma das casadas é que fora capturada quando se afastara para uma necessidade. Foi encontrada crucificada num tronco de louro e, por uma abertura feita à faca em seu baixo-ventre, a criança lhe fora arrancada do útero e fora parcialmente devorada.

Martin, dessa vez, foi obrigado a revelar o que sabia.

— São os anabatistas — confessou a Aude que o interrogava.

Como todo mundo, ela ouvira falar dessa seita. Mas Richer, para não espalhar mais terror, sempre se mantivera discreto sobre esse assunto.

— Eles vivem nessas paragens? — espantou-se Aude, que nunca acreditara realmente na existência desses iluminados.

— Ninguém sabe. Ao que parece, eles vivem mudando de pouso.

— Pensei que você fosse o senhor dessas terras — disse Aude com um ar de desprezo.

— Os índios têm medo deles; não posso fazer nada — defendeu-se Martin. — Estão convencidos de que eles são espíritos e fogem assim que os vêem.

— E seus "sócios"?

— Na verdade — confessou Martin balançando a cabeça —, é preciso que compreenda que ninguém está armado para combater tais monstros. Esses diabos andam nus. Montam armadilhas, emboscadas. E depois...

Aude esperava, o ar assustador. Seu faro lhe indicava fraqueza e ela a viu sair da mata.

— ... eles não nos fazem mal.

— Quer dizer que eles são seus aliados?

— De modo algum! — exclamou Martin. — Mas só são perigosos se forem atacados. E, não podendo vencê-los, nós nos guardamos de fazer isso.

— E nós os atacamos? — retrucou Aude.

— Ao que parece.

Ela era muito jovem para conhecer a história trágica dos protestantes. Não vivera esse período terrível em que a água fria da Bíblia, jogada por Lutero nos espíritos fervendo de frustrações medievais, produzira explosões de seitas que usavam sua nova liberdade de modo monstruoso e vingativo. Richer, a quem ela interrogou à noite, contou-lhe o terrível destino dos anabatistas, sua fúria para fazer o mal até o extremo, e, pela primeira vez, confessou os extraordinários suplícios que esses pobres miseráveis invadidos por um fervor insano tiveram que suportar em toda a Europa.

Aude, malgrado o patético desse relato, não era de se apiedar por muito tempo de alguém que a ameaçava. Organizou a comunidade para sobreviver, mandou montar guarda em volta da aldeia, deu ordens para que ninguém se afastasse sozinho e sem motivo. Infelizmente, essas medidas, se evitaram novas vítimas, tiveram sobre o moral dos exilados um efeito desastroso. Após um primeiro período de mobilização, bem-vindo para quebrar o torpor geral, o abatimento da comunidade se intensificou. Sem o recurso dos passeios, os infelizes ficavam rondando pelo estreito perímetro das casas. As inimizades transformavam-se em querelas. Houve uma rixa entre um dos maridos e um soldado que olhara para sua mulher.

Finalmente, um dia, Aude foi procurar o tio. O cancro que lhe corroía o braço era cada vez mais terebrante. O rosto do pastor estava contraído de dor.

— Meu tio, diga-me a verdade — começou ela. — Acha que Genève algum dia vai nos enviar socorro?

Richer refletiu longamente.

— Calvino não nos abandonará. Tenho certeza. Mas...

Aude sentia que ele não se exprimia sem repugnância.

— Não tenha medo de me falar — disse.

O pastor sabia desde o atentado contra Just que sua sobrinha era de uma força de caráter que excedia o que constituía o heroísmo comum dos reformados. O mesmo medo que fazia a comunidade obedecer aos decretos dessa jovem tornava Richer completamente incapaz de resistir à sua vontade. Embora tivesse jurado a si mesmo jamais cair nessa tentação, ele deixou que se percebesse uma crítica a seu mestre espiritual.

— Calvino — gemeu — é um homem difícil. Quer dizer, exigente. Ele não gosta de fracassos. Se nossa causa não tiver sido muito bem defendida diante dele, talvez ele esteja zangado conosco por não termos sabido manobrar Villegagnon. Para dizer tudo, receio que ele se limite a nos enviar uma bela carta de reprimenda com alguns conselhos.

— Ele nos abandonaria?

— Não! — exclamou Richer que já se arrependia de ter deslustrado a imagem de perfeição do reformador. — Aliás, Calvino não tem nada com isso. É tudo um simples caso político. Das duas uma: ou Genève a essa hora ainda tem boas relações com a França e simplesmente vai nos recomendar que encontremos um meio-termo com Villegagnon, ou bem as guerras religiosas reacenderam as hostilidades entre as duas potências.

— E nesse caso?

— Nesse caso, será impossível nos enviar um comboio. Pois o rei da França não aceitará mais nos deixar a liberdade de seus portos.

— Então, de qualquer maneira, estamos perdidos.

Richer refletiu um pouco.

— Meu erro foi não ir pessoalmente até lá — disse, e via-se que essa confissão lhe aliviava a alma de uma preocupação dolorosa e contínua. — Chartier é leal, é um bom pastor e um homem corajoso, mas não tem diplomacia. Conheço melhor Calvino. Eu teria sabido convencê-lo, mostrar-lhe a importância desta colônia, os erros de Villegagnon. E mesmo se a França tivesse colocado obstáculos, eu teria encontrado apoios na Holanda ou na Inglaterra.

— Talvez ainda não seja tarde demais. Vá! Nós o esperaremos.

— E o que lhe direi agora? Quando Chartier embarcou, nós ainda estávamos na ilha, tudo ainda era possível. Hoje, eu deveria confessar a Calvino que sua Igreja está confinada em três palhoças e que atravessamos o Atlântico só para nos fazer perseguir por um bando de anabatistas que voltaram à vida selvagem.

— Nesse caso — disse Aude —, voltamos todos.

O pastor protestou, mas sem firmeza. Reconhecia na sobrinha uma autoridade da qual se orgulhava, mesmo se as circunstâncias colocavam essas qualidades a serviço de uma conclusão que lhe repugnava tirar. Esse abandono não alegrou Aude, mas ao menos a situação era clara: ela sabia o que lhe restava fazer.

Pediu audiência a Martin no dia seguinte. A decisão dos protestantes o aliviou. Ele já estava um tanto cansado dos tormentos que esse grupo de ociosos lhe fazia sofrer. Os benefícios que tinha com isso eram nulos. Sequer tinham como pagar as comodidades que ele lhes oferecia. Além do mais, eles arriscavam atrapalhar a aliança provisória que ele fizera com Villegagnon. Vittorio, todas as vezes que por lá passava, repisava que o almirante não queria tentar nada de hostil no continente, mas que estava cada vez mais impaciente para ver os reformados sumirem da Guanabara. A partida deles, portanto, agradaria a todos.

Martin negociou para eles uma passagem numa velha urca bretã que traficava na baía. O navio estava em mau estado. Devia voltar a Brest a fim de ir para o estaleiro. A princípio, o capitão tencionara nela embarcar madeira, mas um lastro desses era excessivo para o casco do navio comido de gusanos. Ele aceitou tomar passageiros em troca de um pagamento no destino. A vantagem, com uma carga dessas, era que sempre se podia aliviá-la, se sobreviesse alguma avaria, deitando algumas pessoas ao mar.

Menos de uma semana se passou antes que os protestantes salvos fossem conduzidos de canoa até o navio. Com o tributo que fora pago às febres, aos assassinatos perpetrados pelos anabatistas e a algumas mortes naturais, restavam vinte e duas pessoas para formar esse comboio lúgubre. Ao desconforto e à vetustez da velha embarcação acrescentou-se para eles o dissabor de constatar que ela se chamava *Santa-Maria.* O capitão instalou-os sem nenhuma atenção nos porões ainda cobertos de vazamentos de óleo, de frutas podres e excrementos de macacos. Ele próprio era a imagem de seu barco: grosseiro e sujo. Andava sempre de peito nu — exibindo repugnantes tetas de gordura — e tinha os ombros e as costas cobertos de pêlos. Aude testou seu olhar negro nele, mas, na terceira reclamação que lhe fez sobre a limpeza do porão, ele aplicou-lhe duas bofetadas que determinavam a hierarquia de bordo durante a travessia. Toda a tripulação era da mesma laia.

Desde a desatracação, pareceu que o capitão não constituiria o maior perigo da viagem. Seria pouco dizer que as velas estavam gastas. Seria necessário procurar muito entre os quadrados remendados que as constituíam para encontrar os que subsistiam da fabricação de origem. O mastro estava envergado como um arco e os estalos do casco pareciam trair uma violenta querela entre o cavername e o forro interior para ver qual deles entregaria a alma primeiro.

O barco, depois de zarpar do fundo da baía, passou cautelosamente bem ao largo do forte Coligny, caso Villegagnon tivesse tido a péssima idéia de abrir fogo contra ele. Malgrado a insegurança da travessia que eles começavam, os protestantes estavam felizes de ver afastar-se aquela terra que fora tão cruel com eles. O pão de açúcar olhou-os passar, com aquela indiferença aparvalhada da natureza à desgraça dos homens que lhes dá muito mais vontade de submetê-la. O tempo estava bom, impondo uma das duas únicas crueldades de que sempre foi capaz: a violência do sol, que seguia a das tempestades.

Logo as vagas cresceram, marcando a saída da baía. A urca gemeu e rangeu sofrendo a força do mar aberto. Foi então que aconteceu um incidente que veio justificar mais cedo do que se esperava os receios do capitão. Uma tábua do casco, na vante, rompeu-se com a pressão do mar; o navio começou a fazer água aos borbotões. Foi necessário colocar todo mundo na popa, para aliviar a roda de proa e elevar o rombo acima da superfície. Um reparo de fortuna assegurou uma calafetação duvidosa.

Após um conciliábulo com o carpinteiro de bordo, o capitão decidiu que era necessário deslastrar. Vários tonéis de água e de farinha foram jogados ao mar. E tanto para aliviar o peso quanto para reduzir as bocas a alimentar, levando em conta a quantidade restante de víveres, os huguenotes foram convidados a escolher oito dos seus para voltar a terra. Sendo o navio desprovido de anexo, os infelizes deveriam se amontoar numa balsa para voltar à costa. Depois de protestos, lamentos e a promessa de aumentar o preço pago na chegada, o capitão consentiu em sacrificar quatro macacos no lugar de dois homens. Mas, assim mesmo, era preciso encontrar seis deles. Cinco artesãos e um soldado aceitaram ir na balsa.

O barco seguiu viagem, e gritos de adeus lancinantes saudaram o desaparecimento dos seis homens em prantos, de quatro em cima daquele esquife.

No entanto, a costa ainda não estava muito longe e a corrente que entrava na baía levou a balsa a seu porto. Os náufragos viram passar novamente o pão de açúcar, sempre indiferente. Incapazes de dirigir sua embarcação de fortuna, entregaram-se ao movimento da água para encalhá-los em terra. Anoiteceu. À medida que entravam na baía, a corrente ia perdendo força e a balsa girava como uma rolha. Sem lua, eles não tinham idéia do lugar aonde iriam finalmente encostar. Afinal, no meio da noite, um choque mole indicou que haviam tocado num baixio. A balsa avançou um pouco mais e parou numa pequena enseada de recifes. Um homem se aventurou naquele solo cortante que aflorava da água. Voltou pouco depois confirmando que estavam mesmo em terra, e desembarcaram. Foi só quando o dia raiou, ao ver uma muralha no alto, que eles souberam que haviam chegado à ilha do forte Coligny.

*

— Ele confessou?

— Tudo, almirante — respondeu o torturador estendendo orgulhosamente uma folha maculada de sangue.

Villegagnon olhou para o homem que pendia da parede, preso pelos dois punhos por braceletes de ferro. Pedaços de carne do peito haviam sido arrancados com muita limpeza pelas tenazes de aço incandescentes, em cuja mandíbula ainda se via fumegar a carne em brasa. Todo seu corpo estava lacerado de chicotadas. Em seu pescoço, via-se o lanho vermelho de um garrote que fora apertado até a perda dos sentidos.

Sem ódio, o sofrimento é um espetáculo sem gosto, como a bebida é sem graça quando não sacia uma sede de verdade. Pelo contentamento que sentia ao ver aquele herege despedaçado, o almirante media o quanto a repulsa ao homem progredira nele. Alegrava-se com isso como com um sinal de cura, após tantos anos de tola indulgência. Procurando bem, sempre se descobria o mal nas criaturas. Villegagnon arrependia-se amargamente de não ter compreendido isso antes e de não ter examinado o homem com sagacidade suficiente. Algum tempo atrás, teria aceitado acreditar que este, por exemplo, e ele olhava para o supliciado, realmente era, como afirmava, um simples náufrago levado à ilha pelo acaso. Hoje, já não se contentava com essas fantasias: procurava melhor. E então, achava. A verdade, que lhe poderia ter passado despercebida, estava escrita naquela folha.

— "Eu reconheço" — leu o almirante satisfeito — "ter tentado penetrar no forte Coligny para ali semear desordem e traição. Meus amigos regressaram a Genève a fim de apressar o envio de reforços, que lhes permitirão depois tomar posse da colônia. Minha missão era preparar sua volta assassinando o almirante de Villegagnon e disseminando secretamente sermões contra Roma e o clero católico."

Na parede, o homem perdera os sentidos.

Villegagnon enfiou o auto no bolso.

— Maravilhoso — disse para o carrasco. — Estão todos de acordo. Os que você tratou ontem assinaram exatamente a mesma declaração.

O torturador deu um sorriso afável e, após ter limpado as mãos cobertas de sangue no avental, esboçou uma pequena mesura.

— O que mostra — concluiu o almirante — que a verdade é única.

Depois, antes de sair, virou-se e acrescentou:

— Você vai pô-lo com os outros. Trate de fazer com que ele esteja com bom aspecto até amanhã, para o julgamento.

A esplanada da sede do governo fora decorada especialmente para que a sessão fosse realizada ali com a pompa necessária. Estando seco o tempo, a cópia da Madona de Ticiano fora erguida de frente para o porto e a mata da costa. Villegagnon estava feliz por vestir para a ocasião uma peliça forrada de esquilo que o costureiro acabara de terminar. Instalou-se numa espécie de palanque, ao lado de dom

Gonzagues, que estava cada vez mais percluso e venerável. Inadequado para qualquer outra coisa, ele era espantoso como esfinge judiciária, perdido em doces devaneios poéticos que podiam passar por terríveis ruminações de castigo. O terceiro homem era o decano dos artesãos que, nesse tribunal, representava o povo.

Os seis protestantes encalhados em sua balsa foram julgados um por um. O tribunal, sem grande surpresa, condenou-os a uma morte que, em parte, o carrasco já lhes administrara. Como esse julgamento não servia somente para edificar os colonos, mas também para diverti-los, determinaram-se vários tipos de execução. Haveria dois enforcados, dois decapitados e dois afogados. Esta última forma de sentença era a mais prezada pelo público. Os supliciados, com uma corrente curta lastreada ao pescoço, foram atirados entre os recifes. A água clara da baía permitiu acompanhar sua agonia como atrás de uma vidraça. Os mais sonhadores puderam em seguida esperar à beira d'água a chegada das moréias.

Nunca Villegagnon fora tão popular.

CAPÍTULO 7

Just recuperara-se bem depressa de seu ferimento. Todavia, continuara prostrado e desanimado até muito depois de sua convalescença física. Uma doença de langor seguira-se ao sofrimento do corpo, como se Aude, ferindo-o, tivesse no entanto atingido seu coração.

As idéias elusivas da melancolia faziam desfilar à sua frente imagens de sua vida, mas ele revia essas emoções passadas sem as sentir. Seus sonhos se haviam desvanecido como bolhas diáfanas que a adaga assassina teria furado. Clamorgan, a cavalaria, os nobres combates de seu pai na Itália, os sonhos grandiosos da França Antártica, tudo lhe parecia como brumas às quais ele absurdamente dera formas sólidas. Não havia mais uma única entre elas que pudesse agora iludir seu olhar desenganado. Mas nem por isso reaparecia no lugar desses fantasmas o mundo prosaico das aparências. Pois elas também haviam sido transpassadas. A superfície dos seres em volta dele se abrira para escuridões repugnantes. Aude, em primeiro lugar, amada pelo que não era, mostrara-lhe com que facilidade o ódio pode travestir-se de amor, a escuridão de beleza, a castidade de corrupção e como as exterioridades da ternura podiam dissimular a sombria vontade do assassinato. Villegagnon depois se revelara diferente do que Just imaginara. Desde que fora ferido, o cavaleiro vinha diariamente visitar o doente. A pretexto de tranqüilizá-lo, contava-lhe suas ações, seus projetos e fazia, no intuito de diverti-lo, penosas descrições de suas crueldades, de suas artimanhas, do ódio que agora guiava seus atos à luz do dia. Como Just pudera admirar tal homem? Como se equivocara durante tanto tempo a respeito de sua bondade? Ele não sabia qual dos dois havia mudado. Mas Villegagnon não podia despejar tanto humor negro e tanta maldade sem que essas coisas fossem há muito tempo produzidas nele, mesmo se ele antes se forçasse a não as exprimir. Just não o recebia mais sem desagrado; o que o almirante tomava nele por um esgotamento do corpo na verdade era a revolta de um espírito que não podia falar nem se calar.

Não havia ninguém, naquela ilha, cuja face oculta e repugnante Just não fosse levado a contemplar agora. Parecia que todas as aparências se haviam revirado como roupas e apresentavam a seu olhar um avesso puído e sujo. Ele mesmo não permanecia incólume a essa transformação. Sua vida inteira exsudava covardia, indecisão e erro. Sob suas poses de nobreza e de elegância, ele nunca fizera senão as mais grosseiras concessões e suportara as mentiras que inventava para si mesmo, aparentando acreditar nelas.

Colombe, de todos, era a única que resistia à onda de náusea. Just pensava em seu olhar claro não mais pousado nele, e sua lucidez lhe parecia uma maneira de ver, enfim, pelos olhos dela. Como não a compreendera melhor? Por que fora suficientemente covarde para não aceitar o que ela queria lhe dizer? Ela vira antes dele a sinistra engrenagem dessa colônia consagrada ao sangue e à destruição. Viera adverti-lo de sua partida e ele não lhe dera ouvidos. Vira a traição no simulacro de amor que a ele propunha aquela que um dia iria apunhalá-lo.

A todos esses ímpetos de verdade, ele jamais soubera opor senão mentira. Mentira desse disfarce que aceitara para ela e do qual ela se desfizera por uma explosão desesperada. Mentira de um projeto de glória em que ele próprio não acreditava. E mentira, sobretudo, desse falso parentesco que o protegia de seus sentimentos verdadeiros por ela. Quando eles eram crianças, fazê-la acreditar que ela era sua irmã era uma maneira de lhe dizer que a amava. Mas prolongar essa fábula não tivera outro objetivo senão impedir que esse amor crescesse e se tornasse adulto como eles.

Demolindo essas paredes de ilusões e equívocos, Aude tivera ao menos um mérito: fizera aparecer bem no fundo das cascas, das peles e das polpas, o único núcleo sólido que existia em Just: o amor que ele tinha por Colombe. Infelizmente, ele só o descobriu quando era tarde demais para plantá-lo na terra e fazê-lo vingar, tarde demais para expressá-lo, assim como para vivê-lo.

Pouco a pouco, Just se restabelecera. Vestia-se, saía para caminhar na praia, desviando-se das forcas e dos locais de suplício. Evitava ao máximo, aliás, pousar os olhos na ilha. O próprio forte, de que antes tanto se orgulhava, era agora para ele um espetáculo doloroso. Ele só olhava para o mar. Nas cintilações de seus verdes, onde o brilho azul das águas dissolvia em proporções variáveis a luz amarela do sol, ele julgava ler a mensagem enigmática e fluida de seus próprios sentimentos. A paisagem de sua alma, parada e líquida, estendia-se entre um futuro branco como o céu e os abismos violeta de um passado doloroso.

Foi aí que Villegagnon, pouco após a execução dos náufragos, viera procurá-lo um dia para lhe anunciar sua decisão. Ao ver o almirante vindo ao seu encontro na beira da praia, Just primeiro tivera a sensação desagradável de ser perseguido na intimidade de seus sonhos. Mas Villegagnon, naquela manhã, parecia menos atormentado de ódio que normalmente. Passeando ao longo dos recifes, ele até parecia ter sido contaminado pela calma do mar. Sua farda enfeitada, debruada de fios de ouro, era menos estapafúrdia na vizinhança majestosa da baía que no cenário elaborado de seu móvel de ébano e suas tapeçarias orientais. Ele falava baixo, como se de si para si. Just sentia que, desde que fora ferido, tornara-se indispensável a Villegagnon. Visitando-o diariamente, o almirante poupara, na violência tumultuosa que o arrastava, um pequeno espaço de ternura verdadeira. Infelizmente, reservara-o a alguém que o achava odioso e de agora em diante sentia-se incapaz de lhe dar sua afeição.

— Pensei bem — começou Villegagnon. — Estamos num impasse.

Essa confirmação de fracasso não era muito característica dele. E, de fato, ainda preludiava ação. Foi levantando orgulhosamente a cabeça que ele anunciou:

— Volto para a França.

Just, malgrado a singularidade dessa proclamação, ainda custara a mostrar interesse.

— O forte está terminado — prosseguiu o almirante. — Está claro que os portugueses perderam a oportunidade de nos atacar quando éramos fracos. A segurança da colônia agora está garantida. Precisamos ir mais longe, explorar a madeira em grandes quantidades, entrar no coração deste continente e descobrir o ouro que há aí de sobra. Agora que os protestantes partiram, está na hora de atacar os trugimães e expulsá-los desta costa de vez. Infelizmente, o que eu soube sobre as forças deles mostra que para nos assenhorearmos deste território precisaremos de um verdadeiro exército, de meios novos, de dinheiro para comprar informações. Não podemos esperar nada de semelhante aqui. Devo ir buscar tudo isso em Paris e defender junto ao rei a causa de nossa promissora colônia.

Just receou que ele enveredasse novamente pela exposição das grandezas da França Antártica. Estava acima de suas forças ouvi-lo. Mas Villegagnon, de repente, mudou de rumo.

— Conheci muito Cortés, na tomada de Argel — confidenciou. — Nunca vi nada tão lamentável quanto esse homem.

Just já ouvira o almirante comparar sua obra brasileira à conquista do México e o nome de Hernán Cortés era mencionado amiúde. Mas era a primeira vez que ele evocava diretamente seu encontro com esse personagem.

— Era um homenzinho encurvado, escuro como um corvo e cheio de tiques. No entanto, deu mais reinos a Carlos V que qualquer capitão jamais poderá sonhar conquistar. Venceu sozinho o imperador dos mexicanos e fez a Espanha desmoronar debaixo do ouro das Américas. Quando o conheci, ele já estava em desgraça e procurava desesperadamente fazer-se notar por seu soberano.

Uns artesãos, que flanavam na beira da praia, assumiam um ar ocupado para poder escapulir, ao ver o almirante se aproximar. Mas este não lhes ligava a mínima, absorto na evocação do conquistador.

— Ele foi caluniado — prosseguiu —, enquanto arriscava a vida para submeter o Novo Mundo. Uns cortesãos venenosos o apresentaram como um traidor, e Carlos V teve a fraqueza de acreditar neles. Quando Cortés regressou à Europa, o soberano tratou-o como um miserável. O outro procurava todas as ocasiões para voltar à corte. Quando o imperador quis lançar uma espécie de cruzada contra Argel, para livrar o Mediterrâneo desse ninho de piratas, Cortés aproveitou o ensejo.

Just já não tinha coragem, como antes, de perguntar ao almirante o que ele, um francês, ia fazer nessa expedição espanhola contra os turcos que Francisco I tratava quase como aliados.

— Eu estava — respondeu o almirante à pergunta que não lhe fora feita — a serviço de Malta, que tinha interesse em ver aniquilar os berberes.

Depois, acrescentou em voz baixa, como para guardar-se de uma indiscrição por parte do mar ou dos rochedos:

— E, naturalmente, eu informava o rei da França.

Estava-se longe dos assuntos da ilha. Villegagnon se deu conta disso e apressou-se em concluir sua digressão.

— Em suma, eu queria dizer que em Alger, quando desembarcamos, uma tempestade terrível nos impediu de atacar. A expedição estava mal preparada, mal conduzida. Todo mundo via que o caso estava perdido, até eu que fui um pouco presunçoso. Mas já aquele pobre Cortés queria a todo custo se redimir. Estava ali debaixo de chuva, ensopado até a raiz dos cabelos, e Deus sabe como era cabeludo, repetindo: "Temos que ir! Temos que ir!" E o imperador olhava para ele com mais desprezo do que teria por um bufão, um doido. Era patético, acredite.

O almirante contemplava o mar sacudindo a cabeçorra.

— Cortés acabou na miséria. Dizem até que no final ele se pendurava na carruagem do soberano para implorar ajuda. Bem, não quero que semelhante desventura aconteça comigo.

Era a primeira vez que Just o ouvia evocar o fracasso e a solidão.

— Não, Virgem Santíssima! Não deixarei uns covardes me caluniarem. Decerto eu queria que esses huguenotes desaparecessem, mas agora que eles encontraram o meio de regressar à Europa, tenho tudo a temer, entende? O interrogatório dos náufragos comprova isso: eles têm a firme intenção de me caluniar. Vão fazer uma caricatura de minha obra. Conheço essa raça, eles escrevem como macaco se coça. Vão espalhar libelos contra mim. E sempre haverá bons conselheiros para dizer ao rei da França que onde há fumaça há fogo. Então tudo será possível: ele poderia me renegar. A menos que decida me enviar um exército, mas com um outro du Pont que, tão logo desembarcar, anunciará que assume meu lugar.

Enquanto o almirante desenvolvia essas explicações, eles chegaram embaixo do reduto oeste. Villegagnon postou-se de frente para a boca da baía, que dava para o alto-mar.

— Eis por que — concluiu — devo ir apresentar pessoalmente minha defesa. Resta-nos um navio. Mandei prepará-lo. De hoje a oito dias, terei partido.

O Just, desacostumado a pensar praticamente, não sabia o que devia decidir para si: ir com o almirante para a França? Imaginar outra solução?

Ele contava com uma escolha, mas o que recebeu foi uma ordem.

— Na minha ausência — declarou solenemente Villegagnon —, você assumirá o comando da colônia.

Just recebeu essa decisão como um pelouro de besta no meio da testa. No entanto, considerando-a, era uma decisão lógica e mesmo inelutável. Le Thoret desertara, Bois-le-Comte ficara na Normandia, dom Gonzagues esgotara suas últimas forças nas lutas religiosas. Os outros oficiais eram bons soldados, mas sem capacidade de liderança. Villegagnon terminara de educar Just como um delfim e dotara-o de todas as qualidades para sucedê-lo. Só lhe faltava a vontade. O almirante, por insensível que fosse, percebera isso, mas achava que o desejo pode se armar de fora para dentro, por uma ordem, ou melhor, por um juramento.

— Jure, pela memória de seu pai — disse ele apontando o dedo enluvado de pecari para o coração de Just —, que você guardará esta terra até meu regresso. Jure que defenderá seus interesses contra todos os que possam vir ameaçá-la e que preferirá que lhe cortem a garganta a que o vejam ceder a eles.

Como em tudo o que fazia de oficial, Villegagnon dera uma ênfase a essas palavras que beirava o ridículo. Mas, por outro lado, sua força, seu tamanho, o ar sofrido e ao mesmo tempo ameaçador que ele assumira para falar não estimulavam brincadeiras nem esquivas.

— Juro! — disse Just sem querer.

E foi assim que ele se tornou governador da França Antártica.

*

Pay-Lo definhava. Apesar da volta do sol, do ar mais seco, continuava tossindo e permanecia deitado. Levavam-no para o terreiro e ele lá ficava horas em sua rede, às vezes tão imóvel que os esquilos vinham, em grupos de dois ou três, sentar-se em cima dele. Embora fraco, continuava ouvindo as notícias que lhe traziam. Soube assim que Le Thoret, bem escoltado, chegara aos assentamentos e pudera embarcar para a França. Alguns dias depois, uns guerreiros da costa vieram assinalar a partida do último barco ancorado perto da ilha. Segundo os rumores, Villegagnon estava a bordo.

Colombe se perguntava se Just o acompanhara. Desde as revelações de Le Thoret, a idéia de que seus destinos fossem separados e até opostos desenvolvia-se nela. Sua principal preocupação era conceber sua vida entre os índios, descobrir ali seu lugar certo, forjar, com a ajuda de seu passado novo em folha, um futuro que a fizesse feliz. Desde a partida de Paraguaçu, ela passava menos tempo entre as mulheres. Tinha vontade de compartilhar a vida dos guerreiros que corriam a floresta. Quando lhes propôs isso, eles mostraram um certo constrangimento. A regra índia estipulava que uma mulher não podia se meter nessas questões de combates e aventuras. Mas, por intervenção de Pay-Lo, os homens afinal aceitaram abrir uma exceção para Colombe. Dois dos filhos do patriarca tomaram-na sob sua proteção. Eles lhe ensinaram o manejo do grande arco, assim como a arte de fazer flechas, de perseguir a caça, de imitar os gritos da floresta. Depois, durante uma cerimônia conduzida pelos caraíbas com muito cauim e oráculos favoráveis tirados da consulta às maracas, fizeram em seu corpo novas pinturas com jenipapo destinadas a tornar clementes para ela os espíritos dos animais e das madeiras. Finalmente, colaram pequenas plumas verdes e amarelas em seus ombros e suas ancas. Apesar da sensação desagradável que lhe causavam no corpo, esses adereços tinham a vantagem dupla de tornar invulnerável quem os usava, e de ocultar seu sexo.

Colombe fez sua primeira expedição com um grupo de dez homens. Isso foi para ela uma felicidade completa. Eles marcharam, desde os primeiros alvores da aurora, até os confins das terras da tribo. Silenciosos, despertados ao menor grito, atravessaram desfiladeiros despidos, entraram em capoeirões cobertos de moitas de orquídeas e de cinerárias silvestres. Dormiram no sopé de grandes falésias negras e subiram regatos tão claros que às vezes eles confundiam o dorso de peixes grandes imóveis com pedras e caíam na água rindo.

A proximidade do perigo, perceptível pela maneira brusca pela qual o líder do grupo se detinha e se imobilizava, pronto para a luta, tornava mais deliciosa ainda para Colombe a segurança do grupo. Nunca, nessas imensidões desertas, ela havia sentido uma sensação de confiança e proteção semelhante. À noite, eles faziam pequenas fogueiras e comiam sem uma palavra as carnes secas que tiravam de um bornal de couro. Uma tarde, mataram um cabrito montês, esquartejaram-no e levaram os quartos que não haviam consumido.

Colombe, durante essas intermináveis caminhadas, olhava os companheiros, admirava a flexibilidade de seus músculos, dançando sob a pele luzidia. Ela se questionava longamente para saber se algum dia poderia ser a mulher de algum deles. No entanto, ainda que pudesse sentir alguma atração pela beleza, a doçura e a força deles, tinha a sensação de que se erguia um misterioso obstáculo diante dessa idéia. Não via claramente o que o causava. Talvez fosse a sua impressão de que essa beleza índia pertencia a uma outra ordem, a da natureza selvagem. O perfume dessas peles não tinha um parentesco, por diferente que fosse, com o do tomilho que vingava nas escarpas, da manjerona e dos lentiscos? E essa flexibilidade, essa agilidade, essa beleza de musculatura não eram a variedade humana da força selvagem dos leopardos e dos antílopes? Mas imediatamente afastava essa explicação. Via-se por demais perto da terra que pisava descalça, por demais em harmonia com seus minerais e seus animais para sentir em relação a esses homens a menor diferença que a impedisse de se unir a um deles.

Às vezes, dizia a si mesma que aí estava o obstáculo: ter que escolher um deles quando era de todo o grupo que ela se sentia amiga. Reconhecê-la-iam ainda como uma deles, se ela manifestasse sua preferência por um único? Mas isso tampouco a convencia. Então, ela afastava essas preocupações, guardava esse mistério com ela e voltava ao gozo sem reserva do momento presente.

Quando chegavam à casa de Pay-Lo na volta dessas caminhadas, reencontravam com prazer o barulho da casa, os risos sonoros, as festas. Colombe via tudo com mais ternura, com uma proximidade nova que a distância percorrida fazia com que ela medisse e acarinhasse.

Em algumas semanas, fez, com diversos grupos de caçadores, várias expedições longas que a desenvolveram mais do que ela teria podido imaginar. Pay-Lo a cumprimentava por sua coragem, contava-lhe o conceito admirativo que os guerreiros faziam de sua conduta, sua resistência, sua destreza, e que não ousavam formular diante dela.

No entanto, o velho definhava tanto que Colombe, malgrado seus encorajamentos, decidiu suspender suas viagens e ficar ao lado dele.

Nada parece tão imortal como os seres que sempre consideramos fracos e vulneráveis. Pay-Lo era para Colombe um homem sem idade e portanto sem fim, como se já tivesse atravessado a morte e falado com ela da outra margem. Mas suas transformações recentes, a extrema magreza de seu pescoço e seus braços, sua respiração curta, as longas ausências durante as quais ele ficava de boca aberta com os olhos semicerrados começavam a lhe manifestar que em breve ele estaria vivendo seu fim.

Todos, na casa, agiam de modo a tornar esse fim doce e tranqüilo e ninguém poderia prever que ele seria tão tumultuado e violento. Pois o alerta veio de repente, certa manhã, por um barulho de correria na floresta e por gritos de perseguição. Enquanto Colombe levantou-se da rede e foi até a porta, duas sombras ofegantes já haviam irrompido no aposento. Quando amanhece, na floresta, sempre custa a clarear. Faixas de noite malva deixavam os aposentos às escuras quando o céu já estava claro. Colombe não reconheceu imediatamente os dois intrusos. Eles estavam de mãos dadas, um maior que o outro, e suas silhuetas nuas indicavam que eram índios. Pay-Lo estava deitado no quarto vizinho, sua porta continuava aberta e uma lâmpada ardia dia e noite a seu lado. Os gritos, do lado de fora, se aproximavam e os fugitivos perdidos entraram no aposento onde estava o velho. Quando a lâmpada iluminou-lhes o rosto, Colombe deu um grito. Reconhecera Paraguaçu. O homem que estava a seu lado era o jovem cativo, Karaya, de quem não ousara pedir notícias e que julgava morto.

No mesmo instante, seis guerreiros armados de tacapes entraram correndo na casa. Custaram um pouco a se habituar à penumbra, depois viram os fugitivos e investiram sobre eles brandindo suas armas. Mas, quando viram entre eles e suas presas o corpo estendido do patriarca, pararam, e fez-se um grande silêncio. Colombe entrou por sua vez no quarto.

— Salve-nos, Pay-Lo! — exclamou Paraguaçu caindo de joelhos.

Karaya continuara de pé e recuara de encontro à divisória trançada.

— O que está acontecendo? — perguntou lentamente Pay-Lo.

Sua voz estava fraca e ele se esforçava visivelmente para manter erguida a mão que detivera as armas.

Um dos guerreiros, avançando então próximo à rede, disse com uma voz respeitosa e ainda ofegante da corrida:

— Este homem é um maragato. Ele devia ser sacrificado esta noite.

Karaya baixou os olhos. Sentia-se que ele estava resignado com a morte. Mas Paraguaçu agia por ele e ele permanecia com sua frágil proteção.

— Salve-nos! — repetiu ela com um olhar selvagem.

Pay-Lo abaixou a mão, pestanejou lentamente e chamou Colombe.

— Ajude-me a me levantar — pediu devagar.

Ela o amparou para sentá-lo na rede. O esforço o fez contrair o rosto. Sua bela cabeça, erguida no leito, moveu-se lentamente do grupo suplicante dos fugitivos aos guerreiros que desejavam a morte deles.

— Quer comê-lo, é isso?

— É a lei — disse o chefe dos índios.

Pay-Lo balançou a cabeça em sinal de aprovação.

— Tem razão — disse.

Paraguaçu deu um gritinho, mas o velho, com um gesto fatigado, indicou que não havia terminado.

— Há quanto tempo ele é prisioneiro? — perguntou.

— Vinte luas — respondeu o chefe.

Pay-Lo balançou a cabeça gravemente. Depois esperou. Sua boca se agitava num resmungado que Colombe jamais havia notado.

— O que você responderá — perguntou enfim Pay-Lo —, se eu lhe pedir que comam a mim?

O índio arregalou os olhos que mostravam sua surpresa.

— Sim, a mim — insistiu o patriarca com um esforço visível —, será que aceitariam comer meu corpo?

Dizendo isso, designou com um movimento de barba a magra massa de seu ventre e suas pernas, que mal abaulavam as cobertas.

— Pay-Lo! — exclamou o índio com uma indignação verdadeira.

— É o que eu pensava — recomeçou o velho com uma estranha jovialidade. — Vocês não me querem. Mas ao menos sabem por quê? Ah, não me diga que é por eu ser muito magro; isso pouco importa para vocês. Não, há outro motivo.

Ouvia-se, no cômodo vizinho, o murmúrio dos habitantes da casa que se comprimiam para ver o que estava acontecendo.

— Nesse caso — recomeçou Pay-Lo com uma voz rouca —, vou lhes dizer. Vocês não querem me comer porque já fizeram isso.

O índio manifestou no rosto glabro, depilado até os cílios, um espanto doloroso e uma expressão de horror.

— Estou aqui há mais de cinqüenta anos — disse Pay-Lo. — Calcule: há centenas de luas.

Balançou a cabeça com um ar desolado.

— Bem, durante esse tempo todo, nem um só dia vocês deixaram de me devorar. Não há uma parte de mim que eu não lhes tenha entregado. Vocês comeram meu coração, meus braços, meu espírito, meus olhos, meu sexo, meu ventre. Tudo, comeram tudo, engoliram tudo, digeriram tudo.

Após essa longa frase, Pay-Lo vacilou um pouco de fraqueza. Sua boca continuava agitada com aqueles sobressaltos, dando a impressão de que ele pronunciava interiormente fórmulas rituais.

— Esse aí também — acrescentou indicando Karaya com um leve movimento com o queixo —, em vinte luas, já tiveram tempo de comê-lo. Ele agora faz parte de vocês, vocês tomaram sua força e seu espírito. Ele é um de vocês. A lei foi cumprida.

O guerreiro que falava pelos outros estava abalado. O respeito que manifestava a Pay-Lo, o esforço final que o velho fazia para se exprimir, a bondade de seus olhos opunham-se às objeções que ele formava.

— Os espíritos vão se vingar — disse finalmente o índio, mas com uma voz submissa que transmitia mais medo que ameaça.

— Não — respondeu Pay-Lo.

Sentia-se que estava no limite de suas forças. Sua cabeça balançava e ele se esforçava para mantê-la aprumada.

— Não — repetiu. — Pois em breve estarei entre os espíritos. Serei até um deles. E direi a eles o que acabo de lhes dizer. Eles compreenderão.

As costas arqueadas do patriarca pareciam esmagadas sob o peso da própria morte. Era ela, por intermédio dele, que formava palavras e, se ainda se podia recusar algo a um vivente, era impossível opor-se a essa voz que já não pertencia este mundo.

— Como é seu nome? — perguntou Pay-Lo voltando os olhos velados para o companheiro de Paraguaçu.

— Karaya — disse o rapaz com uma voz trêmula.

— Muito bem, Karaya, eu o levo. Não é mais você que fica aqui. É outro. Doravante esse há de se chamar Angatu e ninguém se vingará dele.

Ao dizer isso, deixou a cabeça descansar e fechou os olhos.

Todo mundo, no quarto, caiu de joelhos. As cabeças abaixaram. Por um bom tempo se ouviu, cada vez mais fraca, a respiração do agonizante. Depois fez-se o silêncio. E enquanto a morte levava Pay-Lo, juntamente com a alma daquele que ele acabava de resgatar, um farfalhar de vento ou de asas, ninguém sabia, encheu o quarto.

Quando os presentes levantaram a cabeça, viram apenas os olhos de Colombe brilhando junto ao morto. Ao desespero de perder Pay-Lo misturava-se nela a inesquecível amargura da última lição que ele acabava de lhe dar. Súbito ela compreendia o que, malgrado seu apego ao mundo índio, a impedia de dissolver-se inteiramente nele. Nunca Pay-Lo teria podido salvar Karaya se não tivesse conservado essa soberana independência que o fazia ser respeitado. Os índios, por certo, o haviam comido, mas, como aluno fiel de sua filosofia antropófaga, ele também os comera a ponto de lhes impor uma clemência que eles julgavam contrária às suas leis.

Reconhecendo nos olhos de Colombe o olhar do grande pássaro sagrado que segura a alma dos mortos, os índios compreenderam que Pay-Lo sobrevivia nela.

CAPÍTULO 8

Depois da partida de Villegagnon, Just ficara sendo o senhor, mas de nada. Não demorou a perceber que a energia do almirante, seus ímpetos e suas crueldades, por insuportáveis que fossem, ao menos tinham o mérito de abastecer a ilha de acontecimentos. Sua ausência fazia o cotidiano cair novamente num marasmo extremo, cujo nome os colonos acabaram encontrando: tédio. Os trabalhos do forte estavam terminados. Seus aposentos baixos haviam sido revestidos de barro e emboçados de branco; um portão fora instalado em sua entrada; os canhões estavam dispostos nas muralhas. Era impossível encontrar qualquer outra coisa a lhe acrescentar. A capela, edificada para conter o monumental quadro da Madona, não levou muito tempo para ser erguida por homens acostumados à dura terraplenagem da fortaleza. Todas as melhorias possíveis haviam sido feitas na sede do governo, onde Just morava.

Portanto, para se ocupar, só restava estabelecer o permanente balé das sentinelas. Mas, se as matas e os morros pareceram brandir alguma ameaça, com o tempo, ficara claro que, infelizmente, podia-se contar com sua clemência. Assim, os esquadrões desleixados que patrulhavam o forte quase sempre esqueciam de carregar seus bacamartes. A contemplação muda do mar, o grito familiar dos papagaios e das macacas pretas provocavam nas almas da ilha um langor que equivalia em violência a todos os assaltos.

A autoridade de Just se desgastava com esse enfraquecimento das energias. Conheciam-se suas qualidades; ele revelou seus defeitos. Primeiro, mostrou-se incapaz de divertir os exilados com a administração de castigos. Na sala de tortura, os instrumentos enferrujavam; as forcas já não davam frutos; quem estava tentado a desobedecer era desencorajado de antemão por sua clemência. Just também não era capaz de renovar o grande espetáculo das orações em que Villegagnon aparecia em fardas estapafúrdias, cada vez mais sobrecarregadas de chapéus. O almirante, antes de partir, no entanto, legara-lhe uma coleção que ia da simples touca a verdadeiras tiaras. Mas, se tivesse usado tais coroas cravejadas de berilo e topázio, Just teria provocado mais risadas do que submissão.

Por um momento, ocorreu-lhe retomar a exploração de madeira no continente. Mas Martin, a quem Vittorio transmitira essa solicitação, fora contra, temendo uma movimentação muito grande de colonos fora da ilha. Além do mais, Villegagnon partira com o último barco: portanto, não haveria mais como exportar as toras.

Era preciso se conformar com a espera e a ociosidade. Num primeiro momento, esta aliás foi bem-vinda, após os imensos esforços desses anos pioneiros. Voltou uma amável civilidade entre os homens. Eles jogavam cartas e dados, recuperavam as forças, cantavam. Mas nada cansa mais depressa que férias, quando elas se prolongam. Sem trabalho, nem preces nem castigos, na falta de protestantes a estripar, de almirante a temer e de portugueses a combater, os desesperados ofereceram finalmente seus corpos à distração da doença. Alguns deram o exemplo, declarando-se bombardeados. De tanto visitá-los, os outros enveredaram pelo mesmo caminho, achando-se no dever de aí realçar sua singularidade. Cada um cultivou seu mal, um, dores de cabeça, outro, vertigens, outro ainda, diarréias. E finalmente, sobre essa população pronta para acolhê-la, uma epidemia de verdade veio dar a essas fraquezas uma gravidade bem real. Um uniforme de sintomas vestiu a tropa dos acamados. Tudo começava com placas vermelhas na pele, depois vinham a febre, os vômitos e um torpor extremo que, nos casos mais graves, levava ao coma e à morte. O cemitério, atrás do reduto, cobriu-se de montículos recém-feitos. Sobrevieram cinco óbitos na primeira semana. Cruel, a epidemia teve, no entanto, a bondade de levar primeiro os dois charlatães que faziam as vezes de curadores. De sorte que se os colonos tiveram que sofrer os tormentos da doença, os da medicina lhes foram poupados.

Just ficou dois dias acamado mas porque não cedera, devido à sua função, ao langor geral, refez-se rapidamente e sem conservar seqüelas. No entanto, via, impotente, o mal dizimar as fileiras dos defensores. Os índios morreram todos. Entre os franceses, de cada dois, um estava infectado e eram raros os que, doentes, encontravam energia para sobreviver. Muitas dezenas de corpos foram sepultados na areia vermelha. Dom Gonzagues foi um dos únicos a não ser afetado pelo mal: no mundo poético de onde ele quase não saía mais, os miasmas do contágio sem dúvida haviam encontrado pela frente um ar demasiado puro.

Quando, finalmente, ao fim de algumas semanas, o mal, saciado, afastou-se, as fileiras da colônia estavam perigosamente desfalcadas. Não restavam mais homens para deixar o forte em estado de defesa em todos os lados. Havia mais canhões do que homens para operá-los.

Just via o perigo que a ilha corria estando tão pouco defendida. Pôs toda sua energia na reconstituição das forças defensivas da colônia. Entre todos os meios imagináveis, sua escolha recaiu em duas ações: primeiro entrar em contato com os assentamentos normandos. O almirante nunca havia aceitado isso, mas Just era menos orgulhoso que ele. Os negociantes do fundo da baía, ao que ele sabia, não eram muito numerosos e eram avessos à guerra. Ao menos poderiam, talvez, fornecer índios para reforçar as tropas. Em seguida, Just devia informar o almirante da nova situação, para que ele apressasse a chegada dos reforços.

Isso supunha interceptar barcos de comércio que entravam ou saíam da baía. Segundo seu destino, confiar-lhes-ia uma das duas cartas que preparara, para os negociantes ou para o almirante.

Mandou então um atalaia ficar vigiando a barra para surpreender o surgimento de alguma vela. Havia um escaler pronto para partir a toda a velocidade, a qualquer hora, ao encontro do primeiro navio que aparecesse. O tempo estava calmo, e só depois de duas semanas se avistou um, que vinha do alto-mar e passava pelo pão de açúcar. De pé no batel, Just encorajou os remadores e, em menos de uma hora, estavam a contrabordo do barco.

Era uma velha galeaça sem idade movida a uma pequena vela e remos. Just foi autorizado a subir a bordo, para falar com o capitão. O convés estava numa desordem indescritível. Uma confusão de cordas mal lavadas, cestos, tonéis engordurados e redes cobria quase todo o espaço da ponte. Homens esgotados estavam atirados ao longo das amuradas. Um bafio de amônia subia dos porões e esse odor tão pouco marinho evocou confusamente para Just lembranças antigas, às quais ele não conseguia pôr um nome. Tirado de sua sesta, o capitão saiu do castelo de popa esfregando os olhos. Antes que Just tivesse tido tempo de se apresentar, o homem lhe perguntou:

— Onde estamos?

— Ora... na baía de Guanabara.

— E o senhor me parece francês! — exclamou o marinheiro retomando uma aparência de esperança.

— E sou — confirmou Just.

— Assim, não precisamos ter medo de portugueses nesta enseada?

— Não.

— Ótimo — disse o capitão.

Para comemorar essa notícia, convidou Just a segui-lo até a popa. Fê-lo sentar-se, mas desculpou-se por não ter nenhuma bebida para oferecer. Felizmente, por precaução, e para atrair as boas graças daqueles que ia abordar, Just mandara munir o escaler de uma barrica de Madeira, que sobrara da reserva do almirante. Içaram-na para o barco, e o capitão, tirando duas taças de estanho sujas de um velho cofre, apressou-se em brindar e esvaziar a sua de um trago só.

— Meu Deus, como isto é bom! — exclamou. — Eu quase já tinha esquecido este gosto.

Era um homenzinho de cara chata. Uma antiga obesidade, da qual a travessia dera cabo, deixava suas carnes penduradas como uma roupa folgada demais no corpo de um convalescente.

— E então esgotaram todos os seus víveres? — indagou Just.

— Todos — disse o homem —, e há muito tempo. A bem dizer, deveríamos ter chegado há três meses. Íamos para as Antilhas.

— Mas estão no Brasil!

— Eu sei — disse o capitão com um ar desolado. — Enfrentamos tempestades, no trópico, que nos impeliram para a linha equinocial.

— Por que não corrigiram o rumo?

O marinheiro esvaziou uma terceira taça antes de responder.

— Quando vimos terra, meu piloto, que morreu de febre na semana passada, nos disse que era a costa de São Salvador. Viramos para subir para o norte, mas, nessa direção, estávamos com o vento de proa. Com essa banheira velha, não íamos depressa. Foi então que os portugueses caíram em cima de nós.

— Mercadores?

— Não, uma esquadra de guerra. Uma frota enorme, cinqüenta navios, talvez.

Just empalideceu.

— E de onde vinham?

— Saíam da baía de Todos os Santos e entravam em alto-mar. E nós estávamos a sotavento dessa armada! Era preciso ultrapassá-la, bordejando. Imagine o pânico!

Just estava pálido, mas o capitão, absorto em sua aventura, continuava seu relato de bom humor.

— Felizmente para nós, eles eram numerosos. Havia no bolo barcos que não avançavam muito depressa e, como estavam em comboio, os navios não iam a todo o pano. Então, tomei a decisão de pegar o vento de popa. Fugimos até eles perderem nossa pista. Quando vi a entrada desta baía, que inicialmente julguei ser um rio, eu disse a mim mesmo que poderíamos nos esconder ali. E cá estamos!

— Mas — perguntou Just que começava a compreender — aonde eles iam?

— Os portugueses? Para o sul.

— Quer dizer...

— Vasculhei os papéis de meu piloto — cortou orgulhosamente o capitão. — Segundo o que encontrei ali, compreendi que Portugal tem outra possessão, mais ao sul, que eles chamam de terra do Morpion.

Era improvável que uma esquadra de guerra tivesse ido pacificamente a São Vicente.

— Não — objetou Just que agora via o desastre. — Eles querem é a nós.

Fez rapidamente o relato da colônia ao capitão que empalideceu também.

— Mas então — disse este — não estamos em segurança nesta baía, se eles vêm para conquistá-la.

— Receio que não, de fato.

— Assim — gemeu o marinheiro desesperado —, vamos ter que tornar a partir. Sem nada para comer nem beber.

Depois, animou-se com uma idéia.

— Escute — disse ele segurando Just pelo braço —, não poderia nos fornecer rapidamente víveres e água? Dou-lhe em troca tudo o que me resta de minha carga. Ela nos pesa e, de qualquer maneira, não podemos levá-la a bom porto.

— O que transportam?

— Cavalos, para as plantações de São Domingos. Três quartos deles morreram. E os outros não vão durar muito.

Então era esse o odor estranho que vinha dos porões, um odor de excremento de cavalo, que lembrava Clamorgan.

— O que quer que façamos? — perguntou Just, um tanto decepcionado. — Nossa ilha é minúscula e nada vinga ali.

— Eu o conjuro — suplicou o capitão. — Livre-nos desses animais. Eles estão loucos lá dentro. Os homens não querem mais ir nas estalas. São mordidos e pisoteados. E quando os bichos morrem, é pior. Há dois meses que comemos essa carne e vomito só de imaginar seu gosto.

— Quantos lhe restam?

— Cinco.

Just ficou com pena dos cavalos, que ele amava. Pensou em confiá-los aos índios, no lugar da costa onde eles lhe eram favoráveis. Quando a colônia recuperasse o vigor, após o regresso de Villegagnon, eles sempre poderiam ser úteis.

— Quanto tempo julga ter de vantagem sobre os portugueses? — perguntou ao capitão, que essas notícias e o vinho haviam mergulhado num torpor espantado.

— Na velocidade em que eles vão — gemeu —, acho que não estarão aqui antes de oito dias.

Just refletiu. Todo o langor de seus dias de inação o havia abandonado. As hipóteses se acumulavam em sua mente e, súbito, ele viu claramente o que tinha a fazer.

— Vá até aquele promontório que vemos dentro da baía — disse. — Vou transmitir uma mensagem aos índios. Eles ficarão com seus animais e lhes fornecerão água e mandioca. Depois, vocês vão para onde quiserem.

Sem esperar agradecimentos, pois não tinha mais tempo a perder, Just tornou a embarcar no escaler e regressou à ilha. Enviou imediatamente dois marujos para avisar os índios e mandou chamar os principais responsáveis pela colônia. O ataque português, na hora em que a guarnição acabava de ser dizimada pela doença, provocou um verdadeiro pânico. Alguns falavam em complô, em envenenamento. Todos se olhavam com desconfiança, como se o inimigo não fosse externo e temível, mas estivesse escondido entre eles, podendo ser eliminado com uma punhalada.

Just chamou-os à realidade. Sua calma, em tais circunstâncias, era espantosa. Ele deu ordens firmes e precisas, que tranqüilizaram todo mundo. Essa tranqüilidade só aumentou a surpresa que ele provocou anunciando que iria partir naquela mesma noite. Os dignitários da colônia, que sempre viram com ceticismo o sucessor escolhido por Villegagnon, manifestaram um súbito recuo, como se Just, por essas palavras, tivesse se designado como o traidor que eles procuravam.

Mas tudo estava tão claro, tão bem ordenado na mente de Just, que ele encontrou facilmente as palavras para se explicar e convencer. A audácia de seu plano, malgrado seus riscos, acabou com as reticências. Ele aliás estava em condições de pedir a seus poucos antagonistas que propusessem outra coisa. Finalmente, todo mundo aceitou sua liderança. Ao embarcar num escaler, à noitinha, Just até teve a convicção de que sua ausência era admitida agora como a marca suprema de sua autoridade. Livre da preocupação da ilha, restava-lhe concentrar-se na última cartada que ele se preparava para jogar.

*

Na manhã seguinte na taba dos índios, Just assistiu ao desembarque dos primeiros cavalos. Os tupis haviam aceitado fazer o que Just lhes pedira, mas manifestavam um grande pavor diante dos animais estranhos que raspavam a praia com o casco. Três deles eram grandes éguas tão magras que se viam suas costelas saltarem. Just mandou preparar para elas uma forragem de capim e rações de farinha. Elas saciaram a fome avidamente. Os outros dois eram garanhões baios cobertos de feridas nos ombros e no garrote. Just mostrou aos índios como agarrá-los sem perigo pelo cabresto e mandou amarrá-los à sombra de um jacarandá na beira da praia.

O chefe dos indígenas deu a Just dois guerreiros para lhe servirem de guias e lhe confirmou que enviara um corredor na véspera para anunciar sua chegada. O grupo se pôs a caminho quase imediatamente.

Just tivera poucas oportunidades de ir ao continente e sempre estivera nas proximidades do litoral. Penetrando no interior, ele primeiro encontrou o prazer esquecido da natureza e dos bosques. No entanto, apesar da agradável sensação que a sombra das árvores proporcionava, não conseguia se livrar de um medo e de um desagrado que não sabia explicar bem. Talvez esses sentimentos decorressem da idéia de que, nessas paragens obscuras, devoravam-se homens. O conceito canibal continuava, sob a influência de Villegagnon, a governar a idéia que Just fazia do mundo primitivo. Na floresta, ele dormiu um sono agitado, povoado de pesadelos.

Eles caminharam mais um dia, passaram outra noite, mais fresca, nas montanhas. E, na tarde do segundo dia, seus guias lhe mostraram ao longe a massa já escura da floresta da Tijuca.

CAPÍTULO 9

Uma grande serpente de luz iluminava a floresta. Sua claridade clareava o pé de grandes pinheiros. Ao se aproximar, Just viu que pequenas mechas de azeite haviam sido colocadas nos degraus de toras. Elas ardiam em metades de cocos secos. Seu brilho pálido, de dois em dois, desenhava todo o lance da longa escada de madeira que serpeava ao longo da última vertente da montanha. Os índios ficavam apavorados com o espetáculo da floresta pontilhada de pequenas chamas. Se a escuridão lhes parecia encobrir espíritos, essa luz inusitada não podia fazer outra coisa senão lhes excitar os desejos cruéis. Just, percebendo o medo deles, subiu primeiro. Viu de longe duas tochas que iluminavam um portal. Quando atravessou esse portal e pôs o pé no ladrilho da entrada, ficou impressionado ao ver peças de porcelana e botões de prata brilhando no escuro.

A casa estava em silêncio e no entanto não lhe inspirava medo. A familiaridade dos objetos colocados desordenadamente pelas salas tornava menos ameaçadora a sombra em que estavam encaixados. Lamparinas iluminavam esse cenário e aplainavam os relevos, como se esses espaços estreitos tivessem sido debruados por um estranho trabalho a buril, misturando cintilações de esmaltes ao escuro de um ferro fundido trabalhado.

Ele se adiantou cautelosamente e deu numa sala de proporções mais vastas, no meio da qual, de pé, estava Colombe.

Na véspera, avisada pelo corredor que subira da costa, ela vasculhara os baús amontoados em casa de Pay-Lo; alguns continham roupas que ninguém tivera a idéia de tirar desde o naufrágio que os depositara no Brasil. Descobrira ali aquele vestido longo de veludo azul à moda inglesa. Seu decote oval, bordado de pérolas, evocava a corte de Henrique VIII; era usado com um precioso colar de diamantes e, em falta de um, ela enfeitara o colo com duas voltas de conchas nacaradas.

Seus cabelos louros, presos em tranças, estavam habilmente enrolados, à maneira florentina. Dois candelabros a iluminavam de lado, mas sem maior pretensão, pois ela era incapaz de adotar uma pose imóvel. Just surpreendera-a enquanto ela perambulava impacientemente pelo aposento, esperando-o.

Na pressa da corrida, ele não se preparara para um encontro desses. Conservava o colete de veludo que Villegagnon lhe mandara confeccionar para a chegada dos protestantes. Mas a confusão de seus cabelos pretos, a dança de suas veias inchadas pelo esforço dessa longa escada, o relevo emagrecido de seu rosto acentuado pelas noites de vigília lhe davam uma graça espontânea, que lembrava a infância.

Eles sorriram um para o outro, mas o constrangimento de se verem juntos, tendo desejado o encontro e ao mesmo tempo sem o esperar, manteve-os calados no primeiro momento.

A vida prática vem acudir as emoções, quando elas provocam muito embaraço. Colombe, com uma voz trêmula, perguntou a Just se ele estava cansado, se tinha sede. Sem ouvir a resposta, pegou, tremendo ligeiramente, uma garrafa de cristal e encheu dois copos com um líquido brilhante.

Eles beberam, menos para saciar a sede do que para oferecer a seus lábios um pretexto para não formarem palavras imediatamente.

Depois Just, pousando o copo, olhou com um espanto insistente a decoração excêntrica da sala.

— Pensei que você estivesse na casa dos índios... — disse.

Ela riu, e quando seu olho virou para a chama tripla do candelabro, ele reconheceu ali a palidez familiar e misteriosa que a tornava tão singular.

— Mais do que aqui é impossível — respondeu ela rindo do espanto de Just.

— É uma bela casa — disse ele, um tanto aflito por não encontrar nada melhor para dizer.

— Estou feliz que lhe agrade. Olhe, se quiser, posso levá-lo para conhecê-la toda.

Ela o fez acompanhá-la, e esse movimento, rompendo a imobilidade desajeitada de ambos, aliviou-os um pouco.

Do lado de fora, no terreiro, duas lanternas furta-fogos iluminavam o teto de vigas, mas deixavam o olho livre para atravessar a escuridão e enxergar ao longe a superfície leitosa do mar que a lua iluminava. Eles a contemplaram um instante, depois entraram em outro cômodo.

— Era o quarto de Pay-Lo — precisou Colombe.

— De quem?

— O dono desta casa. Lamento que você não o tenha conhecido. Ele morreu no mês passado.

Desde então, a vida da casa não mudara, mas tudo lembrava a ausência do patriarca. Colombe ficara e, graças a um testamento invisível, era a ela, agora, que os guerreiros vinham trazer suas notícias e era sua opinião que solicitavam.

O quarto de Pay-Lo permanecera intacto, com sua rede vazia. Em seguida, eles passaram por outros cômodos e voltaram ao salão. De repente, quando entravam ali, Just deu um grito. Colombe virou-se e o viu atracado com uma sombra que plantava as garras compridas em sua camisa.

Ela correu para ele, estendeu os braços e, agarrando o assaltante peludo que tanto assustara o jovem cavaleiro, tirou de seus ombros um animal do tamanho de um macaco.

— Ah! O aí gostou de você — exclamou rindo.

— O aí? — disse Just esfregando o local, perto do pescoço, onde o animal o esfolara.

O bicho que Colombe segurava pelos braços deu então um suspiro profundo, de cortar o coração.

— Você não conhece aí? — espantou-se Colombe. — Este mora na casa há anos.

Pousou o animal num móvel. Com seus quatro membros do mesmo comprimento, sua cara melancólica e suas longas garras, ele não se parecia com nada que Just havia visto até então. Agarrou-se lentamente a um canto do aparador e pareceu adormecer.

— Os índios o chamam de bicho que vive de vento — disse Colombe. — Nunca o vemos comendo nem bebendo. Pay-Lo dizia que é o deus da preguiça.

Eles riram, e esse incidente, monopolizando-lhes a atenção, acabara inteiramente com a timidez de seus modos. Foram sentar-se na ponta da grande mesa que os candelabros iluminavam.

— Como vai seu ferimento? — perguntou Colombe.

Just ficou perturbado por ela ter sabido disso e, pensando nas circunstâncias em que o recebera, corou.

— Bem — disse —, já não o sinto.

Ao lhe trazer à memória esse acidente e Aude que fora sua causadora, Colombe o fez pensar que ele desejava se desculpar. Mas, naquele cenário tão lindo, e vendo-a esplendorosa, ele achou que esse assunto ficaria deslocado e que eles não tinham, em suma, mais nada a dizer sobre isso.

Colombe apresentou uma grande saladeira de estanho com inhames que ela mandara preparar. Em volta, havia carnes ensopadas e frutas dispostas sem uma ordem.

— Você está com fome, suponho?

Mas Just ainda tinha um nó na garganta daquela primeira emoção. Contentou-se em beber de novo um longo gole e recusou qualquer outra coisa.

— O corredor me disse que você queria me ver urgentemente — disse Colombe.

Ela fitava Just. Ele não saberia dizer se seu olhar continha ironia, raiva ou simplesmente aquela firmeza à qual ele não podia se furtar, antigamente. Respirou fundo para tomar coragem e, ainda que tivesse algum receio da resposta, tranqüilizou-se recitando o pequeno discurso que preparara mentalmente.

— Os portugueses estão chegando, Colombe. Eles estarão aqui em quatro dias, com uma esquadra. Desde a partida de Villegagnon, sou eu quem está no comando da ilha. Meus homens morreram de febre, nessas últimas semanas. Não estamos em condições de resistir.

Ela o ouvia imóvel.

— Vim lhe pedir para nos salvar.

— Salvá-los? E como?

Ela conservava um sorriso enigmático para ele.

— Você conhece os índios. Pode fazê-los vir lutar conosco.

Como ela permanecesse calada, Just acrescentou, num tom mais premente:

— Sei que não agimos bem com você. Mas estou sozinho, agora. E queria realmente que você voltasse.

Just ainda estaria falando da ameaça portuguesa ou haveria, nessas últimas palavras, um outro apelo? Colombe demorou a responder a fim de dar tempo para que ele mesmo se fizesse essa pergunta.

— Salvá-los... — disse ela pensativa.

Ela desviou os olhos para os lampejos de cristal faiscando na mesa.

— Salvar o quê, Just? A França Antártica?

Pronunciou essas palavras com esforço, como quem usa canhestramente um instrumento que acaba de lhe ser emprestado.

— Ouça, Colombe — recomeçou ele —, avaliei bem a situação nesses últimos dias. Para qualquer lado que nos viremos, não vejo senão a morte. Na Europa, o fanatismo explode, facções se digladiam por um Deus. E aqui, é o mundo canibal, com seus horrores.

Colombe deixava suas mãos compridas deslizarem sobre a barra da toalha.

— Não sei — disse com doçura. — Tudo isso que você diz deve ser verdade, mas não tenho opinião formada sobre essas coisas abstratas. Só sei que estou bem aqui e tenho vontade de ficar.

— Bem, estamos inteiramente de acordo. Peço-lhe que me ajude a proteger um lugar onde seremos livres... e felizes.

— A ilha?

— Sim.

Colombe baixou os olhos. Deixou instalar-se um longo silêncio que fez Just esperar uma anuência. Assim, ele manifestou um certo desapontamento quando a ouviu dizer, sem uma inflexão interrogativa na voz:

— Villegagnon vai voltar, não é?

— Ele tem intenção disso, de fato — admitiu Just de má vontade.

— E vai trazer novas tropas, imagino?

— Sim.

Súbito, ela tornou a levar o olhar para Just. Ele já não estava alegre nem seguro de si, mas desamparado e triste.

— Que diferença há, em sua opinião, entre o almirante e os portugueses? — perguntou.

Sem nunca se ter feito essa pergunta, Just concebeu uma resposta muito simples, que surpreendeu a ele próprio.

— O almirante — disse — é a França.

Sentiu que essa afirmação chamava outras perguntas e que no fim desses motivos encaixados havia alguma coisa que não podia satisfazê-lo inteiramente.

— Jurei defender esta terra — disse. — Jurei, em nome do pai, que combaterei, como ele, pela França.

Estendendo a mão para uma cesta de frutas, Colombe tirou duas jabuticabas e as levou à boca.

— Le Thoret passou por aqui, antes de embarcar — disse.

Just ficou alarmado com esse desvio inesperado.

— Ele me falou de Cerisoles.

O rapaz estremeceu.

— E de uma criança de dois anos que foi achada num celeiro — acrescentou.

Sua mão tremia um pouco. Ela agarrou o copo, sem beber.

— Você sabia disso?

— Sim — disse ele.

Aquela vasta escuridão cheia de baús carcomidos e de lembranças naufragadas poderia ser o torreão de Clamorgan. Eles haviam sido levados de volta ao tempo de sua intimidade, mas com esses corpos de adulto, também cheios de sombras, onde fremiam desejos.

— Le Thoret falou-me da morte dele, em Siena — recomeçou ela.

— A morte... do pai.

Ela fez que sim com a cabeça. Vendo que Just aguardava, compreendeu que sobre aquela questão ele nada sabia.

— A Itália estava em paz — recomeçou ela com o alívio de uma idéia clara a formular —, quando todo o resto estava ainda tão turvo. Mas o rei da França, que queria recomeçar a guerra, enviou provocadores, para sublevar a Toscana. Clamorgan fez tudo para impedir as manobras deles.

Just estremecera ao nome de Clamorgan, embora fosse natural, de agora em diante, que ela não dissesse mais "pai".

— Ele sabia que os franceses, incitando Siena a se revoltar, só procuravam um pretexto para voltar à Itália. Mas eles não tinham como defender a cidade. Em suma, eles a conduziam para a morte.

Just começava a ver a verdade. Respirava com dificuldade. Nem um só músculo em seu rosto se mexia.

— Clamorgan — continuou ela — gostava realmente da Itália. Ele fora para lutar, mas o que descobrira ali o conquistara. Ele gostava da beleza de suas paisagens e seus quadros, da Antiguidade que renascia nas obras do presente, gostava de seus jardins, sua música, sua liberdade.

Colombe falava sem tirar os olhos de Just mas, por uma vez, o brilho de seu olhar parecia perturbado, como se ela não contemplasse o que tinha diante de si, mas uma visão interna. Enfim, emendou-se e, com uma voz de repente fria, chegou à sua terrível conclusão:

— Quando o rei soube que ele ia fazer seus planos fracassarem — disse —, mandou assassiná-lo.

Uma emoção violenta que beirava as lágrimas e ao mesmo tempo as continha apoderou-se de Just. O núcleo de seu ser, que ele julgava ser a fidelidade, dividia-se em duas partes opostas, que ambos encarnavam. E ele compreendeu que ela, Colombe, escolhera a melhor.

A herança de Clamorgan não era nem um domínio, nem um país, nem um nome, mas sim esse amor à liberdade que não aceitava dogma nem fronteira, nem injustiça nem submissão.

Colombe levantou-se e deu alguns passos no terreiro. Quando voltou em direção a ele, Just contemplou-a inteira, naquele vestido de veludo. Ela era, sozinha, a Itália azul, a fonte onde seus artistas bebiam, análoga, por sua cabeleira trançada, a essas belezas romanas cujo esplendor fremente só o mármore consegue transmitir.

Ele também se levantou, e os dois ficaram cara a cara, a menos de um passo um do outro. Pela primeira vez, a contenção de Just, sua reserva e seu temor eram dissolvidos por uma força nova que o fazia sorrir. Sentia-se profundamente ligado a esse ser que se parecia tanto com seu desejo, que ele conhecia há tanto tempo, mas que estava descobrindo agora. Assim, foi menos para aproximar-se do que para reconstituir a unidade natural e perdida que estendeu a mão para ela.

Afagou seu pescoço, seu ombro, seu braço nu. Imóvel, ela fechou os olhos, mergulhada na delícia desse instante sonhado e único, misteriosamente familiar de tanto que fora desejado e que, por mais que se reproduzisse depois, jamais teria o gosto incomparável dessa primeira vez.

Afinal, ela se aproximou; colada a ele, encostou a cabeça em seu pescoço. Just sentiu o cheiro louro dessa pele. Em volta de sua boca, pairava a acariciante penugem daquela nuca. Ele sentia os braços de Colombe envolverem sua cintura e suas mãos perpassarem em suas costas. Ela se afastou ligeiramente e sua boca entreaberta ofereceu-se aos lábios de Just que a tomaram. Toda a vida deles, a noite brasileira e o medo vencido desapareceram na doçura incomparável dessa intimidade de carne que anula e coroa o amor, dando-lhe não mais dois corpos mas um só.

Passada essa barreira, eles só tiveram diante de si o espaço aberto da volúpia onde entraram com todo o ímpeto. Abraçavam-se, afagavam-se, beijavam-se apaixonadamente. Just, lentamente, desatou o laço que, atrás da gola, segurava o vestido de veludo. Mas quando apareceu o colo de Colombe, ele levou um susto. Na pele branca e macia, ela fizera aplicar, ainda na véspera, grandes pinturas de guerra pretas e vermelhas representando raios e estrelas.

Nos olhos de Just, súbito voltou a horrível lembrança dos canibais. O sonho da Itália estava todo salpicado desse sangue. Ele se afastou.

Colombe esperava por esse instante e até o desejara. Sentiu um imenso prazer em ver separar-se dela esse belo rosto que ela amava. Ao menos podia contemplá-lo uma última vez. Com um gesto breve, acabou de deixar o vestido todo cair no chão. Era assim que queria que ele a visse e a amasse. Pois, ainda que estivessem impregnados da Itália, não se encontravam lá.

— Vamos — disse ela achegando-se novamente —, não receie nada... Deixe-se... comer...

Just hesitou um pouco, depois as imagens da perfeita elegância da Europa e da poderosa beleza índia fundiram-se nele. Ele sorriu, achegou-se a ela e tomou-a de novo nos braços. Antes de mergulhar no prazer, ele olhou o olho de Colombe e viu ali a imagem invertida do mundo: um sol dentro do qual brilhava um grande céu azul.

E sem mais nada a temer, precipitou-se ali.

CAPÍTULO 10

Os portugueses nunca haviam tido tamanha sensação de poder. Na Europa, eram pequenos demais para desafiar quem quer que fosse e, nas Américas, haviam ocupado costas desertas ou semidesertas. Enquanto dessa vez eles iam combater.

Os cem navios da esquadra eram majestosos, pelo menos vistos de longe. Pois, para cada navio de guerra, contavam-se dois mercantes nos quais alguns canhões haviam sido amarrados às pressas. Somavam-se a isso trinta barcaças de pesca que avançavam como podiam e retardavam todo mundo.

Mem de Sá, para não ver esses estropiados, ficava na proa do navio-testa e olhava para a frente. Sombrio de constituição, tinha medo do sol e conservava enfiado na cabeça um chapéu de abas largas sob o qual o suor escorria. Um pajem erguia uma sombrinha acima dele. Enfim, para garantir que nenhum raio de sol o atingisse, o governador do Brasil mandara montar um toldo de lona debaixo do qual ficava sentado.

O Atlântico, submetido à sua implacável vontade, permanecia tão calmo como um escravo prosternado. Os costões escarpados que se viam ao longe se mantinham imóveis e tesos como para um desfile.

Enquanto nos outros navios ressoavam cantorias e bebedeiras, no do governador, reinava uma arrogância muda. Uma criadagem militar mantinha-se respeitosamente à distância do chefe supremo, pronta para saltar ao primeiro grunhido que dele emanasse. Um padre de sobrepeliz, alguns jesuítas todos de preto e a turba dos fradinhos e dos coroinhas permaneciam agachados no passadiço de vante ao pé da grande cruz de madeira que os carpinteiros haviam erguido ali.

O plano da expedição consistia em ultrapassar a baía de Guanabara para o sul até chegar às ilhas Honestas. Lá, a armada principal vinda da Bahia deveria encontrar-se com alguns reforços enviados de São Vicente e da baía dos Reis. Com uma feliz precisão, o encontro se deu no dia aprazado, numa enseada de águas cristalinas em cujo fundo via-se dançar um cascalho rosa.

Engrossada com esse reforço, a esquadra rumou novamente para o norte, até a baía do Rio. Persistia uma dúvida sobre a oportunidade de fazer todos os navios entrarem ao mesmo tempo na barra. Embora larga, ela estava ao alcance de uma canhonada. Se os franceses do forte Coligny se lembrassem de recebê-los com um tiroteio, o risco de ver as melhores naus atingidas antes de estar em condições de revidar não era desprezível. Mas o governador cortou a hesitação dos estrategistas com uma das fórmulas terminantes que eram sua especialidade.

— Eles precisam ter medo — disse.

Em conseqüência disso, ele foi o primeiro a entrar na baía, ladeado pelos maiores navios. As barcas seguiam confusamente.

Assim, naquele 25 de fevereiro, num dia muito ensolarado e límpido, uma cruz gigante balançou-se nas ondas da entrada da Guanabara. Vinte navios navegando de conserva, todas as velas enfunadas com o pouco de vento que vinha do mar, fizeram uma entrada aterrorizante nas águas calmas da baía.

Mem de Sá não tirara o chapéu, pois tinha mais medo de insolação que de guerra. Mantinha-se empertigado embaixo do grande mastro de sua caravela e abarcava com um olhar carniceiro essas terras que cabia a ele subjugar.

Não havia nenhum movimento dos lados do forte Coligny. Ali só se via, tremulando como um insulto ao qual eles não demorariam a responder, a bandeira branca com a flor-de-lis dos usurpadores.

Por prudência, os atacantes seguiram uma rota afastada da ilha dos franceses. Costearam o lado norte da baía, foram até o fundo dela, depois tornaram a descer para ancorar à sombra de um cabo que os protegia dos tiros que a eles pudessem ser destinados. Ali seriam feitos os preparativos para o assalto.

Ao anoitecer desse primeiro dia, dez canoas procedentes do continente chegaram ao costado da nau capitânia. Ao sinal convencionado, fez-se subir a bordo uma delegação de trugimães, conduzida solenemente por Martin em pessoa.

O ex-mendigo era mais educado que aquele pobre Le Freux, a quem sucedera. Não era suficientemente idiota para incorrer no erro de se apresentar, como ele, num traje grotesco feito de plumas. Aliás, seu comércio, habilmente administrado, abastecia-o abundantemente de tecidos caros. Ele apareceu diante de Mem de Sá no que lhe pareceu ser o traje conveniente para a dignidade de que não tardaria a ser revestido. De acordo com a idéia que tinha de duque, usava um gibão de seda natural azul-celeste com cintilações de ouro, calções de tafetá violeta e um barretinho de gomos. A única pluma que se permitira era de ema, espetada nesse chapéu. Ficou muito satisfeito de ver que era, de longe, o personagem mais elegante do navio onde era recebido. Com um pouco de imaginação, e a natureza o provera disso, podia ver nos olhos arregalados da tripulação uma sincera admiração.

Quando foi conduzido à presença de Mem de Sá, Martin ficou ligeiramente decepcionado ao ver o grande homem tão mal-ajambrado. Um exame mudo, cheio de espanto de parte a parte, foi o primeiro e longo contato dos dois. Afinal, um dos jesuítas, o padre Anchieta, que estivera absorto em suas orações desde a entrada da baía, chegou para servir de intérprete, pois o governador não sabia francês.

Martin fez um longo discurso, para dar as boas-vindas aos libertadores. Enxertou-lhe habilmente palavras de desprezo pelos rebeldes do forte Coligny e uma profissão de fé tocante, relativa à suposta sede que tinham os índios de serem libertados de toda heresia; finalmente, terminou com uma descrição favorável de sua própria influência sobre as terras que ele jurava administrar de agora em diante exclusivamente para a glória da Coroa portuguesa.

Mem de Sá respondeu assoando-se ruidosamente na manga.

Um pouco desconcertado por essa acolhida, mas reconhecendo aí a marca de prudência de um fino político, Martin perguntou com voz de conspirador se lhe seria possível conversar a sós com o governador. Queria lhe transmitir as últimas informações relativas aos efetivos do inimigo e seu armamento.

Com as ventas, Mem de Sá fez sinal para todos os presentes recuarem, salvo o padre Anchieta.

Guinchos de macaco, vindos da mata próxima, irritaram Martin e lhe provocaram desejos de palácios silenciosos, onde se praticaria a alta diplomacia só em meio ao murmúrio de discretos chafarizes.

— Eis aí, Excelência — começou —, o estado preciso das defesas do forte, segundo as últimas informações fornecidas pelo agente Ribère.

Mem de Sá ergueu o sobrolho. Para Martin, que era bom observador, essa marca de interesse foi considerada de grande valor.

— Setenta homens, talvez menos, pois, na última visita, Ribère notou alguns doentes. Trinta e um canhões, quatro dos quais enferrujados, e cinco colubrinas velhas demais para fazer grandes estragos. Pouca munição e um paiol de pólvora molhado de chuva.

Mem de Sá ergueu o segundo sobrolho.

— Água doce para três meses no máximo. Víveres para quatro.

Ao precisar isso, Martin se perturbou.

— Fiz tudo, Excelência, acredite, para eles não poderem se reabastecer. Mas eles conseguiram burlar minha vigilância, graças a alguns nativos, que será necessário castigar.

O governador, ao ouvir isso, enfiou a mão direita por baixo da camisa e começou a coçar a axila. Martin viu nessa reação uma perplexidade que ele se achou no dever de desfazer imediatamente.

— Fique tranqüilo — disse —, essas reservas não terão utilidade alguma para eles. O agente Ribère não lhes dará tempo de resistir a um cerco, hé! hé!

Ele deu uma risada cruel e Mem de Sá, indicando que compartilhava essa alegria, arreganhou os dentes.

— Permita-me agora, Excelência, expor-lhe o plano que me parece conveniente para uma vitória gloriosa, porém econômica. O agente Ribère está a par de tudo, e a participação dele está garantida. Eis o plano: no primeiro dia, Vossa Excelência lhe envia uma saraivada de balas — recomeçou Martin lançando em volta olhares de conjurado. — À noite, eles se entocam, aturdidos com a canhonada. Vossa Excelência desembarca algumas tropas no escuro. E pouco antes de raiar o dia, Ribère vai até o portão para abri-lo. O forte será seu antes que o sol tenha acabado de nascer.

Martin se calou, no auge da satisfação. Isso valia um ducado, ele sabia. Recuando um pouco, por modéstia, esperou o julgamento do governador.

— Temos que dormir — resmungou Mem de Sá.

O padre Anchieta mostrou um certo constrangimento ao traduzir essa conclusão. Permitiu-se acrescentar que o governador tinha o hábito de deitar-se pouco depois do pôr do sol. Doze horas de sono mal chegavam para reparar em seu cérebro os estragos ali causados pela incessante indústria de seu pensamento.

— Eu compreendo — disse Martin, também cheio de admiração.

Retirou-se o mais dignamente possível, tão trôpego e perturbado quanto após uma orgia de cauim. E, enquanto descia em sua canoa, deixou escapar para seus lugar-tenentes essas duas palavras enigmáticas:

— Que chefe!

*

Foram necessários dois dias para tomar todas as providências indispensáveis ao ataque. Cada embarcação recebeu instruções precisas quanto à posição que deveria manter e a seu papel. Só as naus mais bem equipadas participariam da canhonada do forte. Um detalhe tático, todavia, exigira longas precauções. Em virtude das exíguas dimensões da ilha, cumpria que os barcos portugueses que iam cercá-la não se bombardeassem uns aos outros por cima do forte. Os pilotos calcularam a distância que devia, por segurança, separar os navios. Finalmente, tudo ficou pronto.

Na manhã do terceiro dia, o primeiro atacante apontou lentamente seu gurupés para fora do costão escarpado que o dissimulara. Uma dúzia de monstros, atrás dele, zarparam para o forte, mantendo-o sempre no través, vigias abertas e canhões carregados. Quando essa parede de barcos estava disposta em volta da ilha, Mem de Sá, com uma tocha, ateou pessoalmente fogo à pólvora do primeiro canhão. A graduação da alça foi insuficiente e o tiro caiu na água. Mas, a esse sinal, todos os outros navios começaram a atirar. Em meio à fumaça das explosões, as bordas dos navios pareciam ser o alvo dos tiros quando eram a origem. Em compensação, onde as balas caíam, no forte, ao longe, não se via nada. Só o baque surdo dos impactos contra as muralhas espessas ressoavam no ar imóvel. Após as terríveis salvas do início, os portugueses, por uma ordem proveniente da nau capitânia, puseram-se a atirar mais devagar. A canhonada assumiu um aspecto regular; uma salva sucedia outra de modo a manter os defensores sob ameaça constante.

A tensão que precedera o assalto desaparecera nos homens de Mem de Sá. Malgrado os armamentos de que dispunham, os franceses não haviam disparado um único tiro de canhão em resposta ao ataque que estavam sofrendo. Deviam estar realmente apavorados ou ser muito covardes. Destruída essa reputação, a única coisa que ainda se mantinha em pé na ilha eram as muralhas do forte. Era forçoso reconhecer que elas eram bem construídas e segundo ângulos que tornavam o ataque delicado. Era bem possível que os defensores tivessem escolhido esperar o desembarque dos atacantes para massacrá-los.

Todas essas incertezas não impediram que, à noite, quando os navios atracaram em suas posições, cada tripulação brindasse a uma provável e iminente vitória. Ninguém estava informado da seqüência do plano, exceto as tropas de infantaria que embarcaram nos escaleres no meio da noite. Os portugueses, gente de mar, têm menos experiência que combatentes terrestres. Assim, Mem de Sá mandara colocar entre os que iam desembarcar tudo o que havia na expedição de continental e de mercenários: suíços perdidos, aventureiros alemães, cinco cativos holandeses e até trinta escravos índios, gentilmente oferecidos por Martin. Ao todo, cinco barcos a remo despejaram nos flancos escuros da ilha cento e vinte homens decididos a não poupar ninguém. Agachados na areia morna das praias, eles esperaram os primeiros alvores da aurora. O céu, num grande bocejo, abriu no levante uma goela cor-de-rosa. A brisa da manhã pegou os combatentes pelas costas, enquanto eles murmuravam preces na areia e se arrepiaram. Finalmente, quando clareou o suficiente para se ver o portão da fortaleza, os atacantes, incrédulos, constataram que ele estava escancarado. À ordem de um oficial, precipitaram-se com gritos terríveis, menos apropriados a assustar os outros do que a tranqüilizar a eles próprios. E desapareceram no forte.

O tropel dos assaltantes ressoou sob a abóbada que levava ao pátio da fortaleza. No escuro, os homens se empurravam; dava para ouvi-los batendo os pés, andando em círculos, praguejando em diversas línguas. Um pequeno contingente subiu nas muralhas, correu pelo caminho de ronda. Durante essa invasão, a luz do dia, ainda pálida, tingia de malva as paredes e os corredores. Nenhum tiro fora disparado ainda. Espantados com sua conquista tão rápida, os homens se reuniram no pátio do forte e esperaram. O oficial que os comandava tornou a sair e, ao chegar à praia, acenou para os barcos sinalizando que tudo havia terminado.

Mem de Sá desembarcou pouco depois à frente de uma grande escolta. Levava uma enorme pistola no cinturão, a fim de ter as mãos livres para gesticular ordens e limpar o nariz.

O oficial que conduzira a vanguarda veio lhe fazer seu relatório com uma simplicidade sobrecarregada apenas pela etiqueta portuguesa.

— Tudo está em nossas mãos, Ilustríssimo Senhor Governador.

E após se ter empertigado de orgulho, acrescentou:

— Fizemos um prisioneiro.

Um murmúrio de admiração percorreu a escolta de Mem de Sá. Um único prisioneiro queria dizer que todos os outros estavam mortos. Os artilheiros haviam feito um bom trabalho.

— Posso levá-lo até ele, Ilustríssimo Senhor Governador?

Por uma contração do nariz, Mem de Sá exprimiu seu augusto assentimento. O oficial tomou a dianteira e toda a tropa entrou na galeria que, através das muralhas, levava até o pátio.

O prisioneiro, seguro por quatro guardas, não mostrava muita disposição de fugir nem de tentar alguma hostilidade. Ao ver entrar o generalíssimo, iluminou o rosto hirsuto com um grande sorriso. Quando Mem de Sá chegou diante dele e, com um gesto, ordenou que o soltassem, o cativo caiu de joelhos e, com voz embargada, suplicou:

— Piedade, meu senhor, ó maior capitão de todos os tempos, novo César das Américas, libertador do forte...

Ele queria dizer mais, porém Mem de Sá abandonou essa presa desprezível e pôs-se a olhar em volta. Espantou-se ao não ver nem cadáveres, nem prisioneiros, nem canhão entre as ameias do forte.

— Encontramos três mortos — declarou o oficial para antecipar-se a uma pergunta.

O governador seguiu-o até uma escada e subiu pelo caminho de ronda. Ali, viu os restos mortais de um velho cavaleiro de Malta, o peito dilacerado por uma bala de canhão. O homem estava congelado numa máscara de dignidade e oração, a barbicha pontuda erguida para o céu. Segurava na mão direita uma folha de papel. Mem de Sá pegou-a e a estendeu ao padre Anchieta que o seguira para servir de intérprete junto aos prisioneiros. O jesuíta leu o curto texto rabiscado às pressas.

— É um poema — disse corando. — Dirigido a uma certa Marguerite.

— Os dois outros estão embaixo, no salão — interveio o oficial. — Parece que eles tomaram veneno para morrer.

O espanto e um princípio de raiva estavam estampados no rosto hostil do governador. Ele olhava as carretas que já não sustentavam nenhum canhão em cima da muralha, salvo duas pesadas bombardas todas enferrujadas. Furioso, tornou a descer a escada. Com o jesuíta correndo atrás dele, compreendeu que seria preciso arrancar do prisioneiro a explicação desses mistérios.

Quando viu voltar em sua direção a tropa de Mem de Sá, o prisioneiro compreendeu que finalmente iria poder se explicar. Dirigiu-se ao jesuíta, que falava sua língua, e escolheu-lhe um título próprio para predispô-lo a seu favor.

— Piedade, cardeal, piedade! — implorou.

E acrescentou num soluço:

— Eu sou Ribère.

Que aquele homenzinho mais que obviamente simplório fosse o agente Ribère, aquele em quem tantas potências confiaram, pareceu tão incrível ao padre Anchieta quanto a Mem de Sá, que, por sua vez, não precisou de tradução.

— Você? Ribère? — exclamou o jesuíta.

— Sim — fungou Vittorio com um ar a um tempo acabrunhado e orgulhoso, como ostenta um combatente cuja vitória o deixou esfarrapado.

— Admitamos — concedeu o jesuíta assumindo um ar irado. — Nesse caso, você vai poder se explicar. Você nos disse que havia setenta e duas pessoas para defender este forte. Onde elas estão escondidas? E onde estão os canhões, os bacamartes, as armas todas?

Vittorio via as coisas melhorarem para o seu lado. Já haviam acreditado nele. Faltava-lhe justificar-se. A única dificuldade era que, por sua vez, ele devia se ater à verdade, exercício que lhe exigia sempre muita atenção.

— Ah! cardeal, é terrível, terrível! — gemeu.

— O quê? — impacientou-se o padre Anchieta. — O que é terrível? Vai se explicar?

Vittorio hesitou quanto a saber se devia tornar a cair de joelhos ou se era prudente reservar essa encenação para depois. Continuou de pé, mas tremeu.

— Eu estava trancado aqui com os outros... — disse Vittorio em tom de súplica. — Não pude transmitir a mensagem a Martin quando tudo começou.

— Tudo o quê?

Com o desespero de uma Sherazade, Vittorio começou um relato que, enquanto durasse, ao menos o deixaria vivo.

— Primeiro — começou ele suspirando —, houve aquela epidemia, que levou três quartos da guarnição em menos de uma semana.

— E o restante, onde está? — impacientou-se o jesuíta, que traduzia assim os rosnados de Mem de Sá.

Vittorio fez sinal de que estava chegando lá. A impaciência dos ouvintes era a marca ditosa de seu interesse.

— Foi dois dias antes de sua chegada à baía. Uma barca velha carregada de rocinantes preveniu-nos de sua chegada. Foi então que o jovem chefe que Villegagnon deixara na ilha partiu para o meio dos índios.

O padre Anchieta ia traduzindo as frases. Vittorio segurava cada vez melhor seu público.

— Ele voltou três dias depois. Eu, pessoalmente, não ouvi suas ordens. Só compreendi o que estava acontecendo quando vi descerem os canhões. Eles reuniram todas as peças de artilharia aqui mesmo, neste pátio. Depois, aquele jovem Clamorgan, maldito seja ele para sempre e todos os seus, pela Madona e por Nosso Senhor, nos reuniu no salão que vêem lá embaixo. Propôs que, quem quisesse, o seguisse ao continente. Dom Gonzagues, um santo homem, que Deus o tenha, recusou-se a trair a palavra dada ao almirante. Não se conseguiram senão dois bravos para se recusar a fugir e defender o forte com ele. Eram dois velhos soldados de Malta e, na última hora, esses fanáticos preferiram se envenenar a cair em suas mãos. E o que podia eu fazer, eu lhe pergunto, senhor cardeal? Se partisse, não estaria mais em condições de lhes abrir o forte; e, se ficasse, corria o risco de vê-los tratar-me como um traidor.

Vittorio conhecia suficientemente o bel canto para saber que, na hora de continuar essa investida, era oportuno o tenor cair de joelhos. Deixou-se cair ruidosamente e cruzou as mãos.

— Piedade! — implorou colocando na voz a bela sinceridade de um homem destruído pela tragédia do destino.

Mem de Sá, ouvindo essas notícias, fora invadido por uma fúria bem sua, ou seja, muda e violenta. Então conquistara uma ilha vazia! A força dos cães daqueles franceses estava intacta. Ele desguarnecera a Bahia para nada, e quem poderia saber se outros inimigos não estariam, naquele mesmo instante, atacando lá? Ele já tocava o largo punho de sua pistola, pronto para atirar no grotesco prisioneiro, arauto dessas más notícias. Mas, na hora de abater essa miserável presa, ele sentiu um fastio que antecipadamente lhe tirou o prazer.

Ao menos, havia o forte. A visão consoladora dessas muralhas bem-feitas, a idéia de que deviam ter custado sacrifícios aos inimigos, a satisfação de adquirir essa praça para Portugal puseram-lhe no coração, se não no rosto, uma satisfação que fazia esquecer um pouco o resto. Afinal de contas, esse Ribère fizera o que se esperava dele. Olhou para o celerado e, erguendo os ombros, fez sinal para que o soltassem.

Seguido por sua tropa, começou então a visitar todas as salas da obra e tornou a subir nas muralhas. Um pequeno tumulto, lá embaixo, veio nesse momento perturbar aquela paz conquistada sem guerra: Martin chegava, seguido por três outros trugimães, sempre enfatiotado de fidalgo. Subiu correndo a escada e postou diante do governador aquela cara de bronco polida de cortesia que tanto lhe desagradava.

— Magnífico, Vossa Senhoria! — exclamou Martin. — Que vitória! Que triunfo!

Mem de Sá fulminou-o com o olhar, mas o outro viu nessa expressão hostil apenas a modéstia arisca de um homem habituado a vencer.

— Tudo isso pertence a seu rei, de agora em diante — recomeçou Martin abarcando a baía com um gesto largo.

O silêncio do dia ensolarado vibrou nas pedras do pão de açúcar e na palha amarelada dos caniços, na direção dos brejos. Duas garças, com um guincho breve, exprimiram a satisfação que sentiam em ser novamente súditas do rei de Portugal. Martin, sempre sorrindo de contentamento, tirou do bolso um rolo de papel, amarrado com uma fita.

— Excelência — disse orgulhosamente —, mandei preparar o título de propriedade das terras que Vossa Excelência acaba de libertar e que administrarei lealmente em nome de seu soberano.

Ao ouvir a tradução desse pedido, feito em tom neutro pelo padre Anchieta, Mem de Sá, esmagado entre o desprezo e a indignação, empertigou-se com o choque.

— A grande mercê que tenho a lhe pedir — recomeçou o trugimão — é a de conceder-me aqui mesmo o que Vossa Excelência houve por bem me prometer. Um título adquirido no campo de batalha é a maior glória com que podemos sonhar algum dia.

Martin era sincero. Mas, além disso, julgava-se extremamente hábil para esse discurso. Tinha a vantagem de apressar uma decisão que o entusiasmo da vitória tornaria mais natural. Se ele esperasse, as intrigas não deixariam de provocar algum atraso, quem sabe alguns obstáculos, uma reviravolta era sempre possível...

— Duque da Guanabara — anunciou ele sério — parece-me o título mais apropriado.

O padre Anchieta traduziu. Acrescentou uma palavra baixinho no ouvido do governador, para lembrar-lhe daquela conversa que tivera dois dias atrás com o trugimão. Mem de Sá pareceu de fato não compreender do que aquele indivíduo estava falando. Toda a revolta que sentia por ter deixado os franceses escaparem recaía sobre aquele ali que, no fundo, era um deles e talvez até lhes servisse de agente duplo.

— De joelhos — disse.

O padre Anchieta traduziu a resposta.

Absorto em seu triunfo, Martin pôs um joelho no chão à maneira dos cavaleiros e descobriu-se para receber a honra que o esperava. O duque, em sua cabeça, já tomara conta de tudo. Ele, que nunca se desarmara diante de quem quer que fosse, que estava sempre em guarda e escapara aos atentados mais disfarçados, no último instante, compreendeu seu erro. Renegando o antigo mendigo que fora, descuidou da vigilância que o fizera sobreviver. Enquanto levantou os olhos e sentiu pular dentro de si o animal perseguido, o cano da pistola já encostara nele e Mem de Sá já lhe estourava os miolos.

Fez-se um grande silêncio depois de ter ecoado nas muralhas o único tiro durante a tomada do forte. O cadáver de Martin, agitado de contrações finais, jazia desarticulado no chão da cortina.

Mem de Sá, a arma ainda fumegando na mão, empinou o nariz e ficou imóvel numa atitude inquieta. Parecia ouvir um barulho distante, e todos em volta dele prestaram atenção. Da baía imóvel, vinham os murmúrios habituais do vento quente na vegetação. A detonação suspendera os gritos dos animais, eliminando os únicos sons agudos que turvavam normalmente o silêncio. Era então nas terras baixas que cumpria perscrutar o inesperado. E, de fato, atrás das aragens que nasciam nos ramos, atrás do surdo murmúrio das vagas, ouvia-se um ruído regular, como uma fricção, brotando em várias partes da costa. Tinha um ritmo singular, que só o humano podia lhe dar, um ritmo lento mas que tendia a se acelerar. Dois, três, dez focos desse chiado regular apareceram. Em pouco tempo, era como se as matas deixassem ouvir a pulsação de um gigantesco coração de areia.

— As maracas — soprou Vittorio, o único que conhecia as cabaças sagradas brandidas pelos caraíbas.

De todas as tribos da baía agora vinha a voz desses oráculos ensurdecedores.

De repente, a concentração dos vencedores foi perturbada pelo barulho da primeira explosão.

*

Fora um milagre eles terem conseguido transportar tudo em duas noites. Içar os canhões nos batéis e levá-los até a costa não fora o mais difícil. Era preciso depois puxá-los na areia até o lugar em que os índios fiéis a Pay-Lo podiam colocá-los a salvo. Sem a ajuda dos cavalos que Just comprara, eles nunca teriam conseguido. Mas os animais atrelados às pressas com cabrestos de madeira haviam feito prodígios. Arrastadas pela praia, todas as peças de artilharia haviam chegado ao destino quando raiou o segundo dia.

Em seguida, Just indicara aos índios como dispô-las em diferentes pontos estratégicos. Dez colubrinas, transportadas por homens, foram instaladas nos pontos elevados que dominavam a baía. Mensageiros enviados às tribos por Colombe fizeram afluir guerreiros ao litoral.

Quintin, malgrado sua repugnância pelas armas, aceitara acender uma dessas baterias, contanto que ela estivesse apontada para a água. Tão logo disparada a bala, ele se atirara nos braços de Ygat, a única companheira a quem ele agora consagrava toda sua força de conversão. Chorava em seus braços fartos, e não sabia se era de medo, de gratidão ou de felicidade.

Paraguaçu e Karaya, rindo, empoleirados num outeiro perto do pão de açúcar, acenderam cada um deles a colubrina, colocadas em bateria, da qual estavam encarregados. Dez outras peças troaram em seguida.

Nenhuma atingiu a ilha, pois Just não quisera conduzir uma ofensiva. Tencionava apenas mostrar aos portugueses que, se agora eles possuíam o forte, a baía ainda não estava conquistada. Pela hábil disposição das baterias, eles compreenderiam que tinham pela frente uma força organizada, temível e que não lhes daria descanso. Isso, evidentemente, ainda era um grande exagero. Mas, dentro de pouco tempo, Just estava convencido de que conseguiria dar aos índios o conhecimento necessário para responder de igual para igual aos que pretendessem subjugá-los.

À informação dos canhões, que falavam a língua dos europeus, acrescentava-se a dos guerreiros que, em toda parte nas tribos, respondendo ao apelo de Colombe e aos oráculos das maracas, corriam para a costa. Vinte deles já estavam treinados no manejo dos bacamartes. A um sinal de um dos filhos de Pay-Lo que dirigia esse pessoal de infantaria, eles mandaram uma carga de chumbo para os navios, afundando alguns mastros e espalhando pânico nos passadiços.

Just e Colombe, lado a lado, assistiram a esse simulacro de assalto aplaudindo a cada tiro. Estavam perto da ilha, debaixo dos coqueiros, cada qual montado num cavalo em pêlo. De onde estavam, o forte lhes parecia minúsculo, vulnerável, irrisório. Os cavalos esfregavam os pescoços um contra o outro e, quando eles se aproximavam, as pernas dos cavaleiros se tocavam. A ilha devastada parecia uma pequena úlcera sem gravidade no corpo imenso da baía, que, na ditosa saúde de todas as suas cores, resplandecia de majestade e de paz.

Colombe estendeu a mão para Just e agarrou seus cabelos. Ele se inclinou para beijá-la. Quando o silêncio voltou, após o tiroteio, eles esporearam as montarias e apareceram na praia. Após uma derradeira saudação à ilha, saíram a galope pela areia e juntaram-se aos outros índios.

Sua felicidade agora pertencia a esta terra, uma terra que eles sempre defenderiam, mas nunca procurariam possuir.

EPÍLOGO

O cavaleiro de Villegagnon chegou à França no momento do sinistro incidente que ficou na história sob o nome de "tumulto de Amboise". A repressão que se seguiu a esse atentado protestante foi sangrenta e o antigo senhor do forte Coligny aí se ilustrou pela ferocidade. Decapitar, enforcar, afogar os reformados foi uma atividade frenética que durou um mês inteiro. "As ruas de Amboise", escreveu Régnier de la Planche, "estavam inundadas de sangue e cobertas de cadáveres por toda parte: tanto que não se podia permanecer na cidade por causa do fedor e do contágio."

Transformado por suas crueldades em "pau para toda obra dos Guise", Villegagnon dividirá seu tempo entre as ações selvagens que conduzirá contra os huguenotes e a redação de libelos destinados a justificar sua atividade no Brasil. Mas a França, agora ligada à Espanha no intuito de eliminar o perigo protestante, não se preocupava muito em conservar suas conquistas na América do Sul. Villegagnon não obteve senão uma carta de corso contra Portugal e negociaria em Lisboa, por trinta mil escudos, a renúncia de seus direitos sobre a Guanabara.

Quando as guerras de religião inflamarem a França, ele ali se sentirá muito mais à vontade se elas se desenrolarem seguindo as mesmas etapas que marcaram sua pré-estréia brasileira. Recompensado por sua brutalidade, Villegagnon receberá uma comendadoria de Malta em Beauvais na região de Gâtinais. E aí terminará tranqüilamente seus dias — embora devorado pelo rancor — e legará todos os seus bens aos pobres de Paris.

Richer, du Pont e os protestantes salvos do Rio chegaram à França ao cabo de uma travessia de pesadelo. Os víveres escassearam a tal ponto que foi necessário tomar a decisão de comer até os papagaios. Aude voltou a Genève, casou-se aí com um pastor e não deixou mais a cidade.

Mas muitos protestantes que sobreviveram a essa aventura sofreram com as guerras de religião. Jean de Léry fez-se, vinte anos depois, o cronista dessa terrível "viagem na terra do Brasil". Malgrado o horror que testemunhara ao canibalismo, ele teve o desprazer de ser obrigado, durante o sítio de Sancerre, a ver seus correligionários por sua vez comerem gente.

Na Guanabara, os portugueses se mantiveram e construíram a cidade do Rio. Os trugimães da costa, após o desaparecimento de Martin, continuaram traficando. Mas alguns regressaram à França e foi um deles que Montaigne empregou como secretário. Foi ele quem inspirou o célebre capítulo XXXI do livro primeiro dos *Ensaios* intitulado "Dos canibais", que deveria ter uma influência tão profunda sobre os filósofos das Luzes, criando o mito do bom selvagem.

Mas em todo o resto da baía a resistência dos índios permaneceu viva. Graças às técnicas militares que lhes trouxeram os franceses e alguns ingleses, eles atormentaram os colonos portugueses durante muito tempo. O bloqueio imposto em Cabo Frio, no início do século XVII, foi o último ato dessa resistência. Ela durara mais de meio século. Depois, os tupis foram repelidos para o interior e o norte, aonde seus apoios franceses os acompanharam. Quando os portugueses fundaram Natal, no dia de Natal de 1597, contaram cinqüenta arcabuzeiros franceses nas fileiras das tribos indígenas.

Muitos desses europeus se fundiram depois no cadinho brasileiro; outros preferiram se fazer ao mar. Tornaram-se piratas e corsários, pilhando os comboios e fazendo reinar durante muito tempo o terror nas rotas do Atlântico.

Os tupis da costa já não existem mais; deles só se conhece o que contam os relatos de época, redigidos pelos viajantes em seu regresso. Esses relatos descrevem minuciosamente seus costumes e seus mitos. O mais conhecido destes fala de um dilúvio que o grande deus Tupã teria infligido aos homens que o haviam enfurecido. Toda a humanidade, salvo um casal de irmãos, aí pereceu. De sua união deveria nascer a nova raça humana.

Essa lenda é de difícil interpretação. Os etnólogos estão divididos quanto ao seu significado. Mas nós, que conhecemos esta história, temos nossa idéia sobre isso. E ninguém poderá nos impedir de ver, por trás desses dois heróis do mito, a pista de dois personagens que tanto amamos, tudo o que resta de Just e Colombe.

A PROPÓSITO DAS FONTES DE *VERMELHO BRASIL*

O mais surpreendente nesta história é que ela seja verdadeira. Não que pareça inverossímil: o Renascimento é rico em aventuras mais extraordinárias ainda. O que constitui sua estranheza é o esquecimento quase total em que caiu este episódio da história da França. Por que tais acontecimentos não deixaram praticamente nenhum vestígio na memória coletiva? Sem a mesma glória de um Cristóvão Colombo ou um Marco Polo, os nomes de Jacques Cartier, de Cavelier de La Salle, de Argo, de Dupleix despertam em nós alguns ecos, nem que seja em função das ruas ou praças a eles dedicadas. A Louisiana, as colônias de São Lourenço, a Indochina, Pondichéry soam como lugares de presença francesa; já o Brasil não evoca nada disso, e o nome de Villegagnon caiu num esquecimento total.

Tive pela primeira vez a idéia deste livro quando morava no Brasil há dez anos, e mais precisamente no dia em que visitava, no Rio, um pequeno museu do Centro da cidade chamado Paço Imperial. Essa construção da época colonial portuguesa está hoje asfixiada entre avenidas movimentadas e arranha-céus. É preciso fazer um esforço de imaginação especial para conseguir imaginá-la em seu ambiente original. Para ajudar a mente a se abstrair ainda mais do Rio contemporâneo, o museu havia exposto grandes pinturas que representavam a baía no momento da descoberta. Via-se ali, no lugar dos blocos de concreto de Copacabana, brejos dourados onde voavam socós; as matas intactas da costa substituíam as favelas. Só os morros célebres, entre eles o Pão de Açúcar, que são tudo o que resta hoje de selvagem na baía, eram reconhecíveis.

A evocação poética desses primeiros momentos me atraiu irresistivelmente. Reconheci aí o tema que é minha maior obsessão: o do primeiro encontro entre civilizações diferentes, o instante da descoberta que contém em germe todas as paixões e todos os mal-entendidos futuros. Esse momento efêmero e único encerra uma emoção particular; ainda que diga respeito a sociedades, tem parentesco com o impulso amoroso que pode se apoderar de dois seres quando eles se vêem pela primeira vez.

Infelizmente, na Europa em particular, esses momentos fundadores estão sepultados sob as construções — e as ruínas — da História. Raros são os lugares onde ainda os vemos aflorar. É o que acontece na Etiópia, país que me segurou ao longo de dois livros. Na Ásia Central também, pois o encontro das civilizações parece nada poder construir aí de durável e se renova regularmente com todas as aparências de novidade. Mas em lugar nenhum como na América Latina encontramos próxima, ainda viva, quase visível quando contemplamos as paisagens costeiras, a pista dessa primeira e dramática abordagem, pela qual uma civilização criou raízes em outra. No caso da América Central e Andina, esse contato deu lugar a um confronto sangrento entre sociedades elaboradas, complexas e, em certos aspectos, comparáveis. No Brasil, nada disso se deu: aí o mundo índio era disperso, arcaico, fraco. Em muitos aspectos, o desembarque ocidental deu-se ali no que poderia parecer a natureza virgem. Inicialmente parti nessa direção, esperando descobrir uma espécie de encontro fechado de nossa sociedade com ela mesma, no vazio dessas terras novas.

Ora, esse vazio deveria, ao longo de minhas pesquisas, mostrar-se uma riqueza.

Riqueza de acontecimentos, para começar. Eu achava e receava que essa situação de isolamento fosse estática, pobre de ações, marcada pelo torpor e a dúvida. Ao contrário, eu iria descobrir o caráter extraordinariamente rico desse episódio histórico. Todas as figuras que o povoam são heróicas e romanescas, incrivelmente vivas, com essa vida tão particular no século XVI, cheia de liberdade, de charme, de originalidade. E o que poderia parecer uma aventura distante, isolada do resto do mundo, logo me pareceu como uma extensão além-mar de ganhos históricos fundamentais. Inserida na rivalidade continental da França e do Império, essa tentativa de colonização do Brasil é também um ensaio geral das guerras de religião. Indiretamente, graças a Montaigne, ela está na origem das idéias filosóficas sobre o bom selvagem e o estado de natureza.

Riqueza de textos, em seguida. O esquecimento em que é mantido esse episódio histórico deve-se à recusa em cultivar sua memória e não à ausência de documentos.

Há vários textos contemporâneos disponíveis, escritos mais cedo ou menos cedo pelos próprios protagonistas. A maioria foi reeditada em nossa época; citemos, em relação direta com o acontecimento, as duas obras maiores: *Voyage faict en la terre du Brésil*[1] [Viagem feita à terra do Brasil] (1578), de Jean de Léry, um dos protestantes da expedição de Villegagnon; *Les singularitez de la France Antarctique, autrement nommée Amérique* [As singularidades da França Antártica, alternativamente chamada América] (1557), de André Thevet, cosmógrafo de Henrique II, assim como *Cosmographie universelle*[2] [Cosmografia universal] (1575). Podem-se acrescentar aí os testemunhos indiretos como o de Hans Staden, prisioneiro dos índios antropófagos por vários anos e que conseguiu escapar deles: *Nus, féroces et anthropophages*[3] [Nus, ferozes e antropófagos] (1557). Mas, para além dessas fontes facilmente disponíveis, existe uma vasta literatura de época acessível nos fundos antigos: os numerosos libelos e memórias escritos pelo próprio Villegagnon, a refutação do pastor Richer (cujo próprio título já dá o clima: *La refutation des folles resveries, execrables blasphèmes, erreurs et mensonges de Nicolas Durand, qui se nomme Villegaignon* [A refutação dos loucos devaneios, blasfêmias, equívocos e mentiras de Nicolas Durand, que se intitula Villegaignon]), as cartas dos jesuítas portugueses...

A esta literatura, soma-se uma quantidade considerável de estudos históricos e antropológicos modernos. Citarei, no século XIX, o *Villegagnon* de Arthur Heulhard, as obras de Ch.-A. Julien sobre a colonização das Américas, bem como as publicações contemporâneas de Jean-Paul Duviols[4] e Philippe Bonnichon.[5] Já Jean-Marie Touratier ultrapassou os limites da ficção em seu belo romance *Bois rouge* [Pau vermelho], permanecendo o mais possível próximo das fontes históricas e etnográficas (notadamente nos diálogos na língua tupi).

Na interseção entre o literário e o histórico, deve-se reservar um lugar particular para os trabalhos de uma excepcional qualidade do historiador francês Frank

[1] Reedição Bibliothèque classique Livre de Poche. Texto estabelecido por Frank Lestringant, precedido de uma entrevista com Claude Lévi-Strauss, 1994.

[2] Trechos reeditados *in Les Français en Amérique pendant la deuxième moitié du XVIe siècle* [Os franceses na América durante a segunda metade do século XVI], t. 1, "Le Brésil et les Brésiliens" [O Brasil e os brasileiros], de A. Thevet. Seleção de textos e notas de Suzanne Lussagnet. Introdução de C.-A. Julien, P.U.F., 1953.

[3] Reedição Métailié, 1979. Prefácio de J.-P. Duviols e Marc Bouyer.

[4] Ed. Bordas, 1978.

[5] Ed. France-Empire, 1994.

Lestringant. Especialista em literatura do século XVI, esse autor pôs sua prodigiosa erudição a serviço desse tema muito difícil que é a querela religiosa no Novo Mundo. *Le huguenot et le sauvage. L'Amérique et la controverse coloniale, en France, aux temps des guerres de religion*[6] [O huguenote e o selvagem. A América e a controvérsia colonial, na França, na época das guerras de religião], *Une sainte horreur ou le voyage en Eucharistie, XVIe-XVIIIe*[7] [Um santo horror ou a viagem na Eucaristia, séculos XVI-XVIII], *Le cannibale, grandeur et décadence*[8] [O canibal, grandeza e decadência] são textos imprescindíveis para quem quiser captar o espírito dessa época complexa e fecunda. Lestringant aproxima, compara, explica de modo luminoso e muito inovador. Graças a ele, o personagem de Villegagnon ganhou em complexidade e verdade. Longe de ser, como queria a literatura de combate de cada lado, um protestante renegado ou uma vítima dos huguenotes, Villegagnon torna-se esse "intermediário" para quem a Reforma é antes de tudo um ideal próximo do humanismo, uma tendência a encontrar novamente a fé simples das origens. E é nele que vai se operar a fratura que a seguir quebrará toda a França e todo o século e oporá até a morte as duas facções clericais inconciliáveis. Ressaltarei além disso que, à alegria da compreensão, Frank Lestringant acrescenta o prazer da leitura: embora conformando-se à rigorosa disciplina dos escritos científicos, suas obras são todas magnificamente escritas.

Uma tal abundância de trabalhos consagrados a esses temas produziu em mim um duplo efeito de frustração e paralisia. Frustração, porque, malgrado sua qualidade, nenhuma dessas abordagens correspondia à representação imaginária que eu fazia desses acontecimentos. Nenhuma satisfazia a vontade que eu tinha de contar essa história a meu modo, em ressonância com minha própria vida, minhas idéias, meus sonhos e sobretudo fazendo as ligações necessárias com a época presente. Paralisia, porque um tal atropelo de fatos, de heróis e de obras logo trouxe mais constrangimento que conforto. O que para o historiador é um fim — descrever fatos — para o romancista não é senão um começo: ele deve passar do tema à intriga, dos acontecimentos coletivos às ações particulares. Para isso, precisa de ar, de espaço, em suma, de desconhecido. E sobretudo de emoção.

Nesta história marcada pela política, pela aventura, pela teologia, povoada de guerreiros, fanáticos, traficantes, eu perdera a esperança de descobrir algum dia o

---

[6] Aux amateurs de livres, dif. Klincksieck, 1990.
[7] P.U.F., 1996.
[8] Ed. Perrin, 1994.

estremecimento de um afeto e guardei-a por muito tempo dentro de mim. Precisaríamos sempre nos impor essa digestão, depois da qual vemos com mais clareza. Foi após esse jejum de alguns anos que, um dia, ao abrir novamente o livro de Léry, deparei com estas duas linhas: "No outro (navio) que se chamava *Rosée,* do nome daquele que a conduzia, contendo seis meninos, que levávamos para aprender a língua dos selvagens."

Essas seis crianças arrancadas de seu orfanato para servir de intérpretes no meio de tribos índias me fizeram deixar de chofre o espaço asseptizado da história, as abstrações da política ou da religião. Com elas, vinha a vida, a delas, naturalmente, mas também a minha e a de todo ser humano: pois o que é esse grande drama que sempre encerra a infância, senão um embarque forçado para um mundo assustador cuja língua somos intimados a aprender?

Just e Colombe nasciam e, com eles, *Vermelho Brasil.*

Seu nome, Clamorgan, me foi inspirado por Emmanuelle de Boysson, a quem agradeço. Ela põe em cena em seu livro *Le cardinal et l'hindouiste*[9] [O cardeal e o hinduísta] essa ilustre família na pessoa de Madeleine Clamorgan, fundadora das escolas Sainte-Marie, sua bisavó. Essa família evidentemente nada tem a ver com os fatos contados nesta história, mas esse belo nome hoje raro na França me parecia evocar com toda sua força a tradição dessas famílias ilustradas desde a Idade Média, lançadas com paixão nas guerras da Itália, e cuja pista é encontrada e depois perdida na fundação das sociedades do Novo Mundo.

Finalmente, desejo agradecer por sua leitura atenta e seus conselhos a meu filho Maurice, à Sra. Paule Lapeyre, a Jean-Marie Milou e a Willard Wood, que traduziu magnificamente *L'Abyssin* [O abissínio] para o inglês.

J.-Ch. R.

[9] Albin Michel, 1999.

Este livro foi impresso na
LIS GRÁFICA E EDITORA LTDA.
Rua Felício Antonio Alves, 370 – Jd. Triunfo – Bonsucesso
CEP 07175-450 – Guarulhos – SP – Fone. (0xx11) 6436-1000
Fax.: (0xx11) 6436-1538 – E-Mail: lisgraf@uninet.com.br